Alexandra David-Néel

Vie et voyages

Joëlle
DÉSIRÉ-MARCHAND

Alexandra David-Néel
Vie et voyages

BIOGRAPHIE

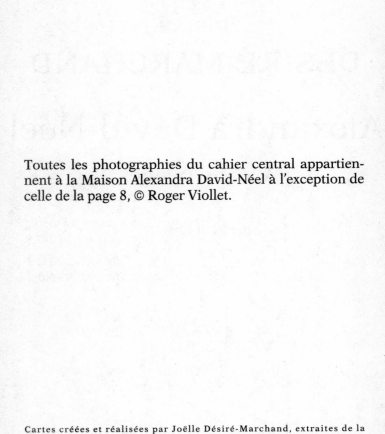

Cartes créées et réalisées par Joëlle Désiré-Marchand, extraites de la première édition parue sous le titre *Les itinéraires d'Alexandra David-Néel*.
© Arthaud, 1996

Seconde édition revue et augmentée sous le titre *Alexandra David-Néel, Vie et voyages, Itinéraires géographiques et spirituels*, Arthaud, 2009.
© J'ai lu, 2011 pour la présente édition

Pour Emmanuel et nos deux filles,
Annabelle et Soline.

« Marche comme ton cœur te mène
et selon le regard de tes yeux. »

L'ECCLESIASTE, XII, 1
Devise d'Alexandra David-Néel

Avant-propos
et remerciements

Cette biographie d'Alexandra David-Néel est une adaptation au format de poche d'un ouvrage plus complet intitulé *Alexandra David-Néel – Vie et voyages*, paru en 2009 (Éditions Arthaud), seconde édition d'un volume initial intitulé *Les itinéraires d'Alexandra David-Néel* (1996). Ces deux versions, illustrées par quarante pages de cartes, sont les seules biographies de référence retraçant de manière détaillée toutes les pérégrinations de l'orientaliste à travers l'Europe, l'Afrique du Nord et surtout l'Asie. Différentes annexes sont présentées en fin de ces volumes : bibliographie, notes, calendrier de voyages, tableau de translittération des toponymes tibétains.

Le format de poche imposait de raccourcir le texte de la biographie originale et de limiter le nombre de cartes et d'annexes. Je n'ai donc conservé que les deux cartes générales. En revanche, un cahier de photographies enrichit cette nouvelle édition. Les lecteurs souhaitant marcher sur les traces de l'exploratrice et disposer de la cartographie détaillée de ses périples sont donc invités à se reporter à l'édition complète de 2009 (celle de 1996 est épuisée).

Le présent livre bénéficie d'informations inédites concernant le personnage d'Alexandra David-Néel. En effet, la transmission toute récente à la Maison Alexandra David-Néel d'une copie de la correspondance de l'exploratrice à sa famille maternelle permet d'affiner la connaissance du personnage. Très discrète sur sa vie privée, nous ne savions pratiquement rien des relations qu'elle pouvait entretenir avec une partie de ses proches, en dehors de son mari.

J'exprime une fois encore ma profonde gratitude envers Marie-Madeleine Peyronnet, dernière collaboratrice de la tibétologue, et Frank Tréguier, directeur de la Maison Alexandra David-Néel qui ont bien voulu mettre à ma disposition ces lettres passionnantes.

Joëlle DÉSIRÉ-MARCHAND
2011

Introduction générale

Alexandra David-Néel (1868-1969) connut une longévité exceptionnelle pour son époque. Enfant sous le
Second Empire, elle suivit avec intérêt les événements
de mai 1968 retransmis par la radio ! « Née voyageuse »,
comme elle se plaisait à le dire, dotée d'une personnalité hors du commun, cette dame audacieuse consacra
la plus belle partie de sa vie à arpenter les immensités
du Tibet, un Tibet largement inexploré car encore très
difficile d'accès et fermé aux étrangers. Son courage, sa
volonté, sa résistance physique mis au service d'un
engagement personnel peu ordinaire, lui permirent d'y
accomplir un exploit en 1924 : pour la première fois,
une femme occidentale réussissait à entrer dans Lhassa,
la capitale interdite. Cet exploit la rendit célèbre dans le
monde entier.

Auparavant, Alexandra avait sillonné l'île de Ceylan,
l'Inde, le Sikkim, le Népal, la Birmanie, le Japon, la
Corée et l'immense Chine. L'ampleur de ses déplacements relève de l'exploit lorsqu'on sait qu'elle voyagea
d'abord seule, puis accompagnée d'un jeune serviteur
tibétain qu'elle adoptera en 1929 : Aphur Yongden.
Celui-ci se dévoua totalement à celle qu'il considéra
comme son maître spirituel autant que comme sa mère
adoptive.

Les épisodes mouvementés, tantôt tragiques, tantôt comiques qui marquent les voyages de ce couple étrange hissent au rang de l'épopée une série d'aventures pittoresques dont la recherche spirituelle ne fut jamais absente. Car, au-delà des récits laissés par la voyageuse plane un message philosophique qui s'adresse au plus profond de l'âme humaine et qui continue à susciter aujourd'hui encore curiosité et enthousiasme. Les périples d'Alexandra David-Néel à travers tant de pays lointains s'inscrivent aussi dans une recherche intérieure : voyages hors des modes, parcours initiatiques, expériences humaines dans leur profondeur et leur noblesse... L'exploratrice a transmis dans ses livres ce qu'elle avait appris au cours de ses voyages. À chacun d'y puiser matière à ses propres recherches et réflexions. Alexandra n'a jamais eu de disciples en Occident, elle n'a jamais voulu jouer le rôle de maître à penser... et pourtant ! Nombreux furent ceux qu'elle inspira et dont elle bouscula les certitudes. Toujours plus nombreux sont ceux qui se passionnent pour ses voyages, pour son personnage, pour son œuvre.

C'est un monde déjà ancien et fort différent du nôtre que nous vous invitons à découvrir en compagnie d'une femme exceptionnelle, un monde qui appartient à l'histoire mais dont le trait d'union avec notre époque reste la quête spirituelle, recherche éternelle des hommes de tous les temps. Nous évoquerons brièvement le contexte historique dans lequel vécut l'orientaliste afin de montrer l'originalité de sa personnalité par rapport à celle des femmes de son temps, l'originalité de son engagement spirituel, l'originalité de sa démarche face à celle des autres explorateurs.

PREMIÈRE PARTIE

LA RÉALISATION TARDIVE D'UNE VOCATION D'EXPLORATRICE : ALEXANDRA DAVID-NÉEL DE 1868 À 1911

Une fillette solitaire et décidée

Une petite Louise Eugénie Alexandrine Marie David voit le jour le 24 octobre 1868 à Saint-Mandé (aujourd'hui dans le Val de Marne), près de Paris : c'est la future exploratrice. Les parents surnomment leur fille « Nini », diminutif d'Eugénie. Le prénom Alexandra ne deviendra usuel que bien plus tard : c'est elle qui le choisira comme nom de scène et de plume lorsqu'elle chantera et écrira ses premiers articles.

L'hérédité maternelle de la petite Louise reste en partie mystérieuse car sa mère, Alexandrine Borgmans, serait née de père inconnu, en Belgique[1]. Une certitude : Alexandrine passa sa jeunesse à Louvain où sa mère s'était remariée avec Ludolphe Panquin. Cette grand-mère d'Alexandra était aussi une enfant adoptée. Plus tard, l'exploratrice expliquera que sa passion des voyages lui viendrait d'une lointaine hérédité asiatique qu'elle ressent au plus profond d'elle-même. Cette fibre nomade qui la poussera vers l'Extrême-Orient reste cependant une supposition :

« Je ne sais pas quel homme était mon grand-père et ce qu'il pensait, ma mère avait trois ans à peine quand il

---

1. *Alexandra David-Néel*, Gilles Van Grasdorff, Pygmalion, 2011 (p. 53).

mourut et ignore tout de lui, car sa mère, remariée, ne lui en parlait jamais. Ma mère elle-même adorait son beau-père qui la gâtait tout comme ses propres enfants et n'a jamais eu la curiosité de se livrer à des investigations bien profondes au sujet de la mentalité de son père. [...] Peut-être avait-il hérité, lui, l'âme de sa mère asiatique, peut-être que non, et celle-ci a-t-elle attendu jusqu'à moi pour revivre. Mystère ! Mais rien n'y fait ; d'être née de gens paisibles comme mes parents, d'avoir été élevée pour être paisible comme eux, d'avoir vécu dans les villes d'Occident si longtemps, rien n'y fait... mon "home" est ailleurs. »

Lettre du 6 juillet 1917. Kyoto.

À la naissance de sa fille, Mme David, catholique dévote au visage austère (si l'on en juge par son portrait conservé aux archives de la Maison Alexandra-Néel) a 36 ans. Son mari, Louis David, originaire de Touraine est âgé de 53 ans. Il descend d'une famille protestante. Fils d'instituteur, instituteur lui-même au début de sa vie professionnelle, il a quitté l'enseignement pour le journalisme, activité qui lui permet d'exprimer ses idées socialistes. Alexandra rappellera que son père fut exclu de l'enseignement par l'évêque de Tours à cause de ses engagements politiques. Militant républicain, opposé à l'autorité de Louis Napoléon Bonaparte, il a été exilé à la suite du coup d'État du 2 décembre 1851. Choisissant la Belgique, il s'y est marié en 1853 avec Alexandrine Borgmans avant de rentrer en France dès l'amnistie accordée aux proscrits. À la naissance de sa fille, Louis David se déclare « sans profession[1] ». Depuis 1859, les David sont installés au 57, cours de Vincennes, à l'est de Paris.

Le contexte historique des premières années de la vie d'Alexandra mérite d'être rappelé brièvement, car Louis David, passionné de politique, ne manqua pas

_____

1. Acte de naissance d'Alexandra David-Néel (Archives de la Maison A. David-Néel).

16

d'instruire son enfant sur la dureté des répressions gouvernementales de l'époque. Le Second Empire est à bout de souffle. La guerre déclarée à la Prusse le 19 juillet 1870 entraîne l'écroulement brutal du régime. La petite « Nini » est alors âgée de deux ans.

La République est proclamée le 4 septembre 1870. Les troubles politiques perdurent cependant car la population est divisée sur la suite à donner à la guerre : le peuple de Paris, qui a tant souffert du siège de la capitale, souhaite la poursuite des combats et réclame plus de justice sociale. Devant l'hostilité grandissante des masses parisiennes, Thiers transfère le gouvernement à Versailles. Les Parisiens élèvent des barricades. Paris est aux mains des insurgés. La Commune proclame la séparation de l'Église et de l'État, la lutte des classes, la laïcité des écoles publiques. Le gouvernement réagit le 21 mai 1871 en envoyant les troupes contre les insurgés. La Commune s'achève dans un bain de sang qui fera 30 000 victimes. Les derniers Communards sont exécutés au pied d'un mur, au cimetière du Père-Lachaise. Ce drame représente le premier contact d'Alexandra avec l'histoire :

« Après la fusillade, alors que hâtivement on entassait les cadavres dans les tranchées creusées à cette intention » (Lettre du 19 mars 1913), Louis David mène sa petite fille de deux ans et demi auprès de ce mur. L'intellectuel idéaliste, le sympathisant des mouvements populaires, l'ancien proscrit, l'ex-maître d'école voit à nouveau sombrer ses espoirs dans les progrès sociaux. Bouleversé par l'horreur de la situation, il ne veut pas que son enfant s'enferme dans les mêmes illusions que lui. Voilà pourquoi il s'empresse de montrer à la fillette cet endroit terrible qui sera surnommé plus tard le « mur des Fédérés ».

Alexandra sort-elle indifférente, effrayée, traumatisée « par la férocité humaine » ? Nous ne le saurons jamais.

Cependant, « une vague vision » lui restera toujours en mémoire : elle en fera part à son mari dans sa lettre datée du 19 mars 1913 écrite à Bénarès. Nini retiendra la leçon de son père dont elle resta toujours proche. C'est peut-être ce jour-là qu'elle commença à prendre du recul avec le genre humain, point de départ du long trajet en solitaire que sera sa vie.

Mme David, quant à elle, semble être restée sur la déception de n'avoir pas donné naissance à un garçon : elle rêvait d'un fils qui serait devenu... évêque[1]. Les sentiments ne se commandent pas : Alexandrine n'aime pas sa fille. Celle-ci en gardera toute sa vie une profonde amertume, perceptible dans les mots très durs qu'elle emploie toujours pour parler de sa mère, « cette pauvre femme dont la déception n'a su se muer qu'en rancune et en méchanceté contre l'enfant très innocente de sa déconvenue[2]. »

Ayant quelque fortune dans la mercerie-bonneterie, cette maman sévère s'intéressait davantage au prix des marchandises et aux offices religieux qu'aux rêveries romantiques. Ce qui ne l'empêchait pas de lire des romans d'aventures, tels ceux de Fenimore Cooper, évasion bien anodine d'une femme frustrée dans sa personnalité par le puritanisme de son époque et le poids culturel d'une Église hostile aux plaisirs de la vie.

Nini arrive au foyer de ses parents quinze ans après leur mariage. « Mes parents : deux statues qui sont restées plus de cinquante ans en face l'une de l'autre, aussi étrangères maintenant que le premier jour de leur rencontre, toujours fermées l'une à l'autre, sans aucun lien d'esprit et de cœur », écrira Alexandra dans sa lettre du

---

1. Marie-Madeleine Peyronnet : *Dix ans avec Alexandra David-Néel*, Paris, Plon. Rééd. Fondation A. David-Néel. 1973, 2005.
2. Lettre du 24 août 1905.

11 novembre 1904. L'exemple de ce couple austère et froid la dégoûtera à jamais de la vie conjugale.

Après les événements de la Commune, Nini passe les vacances de l'été 1871 en Touraine, chez sa grand-mère paternelle. Profitant d'un instant d'inattention des « grandes personnes », elle s'échappe du jardin familial pour voir de plus près la route si mystérieuse qui passe devant la grille. Goût précoce de l'aventure ? « Le jardin était vaste ; j'aurais pu y exercer amplement l'activité de ma toute petite personne, mais l'"au-delà" me fascinait déjà », rappellera Alexandra dans l'un de ses livres.

La République s'installe peu à peu dans la paix retrouvée. Deux tendances se manifestent dans le pays : une France de la tradition et de l'ordre moral soutenue par l'Église très influente, une France progressiste et anticléricale penchant vers le positivisme et la morale laïque. La franc-maçonnerie, à laquelle appartient Louis David, joue un grand rôle et regroupe des représentants de la moyenne et petite bourgeoisie ainsi que quelques dirigeants politiques.

Nini, âgée de cinq ans, donne une nouvelle preuve de sa volonté d'indépendance en s'échappant une deuxième fois… pour explorer le Bois de Vincennes. Pour elle, il s'agit vraiment d'une « exploration » motivée par la curiosité. Mais ne serait-ce pas une véritable fugue ? Car la famille a maintenant les yeux et le cœur tournés vers un petit frère né le 26 janvier 1873. Le petit frère décède à l'âge de six mois et Nini retrouve sa place d'enfant unique.

La fillette aime la nature, surtout les arbres et les promenades dans le Bois de Vincennes, elle vibre au Guignol des Champs-Élysées… Parallèlement, elle commence l'étude la musique et apprend à lire avec fougue. Elle se passionne pour les récits de voyages et les aventures imaginaires de Jules Verne, auteur qu'elle n'oubliera jamais et auquel elle fera souvent référence[1]. Son père lui a offert un atlas : les cartes géographiques et les noms étrangers de contrées lointaines la font rêver.

Alexandra a six ans lorsque ses parents décident de retourner en Belgique. Les David s'installent au sud de Bruxelles, à Ixelles, commune aujourd'hui intégrée à la capitale de la Belgique. Ils ont déménagé plusieurs fois avant de se fixer au 105, rue Faider dans une maison qui existe toujours. C'est à Ixelles qu'Alexandra passera sa jeunesse.

> « Dans la maison de mes parents, menue fillette de six ans, je m'absorbais pendant de nombreuses heures dans la lecture des récits de voyages de Jules Verne. Leurs héros peuplaient de leurs exploits mes rêveries enfantines. [...] Ma résolution était prise... Comme eux, et mieux encore si possible, je voyagerais !... »
>
> *L'Inde où j'ai vécu*. Préface.

Beaucoup plus tard, juste avant la mort de son père en décembre 1904, elle reviendra dans ce même décor et les souvenirs jailliront : « Tout le passé triste revit pour moi entre les meubles familiers témoins de ma misérable jeunesse... Je passe mes nuits à pleurer devant ces mêmes meubles qui ont vu mes précoces désespoirs de fillette[2]. »
Alexandra est âgée de trente-six ans lorsqu'elle écrit ces lignes chargées du poids douloureux d'une jeunesse qui l'a meurtrie et qu'elle n'a pas oubliée.

---

1. Joëlle Désiré-Marchand : *Une lectrice passionnée de Jules Verne : l'exploratrice Alexandra David-Néel*. J.V. – Bulletin du Centre de Documentation Jules Verne – Amiens, n° 13, 1990, p. 16-34.
2. Lettre du 10 décembre 1904.

Le stoïcisme d'une jeune fille
éprise d'évasion

À Ixelles, les David mettent leur fille en pension comme beaucoup de parents du XIXᵉ siècle. Le premier établissement est une école calviniste et austère où elle reste jusqu'à l'âge de dix ans. Puis, comme l'enfant y perd la santé d'une manière inquiétante, sa mère l'inscrit dans un pensionnat catholique plus « douillet » : le Couvent de « Bois Fleuri ». Dans une lettre envoyée à sa famille belge, Alexandra évoquera le « pensionnat des Demoiselles Van der Elst, rue de la Vanne[1] ». Quelques souvenirs de cette époque sont rapportés avec humour dans *Le Sortilège du mystère*.

L'horizon de la fillette, puis de l'adolescente, se réduit donc le plus souvent aux murs de son établissement scolaire. Ses parents restaient des mois sans venir la chercher, parfois même une année entière[2] !

Alexandra assume sa solitude et, puisqu'elle doit se débrouiller dans la vie, ce sera avec fierté, ne serait-ce que pour montrer aux adultes qu'elle existe et qu'elle n'est pas n'importe qui ! Beaucoup plus tard, on lui

---

1. Lettre d'Alexandra David-Néel à Maurice et Pauline Panquin. 3 janvier 1954. (Correspondance inédite).
2. Information fournie par Marie-Madeleine Peyronnet, dernière secrétaire d'Alexandra David-Néel.

reprochera son immense orgueil et son incapacité d'aimer : ces deux traits de caractère, indiscutables, proviennent sans doute largement de cette jeunesse passée dans l'isolement affectif, un isolement renforcé encore par l'expérience de « l'enfermement » dans un pensionnat : « Moi, je n'ai rien eu, rien qu'un orgueil qui était mon refuge, qui me tenait lieu de tout. » (Lettre du 27 septembre 1904.) Compte tenu de son tempérament étonnamment fort et de ses capacités intellectuelles, le mode d'éducation reçu par Alexandra l'éloigna de toute sentimentalité et la conduisit à s'épanouir d'une part dans un individualisme farouche, d'autre part dans le domaine spirituel.

Rappelons qu'à la fin du XIXe siècle, l'enfant est loin d'occuper la place qui est la sienne aujourd'hui dans la société occidentale. Faute des moyens modernes en matière de contraception, d'hygiène et de soins, les naissances sont nombreuses et beaucoup d'enfants meurent en bas âge. Les parents sont souvent moins attachés à leur progéniture, et les dures conditions de vie font qu'il n'est pas rare que de jeunes enfants soient abandonnés à eux-mêmes. Les romans de l'époque montrent quantité de ces personnages poignants : Poil de carotte de Jules Renard, Cosette de Victor Hugo, les héros de Sans famille d'Hector Malot, Oliver Twist ou David Copperfield de Dickens...

L'enfant réfléchie qu'était Alexandra connaît rapidement des tourments d'ordre psychologique et spirituel suffisamment intenses pour orienter définitivement sa vie d'adulte. La psychologie contemporaine a montré le rôle essentiel de l'enfance dans le développement de la personnalité, surtout en ce qui concerne le domaine affectif : le cas d'Alexandra semble particulièrement édifiant à ce sujet.

22

Vers l'âge de sept ou huit ans, sans doute encouragée par son père, la fillette abandonne la religion catholique pour adhérer à l'Église Réformée, ce qui ne l'empêche pas d'être admise au couvent catholique de « Bois Fleuri » quelques années plus tard. Elle se plonge avec délices dans tous les ouvrages religieux et philosophiques qu'elle rencontre : « L'habitude de philosopher depuis que j'ai treize ans m'a créé un esprit très à part. » (Lettre du 13 décembre 1912.) D'elle-même elle approfondit la lecture de la Bible, dont certains livres répondent mieux que d'autres à ses aspirations. Ce n'est pas tellement le mystérieux poème d'amour du Cantique des Cantiques qui retient son attention, que L'Ecclésiaste, dont les pages contiennent toute la sagesse de l'humanité : « Vanité des vanités, dit l'Ecclésiaste, vanité des vanités, tout est vanité. » (I-1, 2.) Un peu plus loin, Alexandra est séduite par le premier verset du deuxième chapitre dont elle fera un jour sa devise : « Marche comme ton cœur te mène et selon le regard de tes yeux. » (XII-1.) Elle médite sur ces idées essentielles tout en étudiant les différentes tendances et sectes du christianisme, celle des Vaudois par exemple. Notre jeune héroïne a alors douze ans, nous sommes en 1880. À cette époque, l'Église joue un rôle essentiel dans la vie des États aussi bien en Belgique qu'en France. Élève d'un établissement religieux, Alexandra est parfaitement représentative de son temps.

Dans cette ambiance de dévotion, elle se laisse gagner par une vague de mysticisme : rien de plus normal pour une préadolescente laissée à ses propres réflexions. Prête à accueillir cette « sensation de l'éternel », ce « sentiment océanique » décrit par Romain Rolland, Alexandra recherche le contact direct avec l'absolu, s'élevant ainsi au-dessus de la misérable condition humaine. La voici même tentée par la vie monastique... mais une visite au Carmel, où son ancienne gouvernante avait pris le voile, l'en dissuade rapidement : « Le mystère ne doit pas être approché si l'on veut que son sortilège subsiste. » *(Le sortilège du mystère.)* Elle n'est pas faite pour la vie de recluse, même si des années plus tard, elle éprouvera une joie infinie à vivre dans un ermitage... ouvert, il est vrai, sur l'un des paysages les plus grandioses de la planète : les contreforts de l'Himalaya !

L'expérience directe du mysticisme n'est-elle pas le moyen le plus orgueilleux de dépasser la médiocrité de la condition humaine ? La quête spirituelle chez Alexandra procède, dès l'enfance, de cette démarche. Éprouvant la plus grande humilité devant l'Absolu qu'elle nomme encore Dieu, elle ne peut se départir d'un immense orgueil vis-à-vis de ses semblables. Elle s'incline devant le sacrifice de Jésus mais elle a déjà constaté le caractère à la fois mesquin et impitoyable de l'humanité. Elle ardera cette attitude durant toute sa vie, l'écrivant de fort belle manière à son mari le 23 septembre 1906 :

> « Si la stupidité, l'indignité de la plupart m'ont donné en face des hommes un grand orgueil de moi-même, je change de ton dans le secret de mon âme et le publicain qui se tenait à l'entrée du Temple n'osant s'avancer et se frappant la poitrine était un monument d'orgueil à côté de ce que je suis. »

Lorsqu'elle étudie les croyances religieuses, Alexandra doit « les inventorier, en trouver le sens, en discuter [...] le bien fondé » *(Le Sortilège du mystère.)* Elle cherche à comprendre, elle réfléchit, elle raisonne... attitude peu compatible avec l'adhésion totale que requiert la foi. Alexandra n'est pas faite pour la vie religieuse, Alexandra ne fait pas don de sa personne, Alexandra ne se donnera jamais ni à Dieu ni à quiconque.

Toutes les doctrines religieuses, para-religieuses ou pseudo-religieuses l'intéressent cependant. Une amie de pension lui fait découvrir le bulletin d'une secte[1] d'origine orientale, La Gnose Suprême, dont le siège est installé à Londres. Les théories présentées semblent suffisamment étranges pour aiguiser la curiosité d'Alexandra.

Ouverte à toutes les connaissances, elle se plonge avec autant de passion dans la philosophie des Anciens, en particulier celle des Stoïciens : « Ne pas souffrir ; c'est là, me semble-t-il, la grande, l'importante affaire », écrira un jour Alexandra à son mari (Lettre du 23 mars 1913), lui rappelant qu'elle s'y emploie depuis sa petite enfance, « d'instinct ». Tel est donc le but des recherches de notre philosophe en herbe : trouver une théorie à la fois satisfaisante sur le plan intellectuel et applicable dans la réalité quotidienne, pour éviter la souffrance qu'elle craint au plus haut point dans son âme d'adolescente.

Épictète fut l'un des représentants les plus prestigieux de cette École. Ancien esclave, il vécut dans un dépouillement volontaire propice aux méditations qui firent de lui un sage et un maître à penser réputé. Son *Manuel* influença profondément Alexandra. Épictète distingue deux types d'éléments dans l'existence : ceux qui dépendent de nous (nos jugements, nos tendances, nos désirs, nos aversions) et ceux qui ne dépendent pas de nous (notre corps, la richesse, la célébrité, le pouvoir…). Les premiers doivent être reconnus, acceptés et maîtrisés, les seconds doivent nous laisser indifférents. La raison seule doit guider notre comportement. Alexandra trouvait là un guide spirituel digne de ses aspirations et de ses ambitions intérieures.

---

1. Au XIXᵉ siècle, le terme « secte » ne possédait pas le sens péjoratif qu'il véhicule aujourd'hui.

À l'exemple de Marc-Aurèle, dernier grand représentant de l'école stoïcienne, elle écrit ses pensées dans des carnets : « Soyons victorieux de nous ; étouffons jusqu'au désir d'un bonheur terrestre et nous trouverons le vrai bonheur dans l'étude, dans une conscience pure et dans l'union avec Dieu. » (Extrait de *La Lampe de Sagesse*.)

Dans les premières pages du livre intitulé *Sous des nuées d'orage*, Alexandra rappelle que, s'inspirant de biographies de « saints ascètes », elle s'exerçait « secrètement, à un bon nombre d'austérités extravagantes : jeûnes et tortures corporelles » et couchait sur « un lit de planches ». « L'esprit, pensais-je, devait mater le corps et s'en faire un instrument robuste et docile propre à servir ses desseins, sans faillir. » Elle pratique ces exercices avant même d'avoir quinze ans. Le confort, la coquetterie, ces préoccupations considérées traditionnellement comme typiquement féminines, la laissent indifférente.

Il s'agit donc de discipliner le corps autant que l'esprit, et le stoïcisme semble être un moyen bien plus qu'un but spirituel, car Alexandra ne perd jamais de vue son principal objectif : voyager !

« Mon second "départ" eut lieu dix ans plus tard. Je profitai, pour m'esquiver, de la liberté plus grande dont je jouissais pendant une villégiature au bord de la mer du Nord et, durant quelques jours, je parcourus à pied la côte belge, passai en Hollande et m'y embarquai pour l'Angleterre. Je ne rentrai qu'après avoir épuisé le contenu de ma bourse de fillette. »

Sous des nuées d'orage.

Alexandra a 15 ans au moment de cette deuxième "fugue" (selon son propre terme). Ses parents ont alors l'habitude d'aller en villégiature près d'Ostende, à Mariakerke. Si notre héroïne est partie de cette station, cela signifie qu'elle a parcouru au moins 50 kilomètres à pied le long de la côte, franchissant la frontière néerlandaise au nord de Knokke, puis traversé l'estuaire de l'Escaut occidental avant d'embarquer à Flessingue (Vlissingen). Cette traversée maritime, donne à l'Angleterre l'allure attirante de pays lointain : expérience passionnante pour une future voyageuse, et surtout véritable aventure ! Car peut-on imaginer, en cette fin de XIXᵉ siècle, une jeune demoiselle de bonne famille circulant sans son chaperon ? La rebelle Alexandra se moque bien des convenances.

Forte de cette expérience réussie, elle récidive deux ans plus tard, donc à dix-sept ans, vers une autre destination et cette fois par le train : « Un train m'amena en Suisse, je traversai le Saint-Gothard, à pied, et gagnai l'Italie, préludant, sans m'en douter, aux longs voyages pédestres que je devais effectuer, plus tard, en Asie. » (*idem.*) À court d'argent, elle finira par appeler sa mère qui viendra la chercher sur les bords du Lac Majeur... Peu importent les remontrances qui s'ensuivent : Alexandra garde au cœur la joie immense de la liberté, du grand air et de la découverte d'horizons nouveaux. La jeune fille testait sa résistance physique, ses aptitudes à la survie en milieu étranger, sans douter un seul instant d'elle-même. Elle voyageait comme les héros de son enfance, la longueur et la durée des escapades étant directement proportionnelles au volume de sa bourse.

Jusqu'à quel âge poursuit-elle ses études générales ? Nous l'ignorons. Après le pensionnat, Alexandra aurait commencé une formation d'infirmière bien qu'elle eût souhaité se lancer dans celles de médecine. Aussi étonnant que cela puisse paraître, elle s'est inclinée devant l'opposition de sa mère pour qui la médecine n'était pas une affaire de femmes[1].

---

1. Lettre d'A. David-Néel au Professeur d'Arsonval. Chengtu. 30 octobre 1939.

La jeune fille devient membre d'une œuvre charitable et passe une partie de son temps dans les hôpitaux de Bruxelles : « Je fais des visites de charité à l'hôpital St-Jean. Je suis toujours intensément religieuse et unitarienne[1]. » Alexandra au service des malades ? On a peine à le croire... Rêvant de voyages, elle aurait certes pu s'illustrer sur le terrain des armées ou sur celui des colonies, mais elle manquait singulièrement de cet altruisme qui porte à placer son énergie au service des autres. Alexandra n'a rien d'une Florence Nichtingale.

Notre héroïne ne sait pas trop vers quelle voie s'orienter. Elle a la chance de pouvoir hésiter car dans un milieu moins ouvert et surtout moins fortuné, son avenir aurait été décidé par ses parents.

Madame David essaie d'intéresser sa fille au commerce des tissus en la faisant admettre, comme stagiaire dirions-nous aujourd'hui, dans un magasin lié à ses propres affaires. L'expérience se solde par un échec.

À 18 ans, Alexandra décide soudain de devenir artiste lyrique : l'idée lui vient un soir en assistant à un spectacle en compagnie de sa mère ! Notre héroïne prenait des cours de piano depuis son enfance car il était de bon ton dans les familles bourgeoises qu'une jeune fille apprenne le chant et la pratique d'un instrument autant que la broderie ou le dessin. Mais Alexandra est alors une sensitive passablement exaltée, elle aime la musique non pas comme expression d'un art ordonné, codifié et structuré, mais comme vecteur de sons magiques propres à éveiller mille sensations troublantes dans son corps d'ingénue. Un concert la transporte dans un

---

1. Extrait d'un carnet de 1960 : Alexandra a 92 ans lorsqu'elle se remémore sa jeunesse bruxelloise.

monde de rêve qu'elle quitte à regret, toute frissonnante et bouleversée :

> « L'art, pensai-je, me ferait une vie à côté de la vie ; une existence aussi belle, aussi grande que l'autre est mesquine et basse... Par lui, j'irais, messagère d'idéal, portant de par le monde l'oubli passager des vulgarités quotidiennes, l'heure de rêve où les cœurs battent, où les âmes s'ouvrent en l'illusoire domaine où se contentent les aspirations secrètes, les élans refrénés : tout ce qu'il y a de beauté, de grandeur en l'esprit humain !... »

Le Grand Art, Alexandra Myrial (pseudonyme d'Alexandra David-Néel).

Avec beaucoup de difficulté, elle obtient l'autorisation de ses parents de s'inscrire au Conservatoire Royal de Musique de Bruxelles. En 1889, après trois années d'études, Alexandra obtient un premier prix de « chant théâtral français ». C'est le seul diplôme que nous lui connaissons.

La voie difficile
d'une femme résolue

Les profondes mutations économiques qui caractérisent la fin du XIXᵉ siècle obligent la société à évoluer et la place de la femme donne lieu à des controverses enflammées ainsi qu'à des mouvements sociaux et politiques de plus en plus amples. Cependant les mentalités restent lourdement ancrées dans la ligne des traditions, et le devenir des fillettes se calque le plus souvent sur le modèle maternel. Comme ce fut le cas pour les générations précédentes, le destin des jeunes filles de la bonne société se borne encore généralement à deux options, choisies d'ailleurs par les parents : le mariage ou le couvent. L'indomptable Nini choisit une troisième voie : celle de la liberté, voie ô combien difficile et téméraire...

Admirable Élisée Reclus qui prône l'égalité entre les deux sexes à une époque où les ouvriers déclenchent une grève lorsqu'une femme se fait embaucher, à une époque marquée par l'influence de penseurs antiféministes aussi éminents qu'Auguste Comte, Jules Michelet ou Proudhon, à une époque où les femmes doivent se battre pour obtenir le droit à l'enseignement secondaire et supérieur, à une époque enfin où la très puissante Église ne leur accorde que trois statuts honorables : celui d'épouse soumise, celui de mère et celui de

servante… les trois allant de pair, bien entendu. L'abnégation féminine est quasiment élevée au rang de loi de la
nature !

Il n'est pas question pour Alexandra de se glisser dans
le cortège des femmes victimes d'une oppression mentale d'autant plus sournoise qu'elle est présentée comme
naturelle. La future exploratrice refuse par avance l'idée
de fonder un foyer qui l'enchaînerait. Elle ne croit pas à
l'amour ou refuse d'y croire : Le « vaste emportement
d'aimer » célébré par l'insatiable Victor Hugo lui semble un redoutable piège dans lequel elle ne veut pas se
fourvoyer. Alexandra estime n'avoir pas encore terminé
ses études. Son prix de chant lui fait plaisir certes, mais
la philosophie et la recherche spirituelle la motivent
davantage, et elle sait que dans ces domaines elle a
encore beaucoup à apprendre. Avec l'appui de son père,
Alexandra poursuit donc à son gré une formation toute
personnelle dans les branches qui l'intéressent.

La rigidité des dogmes chrétiens, la toute puissance de
la hiérarchie catholique, le rôle mineur réservé aux
femmes, la bigoterie et l'étroitesse d'esprit de nombreux fidèles l'ont peu à peu éloignée de la religion de sa
jeunesse. Alexandra ne rejette pas le Christ, elle ne le
rejettera d'ailleurs jamais : c'est l'Église bâtie par les
hommes comme une forteresse au service des États
tout autant qu'à celui d'un Dieu opportunément terri-
fiant qu'elle renie. Où est l'amour de Jésus dans une telle
Église ?

En cette fin du XIXᵉ siècle, le christianisme est la religion établie d'un vieux monde sclérosé par les préjugés
d'un puritanisme étroit et autoritaire. Alexandra a
besoin d'exotisme, d'espace, de découvertes. L'orientalisme, qui connaît alors une grande vogue, lui apporte le
dépaysement qu'elle attend. Les religions orientales

proposent une vision cosmique qui lui plaît : elle sent qu'il y a là un univers spirituel extrêmement riche à étudier. Une certaine dimension ésotérique l'attire aussi. Les Indes la font rêver : un projet de voyage germe déjà dans son esprit.

Le subcontinent indien fait partie de la Couronne britannique depuis 1858 et la Reine Victoria (1819-1901) porte le titre d'Impératrice des Indes depuis le 1er janvier 1877. Douée d'un sens aigu des réalités, Alexandra décide que la première chose à faire est donc d'améliorer sa connaissance de la langue anglaise. Avec l'indispensable soutien financier de ses parents, elle part pour l'Angleterre, embarquant une nouvelle fois à Flessingue plutôt qu'à Ostende... pour le plaisir « d'allonger » son voyage ! « Merveilleusement seule », elle savoure ces heures de navigation avec un plaisir infini. Un tel comportement n'étonne plus aujourd'hui, mais il était d'une rare audace en 1889, en ce temps où l'esprit d'indépendance était encore interdit aux filles !

Alexandra ne part pas à l'aveuglette, elle a organisé son séjour de manière précise. Par l'intermédiaire de son ancienne amie de pension, Margot, elle était entrée en relations avec Mrs Morgan, adepte de la Gnose Suprême. La secte possède à Londres un club offrant salles de réunions, bibliothèques et surtout chambres d'hôtes. C'est là que notre voyageuse va loger pendant plusieurs mois, séjour capital qu'elle nous relate avec beaucoup d'humour dans le premier chapitre du *Sortilège du mystère*. Personnages pittoresques et anecdotes drolatiques s'y succèdent dans une atmosphère d'occultisme très typée. Ce petit monde « extravagant » mais sympathique intéresse Alexandra, mais elle ne se laisse pas impressionner.

N'oublions pas que l'occultisme et le spiritisme firent fureur à cette époque. Ils se rattachaient au vaste mouvement qui se développa en réaction contre les excès du matérialisme scientiste prôné en France par Auguste Comte. À l'affût des manifestations d'un hypothétique au-delà, Alexandra est donc parfaitement dans le vent ! Profitant de tous les avantages qui lui sont offerts, notre demoiselle passe de longs moments dans la « captivante » bibliothèque de la société, où elle consulte tout à loisir les traductions de nombreux ouvrages philosophiques et religieux des Indes et de la Chine. Elle fréquente aussi la riche bibliothèque du British Museum et, par ailleurs, fait connaissance avec différents membres d'une autre société, la Société Théosophique.

Cette association internationale, fondée en 1875 à New York par Helena Petrovna Blavatsky et le colonel Henry Steele Olcoot, avait installé son quartier général en Inde, à Adyar, près de Madras, en 1882[1]. L'association s'était fixé trois objectifs : prouver que toutes les religions du monde se valent, promouvoir l'étude des littératures et des religions de l'Orient, étudier les sciences occultes et développer les pouvoirs psychiques de l'individu. Mais trop d'extravagances et d'abus flagrants nuisirent rapidement à la réputation du groupe. Alexandra garda ses distances vis-à-vis de la Société à laquelle elle adhéra néanmoins dès 1892... dans un but utilitaire, comme nous le verrons plus loin. Elle y nouera de fidèles amitiés.

Durant ce séjour Alexandra commence à étudier sérieusement les philosophies orientales. Elle découvre les traductions des textes de l'Inde ancienne, l'immense littérature sacrée des Veda et Vedânta, les gigantesques poèmes épiques de la mythologie indienne et certaines œuvres des philosophes de la vieille Chine comme

---

1. N. Richard-Nafarre : *Helena Blavatsky ou la Réponse du Sphinx*, Paris, François de Villac, 1991.

Mo-Tse ou Yang-Tchou... dont elle publiera des extraits commentés quelques années plus tard. Notre héroïne est ravie : elle étudie à sa guise ses sujets favoris dans un cadre idéal et sans la moindre contrainte.

Pour notre jeune voyageuse, les sociétés à caractère ésotérique furent un moyen d'entrer en contact avec certains milieux de l'orientalisme. Car, en dehors de ces sociétés plus ou moins sérieuses, ce domaine restait celui d'érudits et de spécialistes dont les ouvrages, guère accessibles, n'étaient pas destinés au grand public, fût-il cultivé. Alexandra est la première à regretter l'absence d'ouvrages de vulgarisation et l'un de ses buts sera justement d'en écrire.

> « Parmi toute cette littérature l'on en est à chercher le manuel simple, élémentaire, dirai-je, propre à satisfaire le lecteur désireux de s'éclairer mais disposant d'un temps restreint et ne possédant aucune culture spéciale préparatoire. »

Le Modernisme Bouddhiste et le Bouddhisme du Bouddha, 1911.

Tout en se familiarisant avec la langue anglaise par des entretiens quotidiens avec une Londonienne qu'elle a engagée pour cela, elle étudie les traductions d'ouvrages orientaux et en recopie de larges extraits. Certains textes sont édités dans les langues vernaculaires du nord et du sud de l'Inde, d'autres le sont dans la langue sacrée originelle : l'aspirante orientaliste comprend qu'il lui faudra étudier le sanscrit si elle veut pénétrer l'esprit même des documents originaux. Ce sera son prochain objectif : pour l'atteindre, elle choisit sa ville natale, Paris.

La veille de son vingt et unième anniversaire, Alexandra se trouve à Assche, en Belgique. Le 23 octobre 1889 elle écrit dans son carnet : « La loi me donne, dès demain, la libre disposition de ma personne et de ce qui m'appartient. Il y aurait honte à moi de ne pas m'émanciper, aussi, et de rester sous la tutelle de mes passions et de mes habitudes. » Majorité signifie indépendance et responsabilité civile ; une nouvelle vie commence pour Alexandra qui entend bien en profiter. Ses parents s'inclinent devant sa volonté de se rendre à Paris.

Elle ne connaît personne là-bas, mais grâce à la recommandation de Mrs Morgan, la branche française de la Société Théosophique accepte de mettre un logement à sa disposition. À la différence de son homologue londonien, le club parisien se révèle inconfortable, sans distinction, sans cordialité et surtout sans intérêt sur le plan spirituel. Néanmoins le logement est là, peu onéreux, et la voyageuse s'y installe pour un séjour parisien qui durera trois ans, fertile en expériences de toutes sortes, plus ou moins heureuses, plus ou moins réussies.

De 21 à 23 ans, Alexandra partage son temps entre la fréquentation des milieux occultistes, les cours de civilisations et de langues orientales, le tout agrémenté par des moments de « ravissement » savourés au musée Guimet alors tout neuf.

La « religion spirite » s'étant répandue comme une traînée de poudre sur le vieux continent, Alexandra ne tarde pas à se faire admettre dans quelques cercles parisiens. Occultistes, spirites et autres adeptes de la parapsychologie se réunissent en général le soir et les séances se prolongent tard dans la nuit. Une faune disparate en quête de phénomènes étranges se trouve ainsi assemblée sous l'œil foncièrement curieux de notre héroïne : adeptes sincères et naïfs, aristocrates en mal de sensations nouvelles, mystificateurs prêts à toutes les supercheries, sectataires farfelus… Alexandra évolue dans ce milieu en gardant la tête froide, assistant à de multiples réunions et séances nocturnes, nouant des relations qui peuvent lui être utiles, essayant de démêler le vrai du faux, la part d'imaginaire et de duperie dans des manifestations ou des attitudes qui tournent parfois au grotesque (voir *Le Sortilège du mystère*).

Dans la journée, Alexandra suit divers enseignements au Collège de France et à l'École des Hautes Études. Elle assiste aux cours mais ne passe aucun examen. Si ce statut d'étudiante libre est habituel au Collège de France, rien ne l'empêcherait de suivre un cursus universitaire complet à la Sorbonne, comme le fait alors Marie Curie et comme le feront de plus en plus de jeunes femmes. Ce n'est pas la voie qu'elle choisit. Comme les intellectuels anarchistes, elle estime que la culture est une acquisition personnelle n'ayant aucunement besoin de la reconnaissance officielle que sont les diplômes. Ce faisant elle commet une erreur « stratégique » qui lui coûtera cher : le milieu universitaire ne reconnaîtra jamais ses travaux.

Sous la IIIe République, les ministres chargés de l'instruction accordent à l'histoire une place privilégiée dans l'enseignement supérieur car c'est un excellent moyen de développer la conscience patriotique des jeunes gens. Les cours suivis par Alexandra présentent eux aussi les civilisations orientales sous un angle essentiellement chronologique et événementiel. Mais la jeune femme n'a pas la rigueur d'une historienne, ni surtout l'indispensable goût du passé. Ce qui l'attire, ce sont les croyances et les pratiques actuelles ; c'est la spiritualité du monde oriental contemporain ; c'est l'approfondissement d'une religion qui répond à ses aspirations les plus intenses : le bouddhisme, auquel elle semble adhérer dès cette époque. Ne prendra-t-elle pas plaisir à rappeler qu'elle fut la première bouddhiste de Paris ? D'un autre côté, ses expériences chez les occultistes lui semblent vraiment très éloignées des témoignages dont elle a lu les récits à Londres. Que sont ces gens sans envergure en comparaison des grands yoguis de l'Inde ? Elle sent que ces initiations parisiennes ne la mèneront pas bien loin.

En dehors de tout engagement politique, Alexandra fréquente aussi le milieu des intellectuels anarchistes dont l'un des maîtres à penser vient de rentrer à Paris après plusieurs années d'exil : Élisée Reclus, un vieil ami de la famille David.

Élisée Reclus fut l'un des penseurs anarchistes militants les plus connus de son époque, et en même temps un brillant intellectuel, un savant généreux, pionnier de la géographie contemporaine, auteur d'une œuvre admirable[1]. Il croyait au progrès social, à la fraternité, à la coopération. D'une grande bonté, il essayait de faire passer ses idées humanistes dans son œuvre géographique.

Les bases idéologiques du monde occidental vacillent alors avec le développement de la grande industrie. Les idéalistes croient de toute leur âme à la possibilité d'établir une société plus juste, plus fraternelle, plus équilibrée, plus heureuse, plus libre enfin !

Le courant de pensée libertaire qui émane du groupe d'amis d'Élisée Reclus conforte la jeune femme dans son indépendance foncière. Plus que la science géographique ou l'humanisme du savant c'est son anarchisme qui séduit l'esprit de la future exploratrice. Comme son père, Alexandra restera l'amie fidèle du géographe jusqu'à sa mort en 1905.

---

1. V. Berdoulay : *La formation de l'École française de Géographie (1870-1914)*. Paris, Comité des Travaux Historiques et Scientifiques, Bibliothèque Nationale, Mémoires de la Section de Géographie. 1981.
É. Reclus : *La Nouvelle Géoraphie universelle*, 19 volumes, Paris, Hachette. (1876-1895).
P. Reclus : *Les frères Élie et Élisée Reclus ou du Protestantisme à l'Anarchisme*. Paris, Éd. Les Amis d'Élisée Reclus. 1964.

Cette vie irrégulière, voire fantaisiste, finit par affecter la santé et le moral d'Alexandra. Sans plan de carrière, sans objectif professionnel, encore impensables pour une femme du XIXᵉ siècle, elle ne sait pas très bien où elle va. On ignore tout de la vie privée qu'elle mène à cette époque, mais il est permis de penser qu'elle connaît des déceptions. Le néant de son existence lui saute parfois aux yeux, elle sombre alors dans des moments de dépression.

« Pour ranimer mon cœur desséché il ne faudrait peut-être, qu'un mot de sympathie, mais, nul ne le dira et c'est pour jamais que tout amour est mort en mon âme déchirée. C'est mon corps qui va à leurs assemblées, et qui vit de leur vie, mais mon cœur est enfoui dans un profond sépulcre, et la pierre est scellée ; et, jamais, ce Lazare ne trouvera de sauveur pour le ressusciter[1]. »

Effet de style d'une romancière en herbe ou parole sincère d'une jeune fille blessée avant d'avoir vécu ? Pensée terrible en tout cas, et sans appel. Alexandra se mure d'elle-même dans une solitude de cœur qui semble irrévocable.

1. Cité par M.-M. Peyronnet dans son livre *Dix ans avec Alexandra David-Néel*.

La découverte de l'Inde
dans les années 1890

Remarque liminaire

Alexandra découvre l'Inde pour la première fois entre 1890 et 1901. Les dates exactes, la durée, les détails de cette découverte restent mal connus. Le premier voyage fut rendu possible par un héritage qu'Alexandra toucha à sa majorité en octobre 1889 (elle l'évoque dans L'Inde où j'ai vécu). Un second séjour est attesté par deux notes d'hôtel datées de 1896. Un troisième périple daterait de 1899-1901. Deux articles écrits par Alexandra au tout début du XXᵉ siècle montrent qu'elle avait assurément déjà vu l'Inde en 1901[1].

Les années 1890 se révèlent plus prometteuses pour Alexandra qui bénéficie d'un héritage légué par sa marraine. Le temps n'est-il pas venu d'aller à la rencontre de ce qu'aucun professeur européen ne pourra lui transmettre, à savoir le vécu des philosophies orientales, la connaissance réelle du milieu, en un mot la pratique ?

Le XIXᵉ siècle, époque coloniale, suscite des amateurs de nouveaux horizons. Les agences de voyages comme l'Agence Cook qui renseignent et aident les voyageurs,

---

1. *Les Mantras aux Indes* (1901). 2 : *Le Pouvoir religieux au Thibet – Ses origines* (1904). Le mot « Tibet » était jadis orthographié avec un h : « Thibet ».

connaissent des débuts fructueux appuyés sur des « réclames » efficaces. Leurs bureaux n'hésitent pas à fournir guides, plans, cartes aux candidats à l'exotisme. En France, la compagnie de transports maritimes des « Messageries Maritimes » jouent un peu ce rôle, avec une fonction d'agence de voyages cependant moins développée. Alexandra, qui n'a rien d'une écervelée, réunit sans doute le maximum d'informations pratiques sur les transports maritimes, sur Ceylan et sur l'Inde.

La première étape, Marseille, marque le premier pas vers un monde qu'elle ne connaît qu'à travers les livres et les objets exposés dans les salles du musée-temple qu'elle affectionne, un monde vers lequel elle se sent irrésistiblement attirée. Dans ses bagages : les *Oupanishads*, la *Bhagavad Gîtâ* et un assortiment d'Écritures bouddhiques. Dès le départ, Alexandra déteste les conversations futiles des autres passagers qui seraient tout disposés à lui tenir compagnie. Ils ne savent pas à qui ils ont affaire : Mademoiselle David a l'Orient dans la tête, Mademoiselle David n'aime pas être dérangée ni jouer les femmes du monde, Mademoiselle David songe à une carrière d'orientaliste, Mademoiselle effectue « un pèlerinage mystique » *(L'Inde où j'ai vécu)*. Au risque de passer pour une jeune femme peu sociable, ce dont elle se moque, elle se retranche dans une solitude qui lui permet de savourer au mieux chaque instant du voyage et de consacrer de longs moments à la lecture de ses livres favoris.

Alexandrie, Port-Saïd, la Mer Rouge, les berges desséchées du désert Arabique, l'escale torride au port anglais d'Aden, l'Océan Indien enfin durant une semaine au rythme des nuits tropicales…

Arrivée à Colombo : pour la première fois de sa vie, Alexandra pose le pied sur l'Ile de Ceylan ! Colombo, port de près de 200 000 habitants à la fin du XIXe siècle, est le relais classique des voyages européens vers l'Extrême-Orient : il est nécessaire d'y faire escale avant de se rendre en Inde. En outre, l'île est décrite par tous les visiteurs comme un véritable paradis couvert d'une végétation tropicale merveilleuse, et surtout c'est un haut lieu du bouddhisme, comme le sait Alexandra.

Pour l'heure, elle se laisse porter par sa curiosité et le plaisir de la découverte : premières nuits à l'hôtel le plus proche du débarcadère, L'Oriental Hotel, et quelques jours consacrés à flâner dans les rues de la ville. Tout est nouveau et pittoresque, comme ce magnifique parc de canneliers qui fait son admiration ! Une chose lui est désagréable cependant : l'appel insistant des « boutiquiers »... mais c'est la coutume dans le pays, il faudra s'y habituer. La voyageuse s'installe ensuite dans l'hôtel qui portera plus tard le nom fameux de Galle Face Hotel.

Son objectif étant de découvrir la réalité du bouddhisme, elle décide de visiter quelques-uns des nombreux temples de la région, en commençant par un petit, dont elle ne donne pas le nom. Elle s'y rend en *rickshaw* (pousse-pousse). Première impression : déconcertante, brutale... Elle n'était pas préparée à ce Bouddha couché (symbolisant le Maître à l'heure de quitter son corps) ripoliné en jaune canari ! Alors qu'elle avait en tête les nobles statues de bronze du musée Guimet, la voilà devant une représentation qui lui semble du plus mauvais goût : cette couleur serait bien plus à sa place sur un masque de carnaval que sur le corps du Bouddha mourant, « celui dont la pensée reste vivante dans l'esprit d'une petite élite... » !

Puis c'est la visite du temple plus important de Kelaniya, situé à quelques kilomètres de Colombo, et la même représentation du Bouddha couché. Alexandra devra accepter bon gré mal gré ce style criard et sans nuances : elle voulait du bouddhisme vécu, en voilà !

Elle sait qu'il y aurait encore bien d'autres choses à découvrir à Ceylan, mais il est temps de partir pour l'Inde, sa principale destination. Embarquement à Colombo pour Tuticorin, le port indien le plus proche, situé au sud de la péninsule : une nuit de navigation… une nuit d'horreur : « Jamais, au long de ma longue vie de voyageuse, je n'ai vécu un plus dégoûtant cauchemar ». (*L'Inde où j'ai vécu.*)

Alexandra embarque sur un « rafiot » qui n'a rien à voir avec le confortable transatlantique de la première partie du voyage. D'un côté du bateau, un salon étroit et six minuscules cabines réservées aux quelques passagers de première classe, de l'autre, une « cohue d'indigènes » entassés sur le pont avant. Une violente tempête se déchaîne dès le début de la nuit, chassant rats, cancrelats, cloportes et autres insectes de leurs cachettes habituelles. La gent animale envahit le salon et les cabines. Alexandra refuse de s'allonger sur sa couchette. Elle essaie de passer la nuit tant bien que mal sur un fauteuil pliant, non fixé… qui la projette contre les parois à chaque coup de roulis ou de tangage, et qui ne s'avère pas un meilleur rempart contre les envahisseurs. La population indigène, quant à elle, a été enfermée de force dans les cales… par souci de sécurité : l'équipage craignait en effet que la mer ne balayât les individus s'ils restaient sur le pont. Mais les issues ont été clouées, et des hurlements s'échappent du fond du bateau. Le pauvre bâtiment arrive cependant à bon port.

Après cette épreuve dont elle se souviendra toute sa vie, Alexandra se sent complètement revigorée dès qu'elle pose pied à terre : « Dans la clarté rosée du matin, c'était l'Inde de mes rêves que je venais d'atteindre. »

Elle prend le premier train pour Madoura (*Madurai* sur les cartes anglaises). Un missionnaire vient s'asseoir dans son compartiment. Encore blême de la nuit terrible qu'il vient lui aussi de subir, il manque de défaillir en entendant sa compatriote commander un copieux breakfast ! Ayant déjà oublié les affres de la nuit, notre voyageuse prend des forces, puisque l'occasion s'en présente : on ne sait jamais ce que l'avenir réserve à ceux qui partent vers l'inconnu !

Madoura est l'une des villes sacrées du brahmanisme, une ville de pèlerinages qui compte quasiment autant de temples que d'habitations ! Après une nuit réparatrice, la voyageuse se rend à l'immense temple dédié à Sundareswar (un des noms de Shiva, le dieu créateur et destructeur) et à Mînakshi (son épouse, un des noms de Shakti, l'Énergie universelle).

Le sanctuaire est d'architecture complexe, comme il se doit pour un grand monument religieux. Dans un premier vestibule occupé par un bazar, Alexandra cède, comme tout le monde, à la tentation d'acheter quelques babioles colorées, objets de piété et bijoux de pacotille qu'elle gardera d'ailleurs en souvenir. Puis elle pénètre plus avant dans l'immense monument de granit rouge. Mais l'on n'accède pas facilement à la demeure des dieux, surtout lorsque l'on porte une tenue européenne : l'enceinte sacrée est protégée par de multiples enclos, portiques, terrains, et autres espaces de transition. Son accès est interdit aux non-hindous ainsi qu'aux hindous de basses castes. Alexandra n'a pas encore l'expérience qui lui permettra bien des années plus tard d'accéder au saint lieu. Pour cette première fois, elle se contente de visiter les parties autorisées. Impression de grandeur amplifiée par le jeu des ombres, sensation presque palpable d'une religiosité magique à laquelle notre voyageuse s'abandonne avec délices. Les êtres fantastiques de la mythologie hindoue sont là autour d'elle, sculptés par centaines sur les énormes colonnades : dieux, démons, fleurs, animaux… Ils sont partout, tapis dans les ténèbres des corridors, dissimulés dans le dédale du labyrinthe, masqués par l'obscurité d'une voûte si démesurément haute que les faibles lumières des lampes ne l'atteignent pas : Alexandra sent leurs « présences » qui hantent les lieux. Fascinée, elle s'attarde jusqu'à la tombée de la nuit, assistant même à un culte vespéral : le cortège de Parvati traverse le temple deux fois par jour, aux sons des gongs, des clochettes, et des conques que l'écho démultiplie. Alors que de nombreux voyageurs européens ne voient là que monstrueuse idolâtrie, la lucide Alexandra se laisse envoûter par le mystère de Brahma l'Ineffable ! Vingt ans plus tard, de nouveau à Madoura, elle se souviendra encore de « cette première griserie du parfum de l'Inde. » (Lettre du 18 novembre 1911.)

Puis Alexandra reprend le train, le South India Railway en direction de Madras, le plus vieil établissement de la Compagnie des Indes Orientales, ville de près de 500 000 habitants, très marquée par l'influence britannique avec ses larges avenues, ses grands hôtels et surtout ses jardins magnifiques. Elle se rend dans un village voisin de cette métropole, à Adyar, pour visiter le siège de la fameuse Société Théosophique. Elle découvre un vaste bâtiment d'un étage, édifié dans un parc magnifique où trône un immense banyan à l'ombre généreuse : les colonnades blanches, le toit en terrasses, confèrent élégance et majesté à la bâtisse. À l'intérieur, les murs du hall d'entrée sont garnis de panneaux représentant Jésus, le Bouddha et divers personnages des grandes religions du monde, ainsi que les emblèmes de la franc-maçonnerie[1] ; l'atmosphère feutrée respire le calme. Une superbe bibliothèque, des chambres d'hôtes et plusieurs pavillons sont à la disposition des adeptes. En plus de ses activités de type ésotérique, la Société accomplissait une œuvre sociale non négligeable : elle créait et gérait des écoles pour les enfants de basse caste, en particulier pour les petits intouchables, et soignait ces enfants, presque toujours malades ou souffrant de carences. Alexandra est membre de la Société depuis le 7 juin 1892, adhésion fort utile sur le plan pratique puisqu'elle permet de bénéficier d'avantages appréciables sur le terrain (logements et bibliothèques[2]).

Après ce séjour, notre voyageuse part vers la ville sainte par excellence, Bénarès. Un long trajet en chemin de fer la conduit vers le nord du pays, un long trajet dans des contrées de plus en plus brûlées par une sécheresse qui n'en finit pas, un trajet éprouvant dans des campagnes de plus en plus pauvres. Nouvelle expérience, terrible celle-là : la découverte de la misère des populations affamées par des disettes que les gouvernements ne parviennent pas encore à enrayer. Des centaines de mendiants squelettiques à chaque arrêt du train, des gosses n'ayant parfois plus la force de courir pour venir tendre la main, des petits corps décharnés réduits à manger de la terre pour se mettre quelque chose dans le ventre… « Je suis venue chercher l'Inde des méditations sereines, l'Inde des sages anachorètes vivant dans l'ombre fraîche et parfumée des forêts, et j'ai rencontré l'Inde desséchée, brûlante, tragique de la famine. »

_____

1. Le siège de la Société Théosophique répondait encore à cette description lorsque nous l'avons visité en 2004.
2. Document Archives de la Maison Alexandra David-Néel, et l
2 décembre 1915.

Le pèlerinage se poursuit. N'est-il pas le but du voyage ? Alexandra s'intéresse alors autant à l'hindouisme qu'au bouddhisme. Elle veut d'abord mieux comprendre les aspects religieux des trois branches de l'hindouisme : le shaktisme, le shivaïsme et le vishnouisme. En ce qui concerne le bouddhisme, elle est alors bien plus tournée vers celui du sud, le Petit Véhicule, que vers celui du nord, le Grand Véhicule, ou vers celui du Tibet et de la Mongolie, le Véhicule Tantrique.

Arrivée à Bénarès, la ville de Brahma, de Shiva et de Vishnou, celle aussi de Ganga, la déesse et le fleuve. Bénarès, la ville de toutes les croyances, de toutes les misères, de tous les espoirs du monde. Bénarès, l'une des plus anciennes cités de la terre, bâtie au cœur de l'immense plaine du Gange, sur un site propice, à la confluence du fleuve et de deux petits affluents, la Varana et l'Asi, car les dieux aiment l'eau purificatrice ! Elle est devenue le lieu le plus vénéré des hindouistes, mais les autres religions y ont porté aussi leur empreinte. Si bien que les croyants les plus divers se rencontrent dans la ville éternelle : hindous, bouddhistes, jaïns, sikhs, musulmans, chrétiens... Les dieux veillent sur la cité où l'on compte près de deux mille temples.

Mais on ne découvre pas une ville aussi foisonnante en quelques jours : Alexandra s'installe pour plusieurs mois, car il lui faut comprendre, assimiler, savourer, s'imprégner de ces images de démesure qui mêlent aussi brutalement piété et vie profane. De tels contrastes ne manquent pas de l'étonner, comme ils surprennent tous les regards occidentaux.

Passer des heures dans le dédale de la vieille ville, avec ses ruelles encombrées d'étalages multicolores, ses bruits baroques et incessants, ses métiers de toujours, ses venelles aux odeurs âcres, ses vaches nonchalantes, es mille petits sanctuaires, ses images de divinités offertes à tous les passants... Ici chacun est un pèlerin en puissance.

Passer des heures près du Gange vénéré, assurément divin sous les reflets incomparables des levants et des couchants. Accepter aussi l'odeur des bûchers funéraires, la vue des immondices et de quelques cadavres emportés par les eaux... « Je me rappelle l'étonnement et le dégoût que me causa la vue du cadavre déjà mutilé et le ventre ouvert, d'un tout jeune bébé dont un chien dévorait tranquillement les entrailles. Le flot avait poussé le petit corps contre la rive... »

Passer des heures en barque à admirer les silhouettes magiques des palais et des temples, essayer de comprendre le regard enflammé de tous ces gens qui descendent offrir des fleurs au fleuve-dieu avant de s'immerger et de boire une gorgée de l'eau prodigieuse, ces vieillards qui attendent la mort avec sérénité puisqu'ils seront à jamais délivrés de toute réincarnation si le sort les fait mourir ici...

Alexandra observe aussi les « saints professionnels », ces hommes venus de nulle part, qui semblent jaillis de la nuit des temps : les *sadhous* et les *sannyâsins*, vêtus de soleil ou de cendre, le corps orné de quelques traits de couleurs rituelles. Riches de leurs seuls objets de piété et de toute la foi de l'univers, ces personnages en quête d'absolu, ces fous de Dieu sont parfois de vrais mystiques, parfois d'habiles charlatans. Alexandra prendra plaisir à en piéger quelques-uns au cours des voyages suivants ; cette fois elle n'est pas encore rassasiée de ce spectacle insolite.

Conquise par le monde indien, la jeune femme écoute, apprend, achète des textes. Elle lit, se promène et fait connaissance avec Swâmi Bashkarânanda, « un vieil ascète qui vivait nu dans un jardin de roses » au milieu de ses disciples. Il passe ses journées à enseigner ou à méditer. Alexandra sait lui faire comprendre le profond intérêt qu'elle porte aux religions indiennes : il accepte de lui transmettre une partie de ses connaissances en philosophie et de lui donner des cours de sanskrit. « Quand je le quittai, il posa sur mes épaules une écharpe de couleur rituelle et murmura à mon oreille quelques mots que j'emportai pieusement dans ma mémoire... » C'est exactement cela qu'elle était venue chercher en Inde. Elle le considérera comme son premier maître et ne l'oubliera jamais, revenant dans le jardin de roses à chacun de ses séjours à Bénarès.

Bien qu'elle ne l'ait pas précisé, il est plus que probable qu'elle se soit rendue à Sarnath, haut lieu du bouddhisme situé moins de 10 km au nord de Bénarès. C'est là que le Bouddha commença à enseigner.

Puis elle reprend le train en direction du nord-ouest, vers deux sites tout aussi célèbres : Mouttra (*Mathura* sur les cartes) et Brindaban (*Vrindavan*), lieux d'enfance de Krishna, le dieu le plus aimé de l'Inde. C'est en tout cas ce que l'on peut supposer puisque bien des années plus tard, en 1951, Alexandra rappellera qu'elle se rendit plusieurs fois dans ces localités *(L'Inde où j'ai vécu).*

Bien que l'atmosphère des lieux n'ait rien à voir avec l'omniprésente dévotion ressentie à Bénarès, Alexandra est très sensible au charme des quais de la Yamuna et « à la poésie mystique du décor ». Les deux localités sont bâties le long de cette rivière sacrée, affluent du Gange. La voyageuse découvre pour la première fois le « berceau » de Krishna... qu'elle regarde avec autant de scepticisme qu'elle en manifeste devant les reliques présentées dans les églises d'Occident. Un peu plus loin, c'est une balançoire portant un petit Krishna installé dans la nacelle ; on lui assure que c'est bien dans cette balançoire que le petit dieu jouait... Alexandra ne peut s'empêcher de tirer la cordelette et de balancer Krishna, devant l'air un peu soupçonneux du brahmane-gardien, qui la reconduit vers la sortie.

Elle retrouve d'autres balançoires portant d'autres petits Krishna un peu plus loin vers le nord, sur les premiers contreforts boisés de l'Himalaya. Des oratoires ont été aménagés dans ces régions magnifiques où vivent de nombreux saints hommes et où les Anglais viennent passer l'été. Dans l'un de ces sanctuaires, elle observe, amusée, un grand gaillard de soldat indien qui balance Krishna avec l'air le plus sérieux et le plus recueilli du monde. « Oh ! Inde absurde et merveilleuse !… » Il n'empêche que quelques instants plus tard, Alexandra, souriant intérieurement mais se comportant comme les autres pèlerins, n'hésite pas à faire une belle révérence de cour… à Krishna et à balancer une nouvelle fois le petit dieu… par courtoisie, dit-elle !

Alexandra quitte ensuite ces régions septentrionales pour se diriger vers Calcutta, toujours en chemin de fer. Elle fait sans aucun doute une étape à Bodhgaya, là où Siddartha Gautama reçut l'illumination qui fit de lui le Bouddha, c'est-à-dire l'Éveillé, l'Éveillé à la Connaissance.

La voici maintenant à Calcutta, métropole animée mais sans intérêt particulier sur le plan religieux. Capitale de l'Empire cependant (elle ne cédera la place à Delhi qu'en 1911). C'est un centre industriel de plus d'un million d'habitants, associé à un grand port fluvial. Carrefour ferroviaire, Calcutta est reliée au nord du pays par voie ferrée jusqu'à Darjeeling, la station d'altitude fréquentée par les familles anglaises, et la porte de l'Himalaya. Dans l'intention de visiter quelques temples bouddhistes bâtis sur les premiers contreforts de la chaîne, Alexandra prend le train jusqu'à Darjeeling.

Sur les cartes de l'époque, le Kanchenjunga est nommé *Kintchindjinga*. Troisième sommet de la chaîne himalayenne, après l'Éverest (8 848 m)[1] et le K2 (8 620 m), il culmine entre 8 585 m et 8 597 m selon les cartes, et se situe sur la ligne de crête qui marque la frontière entre le Népal et le Sikkim.

Lorsque le temps s'y prête, Darjeeling offre un panorama d'une splendeur exceptionnelle, composé d'une série de plans successifs dignes des plus somptueux décors de théâtre. Une scène magique à la mesure des dieux ! Mais ici tout est naturel. Aux premières pentes garnies du vert délicat des théiaies impeccables succèdent les arrière-plans montagneux de plus en plus bleutés dans l'estompage du lointain... sous la couronne superbe du grand Kanchenjunga. Le dieu imperturbable et bienveillant règne sur l'ensemble du territoire en offrant aux populations la lumière éblouissante de ses neiges éternelles, diamants étincelants sous le bleu quasi tibétain d'un ciel sans nuages ! Premier contact avec les splendeurs himalayennes, première approche du bouddhisme « lamaïste[2] », tableaux fabuleux gravés dans sa mémoire...

Il faut songer au retour après cette période de vagabondage mystique si riche en expériences, en enseignements, en couleurs, en images. Alexandra a vécu pleinement ces premiers contacts avec le monde indien, acquis indispensable à une future orientaliste.

---

1. Altitude du Mont Éverest : 8 848 m ou 8 850 m selon les sources d'information.
2. Le bouddhisme tibétain était qualifié de « lamaïsme » au XIXᵉ et au début du XXᵉ siècles. Alexandra David-Néel utilisait donc ce terme qu'elle trouvait bien adapté à cette branche particulière de bouddhisme.

Une singulière cantatrice :
1893-1900

Louis David, le père d'Alexandra, avait cessé toute activité professionnelle depuis son mariage. Son épouse disposait d'une honnête fortune et le couple vivait sur les revenus de ce patrimoine. Aussi bien en Belgique qu'en France, le développement de l'économie favorisa la hausse des profits jusqu'aux années 1880-1895. Un certain essoufflement apparut ensuite dans les affaires, secoué par des crises épisodiques. Celles-ci furent aggravées en France par plusieurs scandales financiers : krach de l'Union Générale, chute du Comptoir d'Escompte, affaire du Panama dont le paroxysme se situe entre 1891 et 1893...

Les David ne sont pas ruinés, mais la baisse de leurs revenus les oblige à restreindre leurs dépenses. Alexandra doit maintenant chercher à gagner sa vie : elle a 25-26 ans. Pour la première fois de son existence, la voici confrontée à de sérieux problèmes matériels. Ce n'est qu'un début...

Il n'est pas question pour elle de renoncer à se faire un nom dans l'orientalisme, mais il n'est pas question non plus d'entrer « au service » de quelqu'un ou de quelque entreprise que ce soit. Elle n'envisage à aucun moment de devenir, ne serait-ce que provisoirement, institutrice, infirmière, ou employée… Son idée fixe est la liberté, son seul diplôme un prix de chant qu'il est temps d'exploiter. En retravaillant sa voix de soprano elle devrait réussir, et, qui sait, peut-être faire fortune ? De fait, Alexandra se produit sur différentes scènes belges en 1893. Puis elle s'établit à Paris où l'art musical français connaît son apogée avec des créateurs tels que Debussy, Ravel, Fauré, Massenet, Messager, Saint-Saëns, Satie…

Est-il possible de concilier orientalisme et vie d'artiste ? Difficilement, et cela ne fait guère sérieux. Alexandra le sait : dès lors qu'elle aura d'autres moyens de subsistance, elle ne révélera jamais cette carrière musicale. Ce n'est qu'après sa mort, en 1969, que Marie-Madeleine Peyronnet découvrira plusieurs lettres de Jules Massenet ainsi que quelques costumes et accessoires de scène gardés en souvenir par l'ex-cantatrice.

Sous la IIIe République, l'art lyrique ne jouit pas du respect qu'il inspire aujourd'hui et, dans cette période des « cocottes » l'amalgame est souvent fait entre vie d'artiste et vie légère. Une femme qui monte sur scène pour interpréter des rôles d'amoureuses ou d'amantes passionnées ne correspond guère au modèle féminin prôné à l'époque par ces mêmes messieurs qui entretiennent en cachette quelque « théâtreuse ». Mais les grandes voix sont admirées et Alexandra ne dédaignerait pas d'être reconnue à sa juste valeur. Le chant est une école extraordinaire de volonté et de maîtrise de soi, qualités dont notre héroïne est pourvue de nature. Si Alexandra ne fit pas partie des divas de la fin du siècle, elle atteignit cependant un niveau suffisant pour que Jules Massenet vînt l'écouter et lui adressât plusieurs lettres de félicitations avant de lui confier le rôle de Manon (Lettres de 1896-1897)[1].

---

1. Archives de la Maison Alexandra David-Néel.

Alexandra aime la musique et elle sait s'adapter aux situations. Son orgueil naturel se trouve malmené devant la concurrence de rivales parfois prêtes à tout pour arriver, et, comme les autres, elle est obligée de passer des auditions, d'attendre le bon vouloir d'un directeur de troupe pour obtenir un engagement, de se présenter ici et là dans l'espoir d'être acceptée pour un spectacle. La future exploratrice découvre encore un monde nouveau : celui des artistes qui débutent sans grands moyens matériels. Les repas sont maigres, la chambre sans confort. Ses besoins sont heureusement aussi modestes que ses moyens financiers. Si cette gêne momentanée ne fait pas peur à une stoïcienne de cœur, entraînée aux austérités... le succès serait quand même le bienvenu !

Dans le même temps elle se bat pour pénétrer dans le milieu du journalisme. Ses idées et ses relations vont lui ouvrir quelques portes de la presse théosophique, de la presse socialiste et, bientôt, de la presse féministe.

Les trois premiers articles d'Alexandra conservés à la Maison David-Néel datent de 1893 : ils ont paru dans *Le Lotus Bleu*, la revue de la Société Théosophique. Le suivant paraîtra deux ans plus dans le numéro 20 de *L'Étoile Socialiste – Revue populaire hebdomadaire du socialisme international*, éditée à Charleroi en Belgique. Le sujet ne concerne ni la politique ni la vie sociale mais, peut-on s'en étonner, le bouddhisme ! Alexandra répond à un article paru deux mois plus tôt, qui avait présenté sa chère philosophie sous un angle erroné. Elle saisit l'occasion pour rappeler aux lecteurs qu'il y a « un abîme entre la philosophie attribuée au prince Siddartha (le bouddha Çakya-Muni) et les discours prêtés dans les Évangiles à Jésus de Nazareth. [...] Tandis que l'une dit au pauvre, au malheureux étreint par la douleur : "Résigne-toi, courbe le front !" l'autre lui crie : "Combats la souffrance, cesse d'être la victime de ta propre stupidité." » L'auteur conclut avec cette phrase péremptoire : « Toute souffrance est un désordre. » Si le titre de l'article est empreint de la modestie que l'on attend d'un travail de débutante : « Notes sur le bouddhisme », la signature brille d'un éclat ô combien symbolique : « Mitra. » Pour ses premiers écrits, Alexandra choisit en effet comme pseudonyme le nom d'un dieu de l'Inde ancienne. Et pas n'importe quel dieu, l'un des deux plus vénérés de la religion védique, avec Varuna ! Mitra, dieu solaire, veille à l'amitié entre les hommes, tandis que Varuna, omniscient et compatissant, juge les actions humaines. Tous deux règnent sur un monde de lumière. Mademoiselle David est bien décidée à tourner le dos à la puissance des ténèbres !

Alexandra s'inscrit dans le vaste courant progressiste qui secoue la vie du pays à la fin du siècle. Elle adhère bientôt à la franc-maçonnerie. Fille de franc-maçon, elle est admise probablement dès 1893[1] dans la première obédience acceptant des femmes, le Rite Écossais International. Tout anarchiste qu'elle soit, Alexandra se plie à la hiérarchie de l'ordre. Elle accepte et pratique les rituels qui lui permettront d'atteindre le 30e degré. Outre l'attrait du mystère représenté par cette société plus que « discrète », est-ce « la recherche de la vérité » hors de toute contrainte dogmatique ou l'idéal humaniste prôné par les « frères trois points » qui intéressent la future exploratrice ? L'ensemble sans doute.

En 1895, Alexandra décroche un engagement de première chanteuse aux opéras de Hanoï et de Haïphong. Elle embarque avec la troupe, en direction de l'Extrême-Orient. L'aspirante-orientaliste trouve là une nouvelle

_____

1. Une « Louise David » figure bien parmi les premières femmes initiées à la franc-maçonnerie en 1893. Merci à Madame Antonina Marceau pour cette information.

occasion de se rendre dans le continent de ses rêves. Elle passe une partie de l'année 1896 en tournée dans la péninsule indochinoise, et en profite pour faire quelques excursions en Chine du sud.

Ne pouvant s'empêcher d'écrire, Alexandra prend l'habitude de correspondre avec son père. Elle lui raconte sa vie de cantatrice, bientôt fort applaudie, mais peu à peu jalousée par ses compagnes. Sans les lettres paternelles, qu'elle gardera toute sa vie, nous ne saurions rien des succès lointains d'Alexandra Myrial (son nom de scène) dans *La Traviata*, *Les Noces de Jeannette*, *Mireille*, *Thaïs* ou *Lakmé*.

Mais Mademoiselle Myrial n'est pas une cantatrice ordinaire. Elle profite de son séjour en Indochine pour s'informer des pratiques locales du bouddhisme. La voici qui se penche sur le Mahâyâna de l'Annam et du Tonkin. Comme en Inde, elle passe des instants merveilleux qui lui resteront toujours en mémoire. Ainsi à Saïgon :

> « J'ai passé, ici, une des plus délicieuses heures de ma vie, une nuit, sur une route, arrêtée devant une villa cachée derrière un rideau de gigantesques palmiers éventails. La villa était perchée sur un monticule, ornée de lanternes chinoises qui balançaient dans les ténèbres des dragons lumineux ; à l'intérieur, des musiciens jouaient en sourdine des airs étranges… La nuit était pleine d'étoiles, de parfums… »

Lettre du 15 janvier 1917.

Alexandra Myrial gagne sa vie sous la lumière artificielle des projecteurs tandis que Mitra brûle d'accéder à la lumière intérieure que l'on devine sous les paupières baissées de Çakyamouni ! Sa vraie passion est spirituelle. La cantatrice-orientaliste lance un regard aiguisé sur les manœuvres de ses compagnes et sur les intrigues qui ne manquent pas de se nouer entre les membres de la troupe, ici et là au fil des semaines.

De retour à Paris, Alexandra rêve de chanter à l'Opéra-Comique ou au Théâtre de la Ville. Mais la compétition est redoutable. Malgré ses succès en Extrême-Orient, malgré le soutien de Jules Massenet, malgré l'aide de son père qui essaie de faire jouer d'anciennes relations, elle ne parvient pas à se faire engager à des conditions acceptables. Les cachets qu'on lui propose sont insuffisants. Nouvelle leçon d'humilité. Comme il faut bien vivre, elle accepte des tournées pas forcément glorieuses en province pendant deux ans. Le 24 octobre 1898 Alexandra fête ses 30 ans.

Années difficiles donc, mais années d'un certain bonheur grâce à la présence de Jean Haustont, l'ami qui va vivre à ses côtés pendant quelques années. Alexandra succomberait-elle enfin au charme masculin ? Elle le rencontre par l'intermédiaire de la Société Théosophique. Bruxellois de naissance, Haustont fait aussi partie des amis anarchistes d'Élisée reclus. Pianiste, compositeur, à l'occasion chef d'orchestre, il s'intéresse à la théosophie et à la Chine. Enfin, il n'a rien de ce qu'Alexandra déteste chez les hommes, « l'animal en qui la nature commande impérieusement cet instinct qui pousse le mâle vers la femelle » (*Le Grand Art*[1]). C'est un être suffisamment délicat pour être accepté par l'indomptable Alexandra. « Monsieur Myrial » fit partie de la tournée en Extrême-Orient, comme en témoigne le programme de *Faust* donné à Hanoï et à Haïphong (archives de la Maison A. David-Néel). De 1897 à 1900, Alexandra et Jean partagent le même logement à Passy. Ensemble ils composent *Lidia*, drame lyrique en un acte (paroles d'Alexandra Myrial, musique de Jean Haustont).

---

1. *Le Grand Art* : manuscrit incomplet et provisoire dans lequel Alexandra David-Néel évoquait la vie difficile des artistes en tournée, surtout celle des jeunes mères.

Si la future exploratrice se laisse un moment guider par de tendres sentiments, ce trouble ne va pas jusqu'à lui faire abandonner son indépendance. L'union libre est, à l'époque, très mal considérée par la bourgeoisie bien-pensante mais approuvée par les anarchistes, Élisée Reclus en tête. C'est le mode de vie que choisissent Jean et Alexandra. On ignore d'ailleurs s'ils songèrent jamais à se marier. Le musicien connaît les idées de sa compagne, il sait que le mariage lui répugne et qu'elle ne supporterait pas de se voir imposer le moindre « devoir », qu'il soit conjugal, familial ou social : « Le devoir est l'obligation d'accomplir certains actes en général désagréables... Pas plus que le droit, le devoir n'a de base raisonnée et scientifique », écrit-elle dans *Pour la vie,* véritable profession de foi anarchiste rédigée, à ce moment-là lors d'une villégiature au bord de la Méditerranée. Ce texte sera réédité en 1970 dans *En Chine,* puis en 1998 et en 2003 avec d'autres écrits libertaires[1]. En mai 1968, lors de la révolte des étudiants, Alexandra demandera à Marie-Madeleine Peyronnet, sa secrétaire, de le lui relire, et elle l'approuvera de nouveau, le jugeant même encore trop faible. Il ne s'agit évidemment pas d'un manifeste au sens activiste du terme, mais d'une présentation vigoureuse de ses conceptions du monde et de la société. C'est un hymne à l'individualisme et à la recherche de la liberté personnelle, seuls moyens d'atteindre le bonheur dans le présent et de vivre pleinement sa vie, but suprême de l'existence. « L'obéissance c'est la mort », y déclare-t-elle en prélude à son chapitre sur l'autorité. Comment imaginer qu'une telle femme accepte la condition d'épouse que lui proposait ce XIXe siècle finissant...

---

1. En 2003 avec divers écrits de jeunesse, textes rassemblés sous le titre *Féministe et libertaire*, Éditions Les nuits rouges.

Bien que non engagée sur le plan politique, « Mademoiselle Myrial » a ses idées sur la société et elle tient à les exprimer. Il faut reconnaître que rien ne lui échappe et qu'elle fait preuve d'une étonnante perception des problèmes : l'autorité, la propriété, le savoir, le droit et les devoirs, le travail, le bonheur, les religions, la justice, la famille… tout y passe. Alexandra joue les Yang-Chou ou les Mo-Tse, philosophes chinois dont elle a lu des traductions et dont elle exposera plus tard les théories.

Si notre regard du début du XXIᵉ siècle, technologique et robotisé, considère ce document comme extraordinairement décapant et original, il ne faut pas oublier que la plupart des idées qu'elle développe étaient dans l'air. L'époque voit en effet fleurir les écrits anarchistes. Alexandra connaît les textes de son ami Élisée Reclus (qui préfacera son opuscule), elle a lu Max Stirner, qui prône l'individualisme, l'initiative personnelle et la désobéissance, Bakounine qui rejette les dogmes religieux et philosophiques, Malatesta, Kropotkine et bien d'autres. Tous cherchent les moyens d'établir un meilleur équilibre social, car la misère s'étale partout dans les faubourgs, dans les ateliers, dans les usines, dans les mines ; le fossé s'est creusé entre la bourgeoisie et les classes défavorisées de la population.

Ce n'est donc pas tant dans l'originalité des idées qu'il présente qu'il faut voir l'originalité de *Pour la vie*, mais bien dans le sexe de son auteur. Si les talents féminins sont de plus en plus reconnus en 1900, dans le domaine des lettres en particulier, et dans celui des arts en général, si quelques portes s'ouvrent dans celui des sciences, les dames sont encore considérées à bien des égards comme des « sous-citoyennes ». Le droit de vote, on le sait, ne leur sera accordé en France qu'en 1945. Les féministes se battent donc avec énergie pour faire reconnaître les droits de la femme dans la société, mais la « femme politique » telle que nous la connaissons aujourd'hui n'existe pas encore. Louise Michel fut une exception. Alexandra ne lui ressemble guère ; elle dédaigne trop ses contemporains pour se lancer dans un combat du même genre. Mademoiselle David se fait plaisir en exprimant des idées qu'elle mettra en pratique seulement pour elle-même et par elle-même.

Les éditeurs parisiens refusent son essai trop provocateur. Il sera finalement édité à Bruxelles par J. Haustont dans la collection d'écrits anarchistes formant la « Bibliothèque des Temps Nouveaux », imprimée chez les frères Haustont[1].

À la fin de l'année 1899, Alexandra Myrial est engagée pour une tournée à l'Opéra d'Athènes. Le contrat vaut pour trois mois, de novembre 1899 à janvier 1900. Notre artiste-philosophe part seule et se réjouit de cette tournée dans la patrie de Socrate, Platon, Aristote et Épictète, l'un de ses premiers maîtres spirituels.

La Grèce de 1900 n'est pas celle que nous connaissons aujourd'hui. Le territoire correspond à la moitié de la superficie actuelle : la Macédoine, l'Épire et les îles situées à l'est de la Mer Égée appartiennent encore à la Turquie. Le pays vient seulement de se libérer du joug ottoman. Le Royaume n'a pas un siècle. État neuf mais d'un archaïsme encore effrayant dans les campagnes, la Grèce se relève à peine du terrible obscurantisme dans lequel l'avait précipitée l'invasion turque.

Sur place, Alexandra visite l'Acropole, les ruines du temple de Zeus et la tour d'Éole. Mais l'archéologie ne l'attire guère. Elle n'est pas de ceux qui se pâment

---

1. Les frères sont Charles et Jean Haustont, amis d'Élysée Reclus et de son cercle d'intellectuels anarchistes. Charles, luthier, possédait le matériel d'imprimerie sur lequel étaient tirés les textes de la Bibliothèque des Temps Nouveaux.

devant des fragments de murs ou les restes éboulés de colonnes ouvragées. La cantatrice préfère jouir de « l'harmonie lumineuse du ciel et de la mer », de ce décor merveilleux où « les dieux revivent et se comprennent », où les marques sur le sable ne sont pas autre chose que les traces laissées par la ronde des nymphes (*Le Grand Art*). Elle aime arpenter les sentiers pierreux des collines de l'Hymette, du Pentélique, du Parnès ou du Lycabette, à la recherche de quelque sage anachorète – philosophie oblige. Et elle en rencontre en effet sur les pentes du Lycabette puis, plus loin d'Athènes, dans les montagnes de la Morée, aujourd'hui « Péloponnèse ».

De retour à Paris, Alexandra se trouve confrontée à la nécessité de chercher d'autres engagements. Le mouvement féministe l'intéresse de plus en plus. Elle se sent concernée et pense avoir son mot à dire... ou plutôt à écrire. Dans son agenda de 1900, elle annonce un autre projet de livre, sur le thème de « La femme dans l'amour et le mariage ». Son propos : analyser ce « champ de lutte entre les deux sexes ».

« Pourquoi l'acte sexuel est-il considéré comme devant répugner aux femmes qui ne s'y soumettent que par faiblesse ?... Cela ne peut être que dans le cas où tel individu répugne à telle femme et, alors, cette répugnance à s'unir à lui, n'est que le dégoût qu'inspire tout acte que l'on accomplit sans le désirer.

Dans le cas contraire, il n'y a pas de défaite de la femme, mais victoire en l'accomplissement de son désir. Elle n'est pas en infériorité, en "passivité", en soumission dans l'amour. Elle est agissante et doit être libre comme l'homme, etc. »

Agenda. Alexandra David-Néel, 17 février 1900.

Les trois mois passés loin de son compagnon ne semblent pas avoir affecté cette vagabonde impénitente qui, bientôt, songe à repartir. Le moindre attachement n'est-il pas un piège qu'il importe d'éviter à tout prix ?

La destination suivante est le Pays Basque espagnol, mais on ignore les motifs de ce nouveau voyage. L'Espagne manquait à son palmarès. Elle y part seule encore une fois.

La péninsule ibérique n'est certes pas l'Inde, mais le pays reste encore largement fermé au tourisme en dehors des sites majeurs, et le royaume espagnol est fort en retard sur le plan économique et social par rapport à ses voisins européens. En 1900 il faut encore de l'audace à une femme pour se lancer dans un tel voyage.

De retour à Paris, elle se remet au travail. Deux articles paraissent en 1900 sur des thèmes significatifs de ses préoccupations du moment : « De l'importance des influences ambiantes au point de vue philosophique » et « Autorité paternelle ». Dans le premier, Alexandra évoque le rôle joué par le milieu extérieur (naturel ou soigneusement construit) dans la transmission atavique des habitudes religieuses et philosophiques :

> « L'enthousiasme soulevé par Luther en Allemagne eut-il pu naître dans cette Italie sceptique et artiste qui révolta si profondément le réformateur ?... L'Italie, et principalement l'Italie du sud, est aussi païenne que sous les Romains. Un récent voyage en Grèce m'a permis de constater que si les superstitions y ont quelque peu changé de forme, le paganisme règne sur la majorité de la population tout comme aux temps antiques. Le christianisme n'a triomphé qu'en empruntant les formes du paganisme pour les adapter tant bien que mal à l'esprit juif... »

Elle-même rencontra en Inde un missionnaire chrétien qui, après vingt ans de séjour en terre hindouiste, avait fini par croire à l'existence réelle du dieu Rama, qu'il appelait « le grand diable », et à sa présence dans le bâtiment central du temple de Madoura (*L'Inde où j'ai vécu*). Le décor et la mise en scène sont essentiels dans la transmission des croyances. Alexandra rappelle sa propre expérience vécue dans le temple de Madoura :

> « À Madura, malgré le calme des galeries où s'entrecroisent les éléphants et les vaches, malgré les rites singuliers et les sacrifices répugnants, j'ai compris la terreur sacrée dont parlent les anciens. L'architecture, l'encens et la musique ont amené plus de fidèles aux autels de tous les dieux que les discours de leurs ministres, tant les influences extérieures ont de pouvoir sur l'homme. »

Le second article aborde un sujet tout à fait différent mais qui touche son auteur aussi sûrement que les religions : l'autorité paternelle. Alexandra saisit le prétexte de récents faits divers pour prendre la défense des enfants maltraités. Elle s'insurge aussi contre les peines de prison que l'on « inflige à certains enfants qui ont commis quelques larcins » et réclame « le droit à l'éducation par l'État ».

La cantatrice-journaliste obtient ensuite un engagement pour l'Opéra municipal de Tunis. Elle part sans se douter qu'elle s'installera là-bas et que ce séjour allait bouleverser sa vie…

Tunis et Philippe Néel :
1900-1904

Une Résidence Générale française est installée à Tunis depuis l'instauration du protectorat en 1881. Comme l'antique Carthage au temps de sa splendeur, la ville est active et animée. Avec ses 200 000 habitants et son style cosmopolite, Tunis est l'un des marchés les plus vivants de la Méditerranée, un port de commerce accessible depuis peu aux gros navires, et un centre industriel en plein essor (métallurgie, minoterie, huilerie...). Tunis possède un avant-port, la Goulette, petite ville située quelques kilomètres au nord, sur la baie.

Une politique de développement économique et de grands travaux a été mise en place par le gouvernement français. L'extension du réseau ferroviaire figure au programme : il faut doubler ce réseau en le prolongeant vers le sud et vers l'intérieur du pays. Pour la conception et la gestion des infrastructures, on fait appel à des ingénieurs français. Parmi eux Philippe Néel, diplômé de l'École Centrale.

Philippe Néel a 39 ans en 1900. Une notice généalogique de la famille Néel, établie par une nièce de Philippe, précise que son oncle rencontra Alexandra lors d'un « voyage universitaire au sud de l'Algérie » (archives de la

Fondation). La future exploratrice profitait en effet de son séjour à Tunis pour voyager à nouveau et faire des recherches sur « les traces d'idolâtrie ou de polythéisme chez les Musulmans – superstitions – légendes – fétiches – pratiques… »

Dans son agenda de 1900, à la date du 15 septembre, Alexandra a noté : « *Hirondelle prima volta* ». Trois mots lourds de conséquences. Ce jour-là et pour la première fois, elle fut invitée sur le voilier de Philippe Néel, l'*Hirondelle*. L'événement est assez marquant pour être consigné… aussi discrètement que possible.

Philippe comprend vite qu'Alexandra n'est pas une femme comme les autres. Cette petite chanteuse de 1,56 mètre n'a rien de l'artiste « facile » et frivole. Elle voyage, elle écrit, elle se passionne pour des sujets originaux, voire bizarres ! Elle est intelligente, cultivée, elle a de la personnalité. Bref c'est une femme digne d'intérêt, comme on en rencontre peu dans les colonies. De son côté, Alexandra n'est pas vraiment indifférente au charme de l'ingénieur. La fréquentation de cet homme élégant et distingué lui fait plaisir. Jean Haustont était discret et inoffensif, Philippe Néel se comporterait plutôt en séducteur.

À la fin de son contrat, Mademoiselle Myrial ne rentre pas à Paris. Jean et elle resteront de bons amis. Plus tard, elle ne manquera pas de lui envoyer un exemplaire de ses livres. Alexandra s'installe à la Goulette, dans une villa qu'elle baptise *La Mousmé*. Le cadre est plaisant, avec cette baie ensoleillée et toutes les facilités offertes aux résidents français : un domestique ne coûte presque rien. Les esprits romantiques imagineront sans peine que la présence de Philippe Néel n'est pas étrangère à sa décision. Qui sait ? Le soleil accomplit parfois des prodiges... Sans doute l'ingénieur y est-il en effet pour quelque chose.

Mais plus que jamais Alexandra est décidée à se faire un nom dans l'orientalisme, dans le journalisme et dans la littérature. Elle sait que sa carrière de cantatrice devra s'interrompre un jour ou l'autre, et sa véritable passion est l'écriture. Voilà une ambition à laquelle elle ne renoncera jamais.

Le contrat de Tunis semble être le dernier engagement musical de Mademoiselle Myrial. À partir de 1900 la future tibétologue abandonne Mitra dans les brumes de son passé de débutante : elle signera désormais ses écrits sous le pseudonyme qui l'a fait connaître sur scène. Le moment est venu, lui semble-t-il, d'exploiter de manière systématique les « matériaux » rapportés de ses voyages et de franchir une étape en passant du dilettantisme au professionnalisme.

De 1900 à 1904, Alexandra déploie une énergie débordante pour tenter de se faire connaître. En se fixant à Tunis elle n'a pas choisi la solution la plus facile car le monde de l'édition, de la presse et de la littérature est concentré à Paris. Mais Alexandra n'a jamais été à un voyage près, et elle n'hésite pas à effectuer tous les déplacements nécessaires pour rencontrer un directeur de revue ou un responsable d'édition.

En quatre ans, Alexandra met en route les deux livres cités plus haut, elle publie une dizaine d'articles, devient une « collaboratrice libre » du journal *La Fronde*, prononce des conférences, abandonne définitivement le chant, fait un voyage en Espagne, fréquente le milieu ésotérique des Rose-Croix, et prend la direction artistique du casino de Tunis...

Ses articles traitant de différents aspects de l'Orient sont d'abord édités dans des revues de sociologie, d'ethnographie ou d'anthropologie : « Un mot sur le bouddhisme » (1901), « Les mantras aux Indes » (1901), « Les moines-soldats de l'armée coréenne » (1904)... Puis elle s'oriente vers le *Mercure de France* : « Les congrégations en Chine » (1903), « Notes historiques sur la Corée » (1904), « Religions et superstitions coréennes » (1904), « Le clergé thibétain et ses doctrines » (1904), « Le pouvoir religieux au Thibet. Ses origines » (1904), déjà cité. La tenue de ces articles montre que leur auteure avait acquis dès ce moment une excellente connaissance de l'Asie, du bouddhisme en général et du « lamaïsme » tibétain en particulier. Le *Mercure de France* s'adressait à une élite intellectuelle souhaitant lire autre chose que de l'information et de la politique (histoire, économie politique, art, littérature, ésotérisme, religions étrangères...).

En 1900, la profession de journaliste, au sens moderne du terme, ne fait que démarrer. La première école, l'École Supérieure de Journalisme de Paris, fut fondée en 1899 par l'Américaine Dick May, française d'adoption, qu'Alexandra rencontrera à Paris en 1909.

Elle-même n'envisage nullement de suivre une telle formation pour devenir une vraie journaliste : les conseils de son père, qui avait un moment dirigé *Le Progrès d'Indre-et-Loire*[1], lui suffisent amplement. La seule et unique méthode qu'Alexandra accepte est l'expérience personnelle, la formation sur le terrain. Elle a choisi de se spécialiser dans les thèmes exclusivement culturels qui la passionnent et d'envoyer des articles quand bon lui semble à des revues susceptibles d'être intéressées.

C'est ainsi qu'elle adresse quelques contributions à *La Fronde* : « L'Enseignement dans les Universités Populaires » (1902), « Les femmes et les études sociales »

---

1. Gilles Van Grasdorff, *op. cit.*

(1902)… *La Fronde,* journal féministe n'employait que des femmes, aussi bien à la rédaction qu'à l'administration ou à l'imprimerie.

Alexandra adresse aussi quelques papiers aux journaux engagés que sont le *Soir* de Bruxelles, et *L'Aurore,* quotidien parisien fondé en 1897 par Ernest Vaughan, un ancien directeur d'usine, proscrit pour son soutien à la Commune de Paris, devenu journaliste lors de son exil… à Bruxelles. Alexandra reste donc fidèle au milieu progressiste qu'elle connaît bien. Dans une lettre à son mari, Alexandra rappellera qu'elle a côtoyé Georges Clémenceau lors de la fondation du journal (Clémenceau fut en effet l'un des principaux animateurs du quotidien *L'Aurore*).

Les publications apériodiques d'Alexandra Myrial ne lui permettent pas de gagner sa vie. L'opportunité qui se présente en 1902 de prendre la direction artistique du casino de Tunis la soulage donc sur le plan matériel. Gagnée par l'atmosphère du lieu et séduite par la vie aisée des résidents français, Alexandra se glisse avec facilité dans un nouveau rôle : celui de femme du monde ! La fréquentation de Philippe Néel explique sans doute cela. Écrivant ses textes le jour, elle assume sa nouvelle fonction le soir au casino. Ce n'est pas la première fois qu'elle joue plusieurs personnages…

Ses multiples activités permettent à Alexandra d'acquérir une certaine notoriété dans les domaines qui lui sont chers. Elles l'aident aussi à oublier un violent conflit intérieur qui va la ronger jusqu'au 4 août 1904, date de son mariage avec Philippe Néel.

Car on ne peut appeler autrement la lutte qu'elle va perdre contre elle-même en acceptant le mariage. Les épaisses murailles qu'elle avait édifiées autour de son cœur pour se protéger de tout engagement sentimental s'étaient fissurées devant Jean Haustont, elles vont s'écrouler devant Philippe Néel. Pas immédiatement, bien sûr, il y faudra du temps. Il n'est pas question pour Alexandra de tomber dans ces faiblesses qui vous rendent dépendant de quelqu'un d'autre – la pire des calamités à ses yeux. Elle hausse les épaules quand Philippe se vante de l'amener à cet amour qu'elle rejette encore. C'est comme un défi qu'ils se lancent l'un à l'autre.

Cette crise qu'elle traverse durant les quatre années qui précèdent son mariage dépasse en intensité toutes celles qui l'avaient affectée jusque-là. Alors que la plupart des féministes revendiquent leur autonomie de célibataires, la féministe qu'elle est s'apprête à abandonner son indépendance... Les anarchistes prônent l'union libre qu'elle a elle-même pratiquée, or la voilà presque disposée à passer devant un représentant de la loi française pour officialiser son union... La stoïcienne dont l'idéal était de parvenir à l'indifférence qui permet de surmonter les peines et les joies tel un promontoire brisant les flots, se trouve submergée par un sentiment qu'elle ne parvient pas à endiguer. Que dire enfin de la bouddhiste qu'elle s'efforce de devenir depuis plusieurs années... Horrible impression de se renier, de trahir ses engagements antérieurs, de renoncer à ses choix les plus solides, et qui plus est de déchoir en tombant dans le lot commun. La fière Alexandra serait-elle à son tour victime de ce « piège ridicule où tombent les quelconques » ? (Lettre du 3 octobre 1904.)

Il existe d'autres raisons aussi pour en venir à cette extrémité jusqu'alors impensable. Alexandra a 36 ans en 1904. C'est déjà un âge sinon respectable, du moins limite, pour une femme en ce début de siècle. Alors qu'en Angleterre ou aux États-Unis la femme seule a acquis le statut de « célibataire », avec l'indépendance active et positive qu'il implique, en France elle est encore considérée de manière péjorative comme une « vieille fille » et laissée souvent en marge de la vie sociale : les pesanteurs sociologiques et religieuses font qu'elle passe pour avoir échoué dans la vocation féminine du mariage et de la procréation. Il y a évidemment de brillantes exceptions, et les féministes revendiquent de plus en plus la possibilité de choisir leur mode de vie, mais le modèle de la femme épanouie en tant qu'épouse et mère triomphe encore dans la plupart des esprits.

Alexandra sait également qu'une femme sans profession fermement établie et durable, comme c'est son cas, a beaucoup de mal à subvenir à ses besoins. En outre, sa fonction de directrice artistique d'un casino d'Afrique du Nord ne l'aidera guère à se faire reconnaître comme une intellectuelle orientaliste... Sur le plan social, une femme est gagnante dans le mariage : c'est une évidence. Alexandra est trop perspicace pour négliger un tel atout.

À la différence de Jean Haustont, Philippe Néel ne partage guère les goûts d'Alexandra : il déteste en particulier la philosophie. De plus il a mauvais caractère, mais il est intelligent : c'est une valeur essentielle dont elle le flattera dans plusieurs lettres. Amateur de « bonne musique[1] », il a aussi « d'énormes qualités pratiques d'ordre, d'économie, de travail[2] ». En dehors de sa profession, c'est tout simplement un épicurien, il aime les plaisirs de la vie, ceux de la chair en particulier :

> « Mon petit, tu as été un monsieur qui "s'est amusé" pour employer l'expression triviale courante, toi-même m'as

---

1. Lettre d'Alexandra David-Néel à Madame Llyod, 24 janvier 1939.
2. Lettre d'Alexandra à son mari. 22 septembre 1907.

souvent parlé de la place que la volupté devait tenir dans la vie d'un être bien portant. Veux-tu me laisser te dire une chose : tu n'as jamais su ce qu'est la sensualité... la grande... celle des "tout cerveaux" ! »

Lettre du 14 mars 1912.

Mais rien n'est encore décidé. La crise atteint son paroxysme quand Alexandra s'aperçoit que Philippe a eu l'aplomb de lui mentir. Il lui avait affirmé qu'elle seule comptait désormais et qu'il ne gardait aucun souvenir, photos ou lettres, de ses anciennes conquêtes féminines. Flattée dans son orgueil, Alexandra l'avait cru... jusqu'à ce qu'elle ouvre le tiroir de son bureau. Qu'il ait eu l'outrecuidance de se moquer d'elle la blesse au plus haut point dans son amour-propre. Pour elle, c'est la pire des insultes et des humiliations. Elle hait le mensonge et toute forme de bassesse, même la plus anodine.

Alexandra apprend en outre, en cette année 1904, qu'elle a une rivale. Surmontant sa répugnance, elle va discuter avec Philippe des conditions de sa rupture avec la dame en question et suggère qu'il lui verse une sorte de rente ! Irréductible, difficile, altière certes, mais magnanime et pas méchante cette Alexandra : « Imbéciles étaient ceux qui me trouvaient égoïste et sans cœur. Je ne me prodiguais pas en petites sentimentalités, en petites sensibleries, mais j'aurais pu aimer grandement qui m'en aurait paru digne, qui m'aurait aimée de même. » (Lettre du 10 décembre 1904.)

Malgré tous les griefs accumulés contre le beau Philippe, malgré leurs divergences de goûts et de pensées, Alexandra accepte le mariage. Elle sait qu'au fond, son futur époux est quelqu'un de très honorable. Et puis sans doute l'aime-t-elle... à sa façon. Mais elle gardera de cette période un souvenir atroce qu'elle évoquera encore dix ans après leur mariage, alors qu'elle séjourne à Gangtok, capitale du Sikkim :

> « Je croyais qu'avec le temps, avec l'âge, la réflexion t'était venue, que tu avais enfin compris l'abîme de tortures morales où tu m'avais jetée autrefois, que tu avais songé à ces quatre années passées à La Goulette et durant lesquelles ma raison avait presque sombré. »

Lettre du 1er juin 1914.

Ainsi donc Alexandra David allait, par son mariage, ajouter à son nom de naissance celui de Néel. Philippe Néel descend d'une famille dont les origines sont connues jusqu'au Xe siècle[1]. Il est né le 18 février 1861 à Alais (Alès) dans le Gard. Son père, natif de Jersey, venu en France comme missionnaire méthodiste, épousa la fille du pasteur d'Anduze. Le couple eut dix enfants. Philippe est donc de souche huguenote… un point commun non négligeable aux yeux d'Alexandra. L'ingénieur, lui, n'attache guère d'importance à la question religieuse.

La branche familiale dont Philippe est issu avait émigré à Jersey suite à la Révocation de l'Édit de Nantes (1685). L'accent s'y est perdu, conformément aux habitudes linguistiques anglaises. Alexandra écrivait Neel sans accent et prononçait Nèl, comme Philippe avait coutume de le faire :

> « La prononciation correcte est Néel et le nom s'écrivait ainsi autrefois. La famille tire son origine de Jean Néel le Vieux, un compagnon d'armes du Comte de Normandie,

---

1. La famille des Néel de Saint-Sauveur « Vicomtes du Cotentin, seigneurs des Îles et autres lieux » (selon la notice généalogique établie par une nièce de Philippe Néel. *Archives de la Maison A. David-Néel*). Saint-Sauveur-le-Vicomte est une petite localité située dans le département de la Manche, au centre du Cotentin.

Guillaume le Conquérant qui fut anobli par lui, comme vicomte de Saint-Sauveur, au XIᵉ siècle.

Plus tard, la famille embrassa le Protestantisme et, après la révocation de l'Édit de Nantes plusieurs de ses membres émigrèrent en Angleterre pour fuir les persécutions religieuses. Là, le nom finit par être écrit sans l'accent sur l'*e* et être prononcé à la façon anglaise : *Nil*. Quant à moi, j'écris Neel sans accent mais je prononce Nèl. »

Note d'A. David-Néel à son éditeur allemand Brockhaus. 8 mars 1935[1].

L'ingénieur à la Compagnie du chemin de fer Bône-Guelma, 43 ans, et la « femme de lettres » (la profession d'Alexandra est ainsi mentionnée dans le livret de famille), 36 ans, se marient le 4 août 1904 au Consulat de France à Tunis, sous le régime de la séparation de biens.

1. Extrait de la dernière édition du livre de Marie-Madeleine Peyronnet : *Dix ans avec Alexandra David-Néel*, Éditions Fondation Alexandra David-Néel, 2005.

Une épouse... par correspondance : 1904-1911

La correspondance échangée entre Alexandra et son mari commence le 11 août 1904, une semaine après leur mariage. Elle durera jusqu'à la mort de Philippe Néel en 1941. Les époux vivront peu de temps ensemble mais ils maintiendront pendant trente-sept ans un dialogue exceptionnel de qualité. La fidélité épistolaire de Philippe est d'autant plus remarquable qu'il verra son épouse s'éclipser pour un temps indéterminé... sept jours après leur mariage ! Leur vie commune, ou du moins telle en apparence, ne durera guère, sans cesse entrecoupée par les déplacements d'Alexandra. Or non seulement il ne rompra pas, non seulement il ne divorcera pas, mais il acceptera de servir à sa femme de correspondant, d'archiviste, de garde-meuble, de confident, et surtout d'agent bancaire, voire éditorial, lorsqu'elle effectuera ses grands voyages en Asie. Pendant des années il sera le seul lien d'Alexandra avec l'Occident. Et lorsqu'elle aura un besoin absolu de ce lien qu'il pourrait briser en la laissant se débrouiller, il n'interrompra jamais le contact. Pourquoi ? Combien de maris du début de ce siècle auraient accepté une telle situation ?

« Agent bancaire » ne signifie pas « banquier ». Au moment de son mariage, Alexandra possède un capital personnel de 77 696 F de l'époque[1]. De 1904 à 1911 elle augmentera son portefeuille par l'achat de nouvelles valeurs. Toute sa vie Alexandra s'intéressera aux cours de la Bourse et sera préoccupée par des problèmes de finances, de monnaie, de dévaluations, de changes, de dépôts, de retraits... Philippe lui servira d'intermédiaire bancaire durant ses grands voyages, en lui envoyant les sommes qu'elle demande, celles-ci lui appartenant en propre. Pour preuve ces extraits de lettres :

> « Je ne peux pas me permettre de disposer de quoi que ce soit de mes fonds en Belgique sans ton assentiment. Quelles que puissent être, à ce sujet, les dispositions de notre contrat, tu as été trop bon pour moi pour que je m'en prévale ; il y a là une question de délicatesse. Je considère cet argent comme t'appartenant autant qu'à moi, donc décide, si tu dois m'abandonner à mon sort ou essayer au prix de sacrifices, de m'en tirer. »

Lettre du 3 mars 1920. Kum-Bum.

Du cœur de l'Asie, Alexandra enverra des procurations à son mari afin qu'il puisse réaliser les différentes opérations dont elle le charge. C'est ainsi qu'il prendra en mains la gestion du portefeuille de son épouse. Loyal jusqu'à sa mort, Philippe Néel jouera le rôle de soutien logistique à celle qui resta toujours lointaine, dans tous les sens du terme... Et il ne refusera pas de l'aider financièrement lorsque, isolée et démunie, elle en aura le plus besoin, lors de son séjour en Inde en 1924-1925, au retour du voyage à Lhassa. Malgré leur longue séparation Philippe enverra à son épouse les fonds qui lui permettront de rentrer en Europe.

---

1. Marie-Madeleine Peyronnet (édition 1992), *op. cit.*

On peut penser que la fiancée indocile mena des discussions acharnées pour obtenir des garanties sur un avenir d'épouse. Pas question pour elle d'accepter le statut habituel de femme soumise, pas question de renoncer à toute vie personnelle, pas question non plus d'abandonner sa vocation d'orientaliste. Alexandra se marie, oui, mais…

Philippe avait rencontré en elle une personne exceptionnelle, il le savait. Trop sûr de lui sans doute, « Don Juan » maladroit face à celle qui ne ressemblait en rien à ses « liaisons de café-concert »[1], il avait pensé qu'il parviendrait à la « sédentariser », si l'on peut utiliser ce terme géographique qui, dans le cas d'Alexandra, est parfaitement adéquat. Mais la nomade rétive ne se laissera pas « fixer ».

Les premières années du mariage seront les plus difficiles et mèneront le couple au bord de la rupture. Philippe proposera plusieurs fois à Alexandra une séparation officielle, qu'elle refusera. Il finira par s'incliner, renonçant à exiger un divorce qu'il aurait pu obtenir avec certitude et à son avantage. Il aménagera sa vie du mieux possible, dans la tristesse de n'avoir pas su retenir celle qu'il avait souhaité comme compagne. La séparation interviendra de fait dès 1911 puisque la voyageuse ne reprendra plus la vie commune après cette date. Aussi étrange que cela paraisse, Alexandra gardera pourtant très longtemps en tête l'idée de regagner le domicile conjugal, même après de nombreuses années d'absence. Et elle ne manquera pas de s'étonner du peu d'empressement manifesté par Philippe chaque fois qu'elle lui fera part d'une telle éventualité. Le sens

1. Lettre de Philippe Néel à Alexandra. 1906 (date exacte non précisée : sans doute fin septembre). *Correspondance avec son mari. Édition intégrale 1904-1941*, p. 59.

des réalités, si évident chez l'ex-cantatrice, semblait alors lui échapper...

Si Philippe n'avait pas accepté de conserver, de classer et de réexpédier les lettres de son épouse, nous n'aurions pas aujourd'hui le plaisir de lire les très belles pages qu'elle lui adressa durant tous ses déplacements, avant même d'entreprendre ses pérégrinations asiatiques. La plupart des lettres d'Alexandra furent publiées, à l'initiative de Marie-Madeleine Peyronnet, sept ans après la mort de l'exploratrice, sous le titre *Journal de Voyage – Lettres à son mari*. Certaines lettres ont évidemment disparu, d'autres ont été détruites (les plus intimes sans doute). Complétées par les agendas de poche qu'Alexandra avait l'habitude d'utiliser, elles permettent de suivre les circuits, les réflexions, les activités, les problèmes et les soucis de tous ordres qui émaillent la longue vie de celle qui va devenir une sorte de philosophe errante, à la recherche permanente de la sagesse et... d'une maison d'édition !

11 août 1904 : Alexandra écrit de Vizille, petite bourgade française située au sud de Grenoble. Elle informe Philippe qu'elle s'est rendue à La Mure (à 20 km au sud de Vizille) en attendant de repartir pour Bourg d'Oisans (30 km à l'est). Alexandra visite donc les Alpes, seule. « Tu me manques mon ami, et beaucoup, cela me surprend... ah ! l'habitude ! » (Lettre du 1er août 1904.) On peut reprocher beaucoup de choses au caractère de la voyageuse, mais sûrement pas l'hypocrisie. Elle est d'une franchise parfois excessive. Pourquoi voyage-t-elle seule une semaine après son mariage ? Nous l'ignorons. Le carnet de 1904 nous apprend seulement que le couple avait quitté Tunis le 8 août pour Marseille, dans l'intention de se rendre à Plombières, dans les Vosges, station thermale

à la mode. On venait y « prendre les eaux », comme à Contrexéville ou à Vittel.

Les deux époux se sont donc séparés après un très court séjour dans la station thérapeutique. Ils se retrouvent à Épinal le 2 septembre, avant de se séparer une nouvelle fois, presque aussitôt. Philippe rentre alors à Tunis où l'appellent sans doute ses activités professionnelles. Alexandra se dirige vers Bruxelles (non sans visiter au passage l'Alsace et la Lorraine) pour rendre visite à son père, malade. Puis, elle prend le chemin du retour mais s'arrête à Paris. Trois mois plus tard, elle s'y trouve encore. Curieux débuts d'une vie officiellement commune ! Les seules relations qu'Alexandra entretienne avec Philippe sont épistolaires. Elle ne peut se comporter en véritable épouse. C'est au-dessus de ses forces. Elle sait que Philippe en souffre, elle-même s'effondre moralement. C'est le début d'une nouvelle période de dépression :

> « Je te l'avais bien dit d'avance : je ne suis pas jolie, je ne suis pas gaie, je ne suis pas une femme, l'on ne saurait s'amuser auprès de moi... Pourquoi as-tu persisté, t'es-tu entêté ? »

> Lettre du 27 septembre 1904. Paris.

> « Nous avons fait un singulier mariage, nous nous sommes épousés plus par méchanceté que par tendresse. Ce fut une folie, sans doute, mais elle est faite. La vraie sagesse serait d'organiser, maintenant, notre vie en conséquence, telle qu'elle peut convenir à des êtres de notre tempérament. »

> Lettre du 3 octobre 1904. Paris.

Elle ne laisse pas Philippe sans nouvelles, elle lui écrit même souvent et de longues lettres. Il lui répond, mais trop brièvement à son goût, et elle s'en plaint. C'est qu'il n'éprouve pas le même besoin viscéral de confier ses réflexions à une feuille de papier. En homme qui vit

« tout à fait sur la terre », selon l'expression qu'elle utilisera un jour à son propos[1], il lui fait cependant remarquer qu'elle ne joue pas son rôle d'épouse. La sédentarité minimum qu'implique une vie de femme mariée, le contact physique avec un homme, une certaine dépendance financière même partielle, la routine d'un quotidien trop bien réglé, les soucis d'un ménage même atténués par des domestiques... tout cela lui fait horreur.

Épouse... par correspondance, c'est le statut qui lui convient. Mais elle voit bien que Philippe accepte mal cette situation pour le moins étrange et à laquelle il n'était pas vraiment préparé. Il n'est cependant pas question de laisser dans la peine ce « Mouchy » ou cet « Alouch », auquel elle tient malgré tout, comme elle n'a jamais tenu à aucun homme ! (Mouchy est un diminutif de Mamamouchi, Alouch signifie mouton en arabe : Philippe était frisé). Il a besoin d'une présence féminine, ne serait-ce que pour tenir sa maison, aussi va-t-elle lui suggérer de garder auprès de lui cette dame dont elle avait « négocié » le renvoi peu de temps avant leur mariage. Ce ne serait que provisoire évidemment, en attendant son propre retour... Cette idée lui vient deux mois après leur union officielle.

L'ex-rivale assumera donc la fonction de... gouvernante d'un mari à l'épouse absente. Mais tout cela ne se conclut pas de gaieté de cœur.

La vagabonde promet de revenir dès que ses activités auront pris bonne tournure. Car si elle séjourne à Paris, c'est aussi pour travailler : elle a lancé une véritable offensive dans les milieux littéraires et journalistiques afin de consolider sa position de « journaliste et femme de lettres », sous le pseudonyme d'Alexandra Myrial.

_____

1. Lettre du 26 février 1912.

Elle a bien précisé à Philippe qu'elle souhaitait conserver cette dénomination sous laquelle elle commence à être connue, et qu'aucun rapprochement ne doit pouvoir être fait entre l'ingénieur et l'orientaliste. Chacun son domaine.

En novembre, elle lui annonce – sans plus de précision car elle sait que cela ne l'intéresse guère – qu'elle va commencer « un ouvrage de vulgarisation sur la philosophie hindoue ». Elle évoque également ses après-midi chez Rachilde, l'épouse du Directeur du *Mercure de France*, une relation précieuse entre toutes. C'est dans ce salon qu'Alexandra croise un jour Colette et Willy... Mais que Philippe se rassure : si la mode est aux Claudine, aux amitiés féminines, elle-même n'éprouve aucun penchant pour ce type de relation.

3 décembre 1904. Alexandra est appelée à Bruxelles au chevet de son père, mourant. C'est lors de ce séjour dans la maison familiale que ses tristes souvenirs d'enfance lui reviennent en mémoire. Madame David est souffrante elle aussi. Garde-malade par la force des choses, Alexandra sent son moral s'effondrer une nouvelle fois :

> « Je regrette bien sincèrement de ne pas croire à quelque religion bien absurde en laquelle je puisse m'absorber. C'est un invincible besoin pour les yeux trop clairvoyants d'oublier la hideur des autres et de soi-même en la contemplation d'une lanterne magique les promenant en pleine fantasmagorie. »

> Lettre du 7 décembre 1904. Bruxelles.

Louis David s'éteint le 20 décembre 1904 à l'âge de 89 ans. Il est enterré à Uccle, commune voisine de Bruxelles. Âgée de 72 ans, Madame David n'a plus que la triste perspective d'une vieillesse aigrie et solitaire.

Après ces moments éprouvants, Alexandra aspire à la chaleur, au soleil et au réconfort : elle retourne à Tunis.

Philippe a su lui organiser un espace personnel dans leur maison de la rue Abd' el Wahab : une chambre particulière. La demeure est belle, avec son salon ouvert sur un patio dissimulé aux regards indiscrets par ses hauts murs. De style arabe en ses débuts, la propriété va se charger peu à peu de statuettes, d'objets et d'ouvrages orientaux qu'Alexandra avait rapportés de ses voyages. Carrefour des civilisations... à l'image du protectorat et des habitants du lieu !

En juillet 1905, Alexandra se rend de nouveau à Paris, puis à Bruxelles où son grand ami Élisée Reclus est décédé le 4 juillet. Elle revoit sa mère, et la mésentente qui s'était estompée surgit à nouveau :

> « Tout en moi lui déplaît, comme tout lui déplaisait en mon père. Je lui ressemble tant !... Je suis la fille de l'homme qu'elle n'a pas aimé, je suis sa fille à lui seul, malgré le sang dont elle m'a faite et le lait dont elle m'a nourrie. Je suis un parasite (tiens, comme mon taenia) qui a grandi en elle... Voilà, mon ami, ce qui attend les femmes imprudentes pour chercher dans la maternité la consolation d'une union mal assortie. »

Lettre du 24 août 1905. Bruxelles.

Dans la même lettre, Alexandra annonce à son mari qu'elle ne veut pas d'enfant. L'exemple de sa mère lui a servi de leçon. La maternité est un risque qu'elle refuse de prendre. En outre, elle a conscience que les charges et l'engagement d'une mère de famille sont incompatibles avec son besoin d'indépendance et son goût exclusif pour les études. La mauvaise relation qu'elle-même entretient avec sa mère ne l'empêchera pas cependant de prendre des dispositions lorsqu'elle partira en Asie : elle confiera la tâche à Émile, son cousin belge, de prendre soin de la vieille dame, lui envoyant les subsides nécessaires pour lui assurer une fin de vie correcte[1].

L'absence de lettres jusqu'en août 1906 laisse à penser qu'Alexandra séjourne à Tunis jusqu'à cette date. Les deux époux semblent avoir trouvé, au moins provisoirement, une ligne d'entente, une sorte de consensus, un équilibre fragile étant donné leurs différences de caractères et de conceptions de l'existence.

Si la future exploratrice vit en Tunisie, elle suit de près les événements qui se déroulent en métropole et ailleurs dans le monde. Ceux-ci lui inspirent plusieurs articles, ainsi la guerre entre les Russes et les Japonais sur le terrain de la Mandchourie.

Alexandra participe au Congrès de la Libre Pensée qui se tient à Paris en 1905. Elle y prononce une allocution sur « la morale laïque ». Le concept même de « morale laïque » est-il envisageable ? Qu'est-ce que le Bien et le Mal ? Et quelle « autorité nébuleuse » peut prétendre les définir et les imposer ? Avec les libres-penseurs, Alexandra propose de passer cette morale au crible de la raison et de ne l'accepter qu'après démonstration de son utilité. Et la congressiste de conclure en citant « les paroles de hautaine sérénité d'un antique philosophe » qu'elle appelle son Maître : « Soyez à vous-mêmes votre propre flambeau et votre propre recours. Celui qui fait de la vérité son flambeau et ne cherche pas d'autres recours, celui-là poursuit la bonne manière de vivre. » Alexandra Myrial conclut ainsi sa communication sur une parole essentielle de ce Bouddha qu'elle ne nomme pas, laissant aux auditeurs le soin de découvrir qui peut être cet « antique philosophe ».

---

1. Correspondance inédite d'Alexandra David-Néel à Émile Panquin : lettres du 2 juillet 1911, du 3 août 1911, du 11 août 1914, etc. Archives de la Maison A. David-Néel.

Elle participe aussi au Congrès des femmes italiennes et en donne un compte-rendu dans *La Dépêche Tunisienne*. À partir de 1906, la journaliste philosophe abandonne son pseudonyme pour signer ses nouvelles contributions sous son nom de jeune fille : Alexandra David.

Le mois d'avril 1906 est consacré à un grand voyage en Afrique du Nord : 1 200 kilomètres parcourus en trois jours. Après avoir visité Oran, elle emprunte la voie de pénétration menant en direction du Sud vers le Sahara et la frontière marocaine. Les paysages des Atlas et des Hauts Plateaux l'enchantent, la splendeur des couchers de soleil dans le désert, la vision des caravanes avançant au pas mollement rythmé des chameaux, la densité du silence des grands espaces naturels... « Impression très profonde » note-t-elle dans son carnet.

Puis c'est la découverte de la palmeraie de Figuig située aux confins marocains, une superbe palmeraie de plus de 100 000 arbres, à 500 km au sud d'Oran, en bordure nord du Sahara : « La steppe tibétaine et le Figuig, vu du col de Zenaga, demeurent pour moi ce que j'ai vu de plus impressionnant au monde », écrira-t-elle à son mari le 2 novembre 1915, alors qu'elle séjourne dans une cabane d'anachorète dans le haut Sikkim.

Sensible à la magie du désert, Alexandra en tire aussitôt une nouvelle : « Devant la face d'Allah », publiée dans *Le Soir* de Bruxelles en 1909 ; le dernier épisode de cette dramatique histoire d'amour se déroule à Colomb Béchar !

En juillet Alexandra se rend une nouvelle fois en Belgique. Elle regagne Tunis trois semaines plus tard après avoir visité... Lourdes et son sanctuaire sur le chemin du retour. À la mi-août elle part pour Londres où elle passera la fin de l'été et l'automne chez Margot, son amie de pension. Son but : perfectionner encore sa connaissance de l'anglais dont la pratique courante lui est indispensable. En réalité, Alexandra est incapable de rester auprès d'un mari dont elle ne supporte pas la présence « rapprochée ».

De Londres, la correspondance reprend de plus belle. La fidèle épouse écrit tous les deux ou trois jours à un mari « désemparé » par une nouvelle période de solitude. Dans son courrier, Alexandra fait alterner les phrases de réconfort et les reproches réitérés. Les deux époux sont au bord de la rupture, leurs relations sont plus tendues que jamais. Le 20 septembre 1906, Philippe envoie une lettre de mise au point à Alexandra :

« Vois-tu mon amie, quand l'affection est absente entre gens appelés à vivre ensemble, les relations deviennent extrêmement difficiles. Elle seule peut aplanir les heurts de caractère et d'esprits entiers et différents. Tu me parles toujours de confiance et d'intimité complètes de l'esprit. Comment pourraient-elles exister entre gens qui ne voient pas de même, qui ne sentent pas de même, si aucun d'eux ne fait le sacrifice de soi au profit de l'autre.

[...] Tu ne m'aimes plus, ma pauvre amie, et au moins en cela, as-tu le mérite de la franchise : tu me l'as souvent répété : "je n'aime que moi". Immensément orgueilleuse, tu ne vois que par Toi et pour Toi et tout gravite autour.

[...] Que faire maintenant ? Comme toi je n'ai plus de colère. J'ai une lassitude extrême, ne sachant où aller, que chercher, qu'essayer.

[...] Je ferais volontiers quelques sacrifices pour te savoir plus calme ; tu me diras que pour des dieux seuls l'idéal se rencontre, la paix se trouve. Mais où sont-ils les dieux ?

Veux-tu essayer de quelque lointain voyage ?

Réfléchis, penses-y, mon amie. Tu me trouves prêt à te rendre les services que tu pourrais me demander. Je t'ai donné de moi ce que je pouvais. Tu l'as méprisé comme tu méprises tout. Je n'y puis hélas rien. Adieu, ma pauvre chère. Nous sommes deux pauvres malades aux nerfs usés.

Hélas, nous ne pouvons guère nous entendre. Moi, j'essaye au moins de te donner mon appui. »

Alexandra lui répond :

« Eh ! bien alors, mon cher Mouchy, il reste ce que tu appelles mon "incommensurable orgueil" qui a été irrémédiablement blessé. Comment a-t-il été possible que je n'aie pas produit une autre impression que Clarisse ou Catherine, que je t'aie inspiré les mêmes sentiments et que toi, amateur de romans, tu aies cru en commencer un avec moi. Je t'avouerai que j'ai été longtemps à me pénétrer de cette réalité qui me paraissait si inouïe qu'elle n'entrait pas dans mon cerveau. Oh ! l'épouvantable calvaire que j'ai gravi depuis six ans… »

Lettre du 25 septembre 1906. Ealing[1].

La lettre se termine sur des considérations beaucoup plus aimables pour Philippe, qualifié de « meilleur des maris que l'on puisse rêver »… À tel point qu'Alexandra lui écrit une autre lettre dans la soirée, pour le remercier encore plus nettement de la sollicitude dont il fait preuve à son égard, et du cadeau merveilleux qu'il vient de lui promettre :

« "Veux-tu essayer de quelque lointain voyage", m'as-tu proposé. T'es-tu douté en écrivant cela que tu écrivais la phrase la plus propre à me toucher parce qu'il me semble qu'il y a de ta part une intention tout spécialement bienveillante de m'offrir celle des choses du monde qui me tient le plus à cœur. Je la retiens, ton offre, mon ami ; je t'en demanderai sans doute un jour l'exécution… mais pas aujourd'hui. Aujourd'hui je suis lasse et traînerais partout, avec moi, ma lassitude et mes soucis. »

Lettre du 25 septembre 1906 – soir. Ealing.

----

1. Ealing est le quartier de Londres où habite Margot.

Quinze jours plus tard, Alexandra rentre à Tunis ! La voyageuse ressuscite tout simplement après une longue période de neurasthénie. Cette perspective de voyage lui redonne la vie. Montrant une perspicacité tout à son honneur, Philippe le cynique a trouvé le moyen de se faire pardonner. Bien que la solitude lui soit pénible, il offre à sa femme la possibilité de s'absenter longuement pour un « lointain voyage » – belle preuve de générosité et d'intelligence... Tout voyage en Asie dure alors forcément plusieurs mois : le seul trajet aller-retour s'étale au moins sur quatre semaines. Mais Philippe ne sait pas encore ce qui l'attend : le voyage d'Alexandra durera... quatorze ans !

Complexes, conflictuelles, aux limites de la répulsion et de la passion, ainsi se maintiendront les relations entre Alexandra et Philippe jusqu'en août 1911, date du départ de Madame pour son fameux voyage. Les deux « célibataires-époux » essaieront d'organiser tant bien que mal une vie commune impossible. Un homme moins large d'esprit que Philippe, aurait sans doute imposé le divorce à une épouse aussi manquante. Il ne l'a pas exigé et il propose même un long voyage : c'est bel et bien le mari idéal. Elle vient d'en prendre conscience et saura désormais lui dire sa gratitude tout au long de sa correspondance.

La notoriété
d'Alexandra David-Néel
avant 1911

Alexandra se rend parfaitement compte qu'elle a beaucoup papillonné jusque-là, sans parvenir à s'imposer vraiment dans le domaine qui lui est cher. Elle a publié des articles, mais aucune étude volumineuse susceptible de retenir l'attention des spécialistes ou celle d'un plus large public. Il est donc temps de sortir quelque chose de solide, qui serait une sorte de tremplin pour la suite de sa « carrière ». L'étude sur Meh-Ti qu'elle vient d'achever (*Socialisme chinois – Le Philosophe Meh-Ti et l'idée de Solidarité*) dépasse les 150 pages : c'est bien, encore faut-il qu'un éditeur lui fasse confiance. Or notre orientaliste a choisi une voie extrêmement difficile, celle du parcours individuel. Elle n'appartient à aucune école, elle n'est soutenue ni présentée par aucun spécialiste. Elle veut réussir par elle-même et non dans le sillage de quelqu'un. Cette mentalité caractéristique des individualistes anarchistes restera la sienne jusqu'à sa mort.

Pour des raisons prosaïques d'empires coloniaux, les Britanniques s'intéressent davantage aux questions d'Extrême-Orient que les Français, plus tournés vers l'africanisme. Alexandra pensait, avec juste raison, qu'elle avait de meilleures chances de faire éditer son étude sur Meh-Ti à Londres plutôt qu'à Paris.

Son livre est en effet accepté par l'éditeur londonien Luzac. Le philosophe chinois, connu aussi sous le nom de Mo-Tse, vécut au Ve siècle avant Jésus-Christ, peu de temps après Kong-Tse (Confucius). Son traité comprend une série d'écrits épars datant d'époques différentes, rédigés par des disciples : l'enseignement du Maître resta oral, conformément à la tradition. On y montre comment le comportement idéal de l'individu vivant dans la société se trouve facilité par la pratique de « l'Amour universel ».

C'est cette notion qui avait intrigué Alexandra. Y avait-il un rapport entre « l'Amour universel » proposé par Meh-Ti, la compassion bouddhiste et éventuellement la charité chrétienne d'un Saint Paul par exemple ? Elle comprit rapidement que l'amour universel de Meh-Ti avait un but très pragmatique, comme on pouvait s'y attendre de la part d'un sujet de la vieille Chine féodale : pour le philosophe, ce sentiment est une méthode de gouvernement comme une autre. L'être humain, foncièrement égoïste, trouvera plus d'avantages que d'inconvénients à agir de manière altruiste. L'amour réservé à quelques individus conduit aux conflits et à la guerre, l'amour universel et égalitaire est source de paix et de calme social. Cette méthode ne procède pas d'une disposition de cœur particulièrement grandiose, mais d'un raisonnement qui vise à conserver le bon ordre public.

Alexandra avait pensé que le rappel de cette théorie pouvait intéresser les lecteurs par le biais du thème social qui en est le centre. Les sociétés occidentales, alors agitées par des conflits violents sont à la recherche de toute solution capable de les résoudre. Ne connaissait pas suffisamment la langue chinoise pour traduire directement le texte original, qualifié de très difficile par les spécialistes, elle s'appuie sur différents travaux britanniques, en particulier sur de James Legge et J. Edkins, tout en rappelant ses contacts avec l'éminent sinologue français Édouard Chavannes, dont elle avait suivi les cours à Paris. Un collaborateur chinois, dont elle ne donne malheureusement ni le nom ni les qualités, l'a enfin beaucoup aidée.

Alexandra présente des extraits du traité philosophique et commente ces « morceaux choisis » en évoquant les questions sociales d'actualité. À l'occasion elle donne son opinion sur les sujets qui la touchent personnellement.

C'est dire qu'elle ne fait pas un exposé de type scientifique qui impliquerait objectivité, impartialité et exhaustivité. Les notes et renvois aux sources bibliographiques sont rares. Mais Alexandra ne dit pas avoir écrit un ouvrage de référence, elle ne prétend pas se poser en spécialiste :

> « Nous n'avons pas, je le répète, songé un seul instant à faire œuvre de sinologues, de philologues et à nous adresser au monde des savants spécialistes. Ce n'est ici qu'un ouvrage de vulgarisation destiné au public lettré et l'on y a, à dessein, laissé de côté tout ce qui, par suite de difficultés très grandes du texte, aurait été susceptible d'être interprété de façon erronée. »

Alexandra conclut sur une idée de Mo-Tse qu'elle ne peut qu'approuver, à savoir « que la valeur personnelle constitue seule la véritable noblesse et, seule, donne droit à des témoignages de déférence ». Notre orientaliste de vocation a trouvé un « créneau » dans l'édition : la vulgarisation qui permet à un public éclairé mais non spécialiste de découvrir des textes peu connus. Fière de son succès, Alexandra rentre à Tunis.

Le suivi et la sortie du livre en 1907 l'aident à faire face aux idées noires qui ne tardent pas à surgir de nouveau.

La neurasthénie l'assaille dès qu'elle séjourne aux côtés de son mari pour une période de durée… indéterminée.

Alexandra ne parvient pas à surmonter sa déprime. Philippe conseille un éloignement salutaire, qu'elle accepte aussitôt. Un voyage dans les Alpes sera suivi d'un séjour à Paris. Malgré son mauvais état de santé, elle assiste le 30 novembre à une séance du « Conseil des Femmes qui est une sorte de fédération de tous les groupes féministes français et fait, à son tour, partie d'une fédération internationale. » Ces dames proposent à Alexandra de participer au « Congrès de Rome » qui se tiendra au printemps suivant. En même temps elle renoue avec ses anciennes connaissances de *La Fronde*, accepte invitations et réunions, mais la vie mondaine lui paraît bien futile. Elle rentre à Tunis à la mi-novembre.

Son mauvais moral ne l'empêche heureusement pas de travailler puisqu'elle publie plusieurs articles en 1907 et 1908. « Les divins ancêtres des Mikados », « Notes sur la philosophie japonaise », « Les colonies sionistes en Palestine », « Quelques écrivains bouddhistes contemporains », « L'instruction des indigènes en Tunisie », « La libération de la Femme des charges de la Maternité ».

En avril 1908, Alexandra part à Rome où elle participe au congrès des femmes italiennes. La voyageuse, heureuse de ce nouveau déplacement, est invitée en tant que journaliste mais aussi en tant que militante. Elle présente un texte que nous allons détailler. Les réceptions abondent ; les congressistes sont même reçues chez la reine Marguerite, puis au Vatican où le pape Pie X leur accorde une audience.

La communication écrite d'Alexandra sera éditée l'année suivante sous le titre *Féminisme rationnel* (Éd.

de La Société Nouvelle, Paris, Mons). Son originalité est d'aborder la question de la place des femmes dans la société… sous l'angle bouddhiste !

Le Bouddha Çakyamouni avait d'abord <u>constaté</u> l'existence de la souffrance humaine. Ensuite il avait cherché les <u>causes</u> de cette souffrance, puis les <u>moyens</u> de la vaincre afin de permettre à l'être humain d'accéder à la <u>délivrance</u>. C'est ce qu'il est convenu d'appeler « les quatre Vérités ». Suivant la même démarche, Alexandra annonce le plan de son exposé :

« Restreignant, aux besoins de mon sujet, le caractère universel des « quatre Vérités » bouddhiques, je constate :

LA SOUFFRANCE. – C'est-à-dire la souffrance qui pèse sur les femmes du fait des mœurs ou de l'organisation sociale actuelles.

LA CAUSE DE LA SOUFFRANCE. – Les causes déterminant l'état de choses, dont souffrent les femmes.

LA DÉLIVRANCE DE LA SOUFFRANCE. – J'envisagerai si les causes créatrices de nos maux sont susceptibles d'être détruites, atténuées ou modifiées.

LA VOIE QUI MÈNE À LA DÉLIVRANCE DE LA SOUFFRANCE. – C'est-à-dire les moyens pratiques, propres à nous libérer de nos souffrances, dans l'ordre social. »

Première question : « *Quelle est la cause de notre souffrance ?* » En bouddhiste convaincue, Alexandra assène une vérité générale à ceux et à celles qui n'y auraient pas encore pensé : « La cause de toute souffrance, c'est l'ignorance. » Elle entre ensuite dans le vif du sujet. Dès la troisième ligne, une affirmation nous est donnée, claire, nette et sans nuances :

« La maternité, voilà l'obstacle !

Oh ! je le sais, la phrase est irrévérencieuse, car nos mœurs hypocrites nous ont fait considérer ce sujet comme sacré. La maternité !… Ne la célèbre-t-on pas en vers et en prose selon les modes les plus lyriques ? L'enthousiasme est peut-être excessif, car pour ma part, je ne crois pas qu'il y ait

90

motif à glorifier, avec tant d'abondance, une fonction physiologique commune à tous les êtres femelles existant dans la nature.

… Trop de fleurs, trop de fleurs !… Trop d'épines aussi ! »

La maternité est le problème majeur auquel se heurtent les femmes : c'est que les « charges matérielles » de l'entretien et de l'éducation des enfants reposent sur leurs épaules pendant dix ou quinze ans, voire plus encore. Car les pères n'assument pas toujours leurs responsabilités. Bien que la loi les y oblige en principe, nombreux sont ceux qui ne se préoccupent guère de subvenir aux besoins de leurs familles.

Alexandra poursuit son raisonnement à la manière de Mo-Tse, en essayant de trouver des solutions satisfaisantes à la fois pour les femmes et pour l'ensemble de la société. Notre militante se fait porte-parole de la cause féminine, tout en nuançant ses propos… car il ne faut jamais généraliser. Et elle sait bien que les choix qu'elle a faits pour elle-même sont peu courants :

« Nous ne pouvons nous exempter de la maternité. Le refus de satisfaire à cette fonction de notre sexe peut être extrêmement recommandable en certains cas. Mais l'abstention systématique ne conviendra jamais qu'à des exceptions individuelles. Elle est sans grand effet possible, ni, du reste, souhaitable sur la masse féminine. »

Pour Alexandra il ne s'agit pas d'entrer en guerre contre les hommes car ce serait contraire à l'ordre naturel des choses de la vie. Il importe en revanche de trouver des solutions d'aide matérielle aux mères chargées de leur progéniture. Les deux devoirs prioritaires des « États civilisés » doivent être : l'instruction et la « subsistance » des enfants, c'est-à-dire la prise en charge matérielle des plus démunis. Ce n'est pas faire preuve de bonté d'âme que d'énoncer de telles propositions, c'est dans « l'égoïste intérêt de la Société ». Car en cas de manquement à ces tâches essentielles, la société verra croître le nombre de dévoyés, de vicieux, d'inutiles et de malfaisants. Tout le monde en subira alors les conséquences. Mo-Tse a fait école...

Plus que les conquêtes d'ordre politique, ce sont les revendications sociales qui doivent rester l'absolue priorité. Le droit de vote ne sert à rien si la femme reste une esclave dont le seul objectif possible est sa survie et celle des enfants qui souvent lui ont été imposés. Voilà en quelques mots la position d'Alexandra.

« Tant que le droit à la vie n'aura pas été largement reconnu à nos enfants, toutes celles d'entre nous, qui ne possèdent point de fortune, c'est-à-dire l'immense majorité, demeureront solliciteuses en face de leurs frères et leur amour maternel les poussera, comme par le passé, à toutes les abnégations, à toutes les déchéances, jusqu'à l'annihilation la plus absolue.

L'homme tient trop de place dans la vie de la majorité des femmes... Je parle de la place qu'il occupe dans la mentalité féminine... Quelle énorme quantité de jeunes filles ne grandit pas avec, pour unique rêve, la rencontre du prince charmant ? Les programmes des pensionnats ne se font pas faute de répéter qu'on les élève pour être *épouses*. Ne vaudrait-il pas mieux les élever tout simplement pour être des femmes intelligentes et énergiques, aptes au mariage s'il se rencontre, ne restant pas, à jamais, désemparées s'il se rompt un jour et sachant s'en passer au besoin.

Cet aboutissement à l'homme, en tout et toujours, est le plus funeste des obstacles que nous avons à surmonter...

Apprenons à nous faire une vie propre avec un champ d'activité, des mobiles qui nous soient particuliers. Soyons nous-mêmes.

Toute la vie est là ! »

Alexandra poursuit son discours sur l'absolue nécessité pour les femmes de parvenir à « l'indépendance économique », le seul moyen de sortir de cette sorte « d'incapacité sociale » qui accable toutes celles dont la survie dépend d'un homme. Tout passe par l'éducation des enfants, garçons et filles. La tâche sera longue, conclut Alexandra, car les mentalités ne changent pas en une génération… « Mais l'heureuse récompense de nos efforts peut être de voir nos fils et nos filles se rapprocher de notre idéal, mettre en pratique ce que nous n'avons fait qu'entrevoir et vivre la vie que nous n'avons pu que rêver. »

Ces extraits révèlent une Alexandra capable de dépasser son individualisme forcené, de mettre son énergie au service d'une cause plus générale. Le poids des mentalités était tel au début du XXe siècle que la plupart des femmes n'étaient pas prêtes mentalement à affronter le bastion apparemment inexpugnable de la suprématie masculine dans la société. Le combat de ces pionnières, dont Alexandra, pour obtenir d'abord le premier des droits fondamentaux, celui de l'éducation, puis celui non moins essentiel de l'accès à la vie professionnelle, fut difficile et méritoire.

Le texte montre également les conceptions extrêmement modernes de notre héroïne : née en 1868, elle a quasiment la mentalité d'une femme d'aujourd'hui. Parce qu'elle s'est heurtée pendant de nombreuses années aux difficultés de gagner sa vie en tant que femme indépendante, elle a très bien senti que rien n'était plus prioritaire que de pouvoir accéder à « l'indépendance économique ». Elle revendique ensuite le droit moral pour chaque femme de choisir le mode de vie qui lui convient : celles qui se sentent une âme de mère au foyer sont tout aussi respectables que celles qui souhaitent mener une existence plus libre. Il importe donc de donner à toutes les garanties sociales qui leur permettront de s'épanouir dans les deux types de situations.

Alexandra a vécu assez longtemps pour constater que le combat intelligent qu'elle a mené avec ses « sœurs travailleuses » ne fut pas vain. Mais pour la philosophe bouddhiste il ne faut pas attendre tout des autres, le vrai combat est d'abord individuel et personnel. C'est celui que l'on doit livrer à soi-même et en soi-même car « ce qui crée la tyrannie, c'est le consentement passif ou actif des tyrannisés. Cela seul et rien d'autre ! ».

Après le congrès, il n'est pas question de rentrer directement à Tunis. Ce serait contraire à ses principes d'itinérance qui consistent en général à choisir les parcours les plus longs pour se rendre d'un lieu à un autre ! Naples est donc la prochaine étape, avec Pompéi et le Vésuve. Puis ce sera Capri, avant l'embarquement pour Messine. Cabotage le long de la côte orientale de la Sicile avant d'accoster à l'Île de Malte. Visite de l'île en voiture dans le cadre d'une « excursion Cook ». Elle est déçue : « Impression défavorable. L'île est sans arbre, d'une uniforme couleur soufre pâle très déplaisante », écrit-elle.

Nouvelle traversée maritime avant de débarquer à Tripoli, sur « la côte barbaresque », selon l'expression usuelle. Alexandra s'offre donc une véritable croisière, style de voyage particulièrement prisé à l'époque, surtout en Méditerranée. Le soleil, les paysages merveilleux, l'exotisme, les richesses archéologiques, la diversité des étapes, la proximité des escales... tout se conjugue pour attirer l'amateur de découvertes, le curieux à l'affût d'un dépaysement tranquille. Les compagnies de navigation sont bien équipées en paquebots, les programmes parfaitement rodés. Le tourisme de croisière se développe, réservé à cette élite qui aime le confort, les grands hôtels, la vie mondaine. Pour le moment Mme David-Néel ne dédaigne pas ce genre de déplacement – elle voyagera plus tard dans des conditions ô combien plus précaires.

La voyageuse regagne ensuite la Tunisie en faisant escale dans les deux grandes oasis du sud : Gabès d'abord qu'elle admire beaucoup, et Sfax où elle arrive fatiguée. Un vent de sable l'empêche de circuler comme elle le souhaiterait. C'est la fin de la croisière. Alexandra remonte en voiture vers Sousse où elle rencontre Mouchy, lui aussi en déplacement. De Sousse elle prend le train pour Tunis.

Nouveau voyage en été 1908, avec Philippe cette fois. Le circuit commence par une cure de deux semaines à Vichy. Il se poursuit par la visite du Mont-Saint-Michel, puis l'île de Jersey, berceau de la famille Néel. Philippe et son épouse rendent visite à des cousins qui habitent près de Saint-Hélier, la principale localité de Jersey. Ils quittent l'île le 18 septembre, avant de reprendre le train pour Paris.

Philippe regagne Tunis. Alexandra reste à Paris. Elle cherche un éditeur pour le livre d'une centaine de pages qu'elle a achevé juste avant de partir : *Les théories individualistes dans la Philosophie Chinoise – Yang-Tchou*. Il sera accepté chez Giard et Brière.

Yang-Tchou est un philosophe de l'Antiquité, auquel Alexandra vient de consacrer un article envoyé au *Mercure de France* : « Un "Stirner" chinois ». Les historiens le considèrent comme le penseur chinois le plus proche des théories anarchistes d'où l'intérêt d'Alexandra pour le personnage. En dehors du cercle étroit des spécialistes, il était peu connu en Europe : Alexandra va combler cette lacune. La vulgarisation qu'elle pratique est très révélatrice de ses propres intérêts intellectuels et spirituels. Alexandra compare sans arrêt Yang-Tchou et sa théorie aux philosophes et aux grands textes qui l'ont aidée à se « construire » elle-même : elle fait référence à l'Ecclésiaste, à l'Évangile de saint Matthieu, aux stoïciens, à Max Stirner, à quelques grands textes de la littérature sacrée hindoue (en particulier à la *Bhagâvâd Gîtâ)*, et bien sûr aux autres philosophes chinois comme Mo-Tse, Meng-Tse, Chuang-Tse, Lao-Tse (le *Tao-te-king)*, Confucius...

« Esprit indépendant », Yang-Tchou fait preuve d'un « nihilisme sans amertume » qui le conduit à penser que la vie et la mort n'ont pas plus d'importance l'une que l'autre. Le but vers lequel il faut tendre est la recherche d'un bonheur personnel en accord avec nos penchants naturels. Tout le reste n'est que vanité et illusion. La recherche des louanges et de la gloire ne se justifient pas plus que le goût du sacrifice, de la vertu ou de l'ascétisme poussé à outrance. Le bonheur est en nous-mêmes, il ne tient qu'à nous de le découvrir : pour cela faisons confiance à « la loi intime de notre organisme », celle qui découle de « la loi générale de l'univers ». Alexandra devait jubiler en transcrivant des idées aussi conformes aux siennes : « Ne cède rien de toi-même à autrui, conserve-toi tout entier à toi-même, nous dit-il. »

Mars 1909 : Alexandra est encore à Paris, partageant son temps entre le féminisme, la franc-maçonnerie, la vie mondaine et ses recherches.

Sa participation à différentes séances du « Conseil National » est notée dans son agenda. Il s'agit du Conseil National des Femmes Françaises (CNFF) qui existe depuis 1901. Elle fréquente ainsi des féministes célèbres comme Mme Avril de Sainte-Croix, Nelly Roussel, Maria Verone... En tant que membre du Droit Humain, Alexandra assiste à diverses tenues de loges ; elle y anime aussi des causeries. Son temps libre est consacré aux réceptions mondaines et aux spectacles. De sa vie d'artiste, Alexandra a gardé le goût du théâtre, en plein renouveau au début de ce siècle. Elle court de réunions en discussions, d'allocutions en conférences, de salons en dîners... Toute cette « agitation de fourmis » lui permet surtout de se faire connaître et d'imposer son personnage. Alexandra se montre un peu partout. Mais elle ne perd pas de vue l'ouvrage qu'elle a mis en chantier et qui lui tient particulièrement à cœur : une présentation synthétique du Bouddhisme. Le 27 mars 1909 elle se décide à quitter Paris. Trois jours après elle arrive à Tunis... pour repartir la semaine suivante !

Une équipe de botanistes allemands est de passage à Tunis. Ils doivent se rendre dans le sud du pays pour y répertorier la maigre flore du désert et celle plus abondante des oasis. L'occasion est trop belle. Alexandra connaît certes Sfax et Gabès, où elle avait accosté en revenant d'Italie. Mais l'intérieur du pays serait passionnant à découvrir, d'autant plus qu'elle a déjà circulé dans le nord du Sahara et elle pourrait ainsi comparer ses impressions. L'insatiable voyageuse se rend donc auprès des scientifiques, et elle insiste tant qu'ils finissent par l'admettre dans leur caravane. C'est ainsi qu'elle se rend dans les Monts du Matmata et sur les bords du Chott Djerid. De sa vie Alexandra ne laissera jamais passer une occasion de voyage. La violente tempête de sable qui s'était levée le soir sur Nefta fut un « spectacle étonnant, de la terrasse dominant l'oasis ». L'expédition aura duré une quinzaine de jours.

Mercredi 13 octobre 1909 : « F. Ferrer est fusillé à Montjuich à 9 heures », écrit Alexandra dans son agenda. C'est dire qu'elle attache de l'importance à l'événement. Rien d'étonnant à cela : Francisco Ferrer Guardia était un libre-penseur et le chef de file des anarchistes espagnols. Rendu responsable des émeutes qui avaient eu lieu à Barcelone en juillet, il avait été condamné à mort. Cet ami d'Élisée Reclus avait fait traduire en espagnol *L'Homme et la Terre,* œuvre majeure du géographe. Alexandra connaissait bien Francisco Ferrer, comme nous l'a confirmé Marie-Madeleine Peyronnet.

1910 est une année charnière pour Alexandra car c'est à ce moment-là qu'elle donne définitivement la priorité à l'orientalisme. Il est temps de programmer ce « lointain voyage » que Philippe lui avait proposé en 1906. Elle a d'ailleurs obtenu quelques subsides du Ministère de l'Instruction Publique pour l'aider à poursuivre ses recherches en Inde. Un tel déplacement ne s'improvise pas. Avant de fixer la date de son départ, il lui faut prendre des contacts, se faire connaître auprès des spécialistes asiatiques en leur envoyant tirés-à-part et exemplaires de ses travaux, s'informer des possibilités de séjour dans tel ou tel centre intéressant… Et puis son « *Bouddhisme* » n'est pas terminé, et elle compte beaucoup sur ce livre.

Ceylan est l'un des pôles essentiels du monde bouddhiste : Alexandra correspond déjà avec Dharmapala, de la « Maha Bodhi Society ». Elle contacte en outre le recteur du Collège cinghalais de Galle, écrit à Nyanatiloka, un spécialiste du pâli[1], qui séjourne pour le moment en Suisse, à Lugano. Ce bouddhiste d'origine allemande s'est formé à Rangoon en Birmanie, il a fondé un monastère à Ceylan, près de Dodanduwa.

Le 27 juin Alexandra termine *Le Modernisme bouddhiste et le Bouddhisme du Bouddha* Réédité régulièrement depuis 1911[2], c'est l'un de ses livres majeurs. Dans la lignée des deux précédents, cet ouvrage a aussi pour

---

1. Le pâli est la langue sacrée du bouddhisme du sud (Inde méridionale, Ceylan), le sanscrit est celle de l'hindouisme.
2. Sous le titre *Le bouddhisme du Bouddha et le modernisme bouddhiste*.

objectif la vulgarisation, mais le sujet en est beaucoup plus ambitieux. La connaissance du bouddhisme était réservée à une élite d'intellectuels spécialisés évoluant en milieu pour le moins fermé. Alexandra souhaite faire découvrir à un public plus large toute la puissance de cette philosophie qui écarte l'homme des « sentimentalités mièvres des religions amollissantes, lui répétant la vérité qu'il pressent – mais à laquelle il n'ose encore adhérer pratiquement – que le Salut spirituel, moral, social, est œuvre personnelle, qu'il n'est point de sauveurs, en aucun domaine, que l'homme est seul en face de la douleur et que, par ses seules forces, il doit et il peut la vaincre ». L'auteure n'accepte pas que la connaissance des autres civilisations se réduise en France à l'étude de l'Antiquité grecque. Il est temps aussi de montrer que le bouddhisme n'est pas cette religion figée dans le passé que présentent trop souvent les spécialistes de notre pays.

L'orientalisme connaît une vogue certaine en Occident par le biais des empires coloniaux et des expositions universelles. Alexandra choisit de meubler ce hiatus existant dans la documentation entre les ouvrages trop spécialisés, donc inaccessibles, et les brochures parfois délirantes de quelques illuminés. Elle va « donner une vue d'ensemble, à la fois claire et simple », sérieuse, juste et concise de la doctrine du Bouddha… sans omettre d'y glisser quelques commentaires personnels. Faut-il ajouter qu'elle y réussit avec brio ? Les multiples rééditions de son livre suffisent à le montrer.

On ne s'étonne plus de la symbiose, pourrait-on dire, entre Alexandra et le bouddhisme : aucune philosophie ne peut mieux convenir à celle qui, adolescente, avait choisi les stoïciens comme modèles ! Alexandra voit dans le bouddhisme « l'une des plus hautes manifestations de la pensée humaine ». Elle sait qu'elle a un rôle à y jouer.

Après avoir rappelé les grandes étapes de la vie du Bouddha, l'auteur expose le contenu des « Quatre Vérités », puis montre comment accéder à la Délivrance grâce à la méditation qui en est le moyen. Le principe de la causalité, c'est-à-dire l'enchaînement des causes et des effets (Karma et Vipâka), l'un des piliers de la philosophie hindoue, fait l'objet d'un chapitre, de même que le Nirvana, notion trop souvent galvaudée et mal comprise par les Occidentaux. Le Nirvana correspond à « l'état d'Arahat », « c'est-à-dire le plus haut degré de la sainteté-sagesse. Il s'agit donc d'un état mental réalisé sur cette terre, par un être vivant (l'Arahat) et non d'un Paradis pouvant être atteint seulement après la mort ». « Le Shangha », la communauté bouddhiste est le thème du chapitre suivant. Alexandra termine en évoquant « deux problèmes contemporains dans le Bouddhisme Moderniste » : la place des femmes dans le bouddhisme, et ce que l'auteur appelle « la question sociale ». Elle pose brièvement la question du bouddhisme en face de la misère sociale liée à l'industrialisation croissante.

27 août 1910 : Alexandra quitte Tunis pour l'Angleterre via la Belgique. Son rêve de jeunesse se réalise : elle devient « missionnaire »... mais ce n'est pas la parole du Christ qu'elle a choisi de diffuser, c'est celle du Bouddha. Ce nouveau voyage appartient à la tâche qu'elle s'est fixée.

Première étape : Bruxelles. La militante participe au Congrès de la Libre Pensée où elle représente Dharmapala. Alexandra devient l'un des porte-parole des Modernistes bouddhistes.

Puis elle part pour Londres où elle donne des conférences à la Société Bouddhiste. Même chose à Édimbourg. Ce séjour en Grande-Bretagne lui permet de nouer des contacts fructueux : ainsi les rencontres avec

Mrs Rhys-Davids, orientaliste, et avec Mrs Mabel Bode, professeur de pâli à l'Université de Londres[1], sont du plus haut intérêt pour son futur voyage. Car ces dames, très introduites dans les milieux indiens ou indianistes, pourront la recommander ou lui fournir quelques adresses.

Loin de se laisser éblouir, Alexandra conserve son esprit caustique :

> « Les gens qui "s'intéressent" à l'orientalisme sont bien insupportables. Ils vous posent des questions ahurissantes, manquent des notions les plus élémentaires et se croient, souvent, très renseignés. C'est amusant de voir ce qui gravite de cancres autour des quelques savants qui ont fondé la Société bouddhiste d'Angleterre. »

> Lettre du 11 septembre 1910. Charlton (Kent).

Alexandra revient à Bruxelles début novembre pour donner un cycle de conférences à l'Université Nouvelle où Élisée Reclus avait enseigné la géographie comparée. Puis elle s'installe à Paris pour trois mois, reprenant des activités qui nous sont maintenant familières (conférences, causeries, dîners, tenues de loges, etc). Elle rencontre à plusieurs reprises les savants orientalistes Sylvain Lévy et Édouard Chavannes. Parmi ses fréquentations figure un couple peu banal : les Richard. Mme Richard, Mira Alfassa devient même une amie[2]. Or cette dame est appelée à connaître un destin exceptionnel : elle deviendra « la Mère » de l'ashram de Sri Aurobindo, à Pondichéry. Alexandra évoque son personnage dans *L'Inde où j'ai vécu*. Après une dernière

---

1. Lettre du 11 septembre 1910.
2. Alexandra rappellera cette ancienne amitié dans une lettre qu'elle enverra à Mrs Lloyd le 20 mars 1951 (Archives de la Maison Alexandra David-Néel).

conférence donnée à la Sorbonne le 4 mars 1911, elle regagne Tunis.

Le 27 mai, elle reçoit les premiers exemplaires de son livre *Le Modernisme bouddhiste et le Bouddhisme du Bouddha*. Le 7 juin, elle écrit à l'Agence Cook et aux Messageries Maritimes.

Le 9 août 1911, notre héroïne quitte Tunis pour ce « lointain voyage » dont elle ignore encore la durée. Elle a quarante-trois ans, Philippe cinquante ans. Ils ne se reverront que quatorze ans plus tard ! Une nouvelle vie commence pour Alexandra : celle qu'elle attend depuis si longtemps.

DEUXIÈME PARTIE

LES MILLE ET UN CHEMINS DE LHASSA : LE VOYAGE DE 1911 À 1925

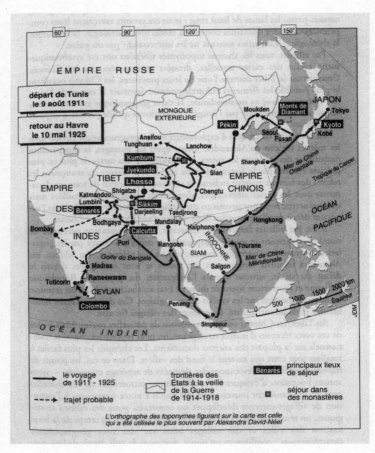

Le voyage de 1911-1925

De Tunis à Ceylan,
l'arrivée en Asie,
9 août-16 novembre 1911

9 août 1911

Alexandra embarque à 22 heures sur la *Ville de Naples* ancrée en rade de Tunis (quai de Bizerte). Elle songe à son premier voyage en Inde. Tout est tellement différent aujourd'hui ! Philippe attend sur le quai : il restera jusqu'au départ du bateau. Les deux époux savent que cette nouvelle séparation sera plus longue que les autres : elle est envisagée pour près de deux ans.

La jeune fille inconnue partant à la découverte d'un autre monde n'est plus qu'un souvenir. Vingt ans ont passé, vingt ans de luttes, de travail opiniâtre, vingt ans d'espoirs et de découragements, vingt ans pour en arriver là. Ce soir c'est Mme Alexandra David, orientaliste estimée, qui part en mission pour renouveler son « stock de connaissances ». Une subvention de 1 000 francs lui a été accordée par le ministère de l'Instruction publique[1]. On l'attend à Colombo.

---

1. Archives Nationales. Dossier F 17 – 17281.

Mais le combat n'est pas terminé : il va maintenant falloir s'imposer et durer. Elle a compris que les spécialistes, les Français plus que les Anglais d'ailleurs, la considèrent davantage comme une originale que comme une collègue. Pour eux le bouddhisme est une discipline de type universitaire, relevant des sciences humaines : pour elle c'est une foi et une raison de vivre. Si les spécialistes peuvent travailler avec passion, leur approche reste extérieure, intellectuelle, abstraite, souvent livresque. Sa démarche à elle est de type « spirituel », elle s'engage de toute son « âme » (terme incongru pour parler d'une bouddhiste) dans une philosophie qu'elle veut connaître de l'intérieur, et faire connaître en dehors du cercle restreint des érudits.

La nuit tombe, le bateau largue les amarres, la silhouette de Philippe s'amenuise, puis disparaît. Alexandra regagne sa cabine… où elle s'évanouit. Dès le lendemain, 10 août, dans sa première lettre écrite en mer, elle fera part à son mari de ce léger malaise.

La *Ville de Naples* accoste à Marseille le 11 août. Transbordement : c'est sur le *Mishima Maru* qu'Alexandra effectuera le long trajet maritime qui doit la mener à Ceylan. Elle y embarque deux jours plus tard. Le paquebot quitte les côtes françaises le 14 août 1911.

« Il y a une place très honorable à prendre dans l'orientalisme français, une place plus en vue et plus intéressante que celle de nos spécialistes, confinés dans leur érudition sèche et morte. Cette place, j'ai senti qu'elle venait à moi. Si ma persévérance et mon travail étaient suffisants je n'aurais qu'à la prendre. J'ai vu – ce n'est pas des rêves – la cohue se pressant à mes conférences à Paris, l'auditoire nombreux que j'ai réuni à Bruxelles et j'ai vu, dans le salon de S. Lévi des hommes déserter le cercle où l'on dissertait savamment pour venir autour de moi entendre parler de philosophie hindoue vivante. »

Lettre du 10 août 1911. En mer Méditerranée.

Le 30 août 1911

Alexandra débarque à Colombo pour la deuxième fois de sa vie. La ville s'est modernisée en vingt ans, mais a gardé la même blancheur, le même éclat. Alexandra retrouve avec plaisir la lumière, les couleurs, les parfums de sa première étape en Orient, les rangées de cocotiers, les parcs aux arbres géants, les fleurs pulpeuses... Ici la nature pénètre au cœur de la cité : hibiscus, camélias, frangipaniers, canneliers... La voyageuse se plaît dans ce port adossé à un océan de feuillages.

Mais Colombo ne présente guère d'intérêt sur le plan religieux. C'est une ville récente (XVIe siècle), un centre administratif et surtout un port de commerce et de transit. Après avoir rencontré ses amis de la « *Maha-Bodhi Samaj* » (nom local de la Maha-Bodhi Society), elle commence un périple qui va l'amener sur les sites renommés en commençant par Dodanduwa, au sud de l'île où elle retrouve Nyanatiloka qui va lui donner des leçons de pâli pendant plusieurs jours. « Une foule de gens accourus pour me voir », note-t-elle avec satisfaction dans son carnet. Le 10 septembre, elle préside un meeting organisé par la Société Bouddhiste Théosophique pour l'inauguration d'un nouveau local destiné à l'école des filles : la question de l'éducation intéresse toujours Alexandra, surtout celle des filles.

Puis elle se rend à Galle où elle visite le temple, et à Kandy, le centre moderne du bouddhisme cinghalais. Monastères et temples y sont légion. C'est là aussi qu'a été transférée la fameuse relique de « la Dent sacrée du Bouddha ». Alexandra n'a pas le culte des reliques, mais la simple curiosité ne l'aurait-elle pas poussée à aller y jeter un coup d'œil ? On la verrait même assez bien faire quelques offrandes... histoire de cultiver son personnage !

Elle revient à Kandy du 10 au 15 octobre, pour rayonner vers Peradeniya (baignades des éléphants sacrés), Katugastotta, Nuwara Eliya, Hakgala Gardens, autant de jardins botaniques mondialement reconnus comme des merveilles de la nature. « Tout cela est bien gentil mais je ne puis m'ôter de la tête que je suis en Suisse ou à Gérardmer », note-t-elle curieusement.

7 octobre 1911 : Anuradhapura

Anuradhapura, capitale puissante entre le IVe siècle avant Jésus-Christ et le VIIIe siècle apr. J.-C., fait partie des lieux vénérés par les bouddhistes. Là se trouve une relique vivante : le fameux figuier sacré, *Ficus religiosa*, vieux de 2 500 ans, et connu sous le nom de « Bo-Tree ». Il proviendrait d'une bouture de l'arbre sous lequel Çakyamouni reçut l'illumination qui fit de lui le Bouddha. C'est Sanghamita, fille de l'empereur Açoka, qui aurait apporté le surgeon vers 250 av. J.-C. La longévité de l'arbre s'explique par les soins attentifs dont il fait l'objet : lorsqu'une branche commence à dépérir, on en détache les rameaux encore vigoureux pour les replanter autour du tronc.

Alexandra va deux fois au « Bo-Tre et au colossal Ruanweli dagoba », la première fois pour se recueillir près de l'arbre sacré, la seconde pour y observer les fidèles. Mais elle n'ajoute rien de plus.

Du rocher sacré de Mihintale, près d'Anuradhapura, Alexandra découvre le panorama grandiose qui s'offre à tout visiteur : la nappe sombre de la forêt persistante, en place depuis des temps immémoriaux, théâtre d'une vie prodigue et sauvage que l'on devine et que l'on entend...

Le séjour d'Alexandra se termine à Colombo par un dîner au célèbre Galle Face Hotel avec le consul et quelques autres invités. Lieu typique de la vie coloniale britannique, cet hôtel renommé fut évoqué par nombre de voyageurs en escale dans la capitale. Durant ces deux mois et demi de séjour Alexandra bénéficia partout du meilleur accueil, aussi bien de la part des Britanniques que de celle des Ceylanais.

De l'Inde du Sud à l'Himalaya : 17 novembre 1911-27 mars 1912

17 novembre 1911

Partie de Colombo le 16 novembre, Alexandra débarque à Tuticorin après une nuit de navigation. Comme à Port-Saïd, elle est frappée par l'évolution du paysage. Les quelques baraques qui faisaient office de port dans les années 1890 ont donné naissance à une ville.

Même évolution à Madura (Madurai) : « On a bâti, là aussi ; le Temple seul est resté le même, plus effrayant encore si possible », écrit-elle le 18 novembre. Marquée par le souvenir de sa première visite, elle retourne au sanctuaire et c'est un nouveau choc ! Après la douceur, somme toute, assez voluptueuse du bouddhisme cinghalais, la voici brutalement ramenée au cœur de l'Inde fiévreuse et mystique. Malgré ses quarante-trois ans, elle est encore plus impressionnée que la première fois, surtout le soir au passage de la procession des dieux, l'un de ces rituels qui remontent aux sources du brahmanisme :

« Ah ! comment décrire cette vision, le frisson qu'elle vous fait courir par les moelles ! On est à côté de la terre, dans le monde des influences terribles et mauvaises, le domaine de « l'Autre » comme on disait au Moyen Âge. Et réellement, on le sent passer sur soi le souffle de « l'Autre ». À de longues années d'intervalle, je retrouve la même impression accrue en intensité. »

Lettre du 18 novembre 1911. Mandapam.

Sa prochaine destination est Paumben, suivie de Rameswaram. Après une nuit passée dans la salle d'attente « de ce coin perdu » qu'est Mandapan, elle avise un batelier pour traverser le bras de mer qui sépare le continent de la petite île de Paumben et de celle de Rameswaram, où se trouve un temple remarquable. Alexandra ne le précise pas, mais Rameswaram est l'un des grands centres de pèlerinages de l'Inde méridionale. Moins connu des étrangers que celui de Madurai, le temple est un lieu de grande ferveur pour les hindous. Les Européens le visitent rarement.

C'est dans une barque assez rudimentaire qu'Alexandra, accompagné d'un boy, indispensable pour porter les bagages, franchit les récifs coralliens du Détroit de Palk. La voyageuse ne dit pas si elle a une pensée pour le héros de l'épopée indienne du *Râmâyana* : c'est en effet le chemin exact que Râma emprunta pour pénétrer dans l'île de Lankâ où sa bien-aimée Sîtâ était retenue prisonnière. Le récit précise d'ailleurs que les récifs ont été jetés dans la mer par ses amis, les singes de Hanoumat (Hanuman) pour l'aider à franchir le détroit.

Le batelier d'Alexandra, un peu brutal, ne peut éviter un accostage tumultueux. La barque manque de chavirer, la voyageuse évite de justesse un bain de siège « indésirable », écrit-elle à Philippe. Et le débarquement a lieu à dos d'homme, comme dans les meilleurs récits d'exploration !

Puis c'est l'arrivée à Rameswaram. Munie d'une lettre d'introduction, Alexandra visite le sanctuaire en compagnie d'un brahmane mis à sa disposition. La pluie se met à tomber avec une telle violence que les rues se transforment en rivières. Le temple ne vaut pas celui de

Madoura, songe la visiteuse en achetant quelques objets de piété. Mais l'étape plutôt humide se termine d'agréable manière par un spectacle qui lui est offert à titre personnel : des petites filles brahmines exécutent pour elle une suite de danses traditionnelles. « Cela a été délicieux et très en dehors de ce que voient les touristes vulgaires. » Qu'on se le dise, Mme David-Néel n'est pas une simple touriste !

22 novembre : Trichinopoly

« L'Orient sans soleil n'est qu'un monceau d'immondices », écrit la dame dans sa lettre du 22 novembre 1911. Elle découvre l'Inde du sud-est au moment des plus fortes pluies, en fin de mousson, alors qu'elle gardait le souvenir d'un pays brûlé par les chaleurs torrides de la saison sèche. À Trichinopoly, les temples qu'elle avait visités naguère sous le soleil ont perdu toute leur luminosité, en particulier celui de Ganesha, perché sur son rocher aux 300 marches. Déçue, la visiteuse prend le premier train pour Pondichéry.

Durant le parcours, Alexandra entame la conversation avec son voisin de compartiment, un hindou brahmane s'exprimant en anglais. Quelle n'est pas la surprise de ce dernier lorsque son interlocutrice sort de son sac un exemplaire en sanskrit de la *Bhagâvad Gîtâ*, pour vérifier une citation ! Il l'invite à venir chez lui dès le lendemain pour discuter avec un ami professeur de Védas, un autre brahmane attaché justement au fameux Temple de Madoura.

Alexandra a ainsi l'immense privilège d'être reçue dans une maison de brahmanes, alors que la tradition interdit à cette caste de recevoir des étrangers. La discussion s'engage et l'hindou dévoile peu à peu le secret du *chutram* du Temple de Madoura, le cœur du sanctuaire, l'endroit inaccessible dissimulé derrière un voile que seule une main de brahmane peut lever ! Son interlocutrice est bouddhiste, mais peu importe : « Les bouddhistes comprennent cela de la même façon que nous », dit-il. Un frisson passe dans la petite pièce...

Ce type de rencontre sur le vif caractérise les voyages d'Alexandra. Sa qualité de bouddhiste lui permet d'être bien admise par les indigènes, civils ou religieux. Contrairement aux autres Européens, elle aura ainsi accès à bien des lieux, des cérémonies, des fêtes normalement réservés aux Orientaux.

Pondichéry

Son étape à Pondichéry est motivée par une visite à un hindou qui lui a été chaudement recommandé par ses amis Richard. Cet homme la reçoit pendant deux heures. Alexandra trouve en lui un « interlocuteur d'une rare intelligence appartenant à cette race peu commune et qui a toute ma sympathie des mystiques raisonnables ». « Esprit net, rayonnement dans le regard », « magnétisme particulier », telles sont les impressions qu'Aurobindo Gosh lui a laissées.

Car c'est le futur Sri Aurobindo qui vient de lui accorder un entretien. À ce moment-là, il n'est pas encore le sage réputé dont la renommée s'étendra au monde entier : c'est surtout un ancien opposant politique. Après des études faites en Angleterre, à l'Université de Cambridge, il était revenu en Inde, animé d'un sentiment patriotique qui l'a mené en prison. Libéré, il s'est réfugié en territoire français, à Pondichéry, où il restera jusqu'à sa mort. Quand Alexandra le rencontre, il y réside depuis un an, ayant renoncé à la politique pour un monde spirituel où la liberté n'a plus de limites...

Madras étant l'une des principales villes des Indes britanniques, Alexandra est aussitôt abordée par la police anglaise en descendant du train de Pondichéry : sa visite à Aurobindo Gosh n'était pas passée inaperçue. L'orientaliste est surprise : elle connaissait mal le passé politique de celui qu'elle était venue consulter pour son savoir en philosophie. Mais elle n'est pas inquiétée car elle peut présenter des lettres de recommandations qu'elle avait pris le soin de faire établir à l'India Office de Londres. Cette précaution n'avait d'ailleurs rien d'exceptionnel : tous les voyageurs étaient munis de laissez-passer permettant de circuler librement dans les différentes provinces.

À Madras, Alexandra choisit de loger au siège de la Société Théosophique car « c'est un club confortable ». Elle en gardera toute sa vie le meilleur souvenir. Le premier avantage de cette auberge un peu particulière tient au prix, nettement moins élevé que celui d'un hôtel. Et puis le cadre est magnifique, et chacun y est libre de ses mouvements.

Depuis la mort de la fondatrice H.P. Blavatsky, la Société Théosophique est dirigée par une Britannique, Annie Besant, ancienne journaliste, militante féministe passée à la cause indienne et théosophique. « Mrs Besant était une forte personnalité, elle ne "déraisonnait" que quand elle jugeait "raisonnable" de le faire, pour des motifs connus d'elle seule. » Et elle « savait mesurer les degrés d'excentricité qu'elle pouvait permettre à ses disciples », écrira Alexandra dans *L'Inde où j'ai vécu*.

Alexandra occupe l'une des chambres d'un superbe pavillon à colonnades blanches. « C'est Versailles : des chambres blanches, en rotondes, boiseries blanches, portes vitrées à petits carreaux. » (Lettre du 27 novembre

1911.) La pièce est immense, près de six mètres sur huit, sous un plafond à peine moins haut. Elle dispose d'une salle de bains, d'une armoire, d'un « bureau ministre », d'une étagère-bibliothèque et de deux fauteuils. Au milieu de tout cela « trône avec un air de défi le lit primitif, l'ascétique lit brahmanique » : un châssis de bois sur les bords duquel est fixé un sommier composé de sangles entrecroisées. Pas de matelas évidemment, mais un luxe suprême : la moustiquaire accrochée à des bambous. Alexandra apprécie le côté un peu provocant d'un tel aménagement. Et puis c'est sur des lits de ce genre « qu'ont reposé les penseurs qui écrivirent les *Upanishad* et sur eux que méditent encore les penseurs de nos jours... » (Lettre du 27 novembre 1911). Le plus drôle reste la clientèle qui évolue dans ce décor :

> « À part trois érudits qui sont payés pour travailler à la bibliothèque et demeurent ici parce qu'ils y gagnent leur pain et peuvent y trouver les loisirs nécessaires pour écrire des ouvrages, pour leur compte, le reste (composé en majorité de vierges mûres) est plus effrayant que ridicule. Si tu voyais ces yeux égarés et entendais ces propos extravagants ! »

Lettre du 3 décembre 1911. Adyar-Madras.

La bibliothèque étant à la disposition des membres de la Société, Alexandra en profite pour lire énormément. Elle sort aussi beaucoup, et ne refuse pas les réceptions qui peuvent l'honorer, tel ce lunch chez le gouverneur de Madras, auquel elle avait été conviée quelques jours après son arrivée.

Mais Alexandra se plaît surtout en la compagnie de ceux qui peuvent répondre à son enquête sur le védantisme :

> « Quand je parle, ici, avec les brahmanes, ils sentent que je parle la même langue, que je comprends les choses auxquelles correspondent les termes dont ils se servent. Sylvain

Lévi avec toute sa science serait, pour eux, un étranger. Si varié qu'il soit, l'esprit humain n'est pas illimité dans ces manifestations. Il y a des méthodes qui conduisent aux mêmes pensées... »

Lettre du 19 décembre 1911. Madras.

Le 25 décembre 1911 Alexandra adresse à Philippe ses « bénédictions et toutes les extases qui flottent dans l'atmosphère hindoue, tous les parfums qui rôdent, tout l'invisible qui vous frôle sur cette terre si vieille où tant de pensées ont vécu ».

Trois jours plus tard, elle est amenée à vivre une étrange aventure. À force d'interroger les sannyâsins et de traquer les brahmanes, Alexandra a fini par se tailler une solide réputation. Curieuse de toutes les pratiques hindouistes, elle rend un jour visite à une yoguini (une femme yogi) qui avait choisi de consacrer sa vie dans l'abandon total à Vishnou. Cette dame vivait nue dans une cabane au fond d'un jardin, passant son temps en méditations et en dévotions. C'est l'un de ses disciples qui avait mené Alexandra jusqu'à son repère. Quelques jours plus tard, ce même disciple, accompagné de deux autres Vishnouïstes, rend à son tour visite à Alexandra : ils viennent lui proposer de vivre de la même façon que leur gourou yoguini. C'est un immense honneur, mais qu'Alexandra ne peut pas accepter. Ils admettent si mal son refus qu'elle doit parlementer pendant trois heures... « L'Inde d'il y a vingt siècles se dressait devant moi en son mysticisme ardent et farouche... C'était une scène d'épopée hindoue, un peu barbare, mais non sans grandeur. » On imagine facilement ces hommes au regard de braise, à la peau marquée des signes de Vishnou, profondément interloqués devant le refus de cette Européenne faussement engagée qu'ils considéraient à tort comme leur égale...

116

Alexandra rira plus tard de l'aventure, mais elle est impressionnée et surtout flattée. La visite de ces messieurs, Vishnouïstes certes, mais par ailleurs diplômés des universités anglaises, signifiait qu'ils la jugeaient aptes à transmettre leur doctrine en Occident, c'est-à-dire qu'elle en avait compris le fond et la subtilité. Voilà qui la confortait dans ses aspirations : le livre qu'elle se promet d'écrire « montrera un Védanta vivant et vécu ».

Le Védanta fait partie des textes sacrés anciens sur lesquels se fonde l'hindouisme. Il est essentiellement contenu dans les *Upanishad*, écrits du VIIe au IVe siècle avant notre ère, eux-mêmes s'inscrivant dans le prolongement de textes encore plus anciens, appelés Védas (IIe millénaire avant notre ère). Les Védas, les plus anciens textes connus, nous reportent à la religion primitive de l'Inde : la religion védique. Ils sont à l'hindouisme ce que la Bible est au christianisme. Et l'hindouisme est directement issu du védisme.

Le Maître ayant le plus contribué à la connaissance de cette philosophie s'appelle Sankaracharya et vécut au IXe siècle. Il a en particulier commenté les *Upanishad* ainsi que ce texte qu'Alexandra cite souvent, la *Bhagavad Gîtâ*, appartenant à l'immense épopée du *Mahâbhârata*, poème de 200 000 vers sanskrits. Les 700 vers de la Gîtâ, « Le Chant du Bienheureux », apparaissent comme un hymne au devoir et à l'action désintéressée.

Le plaisir qu'Alexandra éprouve à progresser dans sa connaissance de la philosophie hindouiste ne lui ôte pas sa lucidité. Elle jette un regard sans complaisance sur les mœurs du pays :

« Quant à la mentalité de la plupart de ces védantistes elle est simplement déplorable, anti-humaine, anti-sociale et ce n'est pas étonnant qu'ils aient conduit l'Inde à l'état misérable où elle se trouve. Il faut voir cela de près, cette population d'esclaves grouillant dans le fumier. Qu'après cela un Vivekânanda exalte ses compatriotes, ce sont paroles en l'air que la réalité dément, car la réalité, ici, c'est sauvagerie, brutalité, égoïsme sans aucune retenue, mépris complet de l'homme pour l'homme et saleté inexprimable. Qui n'a vu la façon dont les Hindous se traitent entre différentes castes et ce qu'est la vie des "intouchables" hors castes – subdivisés eux-mêmes en multiples catégories – ne peut pas parler de l'Inde. »

Les conceptions d'Alexandra ne varieront jamais sur ce point : elle évoquera encore la dureté des mœurs de l'Inde traditionnelle dans un article qu'elle écrira en 1920 : *En Asie – L'Inde avec les Anglais*.

Vivekananda fut l'un des artisans du renouveau de la pensée indienne, et le continuateur de l'œuvre de son Maître spirituel Ramakrishna. Ce dernier vécut près de Calcutta, dans l'ascétisme, la modestie, la bonté et une spiritualité semée d'extases. Véritable saint François d'Assise de l'hindouisme, il avait atteint le plus haut degré d'évolution spirituelle, celui qui en faisait un « libéré ». Selon lui, l'humanité vénérait partout le même dieu, sous des noms différents.

Vivekananda fonda la Mission Ramakrishna pour perpétuer l'œuvre de son Maître et pour la faire connaître en l'Occident. Lui-même, de formation universitaire, était très ouvert au monde occidental où il fit deux tournées, dont l'une surtout lui valut un véritable triomphe : celle de 1893 pour le Parlement des Religions réuni à Chicago.

Dans sa lettre du 13 janvier 1911, Alexandra rappelle qu'elle avait eu l'occasion de voir cet homme et qu'il lui avait déplu par son air « hautain, suffisant, presque arrogant »[1]. Elle le jugeait brillant orateur mais impulsif, et surtout dépourvu de générosité et de bonté. Ce en quoi elle se trompait, car Vivekananda fonda nombre d'œuvres philanthropiques, une manière pour lui de pratiquer le *karma yoga* (ou yoga de l'action). Même un Vivekananda « marqué du sceau de la force qui commande aux hommes »[2] et subjugue les foules, n'impressionne pas Mme David-Néel ! La déesse sanguinaire Kâli elle-même le pourrait-elle ?

Lors de son séjour à Madras, Alexandra apprend une nouvelle sensationnelle qui donne immédiatement une orientation imprévue à son voyage :

> « Me trouvant près de Madras, j'appris que le souverain du Tibet, le dalaï-lama, avait fui son pays – alors en révolte contre la Chine – et résidait dans l'Himalaya.
>
> Le Tibet ne m'était pas absolument étranger. J'avais été l'élève, au Collège de France, du professeur Ed. Foucaux, un savant tibétanisant[3], et possédais quelques notions de littérature tibétaine. On le comprend, je ne pouvais laisser échapper cette occasion unique de voir le Lama-roi et sa cour. »

Voyage d'une Parisienne à Lhassa – Introduction.

La première bouddhiste de Paris, celle qui vient d'écrire un livre novateur sur la doctrine, celle qui a voué sa vie à l'orientalisme, celle qui aspire à la célébrité, se doit de tenter quelque chose : elle va essayer d'obtenir une audience auprès de ce chef spirituel qui n'a jamais reçu d'étrangère.

---

1. Vivekananda passa par Paris en 1895 avant de se rendre à Londres. Il revint en France en 1900 à l'occasion du congrès de l'histoire des religions. C'est sans doute lors de ce rassemblement qu'Alexandra eut l'occasion d'écouter le messager de la culture indienne.
2. Expression de Romain Rolland.
3. Ed. Foucaux était titulaire de la chaire des langues et littérature sanscrites au Collège de France. Alexandra suivit ses cours alors qu'il était en fin de carrière puisqu'il prit sa retraite en 1894.

Guidée par cet objectif, la voyageuse quitte Madras à la fin du mois de décembre. Elle prend le train en direction du nord-est, longe la Côte et passe la nuit du réveillon de fin d'année « d'assez misérable façon » dans la salle d'attente de la gare de Kurda Road, visite le grand Temple de Jaggernath à Puri et arrive à Calcutta le 2 janvier 1912.

2 janvier-26 mars 1912 : Calcutta

À Calcutta, Alexandra partage son temps entre la découverte des sites, les contacts avec les milieux hindouistes, et les réceptions mondaines chez ceux qu'elle considère presque comme ses compatriotes : les Britanniques.

Peu de temps après son arrivée, elle se rend au « Math » de Belur, lieu célèbre entre tous puisque c'est là qu'enseignait Sri Ramakrishna. Belur est une localité située dans la banlieue nord de la ville. Le Math, une sorte de grand monastère, fut édifié par Vivekananda pour y perpétuer l'enseignement du Maître. Munie de lettres d'introduction établies par ses relations de plus en plus nombreuses dans les milieux religieux, Alexandra y reçoit un excellent accueil, ce genre d'endroit étant d'ordinaire fermé aux étrangers. Il faut dire que notre orientaliste use maintenant d'une tactique éprouvée, en se présentant comme bouddhiste : c'est la meilleure des recommandations dans ce pays viscéralement religieux.

Avec la ténacité qui la caractérise, elle met aussi tout en œuvre pour atteindre son objectif. Sachant parfaitement qu'il sera difficile d'obtenir une entrevue avec le dalaï-lama, elle entre « en campagne » avec les armes dont elle dispose, à savoir une plume, de l'encre et du papier ! Elle écrit à ceux qui pourraient la recommander auprès des autorités britanniques et de l'entourage du chef spirituel lamaïste.

Au début du mois de janvier a lieu cette gigantesque cérémonie civile que les Anglais appellent le « durbar ». George V, roi d'Angleterre et empereur des Indes depuis 1910, a transféré la capitale de l'Empire à Delhi, mais une audience solennelle est encore donnée à Calcutta en cette année 1912. Alexandra, qui n'apprécie guère ces manifestations pompeuses, assiste quand même à une partie de l'énorme défilé, haut en couleurs, qui parcourt la ville au pas des fameux éléphants, aussi somptueusement décorés que les rajahs eux-mêmes. « Un vrai spectacle de barbares », écrit-elle à Philippe. Le vice-roi, gouverneur des Indes, est alors Lord Hardinge, deuxième du nom.

Exception faite de la foule de mendiants qui se propagent dans les rues, le Calcutta des Anglais vaut Londres, explique-t-elle encore à son mari. Le fleuve même est là pour rappeler la Tamise. La partie indigène de la ville se révèle beaucoup plus déconcertante, à cause de ses coutumes qui paraissent si cruelles aux Occidentaux : « T'ai-je dit que j'avais été avec une amie française au Temple célèbre de Kâli sur le Gange. Nous avons retroussé nos jupes jusqu'aux mollets et littéralement pataugé dans les mares de sang des sacrifices. Quel immonde charnier… » (Lettre du 9 janvier 1912.)

Une autre fois, en se rendant en bateau au Temple de Dakshinehwar, Alexandra photographie un cadavre flottant près de la berge, un chien essayant de ramener le corps sur le bord pour le dévorer. Au retour de l'excursion, le chien est parti, chassé par les vautours qui s'acharnent sur les restes du mort.

Alexandra est sensible à la tragédie des femmes indiennes. C'est ainsi qu'elle va rendre visite à une Américaine qui dirige « l'école des veuves hindoues ». Les veuves peuvent être des petites filles de cinq ans ou

moins, car les enfants sont mariés dès leur naissance. Et
« le mariage doit devenir effectif dans la semaine qui
suit la première menstruation de la fillette. » Si veuvage
il y a quand « l'épouse » est encore une enfant, malheur
à elle car en Inde les veuves, jeunes ou vieilles, n'ont pas
le droit de se remarier. Les filles tombent alors dans la
misère, elles n'ont aucune ressource en dehors de la
prostitution que certaines acceptent pour survivre.
Cette Américaine généreuse, dont Alexandra ne cite pas
le nom, apprend un métier aux petites « veuves » afin
qu'elles puissent mener plus tard une vie honorable.

Alexandra dit aussi sa révolte contre cette coutume
barbare qui voulait que la veuve accompagnât son
défunt mari dans le bûcher funéraire ! Ce rite des *satis*
avait été officiellement aboli en 1829 par les Britanniques, mais le poids des traditions – et la résistance à la
domination occidentale – était tel qu'il n'avait pas
encore disparu près d'un siècle plus tard. Certes, le spectacle était grandiose, et la femme devenait d'un seul
coup objet de vénération. Mais celles qui n'avaient pas
ce courage étaient rejetées de tous et finissaient leur
vie dans le mépris et la misère. C'est cette Inde-là
qu'Alexandra n'accepte pas. Passionnée mais lucide, elle
persiste à penser que les hindouistes manquent de la
plus infime parcelle d'humanisme. Ils restent inaccessibles à la vertu bouddhiste par excellence : la compassion, la souffrance quotidienne et la misère qui s'étalent
autour d'eux les laissent indifférents.

Alexandra est parfaitement satisfaite de l'évolution de
son enquête sur le Védantisme. Elle accumule une
somme de matériaux qui lui serviront pour ses pro-
chains ouvrages. Car c'est maintenant certain, le livre
sur le Védanta sera complété par une étude sur le
« yoguisme », la présentation de quelques « leaders religieux de l'Inde contemporaine, Vivekananda et autres,

enfin une étude sur les Brahmo réformistes » (Lettre du 9 janvier 1912). Sa compétence est reconnue en Inde même. Elle en a la preuve en se rendant au Collège de Sanscrit rattaché à l'Université, où elle est reçue avec beaucoup de déférence et traitée comme « une petite altesse ». Le principal du collège met plusieurs professeurs à sa disposition pour lui donner des cours de sanscrit et répondre à ses questions. Il lui faut maintenant approfondir sa connaissance de la langue sacrée.

On lui demande parfois de faire des causeries ou des conférences sur le bouddhisme : « Les gens font cercle, s'entassent et je parle... Curieuse race, où le mysticisme prime tout », écrit-elle à Philippe, le 13 janvier. Situation parfaitement insolite : une Française prêche le bouddhisme, en anglais, dans le pays où il est né ! Alexandra signera plusieurs articles sous le nom de Sunyananda.

Autre visite dont elle se souviendra avec plaisir : celle qu'elle rend à la veuve de Sri Ramakrishna. Dans cet étrange pays la sagesse suprême n'apparaît pas incompatible avec le mariage, et les épouses des maîtres spirituels (lorsqu'ils se marient) sont des femmes privilégiées. Ramakrishna, qui s'appelait alors Gadadhar, épousa Sarada-Devi à l'âge de 23 ans, alors qu'elle n'avait que 5 ans. L'élue ne le rejoindra que 13 ans plus tard et restera à ses côtés jusqu'à sa mort. Sarada-Devi est veuve depuis 26 ans lorsque Alexandra la rencontre en 1912 :

> « Se trouver en face de la femme d'un dieu !... Il n'y a qu'en Inde où de pareilles choses arrivent et sont considérées comme tout à fait naturelles... La vieille dame me montre alors son visage, et c'est un bien joli visage, très jeune, extraordinairement jeune pour une femme de soixante ans et une Orientale. Elle n'a pas de rides et ses yeux sont les plus beaux du monde, pleins d'intelligence et de vie. »

Lettre du 16 janvier 1912. Calcutta.

La photo de cette dame trônera bientôt à côté de celle de Philippe sur la table de chevet d'Alexandra !

Mais ce fructueux séjour à Calcutta est gâché par les soucis domestiques : son boy de Madurai est retourné chez lui et Alexandra doit lui trouver un remplaçant. Or le système social des castes rend les choses absolument cauchemardesques : « L'homme qui consent à vous nettoyer vos souliers serait à jamais déshonoré et rejeté par ses proches s'il balayait la chambre, d'autres ne peuvent pas vous servir à table et, tout au plus, veulent bien vous apporter du thé ou des fruits, mais rien de cuit. » (Lettre du 13 janvier 1912.) Cette complication est une source permanente de désagréments, dont se plaignent d'ailleurs tous les Occidentaux vivant en Inde.

Alexandra fréquente avec aisance la haute société anglaise et indienne. Les réceptions, « somptueuses et funèbres », se multiplient : dîners, thés, soirées musicales chez les Woodroffe[1] ou chez les Holmwood, quand ce n'est pas une « soirée chez de riches hindous : les Tagore » (la famille du grand poète Rabindranath Tagore), ou une « *garden party* chez la maharani d'Utva »... Son agenda foisonne de réceptions. Ce sont les Anglais qui ont lancé la mode de ces assemblées distinguées et brillantes, qui illustrent si bien le prestige de l'Empire. Les civilisations anglaise et indienne s'ignorent superbement, mais elles donnent alors l'illusion de se rencontrer durant un instant : rajahs magnifiques, officiers enturbannés, nobles dames en saris chamarrés, côtoyaient pour quelques heures, officiers britanniques en tenues de gala, messieurs en redingotes,

---

1. M. Woodroffe, juge à la High Court, était un adorateur sincère de Kâli. Grâce à lui, Alexandra pourra assister à des cérémonies secrètes qu'elle évoque dans *L'Inde où j'ai vécu*. M. Woodroffe est connu sous le pseudonyme d'Arthur Avalon.

ladies en grandes toilettes. Images de rêve pour la lointaine Albion...

Ajoutons à cela quelques lectures à la Société Théosophique, et nous aurons une bonne idée de l'emploi du temps chargé de la voyageuse. La Société Théosophique possède un centre important à Calcutta.

Comme la plupart des Européens, Alexandra souhaite quitter la ville avant les chaleurs humides de l'été, car le climat y est malsain. Les épidémies, la malaria et autres fièvres tropicales font encore des ravages dans les populations autochtones. Dès le mois de février, la voyageuse commence les démarches administratives nécessaires à la poursuite de son périple. L'Inde est le pays de l'hindouisme plus que du bouddhisme : si Alexandra est en train d'accumuler une masse d'informations sur le premier, sa préoccupation principale reste le second. La suite de son enquête portera à nouveau sur le bouddhisme.

Le 14 février 1912, le « Government House » de Calcutta lui fournit deux lettres de recommandation qui lui permettront de circuler librement dans les pays de religion bouddhiste qu'elle a inscrits à son programme : d'une part la Birmanie, d'autre part le Sikkim (archives de la Maison A. David-Néel). Ces deux pays font aussi partie de l'Empire des Indes. Si la Birmanie est restée fidèle à l'esprit du bouddhisme originel, le Sikkim s'en est éloigné en choisissant le bouddhisme tibétain.

C'est aux portes du Sikkim que réside le dalaï-lama ! Le 26 mars, Alexandra prend le train pour Darjeeling, la station située au pied de l'Himalaya. La ténacité a payé, l'autorisation a été accordée. Avec une immense fierté, Alexandra David-Néel s'apprête à rencontrer l'un des chefs spirituels les plus mystérieux du monde.

Le premier séjour au Sikkim :
11 avril-12 octobre 1912

Remarques liminaires

En ce printemps 1912, le dalaï-lama réside à Kalimpong, petite bourgade située à 20 kilomètres à l'est de Darjeeling, à l'extrême nord du Bengale et au sud du Sikkim. Il attend que les derniers Chinois évacuent sa capitale, Lhassa...

Jalonnée par les luttes ou les rapprochements avec la Chine, l'histoire du Tibet s'est compliquée au XIXe siècle et au début du XXe avec l'intervention des Occidentaux. Le centre de l'Asie et le Tibet en particulier sont devenus objets de convoitise pour les Russes, les Chinois et les Britanniques.

Pour les Anglais, il n'était pas question « d'occuper » le Tibet, mais d'empêcher les Russes d'étendre leur influence en Asie, d'assurer la sécurité de la frontière septentrionale de l'Empire des Indes et de disposer de relais commerciaux. Le refus catégorique des Tibétains aboutit au lancement de l'expédition du Colonel Younghusband en 1904 et à l'entrée des Anglais à Lhassa. Résultats : fuite du dalaï-lama en Mongolie (il reviendra peu de temps après), mise en place d'un contrôle britannique sur la politique extérieure, création de quelques comptoirs commerciaux. Les Chinois ayant refusé de signer cet accord anglo-tibétain, un compromis fut trouvé en 1906 : les Anglais reconnaissaient implicitement la suzeraineté de la Chine sur le Tibet, mais ils conservaient les avantages qu'ils venaient de

conquérir. Les Chinois se sentent alors dépossédés d'un terri-
toire qu'ils considéraient déjà comme leur.

En février 1910, deux mille soldats chinois avaient été lancés
sur Lhassa, entraînant la fuite du dalaï-lama en Inde. Jamais les
Chinois n'avaient tenté un tel coup de force contre leurs voi-
sins. Mais la situation se dégradait en Chine : décadence du
pouvoir mandchou, éclatement de la révolution, effondrement
de la dynastie Qing en 1911. La situation tourna alors à l'avan-
tage du Tibet qui proclama son indépendance. Les soldats
chinois furent contraints de quitter Lhassa. Ce départ s'échelon-
nera jusqu'en 1913, mais dès le début de 1912, le dalaï-lama
s'apprêtait à regagner Lhassa.
En 1912, le Tibet est un pays indépendant, placé dans la zone
d'influence britannique. Les Anglais y disposent de trois comp-
toirs commerciaux.

26 au 26 mars 1912 : vers Darjeeling

L'arrivée à Darjeeling ne manque pas de pittoresque
car le train n'atteint pas la ville en raison des difficultés
du relief. Les premières pentes raides préhimalayennes
commencent peu après Siliguri, environ 60 km au sud
de Darjeeling. La fin du parcours s'effectue dans un
petit tortillard local qui roule sur voie étroite (cet engin
existe encore, à peine plus large qu'un minibus). S'y prenant à plusieurs reprises pour négocier les lacets les
plus aigus, il roule parfois si près de la paroi montagneuse qu'il suffit de tendre le bras pour y cueillir une
fleur. Le convoi s'arrête maintes fois pour recharger la
machine en charbon et en eau, au grand plaisir des
singes venus glaner une ou deux peaux de bananes
jetées par les passagers. Ce « chemin de fer joujou »,
écrit Alexandra, est « un peu semblable à celui qui, à
Paris, conduit les visiteurs de la Porte Maillot au Jardin
d'Acclimatation » (*Auprès du dalaï-lama*).

Alexandra passe les dix premiers jours d'avril à Darjeeling, l'une des « villes de santé » les plus prisées par les Anglais. Bien que l'air soit souvent saturé d'humidité, la relative fraîcheur des températures rend l'atmosphère supportable : la ville est bâtie à flanc de montagne entre 2 100 et 2 300 m d'altitude. Darjeeling connaît alors son apogée. Si l'administration du vice-roi passe l'été à Simla (au nord de Delhi), celle du Bengale monte à Darjeeling – au sens propre du terme car les hauts de la ville sont réservés aux Anglais.

11 avril 1912 : vers Kalimpong

Alexandra quitte Darjeeling et pénètre dans un monde qui va lui inspirer les plus belles pages de sa correspondance. Du petit hameau de Lopchoo, qui est sa première étape après Darjeeling, Alexandra écrit à Philippe : « Oui, très cher, je suis partie ce matin, avec mes gens. Juchée sur mon "coursier" dans le matin rose un peu lumineux, j'ai songé à Don Quichotte partant chercher l'aventure... » (Lettre du 11 avril 1912.)

Que de jubilation dans ces lignes ! On sent tout le plaisir qu'elle éprouve à partir de cette manière pittoresque, vers un lieu insolite, à la rencontre d'un personnage plus étrange encore. Le XIIIᵉ dalaï-lama a accepté de recevoir Mme Alexandra David-Néel, bouddhiste et orientaliste française dont il n'avait jamais entendu parler jusque-là. L'entretien a été fixé au 15 avril, un jour faste selon les astrologues ; il aura lieu à Kalimpong.

Accompagnée par ses deux serviteurs, Alexandra avance donc avec un orgueil amusé sur son cheval bai. L'heure n'est plus à la mythologie hindoue : pour la première fois de l'histoire, une Française bouddhiste marche à la rencontre d'un chef d'État pas comme les autres, à la rencontre du chef spirituel de l'une des écoles les plus importantes du bouddhisme tibétain.

« Du brouillard, beaucoup… de gros nuages errants par les forêts transformant les arbres en géants fantômes. Plus rien de l'Inde, ni la végétation, ni la saveur de l'air, ni la couleur dont s'enveloppent les choses. C'est Asie mongolique, Asie jaune…

On se sent "loin" en traversant ces forêts himalayennes avec leurs arbres énormes, pourris de vieillesse, tout creux, vêtus, jusqu'au faîte, de longues mousses pendantes. Il y en a où pousse de tout, des lianes, d'autres arbres venus d'une graine nichée en une fente de l'écorce, où pousse de tout, sauf le feuillage de l'arbre lui-même, rongé, tué par tant de parasites. C'est la jungle moins touffue, moins terrifiante qu'à Ceylan, moins horrifique avec éclat, placide, énigmatique.

Lettre du 11 avril 1912. Lopchoo.

12-20 avril 1912 : Kalimpong

Arrivée à Kalimpong après six heures d'un cheminement marqué par la traversée de la « vallée torride et fiévreuse » de la Tista, Alexandra s'installe dans le bungalow mis à la disposition des voyageurs. Comme à Lopchoo, elle profite de ces installations rustiques mais commodes, construites à l'initiative des Anglais : les bungalows. Dans une région sans hôtels, c'est d'ailleurs la seule possibilité d'hébergement.

Celui de Kalimpong est spacieux, propre et confortable. Tout un côté du bâtiment est déjà occupé par un hôte de marque : le fils du maharadjah du Sikkim, Kumar. Pour l'accueillir, le jeune homme s'est fait accompagner par le directeur de l'école de Gangtok (la petite capitale du Sikkim), Dawasandup, auteur d'une biographie du poète tibétain Milarepa. Il deviendra le premier professeur de tibétain et de philosophie « lamaïste » d'Alexandra.

Le lama Kasi Dawasandup est un personnage remarquable. Instruit dans le tantrisme, il connaît les sciences occultes et maîtrise la langue anglaise. Né au Sikkim dans une famille aisée d'origine tibétaine, il est devenu interprète du gouvernement britannique. Installé au Bhoutan de 1887 à 1894, il revint au Sikkim pour des raisons familiales, et fut chargé de l'école de Gangtok. Quelques années plus tard il participera comme interprète à la Conférence anglo-sino-tibétaine de Simla (1914). Puis il sera nommé chargé de cours de tibétain à l'Université de Calcutta, où il mourra en 1923.

À Kalimpong, le dalaï-lama et sa Cour (plusieurs centaines de personnes) résident dans « une vaste bâtisse du genre chalet à un seul étage, avec un balcon courant tout le long de la façade. Une longue allée, conduisant de la chaussée à l'habitation, avait été simulée à l'aide de hautes perches de bambou, chacune portant une de ces longues bandes d'étoffe sur lesquelles est imprimée, quelques centaines de fois, le "mantra" célèbre : "Aum mani padme hum" » (*Auprès du dalaï-lama*).

Le 15 avril, Alexandra arrive en « dandie », vêtue de sa « robe couleur d'aurore » c'est-à-dire orange ou saumon, telle une coreligionnaire de toujours. Une tenue européenne aurait détonné dans cette atmosphère lamaïque, et le vêtement religieux en imposait davantage. Il lui avait été conseillé. C'est qu'Alexandra ne vient pas en tant qu'Européenne mais en tant que bouddhiste – la nuance est d'importance.

Elle est accueillie par Laden La, le chef de la police de Darjeeling, et par le chambellan qu'elle trouve « un peu crasseux. » Bien que ce soit l'usage, Alexandra refuse de s'agenouiller devant le dalaï-lama : c'est contraire à ses principes. Laden La, qui sert d'interprète, en discute avec le chambellan. Finalement elle n'aura qu'à incliner la tête pour se faire bénir par Sa Sainteté (Lettre du 15 avril 1912).

Le moment arrive enfin d'introduire la voyageuse « devant le grand Manitou », selon sa propre expression. L'audience dure trois quarts d'heure.

> « J'étais venue à Kalimpong pour causer avec le dalaï-lama des doctrines de son église. J'entendais lui parler, non des pratiques populaires, du ritualisme superficiel qui, seuls, ont été entrevus par ceux qui nous ont parlé du Lamaïsme, mais des hautes théories philosophiques du bouddhisme, souhaitant savoir ce qu'il en restait dans l'esprit des lamaïstes instruits et, spécialement, dans celui du Pontife de Lhassa. »

Lettre du 15 avril 1912.

Le XIIIᵉ dalaï-lama s'appelle « T'ub Bstan Rgya Mts'o » (Thubten Gyatso), il est né en 1876 et règne depuis 1895. Quand Alexandra le rencontre il a trente-six ans. Vivre jusqu'à cet âge raisonnable est un exploit pour un dalaï-lama, car la plupart de ses prédécesseurs ont été assassinés très jeunes. L'avidité, l'ambition et le goût du pouvoir de quelques grands lamas de cour ont souvent eu tendance à prendre le pas sur le respect de toute forme de vie que prône la doctrine... Les vicissitudes de l'histoire ont obligé Thubten Gyatso à découvrir quelque peu les Occidentaux, et il comprendra que son pays a tout intérêt à s'ouvrir davantage sur l'extérieur, ne serait-ce que pour trouver des appuis dans sa lutte contre les Chinois. Connu pour son autorité cruelle, le XIIIᵉ dalaï-lama sera considéré comme un grand chef d'État. Il mourra en 1933.

Alexandra le trouve beaucoup plus intelligent que sur ses portraits officiels :

> « La "retouche" chère aux photographes l'a gratifié d'un air béat, un peu endormi, un peu niais, qui n'est nullement le sien... Il me posa de nombreuses questions concernant

les Bouddhistes occidentaux, mes études orientalistes, les livres que j'avais lus, etc. : et nous finîmes par convenir que je lui remettrais, en traduction thibétaine, la liste des questions auxquelles je désirais qu'il répondît, et qu'il écrirait un mémoire sur ces divers sujets. »

Lettre du 15 avril 1912.

Se souvenant des bonnes manières apprises jadis au pensionnat, Madame l'orientaliste quitte « le Pape jaune » en lui faisant une révérence de cour dans le style le plus classique !

Puis elle rejoint le maharadjah Kumar, « Pauvre petit prince héritier aux ailes coupées », dit-elle à Philippe (Lettre du 15 avril 1912). Comme nombre de jeunes Indiens, le prince a étudié en Angleterre, à l'Université d'Oxford. Il a voyagé en Europe et au Japon, avant de regagner son pays. Ses séjours en Occident lui ont donné une ouverture d'esprit que ne possède pas son père. Le nom religieux de Kumar est Sidkeong Tulkou (le terme *tulkou* désigne ceux qui sont reconnus officiellement comme réincarnation d'un personnage). À ce titre, Sidkeong Tulkou est le chef religieux du Sikkim, et Alexandra trouve là un interlocuteur privilégié. Une sympathie réciproque s'établit tout de suite. Le jeune maharadjah explique à Alexandra qu'il rêverait de réformer le bouddhisme pratiqué dans son pays. Ils se reverront à Gangtok. Alexandra est comblée par ce premier contact amical et par son entrevue avec le dalaï-lama. Elle s'empresse de raconter cette journée mémorable à Philippe.

23 avril-3 mai : Gangtok

Alexandra met trois jours pour se rendre de Kalimpong à Gangtok. Elle éprouve une joie intense à pénétrer dans ce pays qui ne lui est pas encore familier. En Inde elle a

132

vécu de grands moments, elle a accumulé les découvertes, les satisfactions, les honneurs. Ici, c'est la nature retrouvée : une végétation luxuriante mais sans excès, des maisons toutes simples dispersées sur la montagne, des rivières aux eaux propres et rapides, des habitants au regard apaisant, des chants d'oiseaux inconnus... L'Inde reste une terre de tragédie, ici règne l'harmonie. « Je dois bénir les déités propices et te bénir avec elles, mon cher Mouchy, pour toutes les heures de joie que de tels souvenirs mettront dans mes vieux jours... » (Lettre du 20 avril 1912.)

Elle fait pourtant connaissance avec les innombrables petites sangsues noires, si rapides et si vivaces. Les cailloux sont humides, son cheval ne cesse de glisser, tombe même une fois... sans dommage pour sa cavalière qui se cramponne. Elle découvre aussi un climat qui peut être rude même à Gangtok, pourtant situé bien au sud des hauts sommets himalayens, à l'altitude très moyenne de 1 810 mètres. Une violente tempête se déchaîne lorsque le petit groupe arrive dans la capitale. L'accès au bungalow devient périlleux : « Ce n'est plus pleuvoir, c'est je ne sais quoi que je n'ai jamais vu. » Ce qu'elle décrit ensuite laisse penser à une tornade (branches arrachées, grêle, vacarme du vent...).

À Gangtok, Alexandra est reçue avec sympathie par la « petite communauté minuscule d'Européens » : le Résident, son adjoint, le capitaine des Cipayes, le docteur, et un lieutenant, ainsi que les épouses de ces messieurs.

Quelques jours plus tard, elle prend le thé chez le jeune maharadjah. Sa maison tient « du cottage anglais et de la maison chinoise », mais l'ensemble est de bon goût et discret. On sent bien qu'Alexandra ne peut s'empêcher d'éprouver quelque pitié pour ce « petit prince jaune » de trente-trois ans, un « oiselet retenu par un fil ». Un lama de haut rang est aussi invité, le jeune homme sert d'interprète :

« Je suis très heureuse parce que ces deux adeptes de la "Secte Rouge" confirment, à leur tour, ce que j'ai avancé dans mon livre : "Le Nirvâna, c'est la suppression de l'idée de la personnalité distincte, séparée et permanente." Je crois bien avoir été la première à écrire cela en Europe, personne n'avait découvert cette doctrine qui est pourtant si nette dans le bouddhisme. »

Lettre du 26 avril 1912.

Le Sikkim est dirigé par la même famille depuis le XVIIᵉ siècle, la dynastie des Namgyal d'origine tibétaine. Le premier aïeul, qui venait de la province tibétaine du Kham, s'installa au Sikkim au XIIIᵉ siècle.

En 1912, le maharadjah en titre a cinquante-deux ans. Il est père de cinq enfants, dont trois nés d'un premier mariage : une fille née en 1876, un fils né en 1877, et Kumar né en 1879. Devenu veuf, le maharadjah s'était remarié et devint père de deux autres enfants dont un fils, âgé de vingt et un ans en 1912 : c'est le demi-frère de Sidkeong Tulkou qu'Alexandra évoque à plusieurs reprises dans ses lettres. Le fils aîné réside au Tibet, à Gyantze. Il a perdu ses droits à la succession en préférant vivre au Tibet plutôt qu'au Sikkim : les Anglais ont en effet désigné officiellement Sidkeong Tulkou comme héritier du trône[1].

Car le pays est sous la tutelle britannique depuis le XIXᵉ siècle. Le statut du Sikkim, officialisé par le Traité de Tumlong, signé en 1861, est celui d'un protectorat. Si la famille princière a été maintenue, un Résident anglais séjourne dans la nouvelle capitale, imposée par

---

1. Collectif, *The Gazetteer of Sikhim*, Reprinted Bibliotheca Himalayica, Series 1, volume 8, New Delhi India, Manjusri Publishing House, (1894), 1972.

L.A. Waddell : *Among the Himalayas*. Reprinted Bibliotheca Himalayica, Series 1, volume 18, Katmandu Nepal, Ratna Pustak Bhandar. (1899), 1977.

les Anglais : Gangtok. L'ancien palais, situé dans la campagne, se trouvait à une quinzaine de kilomètres plus au nord, à Tumlong (il n'en reste plus rien aujourd'hui). La frontière nord du Sikkim a été fixée en 1890 dans une convention anglo-chinoise : aucun étranger ne peut franchir cette ligne sans une autorisation du Résident britannique. Les Anglais ont construit quelques routes dans le sud du pays ainsi que des ponts, comme le célèbre pont métallique qui traverse la Tista, à l'extrême sud, entre Darjeeling et Kalimpong. Partout ailleurs, les déplacements se font sur des sentiers souvent « extravagants », des pistes muletières : le Sikkim a la particularité d'être un territoire exclusivement montagneux. Ce petit pays d'environ 7 000 km^2 (la superficie d'un département moyen de chez nous) va jouer un rôle déterminant dans le voyage d'Alexandra, et la marquer à jamais.

Première excursion : 3-7 mai 1912, vers Changu et le « Natu La »

La voyageuse est au Sikkim pour visiter ; il lui tarde de commencer la découverte du pays. Son premier objectif est un col situé à l'est de Gangtok : le Natu La (« *La* » signifie « col »), donnant sur le Tibet par la vallée de Chumbi. Altitude du col : 4 310 mètres. Il s'agira de camper en altitude ; l'excursion doit durer huit jours. Alexandra part bien entendu avec ses « gens », c'est-à-dire ses deux serviteurs, dont le travail est maintenant rôdé.

L'itinéraire qu'elle suit, correspondant à l'un des grands axes de communication entre l'Inde et le Tibet, est un sentier de montagne… Le bungalow de Karponang[1] ressemble à une cabane de chantier, mais à 2 937 m d'altitude on

---

1. Le bungalow de Karponang existe toujours, figurant comme « lodge » sur la carte du Sikkim publiée en 2003 par ITMB Publishing LTd de Vancouver.

apprécie le moindre coupe-vent. Hélas, le temps devient détestable : « orage très violent, grêle toute la nuit, » note-t-elle dans son carnet de route. La petite équipe décide malgré tout de continuer, car Alexandra tient absolument à voir ce col. Mais le sentier est bientôt coupé par des congères infranchissables et il faut faire demi-tour.

Alexandra ne regrette pas d'avoir essayé. Elle a eu froid au bungalow, mais les paysages l'ont émerveillée, la lumière surtout, « cette étrange lumière himalayenne unique et surtout saisissante par les jours de soleil » (Lettre du 9 mai 1912). « Toute la route à travers la montagne est superbe de sauvage grandeur », écrit-elle dans son carnet.

15 mai-27 juin 1912 : vers le nord du Sikkim

Nouvelle excursion quelques jours plus tard, vers le nord du Sikkim. Peu de temps avant de partir, Alexandra écrit à Philippe :

> « Ah ! oui, il se prolonge ce voyage ! Et ne crois pas, mon bon ami, que ce soit à cause de mon indifférence envers toi, du peu de plaisir que je trouve dans notre home. Non pas... mais je suis emportée par quelque chose... par quelque chose qui est fait de la force de mes désirs concentrés, accumulés pendant tant d'années. Je vis des heures que je sais ne devoir jamais revivre, des heures studieuses où l'étude est autre chose que la lecture de textes morts, où elle est chose vivante, prenante, grisante infiniment. »

Lettre du 9 mai 1912.

Son mari ne la reconnaîtrait plus : elle est en pleine forme et rajeunit même, affirme-t-elle un peu plus loin dans son courrier, avant d'ajouter : « J'ai des yeux où luit toute la clarté des Himalayas. »

L'orientaliste se rend d'abord à Lachung, au nord-est du pays, pour y rencontrer un révérend anglais, membre de la petite société missionnaire du village. Il lui avait rendu visite à Gangtok et lui avait dit qu'il savait parler tibétain, compétence rare et ô combien intéressante pour Alexandra.

Étape à Dikchu, à 612 mètres d'altitude, dans le bungalow qui est bâti au bord de la rivière torrentielle : « On est comme au fond d'un gouffre dans cette gorge si étroite avec, des deux côtés, ces hautes montagnes à pic. La nuit vient peu après mon arrivée, chaude et lourde, une vraie nuit des tropiques qui me rappelle Ceylan : 28 °C dans ma chambre à coucher. » (Lettre du 18 mai 1912.)

Autour du bungalow : une nuit d'encre, des myriades de mouches lumineuses, un feuillage de jungle. Dans cet extraordinaire pays, on passe de la végétation tropicale des vallées encaissées, aux forêts, aux pâturages, aux mousses, aux lichens, puis aux rochers des hautes altitudes, sur quelques dizaines de kilomètres. Le fond de la vallée de la Tista au sud du pays, à 230 mètres d'altitude, n'est distant que d'une cinquantaine de kilomètres du pic sacré Kanchenjunga dont les 8 585 mètres d'altitude marquent la frontière sikkimo-népalaise.

Le jour suivant, l'environnement devient magnifique : bégonias, orchidées, bananiers, note-t-elle dans son carnet, un soleil éblouissant, des oiseaux multicolores « avec des queues extravagantes », « des papillons merveilleux dont certains sont eux-mêmes gros comme des oiseaux » (Lettre du 18 mai 1912).

Construit dans un endroit dégagé, le bungalow de Singhikh où elle fait étape permet de découvrir un panorama de toute beauté. « Et tout cela est grand, démesuré !... Comment revoir encore des villes, s'asseoir encore auprès des mortels affairés, agités, quand on a vécu, ici, ces heures éloquemment silencieuses... » (*Idem.*)

De bungalow en bungalow, Alexandra arrive à Lachung le 21 mai. Il ne faut surtout pas croire que ce parcours fût improvisé. Elle s'était d'abord renseignée auprès des Anglais de Gangtok sur les circuits praticables. Elle avait acheté une carte topographique du Sikkim, établie par le Service Topographique des Indes en 1906, et y reportait son itinéraire au fur et à mesure, en complétant la nomenclature. Elle dispose aussi de la liste des bungalows (édition 1911), un document officiel signé par le Résident Charles Bell. Les bungalows y sont classés par route, avec indication des distances les séparant, de l'altitude des emplacements, du nombre de chambres (s'il y en a plusieurs) et de couchettes. On retient ses bungalows à la Résidence britannique de Gangtok, en payant d'avance.

Il pleut à Lachung. La voyageuse s'installe pour quelques jours dans le bungalow, et se remet au travail. Elle écrit à Philippe qu'elle a l'intention de reprendre la deuxième partie de son « Mémoire sur l'enseignement moral » – sujet bien singulier pour un endroit pareil, mais on se rappelle les goûts éclectiques du personnage. Elle enverra aussi un article au *Mercure* sur son entrevue avec le dalaï-lama, et un compte-rendu plus bref, sur le même sujet, au *Soir* de Bruxelles. Elle écrira enfin « une brochure, à l'usage des bouddhistes », qu'elle fera traduire en tibétain et qui sera diffusée au Sikkim. Sans oublier le *Védanta*, cela va de soi. Bref, elle a de quoi s'occuper... Par la même occasion, elle demande à son mari de garder ses lettres qui lui serviront plus tard de « journal de voyage ».

28 mai-1er juin : Lachen

Alexandra avait entendu parler du supérieur du monastère lamaïque du village (la *gompa*) de Lachen, petit village situé à 20 km à l'ouest de Lachung. Le chef des lamas de Lachen (le *gomchen*) jouissait « d'une extraordinaire réputation. Une sorte de "siddipurusha" magicien et saint qui vit la moitié de l'année hors de son couvent, seul dans une grotte, à l'abri d'un rocher dans des endroits écartés, seul, méditant, à l'exemple des grands yoguis dont parlent l'histoire et les légendes » (Lettre du 28 mai 1912).

L'un des buts de son excursion vers le nord, on l'a compris, est de rendre visite à ce Maître exceptionnel. Le Révérend Owen, venu rendre visite à une mission suédoise installée à Lachen, l'accompagnera et lui servira d'interprète.

Pour la première fois de sa vie, Alexandra pénètre dans les demi-ténèbres d'un oratoire aménagé dans le plus pur style tantrique, avec ses fresques à la « symbolique effarante », « ses masques démoniaques » accrochés sur des « piliers trapus peints en rouge violent », ses « bannières anciennes » qui pendent du plafond très bas. Le grand lama est assis sur un tapis, en posture de méditation... Alexandra est captivée par l'atmosphère du lieu, saisie par l'authenticité d'un présent qui plonge dans l'éternité...

Le gomchen interrompt sa méditation et la reçoit. Elle raconte à Philippe :

> « C'est un géant, mince sans être osseux, il porte sa chevelure en une tresse qui lui bat les talons. Il est vêtu de rouge et de jaune d'un costume tibétain très différent des lamas du Sikkim. Sa figure est extrêmement intelligente, hardie, décidée, éclairée par ces yeux spéciaux, ces yeux du fond desquels jaillit une lumière, une sorte d'étincelle, que donnent les pratiques yoguistes. »

Lettre du 28 mai 1912.

Le dialogue s'engage. Le Révérend traduit de son mieux des références à un monde qu'il ne connaît pas, des notions qu'il ne comprend pas... L'attitude du gom-chen impressionne Alexandra :

> « Il était beau, grand, souverainement impressionnant de voir le "yogui" balayant d'un geste large tout l'entourage d'images et de symboles, le reniant : "Ils sont bons pour les gens de petite intelligence, seulement" et reprenant la pensée des "Upanishad", la pensée maîtresse de l'Inde : "trouver tout en soi"... »

> Lettre du 28 mai 1912.

Alexandra vient de rencontrer celui qui acceptera, quelques années plus tard, de lui transmettre certains enseignements secrets tantriques : son futur Maître spirituel, « Nga-Ouang Rinchen ».

1er-8 juin 1912 : premier regard sur le Tibet interdit

Le petit village de Lachen, perché à 2 728 m d'altitude, est décidément très visité : des missionnaires nordiques, une Française, et voici maintenant le jeune Kumar, sa suite et tout un équipement de camping destiné... à Alexandra ! Le prince se rend à Gyantze au Tibet, pour voir son frère aîné, et se propose de l'aider à découvrir l'extrême nord de son pays.

Avant de partir, elle remonte à la gompa en compagnie du chef religieux du Sikkim : une cérémonie est prévue en l'honneur du passage de Kumar et Alexandra y est conviée. Cérémonie bigarrée et pittoresque comme savent l'être les manifestations tibétaines. Cérémonie « lamaïque » avant tout : prières, mantras, chants, musique, gestes rituels... Comme les autres participants, Alexandra effectue quelques gestes (des *mudra* qu'elle sait « d'érudition », dit-elle) : elle craint un peu de se tromper, mais il fait sombre... Puis le maharadjah se prosterne devant le gomchen, qui est décidément quelqu'un d'important. En tant qu'hôte du maharadjah,

Alexandra occupe une place d'honneur, en face de lui. Maintenant c'est le lama qui se prosterne devant le maharadjah… « J'ai l'impression d'être sur une scène de théâtre », écrit Alexandra. Puis chacun y va de son discours, l'invitée aussi, dont les paroles sont traduites par Kumar. La cérémonie terminée, tout le monde prend le thé tibétain : « c'est la grande naturalisation tibétaine » pour Alexandra. Puis les trois « grands » se mettent à discuter de la doctrine :

> « Et dans l'oratoire tantrique, je parle de la grande doctrine que ces lamaïstes ont oubliée ou qu'ils se contentent de connaître égoïstement, laissant la foule dans sa superstition grossière… Est-ce qu'il aura compris, l'ascète chevelu, qu'il n'est pas de salut égoïste et que "la tour d'ivoire" du penseur insouciant de la misère mentale des autres est une tour de perdition. »

Lettre du 30 mai 1912.

Après avoir prêché le bouddhisme chez les hindous, elle renouvelle l'expérience chez les adeptes du « bouddhisme tantrique », dont l'extravagance lui semble très éloignée, voire en contradiction, avec la « doctrine initiale ».

1ᵉʳ juin 1912 : « Départ de Lachen à 10 heures avec le maharadjah Kumar pour Tangu. Le chef lama nous accompagne, nous précédant à cheval en tournant son moulin à prières – pluie entrecoupée d'éclaircies – très pittoresque route pleine de rhododendrons en fleurs », note Alexandra dans son carnet.

À Tangu le groupe s'arrête car le lama va les quitter pour retourner à Lachen. Le lama se prosterne devant Kumar, il lui tend une *khata*, une écharpe rituelle de mousseline blanche, comme le veut la coutume. Kumar passe l'écharpe autour du cou du lama. Et le gomchen accomplit alors un geste étonnant : il pose la *khata* sur l'épaule d'Alexandra. « C'est une sorte de bénédiction et d'hommage en même temps », une reconnaissance du bien-fondé de ses positions. Le lama prononce alors une phrase qui l'honore et dont elle se souviendra :

> « C'est par un effet de notre bon "karma" (d'heureuses circonstances, produit de causes lointaines et antérieures même à notre présente existence) que nous nous sommes trouvés tous les trois réunis pour réfléchir ensemble et travailler à la réforme et à la propagation du bouddhisme. »

Lettre du 9 juin 1912. Tangu.

Moment de communion spirituelle, parmi les rhododendrons en fleurs, quelque part sur un sentier du haut Sikkim...

Un peu au nord de Tangu, Kumar laisse Alexandra pour poursuivre son propre chemin. La voilà seule avec ses gens et ses tentes, en route vers les cols de la frontière. Le paysage devient de plus en plus âpre, la végétation se rabougrit, se raréfie, puis disparaît complètement, la température baisse.

Le 4 juin, Alexandra atteint le Koru La[1] (5 133 m d'altitude), puis le Sepo La[2] un peu plus bas, déjà sur le versant nord de l'Himalaya. La voilà aux portes du Tibet. Au pied du versant : la plaine de Kampa Dzong.

Une lettre écrite à Gangtok le 7 juillet 1912, montre l'immense regret d'Alexandra de n'être pas allée plus loin. Mais Kampa Dzong, située à 21 km, est un poste militaire. Il n'est pas question d'y descendre sans autorisation. En outre, elle n'avait pas prévu l'excursion, surprise de Sidkeong Tulkou et elle ne dispose pas du matériel nécessaire pour continuer :

---

1. « Kongra La » sur les cartes actuelles du Sikkim. Altitude : 5 133 m.
2. « Sipu La » sur la carte NH45-16C du Guide de Victor Chan (p. 919).

« Malheureusement je suis allée dans le nord et au Tibet à l'improviste, sans vivres en quantité suffisante, sans personnel et sans avoir emporté l'argent nécessaire. [...] De plus ma tente appartenait aux Travaux Publics, je ne pouvais l'emmener sans autorisation et l'autorisation de voyager un peu longuement au Tibet me serait refusée si je la demandais officiellement. [...] Mais voilà j'ai raté une magnifique occasion de célébrité qui ne se représentera vraisemblablement plus. [...] Après ma traversée de l'Himalaya, arrivée à la Sepo La près de Kampa Dzong, j'étais dans un vaste steppe[1]. Je ne te dis pas que le vent y était plaisant, ni chaud, mais cela pouvait se supporter. Il y avait quatre ou cinq jours de marche à faire à travers ce steppe, pour gagner Gyan-tze où il y a un bungalow pour les voyageurs. Gygatze est à deux jours de là. »

Lettre du 7 juillet 1912.

En réalité Alexandra a eu froid, très froid, tellement froid qu'elle a cru en mourir : « Je réfléchis un instant et me dis qu'après tout c'était là une belle mort, parmi les solitudes majestueuses au milieu d'un voyage pareil au mien et que je n'avais qu'à prendre la chose du bon côté. » (Lettre du 9 juin 1912.) Elle revient avec le visage tuméfié, brûlé par les intempéries, le froid, le vent, et le soleil. Pourtant elle avait tenté de se protéger en multipliant les « couches de glycérine et de poudre d'amidon ». Mais le Tibet découvert sur le versant nord de l'Himalaya lui a procuré une joie à la mesure du mystère qui entoure ce territoire. Elle est éblouie par ce panorama qui la retiendra « toujours sous son charme ».

« Pour l'instant je reste ensorcelée, j'ai été au bord d'un mystère... Oh ! cette dernière chaîne de l'Himalaya, le dernier col très large qui s'inclinait vers une pente descendant à la steppe immense, déserte, où s'érige, sentinelle puérile

1. Au début du XXᵉ siècle, le genre du mot « steppe » n'était pas fixé, c'est pourquoi il est ici au masculin.

mais émouvante, le fortin de la première ville tibétaine... Ici, tous les Européens subissent l'étrange fascination. On dit "le Tibet" à voix basse, religieusement avec un peu de crainte. »

Lettre du 11 juin 1912.

Est-il besoin de dire que peu d'Occidentaux sont allés au Tibet par le Koru La ? Plus rares encore les Occidentales, s'il y en eut jamais à ce moment-là. Aiguillonnée par la curiosité, Alexandra a fait preuve d'audace, de courage et d'endurance, étant donné son manque d'équipement et d'entraînement physique. Mais ce n'est pas un exploit car le chemin est bien connu. Les marchands tibétains l'empruntent régulièrement, l'autre route étant celle de la vallée de Chumbi. Le chemin de la Koru La fut choisi par certains explorateurs pour se rendre de l'Inde au Tibet sans éveiller l'attention : plusieurs des fameux pandits indiens, envoyés par les Anglais pour faire des relevés topographiques au Tibet, passèrent par là au début du XIXe siècle.

25 juin 1912 : deuxième entrevue avec le dalaï-lama

Maintenant admise dans l'entourage du jeune Sidkeong Tulkou, Alexandra bénéficie du privilège de rencontrer une seconde fois le chef spirituel bouddhiste. Le dalaï-lama est en route pour le Tibet, son passage est annoncé pour le 25 avril au hameau de Ari, au sud du Sikkim. Le chef religieux arrive cette fois à cheval.

« Voici le cortège : en tête le Pontife, beau cavalier, oui, vraiment beau cavalier, sur son cheval superbe. Vêtu d'un costume de brocart rouge et jaune, une sorte de toque crénelée sur la tête, il a l'air martial. La moustache courte, la mouche au menton, il paraît, ce matin étrangement "Louis XIII" : d'Artagnan en habit de cour. »

Auprès du dalaï-lama, Mercure de France.

Alexandra a l'insigne honneur d'être à nouveau reçue en audience privée. Kumar traduit. Ils s'entretiennent des réponses que le dalaï-lama avait fait parvenir à l'orientaliste quelque temps auparavant.

L'accueil aimable du chef des lamaïstes n'empêche pas Alexandra d'écrire à son mari : « Je n'aime pas les "papes", je n'aime pas l'espèce de catholicisme bouddhiste auquel celui-ci préside. » (Lettre du 25 juin 1912.)

Puis c'est le retour à Gangtok. En accord avec Sidkeong Tulkou, Alexandra prêche la Doctrine à la gompa. Elle participe aussi aux assemblées de prières, ayant maintenant l'habitude d'accomplir certains gestes rituels, sans toutefois se prendre au sérieux : « Tout de même, ta sœur Éva fulminerait joliment si elle apprenait que ta femme pratique ce qu'elle appellerait "des rites idolâtres et païens". » (Lettre du 30 juin 1912.) Elle respecte pourtant les convenances de la micro-société anglaise de Gangtok en choisissant de loger chez « les Blancs » plutôt qu'au palais, comme le lui avait proposé le maharadjah.

Dans une lettre écrite le 31 juillet 1912, Alexandra fait le point sur sa situation :

« Je me suis lancée peut-être trop peu armée, dans une carrière d'orientaliste. Si j'avais été un mouton docile, suivant les pas des bergers attitrés, grattant modestement quelques racines déjà épluchées par eux, je n'aurais pas eu de difficultés, mais je me suis avisée de faire de la philosophie, d'éplucher de la pensée et, ceci est plus grave, de ne pas lire les textes avec le même esprit que les pontifes universitaires.

Il y a plus encore, il y a que j'ai dépassé les barrières que le dilettantisme élève entre les philosophies hindoues et l'Européen qui les étudie. Je n'ai pas cherché en elles une récréation grammaticale mais de la vie, je l'ai trouvée et je croirais être une piètre personnalité si je ne la faisais pas passer dans les livres que je vais écrire. [...]

145

L'ambition, cela me paraît aujourd'hui bien vain, bien creux, bien mesquin. Ceux qui ont rêvé les rêves des Bouddhas sont loin, je te l'assure, des désirs de gloire humaine, leur orgueil, si tu veux appeler cela de l'orgueil, est tellement démesuré que le petit orgueil des mortels leur paraît un bien méprisable enfantillage... »

Lettre du 31 juillet 1912.

Voilà où en est Alexandra après un an de voyage au pays des sages... Elle reçoit des nouvelles de Philippe de temps en temps, alors qu'elle l'abreuve de courrier, souvent plusieurs fois par semaine. Ses relations avec lui n'ont jamais été aussi chaleureuses. Elle lui dit sa reconnaissance et son affection, qui ne semble paradoxale qu'aux esprits étroits, remarque-t-elle. Elle lui fait part de ses découvertes, ses émotions, ses expériences, ses travaux, ses étonnements, ses projets... Il est le confident, le relais entre ses deux mondes, l'Europe et son Orient à elle, tellement plus profond que celui des coloniaux ou des touristes... Elle lui envoie des photos, prises par elle-même, ou provenant de sources diverses. Quand Philippe s'inquiète du « mysticisme croissant » de son épouse, elle balaie cette inquiétude mal fondée en quelques phrases :

« Il n'est pas question que je disparaisse, comme quelques Européens l'ont fait, dans le sol mouvant de la vie religieuse orientale. Je connais le terrain depuis longtemps et sais y marcher en parfait équilibre. »

Lettre du 19 août 1912.

Plus que jamais la voyageuse est décidée à poursuivre la mission dans laquelle elle s'est engagée. Car « le bric à brac païen » des temples du pays lui semble à mille lieux de l'esprit de la doctrine. Cette branche du bouddhisme a développé un vaste panthéon dont on trouve les représentations stéréotypées dans tous les temples.

Si c'est l'un des aspects originaux du « lamaïsme », il choque profondément Alexandra, qui le découvre sur le terrain.

Le premier séjour au Sikkim s'achève, en octobre, par la visite des gompas du sud du pays : Phodang, Phenzang, Pemionchi, Sangachelli et d'autres encore. Paysages délicieux, dans cette Asie qu'elle comprend et qui la comprend.

Et puis c'est la descente vers Darjeeling, avec le regret d'avoir raté l'occasion de franchir la frontière du Tibet, et celui de quitter un monde où elle avait trouvé sa place, un monde qu'elle jugeait trop païen mais qui avait accepté ses discours sur la Doctrine originelle, un monde enfin qui lui avait offert des moments inoubliables. Mais l'on ne s'abstrait pas aussi facilement de ses origines :

« La nuit nous prend à 7 miles de Darjeeling. Nous allons dans l'obscurité complète en brûlant quelques allumettes aux tournants. À un village on arrange des feuilles de bananiers au bout d'un bambou, on les imbibe de pétrole, et on s'en sert comme torches. Kumar chante dans la nuit les chants de Milarepa, c'est infiniment impressionnant. Darjeeling avec ses hôtels éclairés me cause un sentiment pénible de répulsion. Le prince, la suite ont pris un air misérable devant cette "civilisation".

Je me sens soudain très étrangère à eux, très loin, alors que nous étions si proches dans la jungle. Il y a là-dedans un peu de honte d'être parmi ces "natives". Étrange ! L'hôtel, la chambre, tout me paraît étrange. Je reviens d'un autre monde. Ce matin au son d'une musique mélancolique, nous montions vers le monastère. L'impermanence des choses. Le Nirvâna. Tout cela a été présent, réalisé pendant quelques brefs instants. »

Carnet 1912.

Le 14 octobre 1912, le prince héritier offre à Alexandra un cadeau d'une valeur religieuse inestimable : une statuette du Bouddha, qui aurait été apportée au Sikkim par le premier lama de la lignée Karmapa en offrande au Supérieur de la gompa de Phodang (ou Podang). Elle se promet de faire réexpédier, à sa mort, la statuette dans son pays d'origine. Et la parole sera tenue par l'intermédiaire de Marie-Madeleine Peyronnet qui rapportera l'objet de manière très solennelle en 1992, soit quatre vingts ans après le geste généreux de Sidkeong Tulkou[1].

À cette étape de son grand voyage, Alexandra avait atteint le degré d'évolution intérieure qui permet de faire l'expérience du *samadhi* (elle le signale à plusieurs reprises dans son carnet), elle était imprégnée de bouddhisme tibétain et de vie sauvage. Mais à peine est-elle installée à l'hôtel qu'elle réintègre sa personnalité occidentale et renoue avec la vie mondaine. Ainsi dès le premier soir de son retour à Darjeeling, elle dîne chez les Holmwood. Le lendemain c'est elle qui donne un « lunch » en présence de Kumar. Puis c'est la réception chez le maharadjah et la maharani de Budwan (ou Burdwan)... avant de prendre le train pour Calcutta, le 15 octobre. Le séjour au Sikkim a duré sept mois. Après un intermède au Bengale, Alexandra a l'intention de se rendre au Népal.

---

1. La statuette a été dérobée au monastère de Phodang en janvier 1994. (Épisode relaté dans les dernières éditions de *Dix ans avec Alexandra David-Néel* de Marie-Madeleine Peyronnet.)

Le voyage au Népal
et le pèlerinage bouddhique :
15 octobre 1912-25 novembre 1913

Le voyage au Népal s'inscrit dans le cadre d'un pèlerinage qu'Alexandra souhaite entreprendre sur les traces
du Bouddha. Le Maître est originaire d'une contrée
située actuellement au sud du Népal.

Après un séjour de trois mois à Calcutta, le temps
nécessaire pour organiser son déplacement, Alexandra
fait une étape qui s'imposait : Bodhgaya, le lieu de l'illumination de Çakyamuni, le lieu où se trouve le « Bo-
tree ». N'a-t-on pas dit que le symbole de l'arbre de la
bodhi, équivalait pour les bouddhistes à celui de la
Croix pour les chrétiens ? Le *Ficus religiosa* vit toujours,
par l'intermédiaire de ses rejetons. L'arbre prestigieux a
résisté à la haine de ceux qui ont voulu le détruire.
L'atmosphère de paix indicible qui entoure le lieu
vénéré n'a jamais cessé d'impressionner les pèlerins !
Alexandra elle aussi se laisse prendre à la sérénité presque palpable de cet endroit mystérieux...

L'orientaliste a relaté son voyage au Népal dans le
livre intitulé *Au cœur des Himalayas*, édité pour la première fois en 1949, soit trente-six ans après son circuit,

mais on croirait le récit écrit sur place, tant le style en est vivant. Suivons-la…

Cette fois elle a emmené son serviteur Passang pour des motifs très pragmatiques : d'origine tibétaine, il parle assez bien l'anglais, mais surtout il se débrouille en népalais et en hindi. Pour dormir, la voyageuse emporte désormais un lit de camp, plus propre que tous les lits de passage disponibles aux différentes étapes. Ses bagages tiennent dans quinze colis.

Comme tous les étrangers arrivant au Népal par le train, Alexandra est attendue à la gare-frontière de Raxaul. Quasiment aussi fermé que le Tibet, le pays a dû accepter la présence d'une Résidence britannique sur son territoire à partir de 1816. La population fait preuve d'une évidente xénophobie. Si le pays est un royaume, le pouvoir effectif appartient au premier ministre, maréchal des armées, le maharadjah Chandra Shumsher Jang Rana Bahadur. Aucun étranger ne peut circuler librement : il est obligatoirement doté d'une escorte – autant pour le surveiller que pour le protéger.

Là-bas, Alexandra découvre un nouveau moyen de transport : le palanquin. Dans sa lettre du 24 novembre 1912, elle décrit l'engin comme « un châssis de lit pourvu d'un toit et d'épais rideaux rouges ». Le véhicule est tenu par quatre porteurs, à environ quarante centimètres du sol. Le toit, trop bas, ne permet pas de s'asseoir. Il faut donc s'y allonger. Alexandra s'imagine dans un véhicule mortuaire, d'autant plus qu'elle s'est enveloppée complètement dans une large écharpe de mousseline couleur safran pour se protéger de la poussière. La caravane compte vingt porteurs, plus huit hommes qui se relaient par quatre pour porter le palanquin, plus huit autres qui se relaient pour porter les hamacs de Passang et du cuisinier… soit trente-six hommes !

150

Voici bientôt la jungle du Teraï. Les porteurs entonnent des mélopées en invoquant Râma, le héros combattant du « Ramayana », l'une des grandes épopées indiennes. Alexandra « rêvasse un peu assoupie », tout en songeant aux tigres et à la sérénité du Bouddha... Le soir arrive, les coolies allument des torches et poussent des hurlements pour effrayer les fauves éventuels. Mais ils sont sans crainte car les animaux n'attaquent jamais ceux qui ont choisi la religion, comme la « dame saddhou » qu'ils transportent ! Conformément à la tradition, Alexandra la sannyasin sera donc chargée d'aller « parler au tigre » si d'aventure un animal se présentait...

Le lendemain, la voyageuse change de palanquin. Le nouveau véhicule est plus haut et muni de portes coulissantes sur les côtés. Elle peut s'y tenir assise, mais la vue se limite aux deux ouvertures latérales. On ne peut tout avoir... Plus de quatorze heures de marche en une journée. Puis c'est la montagne et un autre type de véhicule, le *dandie* ou chaise à porteurs. La route suivie par les audacieux qui se rendent au Népal passe alors par les cols de Sissagouri et de Chandragiri. La montée est éprouvante et dangereuse : pour le dernier col en particulier, les porteurs sont quatre autour d'Alexandra, trois autres marchent à côté, prêts à intervenir en cas de difficulté. La voyageuse préférerait marcher mais ce n'est pas l'usage, et le déshonneur retomberait sur ceux qui l'attendent à Katmandou.

Après tous ces efforts, une superbe récompense attend les voyageurs en haut du dernier col : « une vision surnaturelle », la beauté absolue du paysage. Alexandra reste « immobile, interdite » devant la splendeur du panorama. Le soleil fait surgir des reflets irréels sur les glaciers de la « barrière cyclopéenne », tandis que les pics acérés griffent le ciel profond de leurs pointes noires. Le paysage vaut bien tous les risques encourus jusque-là.

La descente est plus périlleuse encore que la montée, mais cette marche d'enfer se termine sans dommages. Voici enfin le terrain plat de la vallée. Une voiture – un grand landau – a été envoyée pour accueillir Alexandra. La voyageuse arrive à la Résidence avant ses bagages car les porteurs continuent à pied...

21 novembre-31 décembre 1912 : la vallée de Katmandou

Deux jours après son arrivée, Alexandra est reçue chez le maharadjah, un homme aimable et obligeant. Mais elle ne trouve pas chez lui l'intérêt que manifestait Kumar pour les questions religieuses. Le maharadjah n'est pas un homme de culte, il s'intéresse au spiritisme, et surtout à l'armée dont il est très fier. Il faut dire que les soldats du Népal sont les célèbres Gourkhas dont les ancêtres s'emparèrent du pays au XVIIIe siècle. À cette époque l'hindouisme fut favorisé aux dépens du bouddhisme.

Dans ce pays, Alexandra portera son attention à nouveau sur le brahmanisme. Mais il n'est pas facile de mener des enquêtes de terrain lorsqu'on circule en voiture avec « deux valets de pied chamarrés, un cocher vert et or », un garde du corps et un soldat d'escorte à cheval (un cipaye). Alexandra dispose aussi d'un cheval de selle, « une très belle bête à robe grise » qui lui permet d'aller plus facilement ici ou là. Voilà des conditions nouvelles de recherche, un rien flatteuses, mais peu discrètes. Alexandra regrette la liberté de mouvement dont elle bénéficiait au Sikkim, la compréhension de Kumar et surtout l'amabilité des lamas et de la population « tandis qu'ici, les figures sont sombres, fermées, stupidement mauvaises », dit-elle dans sa lettre du 1er décembre 1912). Ainsi le 15 novembre, elle a toutes les peines du monde à pénétrer dans le grand stupa de Swayambhounath – interdit aux Européens, lui affirme un vieux lama mongol. Ce temple étant le haut lieu du bouddhisme népali, il n'est pas question pour Alexandra de renoncer à y pénétrer, et... elle finit par obtenir ce qu'elle voulait !

Jusqu'au 31 décembre 1912, elle visite ainsi les villes et les sites célèbres de la merveilleuse vallée de Katmandou : Patan l'ancienne capitale, la très pittoresque Bhadgaon (actuelle Bhaktapur), l'impressionnant site de Pachoupatinath, Bodnath (Bauddha)... Katmandou compte alors 55 000 habitants. La ville est superbe, avec ses merveilleux balcons ciselés. Les fenêtres sont ourlées par une véritable dentelle de bois. Aucun véhicule ne perturbe la marche des passants, la place n'a pas encore été dénaturée par un certain tourisme de masse et la pollution.

Mais les lieux passent au second plan derrière ce qu'Alexandra aime surtout découvrir : les mentalités des habitants. Les idées l'intéressent plus que les monuments, les idées de ceux qui ont construit les temples aussi bien que celles qui habitent les fidèles contemporains, en un mot les « paysages humains », selon sa propre expression. Elle rencontre des pandits, elle se renseigne sur les légendes, les pratiques, les variantes locales des croyances.

Le mode de vie des Népalais lui semble effarant tant l'hygiène y est déplorable. Une épidémie de petite vérole sévit alors dans la population de la vallée : on en attribue la cause à la déesse Sîtalâ et les malades ne se soignent pas. De nombreux enfants ont le visage « couvert de pustules et de croûtes noires », les plus grands sont défigurés. Alexandra fait vacciner « ses gens », elle-même se croyant « réfractaire à toutes espèces de contagion ». (*Au cœur des Himalayas*.)

L'esclavage, toujours en usage, ne sera aboli qu'en 1924. Alexandra est aussi très choquée par la sauvagerie et l'ampleur des sacrifices sanglants pratiqués par les populations hindoues : des coqs, des moutons, des chèvres, même des buffles sont immolés tous les jours. La sauvagerie atteint son apogée lors de la fête de Durga : des milliers de buffles sont alors sacrifiés, le sang gicle de tous côtés... Les humains, et surtout les femmes, ne sont pas épargnés : comme en Inde les veuves doivent accompagner leur défunt mari sur le bûcher funéraire. Un prédécesseur du maharadjah, le grand Jang Bahadur, avait essayé d'interdire cette coutume aux mères de familles, mais il faudra une interdiction stricte, promulguée en 1920, pour que ce rite tende à disparaître.

Quelques épisodes drôles agrémentent heureusement le séjour de la voyageuse : un taureau, de Shiva évidemment, ayant mangé dans la main d'Alexandra, la voilà quasiment vénérée comme une déesse par son *sweeper* le paria et par Singh, un hindou qui l'a guidée en maints lieux typiques. Autre anecdote : grâce à la ruse de Passang, Alexandra peut assister, cachée dans le grenier d'une masure sordide et déguisée en garçon tibétain, à une « sorcellerie » dans le cadre du culte tantrique à Shakti, version paysanne et rudimentaire.

La voyageuse gardera un souvenir très fort de la visite de Pachoupatinath. Déjouant un moment la surveillance de ses gardes du corps, elle rend visite à un ermite qui l'impressionne vivement par sa « singulière sagesse ». Guidée par le disciple qui l'avait amenée auprès du gourou, elle profite ensuite de la nuit tombante et de sa tenue de sannyasin pour pénétrer dans le temple de Shiva, interdit aux étrangers. Une « atmosphère mystique » extrêmement prenante se dégage du lieu sacré. C'est le genre d'instant qu'Alexandra goûte

154

par-dessus tout. Elle aime participer au mystère de ces sanctuaires inviolés, et observer en secret les pratiques incantatoires inaccessibles aux non-hindous.

Un jour, elle se rend en pèlerinage à Nambouddha (ou Mam Bouddha) dans la montagne, à sept heures de cheval de Katmandou, là où la tradition situe l'un des épisodes les plus édifiants de la vie du Bouddha. Dans l'une de ses précédentes incarnations, le futur Bouddha vécut à une période où une intense sécheresse amena la disette aussi bien chez les animaux que chez les humains. Marchant dans les bois, il aperçut une tigresse affamée qui s'apprêtait à dévorer ses petits. Pris de compassion pour ces animaux en souffrance, il se dirigea vers elle et lui offrit son corps à manger. C'était le don suprême. Alexandra connaissait cette légende depuis l'âge de dix ans, précise-t-elle, sans savoir d'où elle la tenait.

31 décembre 1912-25 janvier 1913 : vers Lumbini et Kapilavastu, région natale du Bouddha

Quittons maintenant la légende pour retrouver l'histoire réelle du Bouddha. Alexandra veut se rendre dans la région natale de Çakyamouni, sur le site de Lumbini et de Kapilavastu, attestés par des fouilles archéologiques. Rumindei est le nom moderne de Lumbini, le jardin où naquit le Bouddha, près de Kapilavastu, elle-même localisée par les archéologues « sous le misérable site de Tilaura Kot », écrit René Grousset[1].

Ce n'est pas simple car ces lieux se situent dans la jungle du Téraï népalais, au sud-ouest de Butawal. Qu'à cela ne tienne ! Alexandra jouit d'une haute réputation

---

1. R. Grousset : *Sur les traces du Bouddha*. Paris, L'Asiathèque. (Rééd.) 1991.

auprès du maharadjah qui lui fait organiser une expédition avec des éléphants, les animaux les mieux adaptés pour circuler dans la jungle. La caravane l'attendra aux abords du Teraï.

Le 31 décembre, la voyageuse quitte Katmandou, auréolée d'un prestige qu'elle apprécie à sa juste valeur. Le 1er janvier 1913, elle fait étape dans le bungalow de Sissagouri. Six jours plus tard elle relate ses péripéties à Philippe :

> « Les éléphants du Mahâraja n'apparaissent pas et le temps passe. Des gens viennent, pérorent, mais il en résulte que personne ne sait rien et qu'ils n'ont été avertis de rien. [...] Mais voici qu'à une heure de l'après midi, le constable ramène un jeune fonctionnaire népalais qui confesse qu'il a bien reçu l'ordre de m'attendre avec des éléphants, mais qu'il ignorait la date de mon arrivée (il ment effrontément) et bref, les éléphants sont à 35 kilomètres d'ici et, naturellement, ne viendront que demain. [...]
>
> Eh oui, il serait plus agréable peut-être de s'en aller tout seul, sans apparat dans le char à bœufs mais cela n'est guère possible à un Européen, encore moins à une Européenne, dans l'Inde sous peine de paraître suspect, peu respectable « undesirable » et cela devient tout à fait impossible lorsqu'on voyage comme je le fais sous l'égide de « l'India Office » et la protection du Vice-Roi. Je me console en pensant que je n'aurais pas à payer les éléphants retardataires.

Lettre du 5 janvier 1913.

La caravane n'étant pas au rendez-vous, Alexandra se rend à Lumbini-Rumindei en palanquin où elle trouve en effet le campement, installé sous les manguiers. Elle excursionne dans le secteur avec les cinq éléphants mis à sa disposition. Le camp « était pittoresque et charmant ». « Les éléphants au repos se dandinaient à l'ombre des manguiers. On eût dit une illustration dans un livre de Jules Verne, ces illustrations qui me fascinaient quand j'étais petite fille. Bienheureux ceux qui réalisent leurs rêves ; cela aussi est une béatitude, et non la moindre. » (*Au cœur des Himalayas.*)

Dans la nature de ce Teraï qui fit rêver tant d'explorateurs et d'archéologues, Alexandra est aussi heureuse qu'au Sikkim :

> « J'aime ces nuits de solitude dans la jungle, dans la chambre de toile. Mieux qu'en la plus rudimentaire des maisonnettes, on se sent parmi la nature, un avec les choses. La tente, mince cloison dont les parois chantent, clapotent et vivent avec le vent, la tente oiseau mouvant, aujourd'hui ici, demain... un navire de terre ferme... »

Lettre du 21 décembre 1912.

Mais les lieux restent encore sauvages et les choses ne sont pas toujours simples. Le groupe tourne parfois dans la jungle car le babou qui dirige l'expédition ne connaît pas bien la région.

> « Hélas les pèlerinages matériels sont rarement des moments de vraie ferveur. On est pris par mille détails et gêné par mille gens et choses. Les vrais pèlerinages, les seuls, sont ceux que l'on accomplit dans le silence et le secret de son esprit. J'ai voulu voir le pays du Bouddha, mais combien différente est la contrée de ce qu'elle était de son temps ! Contemporains de son époque il ne reste que les étoiles au ciel, le soleil qui se couche énorme et rouge sur la plaine immense, la lune pâle et je les regarde songeant que ses yeux à Lui, se sont levés vers eux... avec quelles pensées. »

Carnet – 11 janvier 1913.

Un dernier épisode survient avant de quitter ces lieux chargés d'histoire, de rêve, de ferveur, et de toute la sauvagerie de la vie animale : Alexandra campe alors près de Tilaura Kot. Elle s'éloigne un moment du quartier général pour aller méditer en paix. Au cours de sa concentration, elle entend un léger froissement dans les broussailles, un bruit « de pas feutrés, précautionneux et pourtant lourds ». La curiosité l'emporte, et la candidate au *samadhi* entrouvre les paupières : un tigre la regarde à moins de deux mètres de distance ! Alexandra reste parfaitement immobile, tout en se demandant quelle est la meilleure attitude à adopter en pareille circonstance. Comme une yoguini accomplie, elle choisit de ne rien tenter et de reprendre sa méditation... Quelque temps après, elle ouvre les yeux : le tigre avait disparu.

26 janvier-4 février 1913 : vers Bénarès

Le 26 janvier Alexandra prend le train pour Bénarès. En chemin elle s'arrête à la gare de Deoria, où elle emprunte la voiture de la poste pour se rendre à Kasia, nom actuel de l'ancienne Kusinara ou Kushinagar : c'est là qu'est mort le Bouddha historique, à l'âge de plus de quatre-vingts ans et que ses disciples brûlèrent son corps. Contrairement à Bodh Gaya, le lieu est tout imprégné de tristesse. Alexandra y reste deux jours. La peste sévit à Deoria.

4 février-22 novembre 1913 : Bénarès

Le 4 février, Alexandra arrive à Bénarès. Elle loge dans les locaux de la Société Théosophique, où elle dispose d'une chambre avec salle de bains et cuisine : « Cela ne me plaît qu'à demi d'être dans ce milieu, mais trouver un logement à Bénarès est un problème difficile », note-t-elle dans son carnet.

Son séjour va se prolonger dix mois : Alexandra y restera même durant l'été, à la saison des pluies. Elle note 40 °C à l'ombre le 25 mars 1913. Le climat lui convient mal ; malgré la chaleur elle s'enrhume souvent (Lettre du 10 mai 1916).

Pourquoi cette sédentarité soudaine ? C'est que la voyageuse se plaît dans la ville sainte. Elle prend à nouveau des cours particuliers de sanscrit, et se replonge avec bonheur dans ses investigations sur le Védanta. Sa renommée de sannyasin lui attire la considération des hindous, pourtant peu enclins à admirer une femme, qui plus est une étrangère. Même des sectataires aussi exclusifs que les jaïns l'invitent à venir s'exprimer au milieu d'eux. Il faut bien reconnaître qu'il s'agit d'un véritable tour de force pour une Occidentale.

Alerte désagréable en avril : Philippe annonce à son épouse son intention de prendre sa retraite l'année suivante. Alexandra envisage avec angoisse un éventuel retour à Tunis :

> « J'ai une peur affreuse du retour. Nous allons être tous deux très malheureux. Jamais je ne me referai à « la vie dans la maison ». Peut-être le pourrai-je si j'étais sûre qu'en la reprenant je ne suis pas renégate à mes vœux. Mais l'autre voie, celle des Bouddhas, comment la suivre ? Je doute que me faire nonne à Ceylan ou en Birmanie serait accomplir ma vocation. La situation semble sans issue, mais combien de fois elle m'a paru telle ! »

> Carnet – 13 avril 1913.

La situation s'arrange en effet. Alexandra déploie des talents de persuasion pour faire admettre à son époux qu'elle n'a pas encore achevé ses recherches. La « petite vieille à lunettes » qu'elle se prépare à devenir doit amasser suffisamment de documentation pour écrire des livres et faire des conférences pendant toutes ses années de vieillesse. Elle se prépare un avenir d'auteure et de conférencière. Non, son voyage ne peut pas prendre fin aussi brutalement, le moment n'est pas encore venu de prendre le chemin du retour. Philippe comprend qu'un « oiseau ramené de force à la cage, enfoncé dans un coin, la tête sous l'aile, un oiseau qui ne chante plus » serait une bien triste compagnie (Lettre du 10 juin 1913).

À aucun moment Alexandra n'a oublié ses amis du Sikkim. Elle reste en correspondance suivie avec Sidkeong Tulkou et le gomchen de Lachen. Dans sa lettre du 2 septembre, elle explique à Philippe qu'un mouvement de réforme religieuse est en marche dans le petit royaume himalayen, réforme qu'elle a elle-même impulsée. Certaines superstitions tendent à être rejetées et un élan pédagogique en direction des populations locales commence à se manifester, afin de ramener celles-ci à des pratiques plus proches de la doctrine originelle.

22-23 novembre 1913 : Rajagriha

Une autre ville bouddhique manquait à son circuit. Elle y arrive le 23 novembre pour une visite de trois jours. Dans l'histoire du bouddhisme, Rajagriha est connu comme le lieu des premières conversions. Devenu le chef d'un nouveau mouvement spirituel, Çakyamouni se consacrait à l'enseignement de la doctrine, entouré de disciples, de moines errants et mendiants. La communauté ne s'arrêtait que pendant la saison des pluies. De passage à Rajagriha, le Bouddha fut reçu avec beaucoup de déférence par le roi de la province, qui lui offrit une résidence pour plusieurs mois. Des conversions ne tardèrent pas à se produire. Plus tard, Çakyamouni revint à Rajagriha où il soumit un éléphant furieux lancé contre lui par ses ennemis.

« Le départ de Rajagriha devait s'effectuer à deux heures de l'après-midi, mais les domestiques ne sont pas prêts et je manque le train. Je passe la soirée jusqu'à la nuit assise parmi les palmiers, dans un cadre très tunisien, à regarder

de loin Grihakuta où le Bouddha a vécu, où il a enseigné...
Je tâche de l'imaginer, sadhu entouré de disciples...

Je couche à la gare et pars dans la nuit à deux heures du matin. Il fait froid, une nuit sans lune. Oh ! Tous les pèlerinages sont décevants. On s'agite dans les détails du voyage, bagages, hôtels ou bungalow, coolies, bruit, bakshishs quémandés... et la méditation s'enfuit. Pourtant il y a ici, un grand souffle dans l'atmosphère qui malgré tout passe sur vous et fait frissonner le tréfonds de vous-même. Quand le train m'emporte, je souhaite ardemment une parole du maître, comme s'il était vivant et s'il pouvait m'entendre, et soudain à ma mémoire se présente le passage du Mahâvagga : "Soyez à vous-même votre refuge et votre flambeau... et quand j'aurai disparu ne pensez pas, nous avons perdu notre maître, nous sommes sans maître. Le Dharma que j'ai prêché, voilà votre maître..." Je veux voir une réponse dans cette brusque réminiscence et n'est-ce pas justement celle qu'il me fallait ? »

Carnet – 25 novembre 1913.

Deux jours plus tard, Madame David-Néel se dirige à nouveau vers le Sikkim :

« Passé dans le train la nuit du 25 au 26, la journée du 26, la nuit du 26 au 27. Arrivée à Siliguri à onze heures du matin (33 heures consécutives). Au soir on m'apporte le fouet thibétain venu avec les chevaux. Un objet bien vulgaire mais si "Asie jaune" que le cœur m'en bat ! Au matin j'ai revu les Himalayas, dans le train. Pourquoi le destin m'y ramène-t-il ? Je ne sais tant le vertige de l'au-delà me ressaisit... »

Carnet – 27 novembre 1913.

A-t-elle reçu un appel de Sidkeong Tulkou ? Y retourne-t-elle de son propre chef ? En tout cas, sa venue est annoncée officiellement. À quelques kilomètres de Gangtok, une haie d'honneur a été formée par les élèves de l'école. Les instituteurs lui offrent l'écharpe de bienvenue. Plus loin ce sont des lamas, des notables et enfin le prince héritier lui-même qui l'accueillent en grande pompe, une *khata* à la main : « Tu vois, c'était comme Poincaré ! Comme ces différentes délégations me suivaient à mesure que je les rencontrais, j'ai fait mon entrée à Gangtok au milieu de la plus pittoresque procession que tu puisses imaginer... » (Lettre du 7 décembre 1913).

Alexandra arrive à Gangtok le 3 décembre 1913. Elle ne quittera le Sikkim que trois ans plus tard, après avoir vécu des expériences hors du commun, surtout pour une Occidentale.

Le retour au Sikkim :
1er décembre 1913-24 octobre 1914

Sa lettre du 7 décembre nous dévoile enfin les intentions d'Alexandra : si elle repasse par le Sikkim, c'est pour se rendre au Bhoutan, pays voisin que l'on atteint par la route situé à l'est de Gangtok. Le Bhoutan étant aussi fermé que le Népal ou le Tibet, nul étranger ne peut s'y rendre sans une lettre d'introduction du Résident britannique de Gangtok, cette lettre devant recevoir l'aval du maharadjah du Bhoutan. Or Charles Bell, actuellement en mission diplomatique en Inde, a oublié de transmettre la demande d'Alexandra au souverain du Bhoutan, lui-même en Inde. Alexandra restera donc au Sikkim en attendant le retour de ces messieurs. Pour meubler ce séjour imprévu elle a déjà trouvé une occupation : l'étude de la langue tibétaine, aussi utile pour elle que celle du sanscrit.

Alexandra réside à la Résidence britannique de Gangtok jusqu'à la fin de l'année. En contrepartie, il lui faut accepter quelques mondanités : thés, soirées, « jeux de patience »… avec les Européens, obligations insipides aux yeux de la dame *sannyasin* mais le respect des convenances s'impose… Alexandra prend la chose avec philosophie, tout en ayant l'impression fort désagréable de perdre son temps. (Lettre du 13 décembre 1913.)

Un superbe cadeau lui est adressé à l'occasion du Nouvel An : une robe de dame lama, consacrée selon les rites religieux. Outre l'aspect pratique non négligeable (la robe est en drap de feutre épais et chaud), Alexandra voit dans ce présent une nouvelle marque de reconnaissance de sa qualité d'éminente bouddhiste. Car la tenue lui a été offerte par les lamas, très probablement avec l'aval de Sidkeong Tulkou.

La vie sédentaire au milieu des Européens lui pèse et Alexandra ne tarde pas à voir sa santé s'altérer, explique-t-elle dans sa lettre du 11 janvier. Les excursions restant pour elle le meilleur des remèdes, elle étrenne sa nouvelle tente de camping au début de janvier 1914 lors d'une randonnée de trois jours au monastère de Rumthek, situé à 14 kilomètres de la capitale.

Le 13 janvier, elle repart de Gangtok pour une nouvelle excursion vers l'ouest du pays, « au cœur de la brousse » en direction du monastère de Tashiding, un lieu fameux puisque l'un des principaux acteurs de la tradition « lamaïque », le célèbre Padmasambhava y aurait séjourné. Encore appelé Guru Rimpoche ou « Né du lotus », il se servit de ses pouvoirs magiques pour imposer le bouddhisme tantrique au Tibet durant le VIIIe siècle.

Alexandra est invitée à venir parler de Padmasambhava aux moines de Tashiding. Elle arrive au monastère le 16 janvier après un trajet éreintant. Les sentiers sont extrêmement escarpés, les éboulis nombreux, il faut sans arrêt descendre et monter, le plus souvent à pied, les pentes étant trop raides pour les chevaux. Mais le site est pittoresque et charmant.

Début février, elle apprend le décès du maharadjah. Le souverain défunt n'était pas favorable à la montée de Kumar sur le trône, mais les événements en ont décidé ainsi : Sidkeong Tulkou devient « maharadjah pour de bon, avec beaucoup d'affaires sur les bras ». Pour maintenir la dynastie, le nouveau chef du Sikkim s'est engagé à épouser une jeune princesse birmane qu'Alexandra qualifie d'exubérante et de moderne. Certains ordres bouddhiques autorisent le mariage. La voyageuse assiste aux funérailles qui ont lieu à Gangtok le 16 février.

Alexandra est ensuite invitée au monastère de Phodang, dont l'abbé est Sidkeong Tulkou. Elle en est d'autant plus enchantée que son séjour débute à une période de fêtes rituelles extraordinairement pittoresques et colorées, une véritable « orgie de sons et de couleurs » : « Faut-il ajouter, pour t'amuser, que le maharadjah m'a envoyé un interprète spécial et que j'ai prêché cet après-midi devant un nombreux auditoire de lamas, sur un passage d'un sûtra tibétain ! » (Lettre du 12 mars 1914.)

Le sermon a été prononcé en présence du gomchen de Lachen. L'interprète était Silacara : il donnera bientôt des cours de tibétain à Alexandra. Le monastère de Phodang est de la lignée Karmapa. Alexandra occupe un appartement au premier étage à l'un des angles du bâtiment principal[1]. La vie calme de la gompa lui convient à tous égards. Les lamas respectent cette dame occidentale, invitée du maharadjah, qui vient parler de la doctrine.

La coutume veut que tout religieux de quelque importance ait la possibilité de se retirer dans un endroit isolé pour faire retraite : cabane, hutte ou grotte à flanc de montagne. Alexandra aimerait bien disposer d'une petite « bastide » située à proximité de la gompa, où elle pourrait lire, méditer et travailler tranquillement. Une courte expérience de vie érémitique serait aussi

---

1. La photographie figure dans un livre d'A. David-Néel : *Initiations lamaïques*. Édition de 1930.

originale que passionnante. Il ne s'agirait pas de séjourner à 5 000 m d'altitude, Phodang est à 1 800 m et les montagnes environnantes sont couvertes de végétation. Mais la perspective d'une telle tentative réjouit Alexandra. Dans sa lettre du 21 mars, elle annonce à son mari que sa hutte est en préparation !

De son côté, Philippe apprend à Alexandra son intention de quitter Tunis pour Bône et de vendre la « belle grosse maison ». Il commence à prendre des dispositions pour sa retraite. Comme son épouse ne se décide pas à regagner le domicile conjugal, il s'organise tout seul sans tenir compte d'une éventuelle vie commune. « Silhouette qui devient de jour en jour plus vague », « petit fantôme lointain », ainsi apparaît Alexandra dans l'esprit de son époux. Elle a, c'est vrai, choisi de cheminer en solitaire pour un meilleur épanouissement de sa vie intérieure. Ce n'est pas le chemin suivi par son époux. Chacun en assume les conséquences. Mais l'un et l'autre ont-ils vraiment choisi ? La bouddhiste qu'est Alexandra ne croit pas au libre arbitre. L'attitude de chacun n'est-elle pas dictée par une accumulation de « causes antérieures » ? Si son comportement apparaît d'un égoïsme total, la voyageuse a trouvé sa raison de vivre dans cet immense pèlerinage entrepris au nom du Dharma. En l'accomplissant elle ne pense pas s'être éloignée de son mari, bien au contraire :

> « Ce n'est pas, mon grand cher, que je manque d'affection pour toi. Je t'aime mieux et plus profondément que jamais, non seulement mue par la reconnaissance que je te dois mais parce que je te comprends mieux qu'autrefois. Toi aussi, tout petit aimé, tu es ce que j'ai été et ce que sont la plupart, un pauvre papillon affolé voletant autour d'une lampe, se brûlant les ailes à la flamme. Toi aussi, tu es dans la fournaise, dans la chambre de torture qui s'appelle le monde, la vie. »

Lettre du 27 mars 1914.

Philippe, lui, juge l'attitude de son épouse selon un autre point de vue et il lui suggère la séparation officielle ou le retour au foyer. Alexandra comprend qu'il souhaite sans doute refaire sa vie avec une autre femme. Elle refuse les deux propositions : il est hors de question d'envisager une séparation puisqu'elle porte le nom de son époux « honorablement ». Quant à son retour, il est prévu et certain… mais pas tout de suite !

Bien qu'elle ne semble pas aussi éloignée de son mari que lui d'elle, leurs conceptions de la vie s'opposent plus que jamais. La voyageuse a réussi à se construire l'existence qu'elle souhaitait au plus profond d'elle-même. Sa fonction de « missionnaire » bouddhiste lui apporte la reconnaissance dont elle avait besoin. Pendant ce temps, Philippe tente de s'aménager une vie quotidienne qui reste bancale puisque fondée sur le malentendu initial de son mariage. Il annonce à sa femme qu'il va se mettre en quête du « cœur compatissant » qu'elle a toujours refusé de devenir pour lui. La *sannyasin* lui répond en le renvoyant à lui-même :

> « Et, en cela, tu n'es pas en dehors de la norme. Il y a longtemps que les Upanishads l'ont proclamé : c'est pour l'amour du "soi" que nous sont chers, parents, amis et toutes choses. »

Lettre du 1er juin 1914.

La correspondance ne s'interrompt pas pour autant. Philippe ralentit la sienne, Alexandra lui en fait le reproche. Écrire et voyager, tels sont les deux besoins vitaux de notre héroïne. Jusqu'à la mort de son mari, aucun événement ne pourra couper le fil de la petite écriture délicate et appliquée, surtout pas un différend conjugal qu'elle considère comme mineur. Correspondance ou journal ? Les deux sans doute. Alexandra vit avec Philippe à travers ses lettres. Les sujets sont des plus divers : aux reproches conjugaux succèdent les éloges, puis les récits du jour, les réflexions philosophiques, les projets, les soucis financiers, les achats de matériel (camping, livres…) et les considérations générales sur l'existence : « Et l'on demeure seul, seul comme on l'est toujours en réalité. » (Lettre du 2 juin 1914).

Alexandra est restée en relation avec le gomchen de Lachen. Dans sa lettre du 5 mai 1914, elle nous apprend qu'il l'invite « à passer quelque temps auprès de lui, tandis qu'il résidera dans une caverne perchée dans les nuages, à la frontière du Tibet… J'ai, bien entendu, accepté avec reconnaissance une invitation qui n'a jamais, très probablement, été adressée par aucun yogi du Pays des Neiges à aucun Européen. »

La voyageuse regrette vivement de méconnaître la langue tibétaine. Les cours de son professeur, Silacara, ne lui ont pas encore donné une bonne maîtrise de l'expression.

Aphur Yongden est entré au service d'Alexandra en avril 1914. Âgé de quinze ans, cet élève du monastère veut « étudier » et voyager ; il se rend vite indispensable en acceptant sans broncher d'accomplir les tâches domestiques que la dame lui demande. Ils ne savent pas encore qu'ils deviendront inséparables[1].

Tout en savourant la quiétude de la vie de *sannyasin*, Alexandra n'oublie pas pour autant les nouvelles internationales. En août 1914 les journaux anglais annoncent la déclaration de la guerre en Europe. La nouvelle tombe « en soudain coup de foudre. » L'empire colonial britannique se mobilise aussitôt : « Toutes les colonies anglaises ont offert des hommes et de l'argent. Même le maharadjah du Népal vient d'offrir toute son armée

---

1. Sur Aphur Yongden, voir J. Désiré-Marchand : *Alexandra David-Néel – Vie et voyages* (épilogue de la seconde édition), Arthaud, 2009.

pour aller combattre en Europe. Les Rajahs de l'Inde offrent des millions. » (Lettre du 10 août 1914.) Un peu plus loin, elle pose des questions à son mari sur la vie politique en France : « J'ai appris la fin tragique de Jaurès. C'est un événement bien inattendu. Quelle attitude ont les différents partis en France ? Je suppose qu'il y a unanimité de sentiment pour la défense nationale. » La retraitante prend aussi des nouvelles de sa famille belge, de sa vieille mère en particulier dont le cousin Émile s'occupe depuis 1911 : elle lui écrit une lettre pleine de sollicitude qui surprend étant donné ce que l'on savait des relations entre les deux femmes. (Lettre du 11 août 1914[1].)

Septembre 1914 : vers le nord du Sikkim, vers le Tibet

Le 9 septembre 1914, Alexandra quitte Gangtok pour une longue randonnée dans le nord du Sikkim, et même au-delà ! Alors que les combats font rage en Europe, la dame *sannyasin* reprend son errance tranquille à travers les rudes sentiers des Himalayas, car là est sa vie. Le circuit remonte la vallée de la Tista. À mi-parcours, le maharadjah Kumar et sa suite rejoignent le groupe avant d'arriver à Lachen. Le froid s'intensifie à partir de Thangu, ce qui nécessite un réaménagement des bagages et du chargement des yaks pour la haute montagne.

Le 16 septembre la caravane se dirige plein ouest et traverse le Lungnak La, col situé à 5 035 mètres d'altitude. Alexandra écrit :

« Traversée de la Lungnak La, environ 5 000 m d'altitude, mon yak glisse, je dois faire à pied la dernière partie de la montée et toute la descente. J'ai la

1. Lettre d'A. David-Néel à sa mère : 11 août 1914. (Archives privées. Copie aux archives de la Maison A. David-Néel. Inédite.)

respiration embarrassée et le cœur très fatigué. Premier camp au bord d'un petit lac dans un endroit nommé Chabruk. »

Carnet – 16 septembre 1914.

La petite expédition se dirige maintenant vers le Kanchenjunga, franchissant encore deux cols très élevés : Theu La (5 212 mètres d'altitude) et Tangchung La (5 150 mètres). Un campement est établi peu avant le col Tangchung. Le maharadjah quitte le groupe pour retourner à Gangtok. La caravane d'Alexandra poursuit son chemin : le dernier campement est dressé à peu de distance du glacier Zemu, l'un de ces immenses fleuves de glace descendant des flancs du Kanchenjunga.

Le « paysage démesuré, catastrophique[1] » impressionne vivement Alexandra qui en reparlera bien des fois à Philippe. Ainsi dans sa lettre du 12 juin 1915 : « Il faut voir le massif de Kintchinjinga[2] se dressant sur des moraines fabuleuses, on ne se doute pas auparavant que pareille chose puisse exister. »

Le retour se fait par le même chemin.

« Beau temps quoique peu de soleil. Traversée de la He La où l'on trouve de la neige sur le sol – 17 430 feet (5 229 m) d'altitude – Je marche un peu à la montée et à la descente vers le sommet pour me réchauffer les pieds. Le paysage est merveilleux dans sa stérilité et sa désolation. À la première traversée on n'avait pu rien voir sous la neige cinglante. J'étais sur mon yack enfouie sous mon parapluie...

... Tout cela est lointain, immense, un pays pour géants ! Noté aussi tous ces jours de merveilleuses fleurettes, mousses, et lichens de colorations variées. Retraversée du Lhonak Chu très profond, les yacks y plongeant jusqu'au ventre et moi les pieds relevés sur ma monture dans

---

1. Carnet – 22 septembre 1914.
2. Kintchindjinga : Kanchenjunga.

l'attitude d'un singe cavalcadant au cirque. Camp dans la vallée de Lhonak de même que le deuxième jour. »

Carnet – 24 septembre 1914.

Alexandra a prévu de rester trois jours à ce bivouac : elle a envoyé des gens chercher du ravitaillement à Thangu, distant d'un jour de marche. Là, elle est soudain victime d'une forte grippe et d'un mal dans l'oreille qui la fait horriblement souffrir : « Par moments je deviens folle de douleur », note-t-elle dans son carnet.

La caravane repart enfin le 1er octobre par une tempête de neige qui dure tout l'après-midi. Alexandra souffre encore beaucoup et le froid n'arrange pas les choses. Le camp est dressé à l'abri des rochers. L'équipe se dirige maintenant vers le nord-nord est, vers le col appelé Naku La qui marque la frontière avec le Tibet (5 270 m) :

« Nous partons tard (vers deux heures), je ne puis me mouvoir. Nous gravissons les pentes couvertes de neige et traversons la Nago La[1] toute blanche. C'est merveilleux. Je voudrais prendre des photos, mais je suis transie, fiévreuse, sans énergie ! Nous franchissons la frontière thibétaine par 50 centimètres de neige et jouissons au soleil couchant d'une vue merveilleuse sur les monts transhimalayens.

Sur le versant thibétain la neige se fait vite rare. Nous campons au bord d'un petit lac où il n'y a plus que quelques rares taches de neige. Vue superbe et contrée grandiose dans sa désolation farouche. »

Carnet – 2 octobre 1914.

Dès le lendemain, la fièvre d'Alexandra tombe comme par enchantement. L'entreprenante voyageuse vient de

---

1. Nago La : sur les cartes actuelles, le col porte le nom de Naku La. Il est traversé par un sentier muletier connu des gens du pays. La très haute altitude et des refroidissements expliquent sans aucun doute les malaises d'Alexandra.

franchir la barrière himalayenne pour la deuxième fois de sa vie, sans entraînement sportif ni équipement particulier. Sa seule protection contre le froid : d'épaisses robes tibétaines. C'est une performance remarquable et courageuse. Aujourd'hui, la randonneuse traverse la frontière avec moins de scrupule que lors de sa première excursion ! Goût du défi, curiosité, fascination pour une terre interdite, découverte de paysages exceptionnels, autant d'aiguillons pour celle qui ne se laissera jamais impressionner par un quelconque règlement. Car pour l'heure ce sont les Anglais qui interdisent le Tibet aux étrangers, et non pas les Tibétains eux-mêmes. Les autochtones, Sikkimais ou Tibétains, ont l'habitude d'utiliser ces sentiers muletiers qui franchissent les cols. Pourquoi les étrangers n'auraient-ils pas le droit d'en faire autant ?

Le but officiel de cette randonnée est d'ailleurs très louable : en tant que bouddhiste, Alexandra se rend tout simplement au petit monastère qui se situe au pied de l'imposante chaîne montagneuse de Nyima (6 927 m) : la Chörten Nyima gompa, consacrée à Padmasambhava qui aurait même médité à cet endroit.

Le caractère tibétain de cette petite gompa avait été signalé à Alexandra par un proche de Sidkeong Tulkou. Faute de pouvoir se rendre au cœur du Tibet, la « missionnaire » se devait d'aller découvrir au moins cette gompa, effectivement établie sur l'un des lieux les plus sacrés du sud du Tibet[1].

Sur place, la voyageuse découvre un site fabuleux : le petit monastère, aussi délabré que riche en traditions, est adossé à la gigantesque barrière himalayenne, bâti au pied d'une falaise, dans un décor de solitude quasi

---

1. Ce site grandiose et très réputé sur le plan spirituel reste encore aujourd'hui quasiment inconnu des étrangers. (*Voir* V. Chan, 1998, p. 876-877, et le *Tibet Handbook*, 1999, p. 295 et Map 2-C2.)

absolue. La nature inviolée issue de l'aube du monde, l'absence d'espèce arbustive, le silence, le paysage de toundra, les couleurs... tout se conjugue pour impressionner le visiteur, même le plus insensible. Au nord des chaînes enneigées, l'immensité des steppes tibétaines s'ouvre sur la plaine de Trinkye Dzong.

Et dans ce petit monastère qui tombe en ruine vivent quatre nonnes, communauté isolée dont le lama habite à un jour de marche de là, dans le hameau de Tranglung. Alexandra reconnaît que ces quatre femmes lui font forte impression. Voilà des Tibétaines qui bravent les peurs attachées aux superstitions locales, les brigands et les intempéries pour vivre leur foi dans un isolement presque total. Des conditions de vie inchangées depuis des siècles dans un environnement d'une rare austérité, sans parler du climat si rigoureux en hiver. Elle gardera un souvenir très vif de cette découverte et, lorsqu'elle évoquera la gompa dans ses livres, ce sera avec émotion (ainsi dans le deuxième chapitre de *Mystiques et magiciens du Tibet*).

Le retour s'effectue par les Sepo et Koru La, cols atteints par la voyageuse deux ans auparavant. Arrivée à Thangu le 15 octobre, Alexandra s'installe au bungalow jusqu'au 24 octobre 1914. Puis elle se rend auprès du gomchen retiré dans son ermitage. Une expérience inoubliable commence...

Anachorète en Himalaya :
24 octobre 1914-2 septembre 1916

Vers le milieu de l'année 1914[1], Alexandra écrit à son cousin Émile qu'elle « compte séjourner peut-être jusqu'à l'entrée de l'hiver auprès d'un lac situé à environ 4 600 m d'altitude[2] ». De fait, à l'automne elle va inaugurer un nouveau mode d'hébergement en s'installant dans un logement à l'épreuve du temps, un logement dont l'austérité est garantie : une caverne d'anachorète.

« Je quitte le bungalow de Thangu pour aller m'installer dans une caverne un peu aménagée en logement située sur le flanc d'une montagne escarpée au sommet de laquelle le gömpchen occupe une autre caverne. Mon lit n'ayant pu être installé la première nuit, je la passe sur mes couvertures étendues à même le sol. Au commencement de la nuit ma lanterne s'éteint, et je demeure sans dormir jusqu'au jour songeant à l'étrangeté de ma situation. Il fait très calme sous cette voûte de roc. On y est loin du monde et en paix ! »

Carnet – 24 octobre 1914.

---

1. Date exacte non précisée mais postérieure à l'investiture du jeune maharadjah Kumar.
2. Lettre écrite de Gangtok. (Inédite. Archives privées. Copie à la Maison A. David-Néel).

Dans *Mystiques et magiciens du Tibet,* Alexandra précise que la caverne du gomchen se situe à une demi-journée de marche du bungalow de Thangu. La sienne est distante d'un kilomètre et placée au-dessous. Dans sa lettre du 2 novembre 1914, elle écrit : « L'altitude de ma caverne est d'environ 4 000 m sur un flanc de montagne escarpé et merveilleusement ensoleillé ».

Quelques précisions sont données dans *Le sortilège du mystère* : « Ma caverne s'ouvrait au flanc d'une pente abrupte qui dominait un cirque dont le fond était occupé par un large glacier ». La caverne domine un glacier et, ajoute-t-elle, se situe à une douzaine de kilomètres du premier village vers le sud : ce premier village serait bien Tangu. Dans son dernier livre, *Quarante siècles d'expansion chinoise,* elle rappelle que sa caverne se situait « à une trentaine de kilomètres » de « Latchèn » : « Du village, un sentier s'élève directement jusqu'au col de Sépo (5 200 m) par où l'on passe directement sur le haut plateau tibétain. »

Alexandra nomme « Dewa-Thang » le petit plateau situé à proximité de sa caverne. Il s'agit d'un replat, un simple ressaut sur le flanc de la montagne. C'est un simple lieu-dit connu des natifs du pays.

L'examen de l'excellente carte topographique du Sikkim, éditée en 1981 par Kummerly et Frey[1] montre que Thangu (Tanggu), situé au fond de la vallée de la Tista, se trouve à 3 920 m d'altitude, et Gogong à 4 500 m (village évoqué ailleurs par l'orientaliste). Les pics de ce secteur dépassent les 6 000 m d'altitude.

---

1. Sikkim Himalaya, 1981, Herausgegeben von der Schweiz. Stiftung für Alpine Forschungen, Bearbeitet und gezeichnet nach Kartengrundlagen des Survey of India und mit photographischen Aufnahmen verschiedener Expeditionen von H.B. Bossart, Topograph, Bern, Kümmerly und Frey, 1 : 150 000.

Comme la caverne domine Thangu et Gogong, nous en déduisons que les ermitages en question sont forcément situés à plus de 3 920 m, voire de 4 000 m. La carte canadienne, publiée en 2003 par le ITMB de Vancouver[1], confirme les altitudes fort élevées de la partie septentrionale du Sikkim : partout supérieures à 4 000 m. Ces données confirment les affirmations de la lettre de 1914.

Un engagement original et courageux

Alexandra séjourne d'abord une quinzaine de jours dans cette habitation d'un autre âge ; elle rend une visite quotidienne au gomchen. « L'expérience de la vie contemplative selon les méthodes lamaïstes » la tente de plus en plus. Ne perdant pas de vue sa carrière d'orientaliste, elle voit là l'occasion unique de percer les mystères du tantrisme, dont les enseignements restent largement ignorés des Occidentaux. De rares spécialistes, tel Alexandre Csöma de Körös ont déjà vécu dans des monastères « lamaïques », étudié les textes sacrés au rythme des gompas. Or il y a un monde entre l'étude intellectuelle d'une philosophie à travers ses textes (l'exégèse, dans laquelle excellent les orientalistes occidentaux) et l'apprentissage direct, physique et mental, que réclament le tantrisme, le yoga, le zen et toutes ces disciplines orientales qui ne peuvent en aucun cas être enseignées par les livres. L'apprentissage doit se faire sous la direction d'un maître en qui le disciple place une confiance absolue, et à qui il promet une obéissance totale. L'enseignement est fondé sur une pratique persistante d'exercices physiques et psychiques parfois durs. La présence d'un guide s'avère nécessaire à cause

---

1. Sikkim. India. 2003. International Maps. ITMB Publishing Ltd. Vancouver, Canada. Scale 1 : 140,000.

de la puissance et du danger de ces pratiques. Alexandra sait qu'il faut payer de sa personne pour avoir accès aux enseignements secrets.

C'est aussi la première fois qu'elle côtoie vraiment un véritable ermite, un de ces hommes hors du commun qui n'hésitent pas à vivre en reclus pendant plusieurs années, totalement coupés du monde pour un meilleur épanouissement de leur vie intérieure. Elle demande au gomchen de bien vouloir l'accepter comme disciple. De son côté il connaît, certes, cette dame qui prêche la doctrine et qui est une amie du maharadjah. Il l'estime pour ses connaissances et pour l'intérêt qu'elle porte au monde « lamaïste ». Mais à ses yeux elle reste une Occidentale, une étrangère dont la requête ne manque pas d'être incongrue, d'autant plus que la dame en question parle très mal le tibétain. Et puis le moment est mal choisi puisqu'il s'apprête à faire une retraite de trois ans dans son ermitage.

Mais Alexandra a déjà résolu le problème de la langue : ils échangeront leurs compétences. Elle lui apprendra l'anglais, et lui le tibétain ! Quant à la retraite... il peut bien la repousser, pense l'aspirante. Et le gomchen découvre alors à quel point la dame sannyasin peut se montrer obstinée. Elle va le harceler jusqu'à ce qu'il se laisse fléchir : il accepte de différer sa retraite et de... mettre à l'épreuve sa future disciple ! Car on ne reçoit pas aussi facilement les enseignements secrets, il faut s'en montrer digne :

« Le gomchen s'est décidé, mais j'ai dû promettre de rester un an à sa disposition à Lachen l'hiver et à proximité de sa caverne quand viendra l'été. Je dois demeurer à la gömpa de Lachen dans un logement de lama. Cela ne sera pas drôle ni confortable. Ces logements sont des boîtes à l'usage d'anachorètes thibétains. Le cœur m'a battu et j'ai eu un instinctif recul au moment de promettre. Et puis j'ai promis : qui veut la fin veut les moyens. C'est une unique occasion d'apprendre le thibétain et les mystères du tantrisme bouddhiste complètement ignorés de tous les orientalistes. Ce sera rude mais terriblement intéressant ! »

Carnet – 27 octobre 1914.

En prenant cet engagement, Alexandra fait preuve d'une extraordinaire audace… et d'une réelle humilité, même si son objectif est l'acquisition de connaissances inaccessibles aux autres orientalistes, donc l'orgueil. Elle se connaît assez pour savoir que la solitude ne lui pèsera pas. Mais cette fois elle accepte l'autorité d'un maître, alors qu'elle n'en fait qu'à sa tête depuis quarante-six ans ! En outre elle accepte de rester un an sur place, bien qu'elle n'aime que vagabonder selon son bon plaisir ! La connaissance est à ce prix.

La hardiesse est évidente car, à cette époque, peu de personnes savaient ce qu'impliquaient les pratiques tantriques sur le plan de la personnalité. La situation est différente aujourd'hui où les centres bouddhiques, les cours de yoga, de zen, de méditation et d'autres variantes plus ou moins sérieuses fleurissent dans le monde entier. Chacun peut en faire l'expérience et, aujourd'hui comme hier, se retrouver face à ses faiblesses, à ses peurs, à ses répulsions, à ses désirs, à sa prétendue personnalité. Chambardement intérieur à la fois profond et nécessaire permettant seulement alors d'accéder à un type de connaissance qui n'a pas de rapport avec le savoir intellectuel.

L'aventure est à hauts risques. Que ce soit par ambition de carrière ou par réelle curiosité de militante bouddhiste, Alexandra se sent prête à affronter les puissances occultes du monde tantrique, les dieux, les démons, l'univers des créations mentales, les pouvoirs psychiques supranormaux d'un grand maître… Aventure du corps et de l'esprit dans le décor d'un autre monde, tentative exceptionnelle que peu d'Occidentaux accepteraient de vivre encore aujourd'hui.

Madame Néel a déjà constaté certains phénomènes étranges lors de ce séjour au Sikkim, des manifestations de clairvoyance, ou bien la présence de forces hostiles (*Mystiques et magiciens du Tibet*). Ne citons qu'un exemple : un jour un lama lui répondit avant même qu'elle n'ait formulé sa question. Or depuis sa jeunesse Alexandra s'intéresse aux forces invisibles, à leur nature et à leur simple réalité. Elle voit dans son apprentissage une possibilité d'accès à certaines réponses.

> « Un soir je vis apparaître le gomtchen de Latchen revêtu de ses atours de magie noire : tiare à cinq faces, collier fait de rondelles de crâne, tablier d'os humains sculptés et ajourés, poignard magique à la ceinture.
>
> Debout en plein air, près d'un grand feu, il esquissait des gestes avec le sceptre-dordji et poignardait le vide en récitant des incantations à voix basse.
>
> Je ne sais à quels invisibles démons il livrait bataille, mais fantastiquement éclairé par les flammes dansantes, il avait l'air d'en être un lui-même. »

Mystiques et magiciens du Tibet.

Le 9 novembre, une cérémonie tantrique a lieu dans la caverne. Le surlendemain le petit groupe quitte les ermitages pour descendre à Lachen, situé trente kilomètres au sud-ouest. Alexandra s'apprête à passer l'hiver 1914-1915 à la gompa de Lachen.

Un drame frappe le Sikkim au début du mois de décembre 1914 : le jeune maharadjah Kumar meurt subitement à l'âge de trente-cinq ans. Alexandra en est peinée car elle éprouvait une sincère amitié pour cet homme aimable et dévoué à son pays autant qu'à sa religion. On parle d'empoisonnement. Son accession au pouvoir et le désir de réformes religieuses qu'il manifestait ne plaisaient pas à tout le monde. Bloquée à Lachen, Alexandra ne peut pas assister aux funérailles qui ont lieu à Gangtok. Le jeune frère de Kumar, âgé de vingt-deux ans, lui succédera. Lui aussi a reçu une éducation anglaise. Il contacte aussitôt Alexandra qu'il connaît bien.

Pendant tout ce temps Alexandra continue à écrire à Philippe. Elle lui demande des nouvelles de la guerre dont elle suit l'évolution dans quelques journaux anglais. Son isolement volontaire ne la coupe pas du reste du monde :

> « Ah ! tu dis vrai quand tu parles de ma tristesse en songeant à la pauvre petite Belgique. Pense que je connais presque tous les endroits dont les noms obscurs paraissent dans les journaux. Ce sont parfois de minuscules bourgades, mais à beaucoup d'entre elles sont attachés, pour moi, des souvenirs d'enfance. Pauvre Louvain, surtout. Je connaissais par cœur tous les pavés pointus de la ville. Et Malines ! et Vilvorde ! et Termonde ! et Bruxelles surtout où j'ai passé seize ans de ma vie, où est mort mon père…
>
> … Qu'on est loin de cette tourmente, ici, dans ce monastère rustique ! Les seuls évènements au village c'est la descente des paysans vers le Sikkim pour s'approvisionner du riz ou leur montée à Kampa Dzong ou à Shigatze pour acheter des moutons ou de la farine d'orge… »

Lettre du 25 novembre 1914.

L'hiver 1914-1915 à Lachen

En arrivant à Lachen, Alexandra a planté ses tentes de camping, pour elle et ses domestiques. Le froid venant, elle se fait construire une baraque. Il faut se prémunir contre la neige qui ne va pas tarder. Le village est à 2 728 mètres d'altitude et la neige bloque toute communication au plus froid de la saison.

« Ma semaine a été remplie par l'aménagement de la cabane qui doit m'abriter le jour où la neige me forcera d'abandonner ma tente. Oh ! combien primitive et rustique, cette cahute de lama de village. Tu n'en as pas idée ! La demeure du plus déshérité de nos paysans français est un palais en comparaison de la mienne. Mais, tu sais, avec la vie de quasi explorateur que je mène j'ai appris à me contenter de peu, et à arranger avec ce peu une manière de confort. »

Lettre du 6 décembre 1914.

En prévision de l'hiver, elle stocke la nourriture indispensable (pommes de terre, navets, fèves, maïs, beurre de yack...) ainsi que les produits nécessaires au quotidien (allumettes, pétrole...).

Les sommets enneigés étincellent sous le soleil. D'un bleu profond, le ciel coiffe un paysage resplendissant à l'approche de l'hiver. Alexandra aime cette vie rude, « d'ascète studieux », loin des futilités de la civilisation occidentale... à laquelle elle est encore un peu attachée malgré tout. Son esprit reste « celui d'une Parisienne philosophe-artiste-dilettante. S'échapper, se libérer de soi-même et du monde que l'on porte en soi... être ce qu'ont été les *Bouddhas*... », voilà cependant son rêve sincère. (Lettre du 6 décembre 1914.)

L'hiver est là. Alexandra partage son temps entre l'étude du tibétain, les prêches au monastère (traduits par un interprète), les études orientalistes et les entretiens avec le gomchen. Elle lui parle des doctrines et des pratiques religieuses de l'Inde, tandis qu'il lui expose celles du Tibet. Elle apprend à cuire elle-même son pain. La cabane est bien étanche maintenant car les parois de bois et le toit ont été doublés avec un tissu imperméable. Deux mètres de neige tomberont cet hiver-là. (Lettre du 27 mai 1915.)

Des personnages pittoresques viennent parfois rendre visite au gomchen, ainsi ce jeune disciple vêtu de tous les atours des ascètes tantriques : jupe en principe blanche mais d'une couleur indéfinissable, à cause de la crasse, chemise rouge, et accessoires adéquats en bandoulière (petit tambourin ou *damarou*, tibia-trompette ou *kangling*). Le jeune homme porte avec lui « une certaine atmosphère esthétique » bien perçue par une Alexandra qui s'exprime de mieux en mieux en tibétain.

> « Un soir, pour satisfaire à la tradition et complaire à un ami tibétain, j'ai dégusté deux doigts de bière de millet dans un crâne, en guise de communion tantrique et de toast au grand Padmasambhava, mais je n'en fais pas une habitude. Tout cela est tellement puéril en son naïf effort pour paraître terrible ! »

Lettre du 30 décembre 1914.

Cette vie plus que rustique a un autre avantage : elle est très économique. Or les perturbations engendrées par la guerre en Europe rendent les communications difficiles : Philippe ne peut plus envoyer d'argent pour le moment. Alexandra disposait de quelques fonds placés dans une banque de Calcutta ; c'est sur cette réserve qu'elle doit vivre.

Propriétaire dans l'Himalaya

En mai 1915 Alexandra part camper à Dewa-Thang : « L'excursion a été délicieuse... De tous côtés les rhododendrons sont en fleur et la montagne est un vrai paradis de féerie. » (Lettre du 6 mai 1915.)

Le 1er juin commence l'aménagement de son ermitage, accolé à la caverne. Mais le rythme de travail est oriental, les choses n'avancent pas vite. Ses aménagements à elle consistent en l'adjonction de quelques baraques de planches à la caverne, en vue d'un séjour prolongé sur les lieux. Car il faut prévoir assez d'espace pour entasser des réserves de vivres pour cinq personnes ! Les trois domestiques d'Alexandra sont là, ainsi que la mère de l'un d'eux. Alexandra vit en ermite... mais avec du personnel ! La construction prend tournure avec bien des difficultés, ne s'achevant qu'au mois d'août. Ce qui fait pousser à la Révérende ce cri d'allégresse : « Je suis propriétaire dans l'Himalaya ! »

L'ermitage portera le nom de « Dechen Ashram », l'ermitage de la paix. Alexandra prend des cours par correspondance : cours de tibétain avec Dawasandup de retour au Sikkim (il s'était absenté pour participer à la Conférence de Simla, comme interprète), et cours de sanscrit avec un pandit attaché à l'école népalaise de Gangtok : « Je ne suis bonne qu'à être érudite. Ce n'est pas très utile actuellement, mais plus tard, peut-être, cela servira-t-il. » (Lettre du 7 septembre 1915.)

Le gomchen a décidé de passer l'hiver à son ermitage. Alexandra et ses domestiques en feront donc de même. L'ermitage n'est guère chauffé. À la mi-décembre il gèle jour et nuit dans le réduit qui sert de cabinet de toilette à Alexandra : dans les brocs l'eau n'est qu'un bloc de glace ! Mais le temps reste splendide, très ensoleillé. Alexandra se tient le plus possible dans la caverne elle-même, où le vent ne pénètre pas : avec des tapis et un poêle, c'est presque le confort ! Elle attend son dernier convoi de riz avant que les sentiers ne deviennent impraticables. Ses stocks pour l'hiver s'élèvent à :

« 120 livres de beurre, 500 kg de riz, autant de maïs, 80 kg de farine de blé, autant de farine d'orge, environ 1 200 kg de pommes de terre, des navets, des radis tibétains, environ 150 kg de lentilles et fèves de diverses espèces, les épiceries, conserves, le thé, etc. 40 kg de graisse de mouton pour les domestiques et quatorze moutons[1] entiers pendus dans une

_____

1. Quatorze moutons : Alexandra n'impose pas le végétarisme à ses domestiques, alors qu'elle-même ne mange jamais de viande.

chambre, naturellement frigorifique, où la viande est à l'état de bois dur et se découpe à coups de hache ».

Lettre mi-décembre 1915.

Peu avant le Noël 1915, l'installation manque de brûler à cause du tuyau de poêle, sans doute mal monté, qui avait déclenché un incendie ! À la mi-janvier, Alexandra se résout à demander un envoi de fonds à Philippe car l'achat des provisions et le paiement de ses cours de langues ont entamé plus que sérieusement ses réserves financières.

Durant cet hivernage Alexandra s'entraîne à certaines méthodes des yoguis tibétains. Elle fait parfois *tsam*, c'est-à-dire qu'elle se retire plusieurs jours dans sa caverne sans voir personne. On lui pose alors sa nourriture dans la pièce voisine, sans la rencontrer. Elle s'exerce aussi à la technique appelée *toumo* qui permet de mobiliser son énergie interne pour produire de la chaleur. Par ailleurs, elle fait de gros progrès en tibétain, qu'elle parle maintenant quasi couramment. Quant aux enseignements secrets, elle n'en dit évidemment pas un mot. Il s'agit là d'une expérience personnelle, intransmissible par définition[1]. C'est que le Maître transmet bien plus une force psychique qu'un savoir, des méthodes bien plus que des connaissances. Le disciple doit s'éveiller à sa propre réalité par un travail assidu sur lui-même. L'échange se fait au niveau de l'énergie subtile. S'il est sincère et courageux le disciple parviendra à l'illumination. S'il ne l'est pas, il échouera et renoncera. Dans tous les cas l'aventure intérieure est

---

1. Elle sera cependant autorisée à révéler une partie de ses expériences dans ses livres : *Initiations lamaïques.* et *Les enseignements secrets des bouddhistes tibétains.* (Voir bibliographie.)

profonde et indélébile. L'écrit se révèle inadéquat pour ce type d'enseignement.

Suite à cet apprentissage pour le moins original, le gomchen donne à Alexandra le nom religieux de « Lampe de Sagesse » (Yishé Tön-me)[1]. Yongden, qui suit aussi des enseignements, reçoit celui d'« Océan de Compassion » (Nindji Gyatso).

1. Lettres du 6 juillet 1917 et du 31 octobre 1917.

L'excursion clandestine à Shigatze
et l'expulsion du Sikkim
(juillet-août 1916)

Après plus de vingt mois de vie sédentaire dans les solitudes du haut Sikkim, Alexandra se sent des fourmis dans les jambes. Elle aspire à une « excursion » dans ce Tibet si proche, qu'elle n'a fait qu'effleurer jusque-là. Après tout elle n'habite qu'à une dizaine de kilomètres de la frontière ! Elle songe même dès la mi-mai à ce périple qui n'est pas sans risques. Voici ce qu'elle écrit à son mari dans sa lettre du 19 mai 1916 :

« Je suis en train de préparer mon départ pour de plus hautes régions. J'attends le tailleur des missionnaires qui doit ravauder, arranger, remettre en état ma modeste garde-robe. J'ai envoyé mes bottines à ressemeler et réparer à Darjeeling. Je vérifie l'équipement des domestiques. Mon départ n'est pas imminent. Je ne l'escompte guère avant six semaines d'ici. Je te prie de m'adresser tes lettres à l'avenir non plus à mon ermitage mais ainsi que suit : Mme A.D.N. c/o Miss Hertz – Mission House – Lachen – P.O. Cheuntung (Sikkim). Les missionnaires s'arrangeront pour m'envoyer de temps en temps mon courrier, pendant mon séjour là-haut.

Là-haut c'est, je te l'ai déjà dit, un pays immense qui ressemble à notre Sahara avec, au Sud, la barrière formidable de l'Himalaya. Mais les sommets de 6 000 et 7 000 m d'altitude ne paraissent pas, de là, plus élevés que notre Zaghouan[1] tunisien, tant l'on est haut sur les steppes. Pourtant on sent leur hauteur, leur masse gigantesque, réellement l'aspect est fort différent de celui des Alpes ou des Pyrénées. Ce pays-là fascine comme le fait notre désert africain. Je crois qu'ils sont bénis des Dieux ceux qui ont pu, si peu que ce soit, contempler le Sahara et les steppes du Transhimalaya.

Poésie et rêverie à part il est bon pour mes études de changer un peu de place et de converser avec des gens différents. Je suis trop avancée maintenant en langue tibétaine pour ne pas pousser mon travail jusqu'au point où il fera de moi un érudit en ce domaine. Il n'y a plus d'orientaliste en Tibétain en France depuis la mort de M. Foucaux qui, jadis, fut mon maître au Collège de France. Ce que le très clérical Belge La Vallée Poussin traduit de littérature tibétaine doit, comme ses autres productions, être marqué au coin d'une complète incompréhension de l'esprit des textes qu'il potasse. »

Lettre – 19 mai 1916.

En juin elle annonce à Philippe son prochain départ pour Chörten Nyima et quelques « au-delà » dans le « Pays des Neiges », sans préciser sa destination – au cas où son courrier serait ouvert. Après avoir flirté longtemps avec la frontière sikkimo-tibétaine Alexandra a échafaudé un projet maintenant beaucoup plus ambitieux puisqu'il s'agit d'aller jusqu'à Shigatze, l'une des principales villes monastiques du Tibet, en plein territoire interdit. Ce parcours se révélera essentiel, à la fois par l'audace dont il témoigne et par l'expérience qu'il représente. C'est la première fois que l'orientaliste dédaigne à ce point les autorisations officielles pour se rendre là où elle le souhaite. Sachant qu'il la lui aurait

---

1. Zaghouan : le Djebel Zaghouan, situé à 70 kilomètres au sud de Tunis, culmine à 1 340 mètres d'altitude.

refusée, elle n'en a pas demandé au Résident britannique. N'étant munie d'aucun laissez-passer, elle a choisi un itinéraire qui se situe sensiblement à l'écart de la piste principale, car les risques sont grands de se faire arrêter ! Aussi n'a-t-elle entrepris cette excursion qu'au moment où elle avait décidé d'abandonner ses montagnes (elle l'explique dans *Mystiques et Magiciens du Tibet*[1]).

En juillet 1916, sa décision est donc prise de quitter le haut Sikkim. Le groupe se compose de trois personnes : Alexandra, Yongden et un *trapa* (élève d'un monastère) qui doit servir de domestique. Ils sont à cheval, et une mule porte le matériel de camping et des vivres pour un mois.

Le point de départ de l'excursion est le petit monastère de Chörten Nyima où Alexandra arrive le 2 juillet 1916. Elle s'y repose quelques jours avant de prendre la direction du nord, dans la plus totale illégalité. Shigatze, la capitale de la province du Tsang, se situe à quatre jours de marche de la frontière par le chemin le plus court. Tout près de Shigatze se trouve la ville monastique de Tashilumpo où réside le Panchen-Lama (Tashi-Lama), le plus haut dignitaire de la hiérarchie gelougpa avec le dalaï-lama.

Alexandra n'est pas pressée. Elle souhaite profiter de l'occasion pour rendre visite à quelques ermites sorciers qu'on lui a indiqués. La première étape est Tranglung, hameau situé à un jour de marche de Chörten Nyima. C'est là qu'habite le lama de la Chörten Nyima gompa, réputé pour savoir faire toutes sortes de prodiges.

---

1. Tous les itinéraires suivis par Alexandra David-Néel sont cartographiés de manière détaillée dans l'édition complète de cette biographie, Arthaud, 2009.

Quand la visiteuse arrive, « il est occupé à préparer des objets de sorcellerie pour conjurer la grêle », note-t-elle dans son carnet. Elle passe la nuit du 7 au 8 juillet dans le lhakang, « dans l'antre du sorcier, avec le grand Chenresi[1], ses collègues, les tormas[2] et deux lampes brûlant sur l'autel sous un parasol rond que leur chaleur fait tourner. Le parasol est un mani, la formule consacrée y est inscrite sur deux lignes. Le sommeil vient difficilement (la méditation, elle, n'est pas venue du tout), nuit peu reposante. » (Lettre du 7 juillet 1916.)

« Réveil à l'aube, toilette plus que sommaire, départ pour Yerum, une très longue étape en serpentant à travers des montagnes sans intérêt. Traversée de Mendi, village très pittoresque, rappelant l'Afrique dont les noires commères me lancent des vœux de bon voyage en tirant la langue avec grand respect et cordialité.

À Yerum mon trapa nous conduit chez un marchand de peau de sa connaissance. Ce doit être un gros commerçant, mais devant la porte est la charogne d'un bœuf et l'espèce d'entrepôt où l'on me conduit est plein de peaux empilées et poussiéreux autant que possible. Deux coussins étendus, ce sera ma chambre à coucher. Je n'ose rien déballer dans ce capharnaüm malpropre. Je dormirai habillée. Nuit mauvaise sur les coussins trop courts pour mon corps.

Lettre du 7 juillet 1916.

« Au matin – pour rester dans mon personnage, je n'ose refuser la tsampa apportée avec le thé. La voici dans ma tasse, j'ai les mains horriblement sales, mais avec conviction je commence par introduire un doigt pour tourner le mélange selon le rite, puis plusieurs doigts ensuite et je les lèche après l'opération. C'est dégoûtant, mais la tsampa est bonne.

---

1. Chenresi : le nom tibétain du Boddhisattva de la compassion, Avalokiteshvara, celui qui porte son regard sur tous les êtres.
2. Tormas : offrandes sous forme de gâteaux confectionnés en beurre de yak et en tsampa (farine d'orge grillée).

Je songe ces jours-ci : « Combien il est difficile d'être sale. Oh ! chez nous c'est aisé, mais ici, par comparaison, je reste indécemment propre bien que je ne me sois savonnée ni la figure ni les mains depuis 3 jours et que je me laque le visage en jaune suivant la coutume (excellente) pour ne pas avoir la peau brûlée par le vent et le soleil.

[...] En route, d'abord une montée pénible dans une colline pierreuse et sablonneuse, une longue descente à travers les dunes et puis le steppe herbeux. Il fait chaud, les chevaux sont très fatigués, on traverse un cours d'eau dans lequel ils plongent jusqu'au ventre et plus loin on campe au milieu des pâturages.

En fin, je suis dans une tente seule, je vais pouvoir me déshabiller, me mettre entre deux draps. J'ai besoin de repos. »

Lettre du 7 juillet 1916.

En passant par Tranglung, Mendi, Yerum, puis Kuma, Alexandra a choisi un itinéraire judicieux qui lui permet d'éviter Kampa Dzong où se trouve un poste militaire.

14 juillet 1916 : Patur

« Le haut Lama ne daigne pas nous inviter à monter chez lui. Il loge très haut à l'étage supérieur de la gömpa dans un appartement qui, de l'extérieur, apparaît bien bâti. [...]

Je pense à l'existence de ce haut Lama perché dans son belvédère régnant de là sur d'assez vastes propriétés, des trapas, des serfs villageois : une image du Moyen Âge. Qu'est-ce que cet homme ? – Un sage, un érudit ou un imbécile, un être cupide ? Peut-être ni l'un ni l'autre, simplement un mélange moyen du tout. Je n'en saurai rien. Mon thibétain est trop rudimentaire pour risquer des interviews, sans me trahir. Dommage !

On campe dans de sales villages au milieu de populations rurales sans intérêt et, pourtant le charme ensorcelant inexplicable de ce pays agit une fois de plus. Méditations comme je n'en ai pas eues depuis des mois. Envolées par delà : vers « l'autre rive ». Et pourtant je sais ce que vaut la religion des Lamas. Mais il y a autre chose, quelque chose d'occulte. Quoi ? Je voudrais bien le savoir ! »

Même lettre.

16 juillet 1916 : « Arrivée au soir à Shigatze – Joli paysage de montagnes – Tashilumpo », note Alexandra dans son carnet. Le parcours a été effectué en neuf jours. Précédée de sa réputation de lamani, elle obtient une entrevue avec le Tashi Lama (ou Panchen Lama). Ce haut dignitaire est appelé Tsang Panchen Rimpoché par les Tibétains, c'est-à-dire « le précieux savant de la province de Tsang », précise-t-elle (*Mystiques et Magiciens du Tibet*). Dans le cadre de ses investigations sur les pratiques lamaïques Alexandra était déjà en correspondance avec ce haut personnage.

Selon la tradition, le Tashi Lama est reconnu comme une émanation du Bouddha de la Lumière Infinie, Amithaba. Alexandra rencontre le neuvième de la lignée : Lobsang Gelek Namgyal (1883-1937). Il la reçoit fort aimablement et lui propose même de lui fournir un logement pour une longue durée : elle pourrait ainsi poursuivre ses études autant qu'elle le souhaiterait. Mais Alexandra ne peut pas accepter la proposition : ses bagages, ses notes, ses documents sont en partie restés à Calcutta, et en partie à « Dechen Ashram ». Par ailleurs elle n'a pas emporté assez d'argent pour assurer l'entretien de trois personnes pendant une longue période.

C'est la première fois qu'Alexandra découvre une ville monastique de cette importance. Nous sommes en 1916 : le Tibet n'a pas encore subi les horreurs de la Révolution Culturelle, et les monastères ont cet aspect de ruche éducative qu'ils ont perdu aujourd'hui. Le monastère est une véritable cité, avec ses rues, ses ateliers, ses logements, ses écoles, ses collèges supérieurs spécialisés, ses lieux de vie et de prière. Les lamas ont alors le monopole de l'enseignement, et la religion est intimement mêlée au quotidien. Les grands monastères comptent encore plusieurs milliers de moines et d'enfants en cours d'éducation.

La voyageuse est impressionnée par l'ampleur du Tashilumpo :

> « Il y régnait dans les temples, les halls et les palais des dignitaires, une somptuosité barbare dont aucune description ne peut donner une idée. L'or, l'argent, les turquoises, le jade, étaient prodigués partout, sur les autels, les tombeaux, l'ornementation des portes et pour les objets rituels ou même simplement ceux servant au service domestique des lamas riches. »

> *Mystiques et magiciens du Tibet*.

Madame Néel est invitée plusieurs fois pour le lunch chez la mère du Tashi Lama. On lui offre des cadeaux : livres, objets, et un « costume de lama gradué – sorte de diplôme de docteur *honoris causa* de l'université de Tashilumpo ». Elle a l'occasion de s'entretenir avec des lamas de haut rang qui lui fournissent des informations, et bien sûr avec le Tashi Lama lui-même, qui est traditionnellement considéré comme le plus grand savant en philosophie « lamaïque ».

Alexandra vit « dans une béatitude paradisiaque que troublait seule la pensée du départ fatal. » (*Mystiques et magiciens du Tibet.*) Le 26 juillet, elle quitte Shigatze pour retourner à son ermitage du haut Sikkim. Au passage, elle visite la grande imprimerie lamaïque de Nartang, située à quelques kilomètres au sud-ouest de Tashilumpo. Plus au sud, elle rend visite à un ermite qui vit dans une caverne à peu de distance du lac Mo-Te-Tong (Tsomo Tretung).

Le petit groupe regagne le Sikkim en passant par les cols désormais familiers à Alexandra : Sepo La et Koru La.

En chemin des Lachenpas apportent de mauvaises nouvelles : le Résident britannique ayant appris cette incursion au Tibet, a puni les villageois du haut Sikkim en leur imposant de fortes amendes. Alexandra sait que le retour à Dechen Ashram sera difficile. Elle arrive chez elle pour constater que son ermitage a été pillé par les gens du pays. Elle est avisée de son expulsion du Sikkim, décidée par le Résident britannique. Une page est tournée dans son grand périple asiatique. Le 2 septembre 1916, Alexandra quitte définitivement son ermitage.

Aphur Yongden reste avec celle qu'il considère désormais comme un maître. Après des adieux définitifs à sa famille, il rejoint la « dame lama » à Darjeeling. Passang est aussi du voyage, mais il regagnera le Sikkim quelques mois plus tard.

Le 20 septembre 1916, Alexandra descend du train en gare de Calcutta. Bruit, moiteur, et cohue : le contraste est violent après ces années passées dans les magnifiques solitudes de la barrière himalayenne. Installée dans les locaux de la Société Théosophique, elle organise la suite de son périple : il lui faut trouver un bateau pas trop onéreux en partance pour la Birmanie, faire établir de nouvelles lettres de recommandation... et attendre un indispensable envoi de fonds...

Un mois plus tard Alexandra quitte l'Inde où elle ne reviendra qu'en 1924, après son célèbre voyage à Lhassa.

Errance maritime
de l'Inde au Japon :
6 novembre 1916-6 février 1917

Le 6 novembre 1916, Alexandra embarque en direction de la Birmanie. Le séjour au Sikkim et cette première découverte du Tibet profond resteront à jamais gravés dans sa mémoire. Jusqu'à sa mort elle gardera la nostalgie de ce qu'elle a vécu « là-haut » pendant plus de deux ans. Deux ans de vie sauvage dans le cadre grandiose de la plus haute chaîne montagneuse de la planète. Deux ans d'un cheminement intérieur parfois ardu mais ineffaçable. Deux ans en contact direct avec les manifestations les plus cachées du tantrisme authentique.

9 novembre 1916-8 janvier 1917 :
Rangoon et les Monts Sagain

La voyageuse arrive à Rangoon trois jours plus tard. La voici dans cette Birmanie qu'elle souhaitait déjà découvrir en 1912. Le pays est sous la tutelle britannique depuis le XIXe siècle mais reste une terre de tradition bouddhiste. Sur place Alexandra visite deux monastères et la fameuse pagode Swe Dagon, avec son immense stupa qui dresse sa flèche éblouissante au sommet d'une

194

colline. Les fondations de cette pagode remonteraient à l'époque du Bouddha historique. Après le luxe barbare des gompas du Pays des Neiges, voici la grâce et l'élégance d'une autre architecture, transcendée par une foi plus riante mais orientée vers le même Maître, la même aspiration à la délivrance du cycle des *samsrara* c'est-à-dire des renaissances. On dit que ce monument est l'un des plus vénérés du monde bouddhiste car il est censé renfermer des cheveux de Gautama. Le bouddhisme birman s'inspire de la tradition ancienne ou Theravada (Hinayana).

En décembre, Alexandra prend le train pour Mandalay et les Monts Sagaing. Elle a décidé de faire une pause de quelques semaines dans ce site prestigieux. Mandalay fut édifiée par le roi Mindon qui accéda au pouvoir en 1852. La légende dit que le Bouddha serait venu visiter la colline de Mandalay et qu'il aurait annoncé à Ananda, son disciple préféré, l'édification d'une grande cité bouddhiste deux mille quatre cents ans plus tard. Sagaing est une cité plus ancienne, capitale au XIVᵉ siècle, environnée de collines couvertes de pagodes et de monastères, reliés les uns aux autres par des escaliers, dans un superbe cadre de verdure. Comme toujours, Alexandra fuit la ville pour se retirer à Mahagandaron Kyang, auprès des moines de la lignée bouddhique la plus austère, les Kamatangs. Mais nous ne savons rien de ses activités.

Après un séjour de deux mois dans le pays, Alexandra quitte Rangoon en direction de la Malaisie :

> « J'ai quitté la Birmanie sans regret, le pays n'a rien d'attachant. On se fatigue vite des pagodes, toutes les mêmes ; la végétation est médiocre, le paysage sans caractère spécial, les habitants très quelconques. Quoiqu'il en soit, c'était à voir, se trouvant sur ma route.
>
> Un tas d'ennuis au départ, de multiples formalités à remplir avec la police et le service de santé. Peste, choléra et

variole sévissent à la fois à Rangoon pour le moment et pour comble, il y a eu un décès à bord du paquebot où je suis. Je suis très fatiguée. [...] J'ai manqué le « Maru » que je comptais prendre et, maintenant, qui sait combien de jours je vais devoir demeurer à l'hôtel à Singapour, à attendre un autre paquebot. »

Lettre du 10 janvier 1917. Sur le *Taroba*.

La fatigue, le manque d'aisance financière, les incertitudes quant à la suite du voyage, la recherche de navires en partance, la contrainte des transbordements, avec des bagages de plus en plus encombrants (vingt-huit colis), sont autant de soucis inhérents à cette période de transit qui ne cessera qu'à son arrivée au Japon, trois mois plus tard. Alexandra se sentait chez elle en Inde, au Sikkim, et dans ce coin de Tibet parcouru dans l'enthousiasme... À quarante-neuf ans, elle se lance dans un autre inconnu, en sachant qu'elle a laissé une part d'elle-même sur les hautes terres du « Toit du monde ». Rien ne sera plus comme avant.

En mer elle écrit quasiment tous les deux jours, voire tous les jours, à Philippe.

Penang, Singapour, Saïgon

Alexandra est passablement neurasthénique et malade, les deux événements semblant d'ailleurs liés.

« Saïgon s'est un peu agrandi, pas des masses. Le jardin zoologique est très tombé. J'ai demandé où étaient les collections d'oiseaux et de serpents, très fournies autrefois. Le gardien m'a répondu : "Petits oiseaux tous morts, petits serpents tous morts !" ce qui montre qu'on a laissé les animaux mourir sans les remplacer à mesure. Par contre, il y a maintenant, un "jardin de la ville" bien tenu avec de beaux arbres. C'est tout. Je suis entrée à la Cathédrale, ce que je n'avais pas fait autrefois, au temps où je croyais encore que

196

les dogmes papistes valaient la peine d'être combattus et les temples où ils s'abritent fuis comme des antres démoniaques. Aujourd'hui, je ne fais plus tant d'honneur à ces contes de nourrice et j'ai fait visiter l'église à mes Tibétains qui n'avaient jamais rien vu de ce genre. Je leur ai raconté les histoires des personnages peints sur les vitraux et l'histoire de Jeanne d'Arc qui trône, là, parmi des faisceaux de drapeaux. Ils me demandaient : "Est-ce que c'est vrai ces histoires ?... Est-ce que cette femme-soldat (Jeanne d'Arc) a réellement vu des Dieux qui lui ont dit d'aller à la guerre ? Est-ce que c'est vrai que Issou (Jésus) est né avec les bêtes ? (ils ont vu une crèche et trouvaient cela peu distingué, eux habitués aux histoires où les splendeurs du palais du père du Bouddha sont relatées et amplifiées). Et qu'est-ce qu'il a dit cet homme (St Joseph) quand il a vu que sa femme avait un enfant dans l'intérieur (sic) s'il n'avait pas été en compagnie avec elle ?" ("compagnie parfaite" est le terme bienséant en tibétain pour exprimer relations sexuelles). Cela n'en finissait pas, je les ai emmenés ailleurs pour changer le cours de leurs idées... »

Lettre du 24 janvier 1917 – Paquebot *Cordillère*.

Haïphong, Hong Kong

« À Hong Kong je suis grimpée au pic[1] d'où la vue est très belle et ai fait un tour dans la ville presque entièrement occupée par des marchands chinois. Le soir j'étais invitée à prendre le thé avec des Américaines, puis je suis rentrée dîner à bord. Bien entendu, j'ai dû aussi, comme à peu près partout, aller faire viser, à la police, mon passeport que j'avais déjà dû montrer à bord et qu'on a encore redemandé au départ le lendemain matin. On est, maintenant, assommé de formalités à remplir, c'est un des agréments de la guerre. »

Lettre du 2 février 1917 – Paquebot *Cordillère*.

---

1. Alexandra fait allusion au Pic Victoria. Le tramway permet d'y monter depuis 1888. Avant cette date, l'ascension était beaucoup plus malaisée. On pouvait cependant s'y faire porter en palanquin.

Shanghaï

« Shanghaï, que j'ai visité hier, est, dans la partie des concessions européennes, une grande ville cossue qui m'a souvent rappelé Londres avec une pointe d'américanisme de plus. Les hôtels sont copiés sur ceux d'Amérique... »

Lettre du 4 février 1917 – Paquebot *Cordillère*.

6 février 1917 : l'arrivée au Japon

« L'arrivée au Japon par la mer intérieure est tout simplement féérique. On navigue à travers un monde d'îlots plus pittoresques les uns que les autres. Le temps s'était mis au beau, du soleil avec juste ce qu'il fallait de brume légère pour entourer les paysages d'un peu de mystère. Ma première impression, celle que je craignais tant, a été excellente. J'espère que je ne serai pas déçue par la suite... »

Lettre du 7 février 1917. Kobé.

Le séjour au Japon :
6 février-4 août 1917

L'empereur Yoshi Hito, dit Taisho, qui a succédé à Mutsu Hito, dit Meiji, est au pouvoir lorsque Alexandra arrive dans l'archipel en 1917. Depuis ses victoires militaires lors de la guerre sino-japonaise (1894-1895) et de la guerre russo-japonaise (1904-1905), depuis l'annexion de la Corée en 1910, l'empire du Soleil-Levant a atteint le rang de grande puissance. L'adoption des techniques occidentales, l'essor de l'industrie lourde et la recherche de nouveaux débouchés commerciaux avaient permis au pays d'entrer dans la modernité durant l'ère Meiji (« l'époque éclairée »).

Alexandra ne s'intéresse pas à ce Japon nouveau style, moderne et conquérant. C'est le « pays des dieux » qu'elle vient découvrir, celui de la tradition bouddhiste en particulier. La vie religieuse japonaise se partage traditionnellement entre le shintô et le bouddhisme. Les autres religions ou philosophies ne comptent que peu d'adeptes : taoïsme, confucianisme, christianisme...

Le shintô, considéré comme la religion initiale du Japon, donne priorité au culte des divinités de la nature (les kamis), ainsi qu'à celui des ancêtres. Les dieux sont innombrables et partout présents. On les rencontre tout autour de soi : dans les arbres, les cascades, les montagnes, les rochers, la foudre, les typhons… Ils sont associés aux forces créatrices de la vie. Des animaux peuvent être leurs messagers. Tout est sacré pour l'adepte de la Voie des dieux.

Le gouvernement Meiji essaya de faire du shintô une religion d'État. Dans sa note publiée le 10 février 1905 dans le *Courrier Européen*, « La question religieuse au Japon », Alexandra rappelait comment le Mikado avait oppressé les bouddhistes devenus trop puissants, et accordé un véritable statut de fonctionnaires aux missionnaires shintoïstes officiels. La Constitution de 1889 revint à une plus grande indépendance de toutes les religions.

Le bouddhisme est arrivé au Japon par la Chine et la Corée au VIe siècle de notre ère. Il prospéra, se fractionna en de nombreuses sectes, s'adapta et s'imposa aux mentalités nippones. En 1908, trois ans avant son grand départ, Alexandra avait publié une plaquette de quarante et une pages qui présentait les grandes lignes des principales écoles confucéistes et bouddhistes du pays : « Notes sur la philosophie japonaise ». La voyageuse trouve donc en 1917 l'occasion de les étudier sur place. Son but : « Comparer les doctrines de la Shingon-Shu du Japon avec celles des lamas tibétains – et comparer les méthodes d'entraînement spirituel (méditation, etc.) de la Zen-Shu avec celles de l'Inde. » (Lettre du 21 février 1917.)

L'école du Shingon-Shu fut fondée au VIIIe siècle par le moine Kukai (Kôbô Daishi). Elle met l'accent sur la magie et l'ésotérisme de type tantrique. L'intérêt pour Alexandra est évident. La Zen-Shu, fondée à la fin du XIIe siècle par le moine Myôan Eisai, est l'école de méditation et de concentration (*dhyana*) qui s'inspire directement du Ch'an de Boddhidarma.

Lorsqu'elle pose les pieds sur l'archipel, Alexandra a l'intention d'y séjourner longuement. Elle propose même à Philippe de venir s'y installer pour un an et d'y vivre à ses côtés, loin de cette guerre dont on ne voit pas l'issue. Finalement elle n'y restera que six mois, et seule.

6 février 1917 : l'arrivée à Kobé

À Kobé, Alexandra a l'agréable surprise d'être accueillie par « un monsieur » envoyé par l'une de ses relations. Ce monsieur lui est d'un grand secours pour l'aider à accomplir les formalités d'usage dans un pays dont elle ne connaît ni l'écriture ni le langage, et où elle arrive sans guide ni interprète. La pratique de l'anglais est à cette époque bien moins répandue au Japon qu'en Inde. Et les relations avec une population impénétrable de nature se révèlent tout de suite difficiles !

Alexandra ne fait qu'une étape à Kobé, « populeuse cité qui n'offre rien de remarquable ». Dès le lendemain elle prend le train pour Kyoto où elle a l'intention de se fixer pour plusieurs mois. Elle possède les coordonnées de plusieurs personnalités éminentes, en particulier celles du Dr Suzuki, du Révérend E. Kawaguchi, et du Professeur Sonada.

Le choix de Kyoto

C'est bien sûr dans la ville des temples, l'ancienne capitale historique, qu'Alexandra choisit de s'installer. De là elle rayonnera vers les hauts lieux du bouddhisme japonais.

Kyoto compte alors près de 1 400 000 habitants, plus de 1 000 temples bouddhistes et des centaines de sanctuaires ! L'orientaliste a de quoi meubler ses loisirs dans une ville où la religion est totalement présente, où le plan même de la cité ressemble à un temple. Kyoto, la ville somptueuse, la « fleur du Japon », si belle le soir au crépuscule…

La neige finit de fondre lorsque la voyageuse arrive dans l'ancienne cité impériale où l'accueille un ami de Sylvain Lévi, le Professeur Sonada, Directeur de l'Université bouddhique. Il lui a trouvé un logement spacieux dans le pavillon Rikyoku-an du grand monastère zeniste, le Tôfoku-ji. Celui-ci est situé dans un immense parc entouré de murs. La suite proposée est « princière » et le loyer abordable, mais Alexandra préférerait habiter à la campagne où les paysages sont plus ouverts. Ici le pavillon est cerné par un bois de bambous qui masque tout point de vue. La voyageuse s'apercevra sans tarder que les Japonais ne goûtent pas vraiment les horizons dégagés. Ils construisent plutôt dans les creux ou derrière des écrans de verdure. Alexandra reste à l'hôtel avant de se décider.

17-21 février 1917 : Atami et le Mont Fuji (Fuji San)

Le 17 février, elle part pour Atami par le train qui relie Kyoto et Tokyo. « Atami est ravissant ; un coin de Provence, en plus majestueux », écrit-elle dans sa lettre du 22 février. Pourquoi cette destination ? Pour y rencontrer une Française, mariée avec un Japonais : Alexandra souhaite s'informer sur les possibilités d'installation au Japon. Le couple habite à Tokyo, mais est actuellement en villégiature dans la ville thermale. Nous ne saurons rien de plus. Le 19 février, notre voyageuse profite de son passage dans les environs pour faire une excursion au Mont Fuji (3 776 mètres) : « Pauvre géant pour qui a hanté les sommets himalayens ! Mais dans la direction opposée la vue des montagnes s'étageant jusqu'au bord de l'océan par progression descendante était vraiment superbe. » (Lettre du 19 février 1917).

L'équilibre quasi parfait du cône sacré, objet de vénération et de rêverie pour les Japonais, et dont l'ascension fut exclusivement réservée aux hommes jusqu'à
l'ère Meiji ne séduit pas vraiment celle qui a encore dans
le cœur la découverte des chaînes himalayennes.

20 février-12 mars : Tokyo, Kamakura, Yokohama

À Tokyo Alexandra rencontre différentes personnalités universitaires. Elle fait aussi la connaissance de
l'épouse du Pr Suzuki et se rend avec elle à Kamakura le
26 février. Mrs Suzuki, américaine, sert de guide et
d'interprète. Elles ne tardent pas à devenir amies. Au
Japon, Alexandra est considérée comme une personnalité du monde bouddhiste. On signale sa présence dans
la presse.

Kamakura, situé à 45 km au sud de la capitale, devint
l'un des principaux foyers du bouddhisme japonais à la
fin du XIIᵉ siècle. Ce petit village de pêcheurs se couvrit
de sanctuaires et de monastères dans le cadre d'un mouvement de renouveau qui succédait à une longue
période de dégénérescence et de corruption. C'est à ce
moment-là que le moine Eisaii, rentrant de Chine où il
s'était initié à la méditation, introduisit le zen qui se dif-
fusa rapidement dans la région. Quelques décennies
plus tard, le moine Dogen fit connaître une nouvelle
forme de zen, le sôtô (sodo) qui se répandit plutôt dans
le nord du Japon. Les adeptes du zen considèrent
la méditation comme le moyen de retrouver en soi la
nature du Bouddha.

La dame lama se rend ensuite à Yokohama, toujours
en compagnie de Mrs Suzuki, pour toucher des fonds
envoyés par son mari. Elle rencontre différentes personnalités religieuses, parmi lesquelles Ekaï Kawaguchi

qu'elle avait vu autrefois lorsqu'elle « avait rendu visite au dalaï-lama » (Lettre du 6 juillet 1917). Ce Japonais avait pu séjourner à Lhassa en dissimulant son identité. Son stratagème n'a-t-il pas fait germer chez Alexandra le projet fou qu'elle exécutera sept ans plus tard ?

Le 12 mars, dans le train qui la ramène à Kyoto, Alexandra écrit à Philippe. Elle songe aux Himalayas, encore si présents dans sa mémoire : une immense mélancolie la saisit. Le Japon ne lui convient pas :

> « À vrai dire, j'ai le "mal du pays" pour un pays qui n'est pas le mien. Les steppes, les solitudes, les neiges éternelles et le grand ciel clair de "là-haut" me hantent !... Pays qui semble appartenir à un autre monde, pays de titans et de dieux. Je reste ensorcelée. »
>
> Lettre du 12 mars 1917.

De retour à Kyoto, Alexandra emménage finalement au monastère Tofoku-ji, dans ce vaste logement, froid, inconfortable, mais peu coûteux qu'on lui proposait. L'abbé est un homme aimable qui invite son hôte française à dîner dès le lendemain en compagnie de deux autres dignitaires. Alexandra apprécie comme il convient cette assemblée distinguée... mais la cuisine japonaise lui est abominable, dit-elle, et « s'asseoir à la façon japonaise lui est cruel ». (Lettre du 7 mars 1917.)

27 mars-2 avril 1917 : Nara, Koya-San

C'est encore en compagnie de Mrs Suzuki qu'Alexandra se rend à Nara, puis au Koya-San, deux autres pôles célèbres du bouddhisme japonais. Nara fut la capitale du Japon au VIIIe siècle, quand le bouddhisme devint religion d'État. Mais la suprématie religieuse de la ville remonte au VIe siècle, lorsque le prince Shotoku favorisa le mouvement. Il fonda le Hôryû-ji, le monastère le plus ancien du Japon. Sa pagode abriterait une relique du Bouddha.

C'est aussi à Nara que se trouve le « grand monastère de l'est », le Tôdai-ji, construit au VIIIe siècle et l'immense statue du Bouddha Universel Vairochana, sans doute la plus célèbre du Japon, avec ses 18 m de hauteur.

La lamani et Mrs Suzuki se dirigent ensuite vers le Mont Koya *(Koya-San)*, situé à 50 km au sud-ouest de Nara. C'est là que le moine Kukai (appelé Kôbô Daishi après sa mort), au VIIIe siècle, fonda le monastère Kongôbu-ji ou « Temple du Pic du Diamant » *(Vajra)*. Envoyé en Chine par l'empereur, il en rapporta des enseignements qui donnèrent une nouvelle impulsion au bouddhisme nippon. Cette nouvelle orientation porta le nom de Shingon ou « Vraie Parole » : c'est le bouddhisme ésotérique. Selon Kukai les enseignements secrets ne pouvaient se transmettre que par un contact personnel entre un maître et son disciple dûment initié selon les rites : l'ésotérisme ne s'apprend pas dans les livres. Le moine s'attacha à développer les rituels et l'utilisation d'objets tels que le *vajra* indien ou *dordjee* tibétain, caractéristique de cette école. Le symbolisme du *vajra* est d'ailleurs le même qu'au Tibet : dureté du diamant, énergie de la foudre, indestructibilité de la Vérité. Le Bouddha Vairochana (Dainichi en japonais), transcendant et universel, source de toute énergie et de toute conscience, est au centre du cosmos. Kukai mourut dans son monastère, sa tombe se trouve toujours dans le cimetière du Kongôbu-ji, lieu de promenade fort apprécié. Avec ses cryptomerias géants, ses mousses superbes, ses teintes d'aquarelle, sa tranquillité parfaite, le décor incite à la méditation, à la poésie, à la sérénité... Alexandra s'incline sur la tombe de Kukai. Son souhait serait d'ailleurs de trouver un logis dans les environs car la vie urbaine lui pèse et les paysages du

Koya San lui plaisent beaucoup. Hélas, rien n'est disponible.

2 avril 1917 : Ise

Alexandra visite ensuite Ise, connu pour ses deux sanctuaires shintô qui dateraient du IVe ou du Ve siècle. Le sanctuaire intérieur est dédié à la déesse du soleil, le sanctuaire extérieur à la déesse du riz et des moissons. Le premier, entouré d'une quadruple palissade, est traditionnellement reconstruit tous les vingt ans en bois de cyprès naturel non traité. Seuls les prêtres et la famille impériale ont le droit d'y pénétrer. Les pèlerins ordinaires accomplissent leurs dévotions à l'extérieur. Dans ce pays souvent ravagé par les typhons, les tremblements de terre ou les éruptions volcaniques, l'habitat est souvent provisoire, même celui des dieux ou des souverains.

Alexandra est impressionnée par le site qui, « avec ses arbres gigantesques, fait songer aux forêts druidiques », et par l'importance des offrandes en numéraire déposées par les fidèles ! (Lettre du 5 avril.)

Puis ces dames font une escapade sur la côte du Pacifique, à Futami-Ga-Ura, et regagnent Kyoto. C'est la dernière excursion d'Alexandra qui restera pourtant trois mois encore au Japon. Tout se ressemble, dit-elle, blasée par les visites de sanctuaires…

De bonnes nouvelles de Tunis arrivent au mois de mai : Philippe Néel prendra bientôt sa retraite mais il ne cessera pas toute activité, bien au contraire. Il dirigera désormais la compagnie de chemin de fer de l'Ouenza. Alexandra le félicite :

« Tu as tout à fait bien fait d'accepter. L'activité c'est ta vie ; n'ayant rien à faire, n'étant plus rien, tu serais peut-être tombé malade. Et il y a aussi à envisager le train de vie très différent que te permet la continuation de tes occupations. N'oublie pas trop le bol à aumônes de la Bhikkhuni* lointaine, au milieu de ton opulence. Tu dois te douter de la parcimonie avec laquelle elle vit. »

Lettre du 24 mai 1917. Kyoto.

(*NDA : la Bhikkhuni, c'est-à-dire la nonne, est évidemment Alexandra.)

L'antijaponisme d'Alexandra

Alexandra a fait des rencontres intéressantes au Japon. Elle a eu des contacts extrêmement fructueux avec d'éminentes personnalités du monde bouddhiste. Ses interlocuteurs se sont montrés charmants en toute occasion, « tous plus aimables les uns que les autres ». Courtoisie excessive sans doute, politesse extérieure très certainement, mais contact agréable pour l'étrangère. L'ignorance de la langue japonaise fut cependant un obstacle insurmontable. La voyageuse ne pouvait s'entretenir qu'avec des Japonais anglophones ou faire appel à un interprète, avec le risque d'altération des concepts, surtout dans un domaine aussi subtil que la philosophie bouddhiste. Mais c'est le fond du tempérament des autochtones qui lui déplut rapidement :

« Les petits "Jap" sont les Boches de l'Extrême-Orient. Le même esprit qui a dicté le refrain *Deutschland über alles* pénètre tout le Japon, du monde de la cour jusqu'au dernier des balayeurs de rue. [...] Ils veulent tout avaler. »

Lettre du 12 octobre 1917. Pékin.

Et que de griefs contre le pays lui-même ! Le climat excessivement humide, la nourriture insupportable, le coût très élevé de la vie, d'autant que les envois de son mari sont rendus aléatoires par la désorganisation des communications qui règne en Europe...

Elle n'apprécie pas non plus les paysages japonais, trop sophistiqués et dénués de spontanéité : « Y a-t-il rien de plus laid que des champs cultivés où s'alignent en rang des navets ou autres végétaux comestibles ? » Cette excessive rigidité se fait même sentir dans les monastères où Alexandra perçoit une sorte de « sécheresse de l'atmosphère spirituelle », surtout au Tofoku-ji. Ceux du Koya-San constituent une heureuse exception, en partie grâce à « la musique solennelle » qui se répand d'un temple à l'autre dans la paix et le suprême détachement de ceux qui récitent les sutras. Là enfin, mais là seulement, on renoue avec la « fibre mystique » de l'Orient, sans laquelle cet immense périple n'aurait aucun sens ! Quant à la vie quotidienne, ses complications sont de chaque instant : il faut par exemple « délacer ses bottines dix fois dans le cours d'un après-midi et s'astreindre à la même besogne chaque fois que l'on passe de sa chambre au jardin ou à la cuisine ou au water-closet parce que les nattes rembourrées fixées à demeure ne doivent ni être salies ni usées. Ces nattes tatami sont une perpétuelle malédiction. » Et puis il faut toujours « laver, frotter, brosser, rendre une sorte de culte à toutes choses durant la journée. » C'est évidemment Aphur Yongden qui accomplit ces stupides besognes domestiques mais il commence à se lasser de « jouer la servante hollandaise ». (Lettre du 7 avril.) Le jeune homme est aussi dévoué et fidèle que possible. C'est un réconfort pour Alexandra car le second garçon tibétain n'a pas pu supporter cette vie plus longtemps : il est reparti au mois de mai.

Le Japon est « trop menu », trop apprêté enfin, pour Alexandra, habituée depuis des années à la vie libre des religieux errants, heureuse dans le vent, les paysages immenses, les arbres indomptés et la montagne sauvage, sous des cieux dégagés... Le Japon est trop

« civilisé », dit-elle à Philippe. « Il n'y a plus de vraie vie asiatique chez les Nippons. » (Lettre du 8 juin.) L'état d'esprit dans lequel elle se trouve ne lui permet pas d'apprécier le rapport intime et singulier qu'entretiennent les Japonais avec la nature, une nature humanisée, repensée. Rapport d'ordre spirituel, esthétique et intellectuel. Le contraste ne pouvait pas être plus violent entre la beauté sauvage de la nature himalayenne et cette extraordinaire maîtrise du décor japonais.

Le souvenir du Sikkim s'en trouve exacerbé ! Alexandra y a vécu une expérience humaine qu'elle n'oubliera jamais, surtout pas maintenant. Elle a vécu, là-haut, en réserve d'une société aveuglée par les faux-semblants. Comme les *aldjorpas*, elle a rejeté les masques du vulgaire, elle a cherché la connaissance et la sagesse, la sérénité et la lumière. Mais son détachement du monde n'a pas encore atteint la suprême indifférence. Sa douleur est réelle et lancinante. Un grand regret : n'être pas morte dans son ermitage :

> « J'étais arrivée là au summum de mon rêve, perchée seule dans ma caverne en façon d'aire d'aigle sur ce pic himalayen... Qu'est-ce qu'il reste à faire, à voir, à éprouver après cela ? »

Lettre du 28 avril.

La neurasthénie, réapparue au Japon, ne peut s'effacer qu'avec l'élaboration de nouveaux projets de voyage. Elle les annonce à son mari le 8 juin : la Corée, « Pékin et plus tard, peut-être, pousser jusqu'au fameux monastère de Kum-Bum dont je rêve depuis plus de vingt ans ». Car elle souhaite poursuivre ses études tibétaines pour lesquelles elle s'est découverte « une aptitude peu commune ». Elle aimerait s'installer là-bas pour un moment assez long. Le Gobi lui trotte aussi dans la tête : n'est-il pas « à quelques jours de voyage de Kyoto », comme elle l'affirme, réduisant les distances à volonté ?

On ne saura jamais ce que la visite du Japon apporta à Alexandra sur le plan des études philosophiques. Dans ses futurs écrits, elle fera parfois allusion au bouddhisme japonais, ainsi dans le premier chapitre des *Initiations lamaïques* (1930) où elle regrette que la Zen-chu soit « retombée dans le ritualisme si sévèrement condamné par Bodhidharma et par le Bouddha lui-même ». Ou encore dans l'introduction de *La Connaissance Transcendante* (1958) : elle y remarque des similitudes dans les doctrines zénistes et certains enseignements tibétains. Mais elle ne publiera pas de nouveaux articles sur le bouddhisme japonais.

Le 3 août 1917 Alexandra quitte Kyoto pour se rendre à Kobé, d'où elle embarque le lendemain sur « un horrible, sale petit cargo », note-t-elle dans son carnet. Aphur et elle se réjouissent de retrouver bientôt l'Asie continentale.

Un séjour ascétique en Corée :
7 août-2 octobre 1917

Placée sous l'influence culturelle de la Chine, la Corée voit son histoire jalonnée par de multiples tentatives d'invasion et d'occupation de la part de ses voisins : Mongols, Mandchous, Japonais, Russes... Elle essaya toujours de se protéger de leurs ingérences par un isolement farouche, d'où naquit sa réputation de contrée mystérieuse. Lorsque Alexandra découvre le pays, celui-ci fait partie depuis 1910 de l'empire colonial nippon. À vrai dire, les Japonais ont toujours considéré la Corée comme l'une de leurs dépendances et une voie de passage vers le continent. Au début du XXᵉ siècle, ils se sont emparés du pays pour stopper l'influence des Russes, présents en Mandchourie. Peu peuplée, la Corée leur apparaissait comme un espace disponible à mettre en valeur à leur profit.

Depuis sept ans, la Corée renommée « Gouvernement Général de Chosen » souffre de l'occupation : suppression du droit d'association et de réunion, suppression de la liberté de la presse, arrestations, confiscation des terres, exploitation des ouvriers coréens... Ce pays qui tenait tellement à son isolement – le « Royaume ermite » – est maintenant aux mains des Nippons qui ont entamé sa modernisation forcée et l'exploitation de ses richesses naturelles.

Alexandra Myrial avait consacré un article aux « Religions et superstitions coréennes », où l'on peut lire :

> « Les Coréens ont-ils une religion ?… Non, si l'on prend ce terme dans l'acception ordinaire que nous lui prêtons. Chez eux, de même que chez les Chinois, l'élite de la population est attachée aux doctrines de Kong-tse (Confucius). Or, l'on sait que l'enseignement de ce philosophe ne porte que sur les questions d'ordre social, établissant une sorte de code de morale laïque capable, d'après lui, de régler les divers rapports des hommes les uns avec les autres pour le plus grand bien de la nation entière…
>
> Une seconde fraction de la population coréenne invoque, comme patron, le philosophe Lao-tse. Lao-tse n'éprouva pas la même indifférence que Kong-tse pour les énigmes de l'univers. »

Mais les doctrines de Lao-tse, peu à peu dénaturées, s'orientèrent vers une sorcellerie grossière. C'est donc une forme altérée du taoïsme qui perdure dans ce pays. Même chose pour le bouddhisme qui a réussi à dominer les deux précédentes philosophies :

> « Quelle que soit la valeur réelle de l'espèce de Bouddhisme bâtard, transformé en religion, que les bonzes chinois, les lamas thibétains et les pandits hindous instaurèrent peu à peu dans le pays, l'époque où il fleurit fut aussi la période la plus brillante de la civilisation coréenne.
>
> Les temples, les monastères, les édifices religieux de cette nature dont les moines couvrirent la péninsule, et même les îles voisines, donnèrent à l'architecture et aux beaux-arts en général un développement qu'ils n'avaient jamais atteint jusque-là. La littérature religieuse qui, des couvents se répandit dans le pays, éveilla, en même temps, chez les Coréens le goût des Lettres… »

Mais la prospérité et la puissance corrompirent les bonzes. Leur impopularité déchaîna même contre eux une vague de haine au XIVe siècle. Ils furent massacrés, leurs temples démolis ou incendiés, leurs biens confisqués. Une réaction s'ensuivit, instaurant un nouveau type de religieux : les moines-soldats, capables de se battre comme de prêcher la doctrine, par essence tolérante et non violente... Alexandra Myrial évoque cet épisode dans sa note « Les moines soldats de l'armée coréenne » (1904).

Quant à la religion des classes populaires coréennes, il s'agit « d'un mélange confus de pratiques et d'idées » empruntées à la fois au bouddhisme, au taoïsme, et au culte des ancêtres. Les pratiques superstitieuses les plus courantes ont trait à la prédiction de l'avenir, la chiromancie : consultation des huit symboles (Kouas) et du Y-king (traité de divination), combinaison des prédictions selon l'âge et le sexe du demandeur, selon les « esprits des mois » (zodiaque), selon les étoiles, les terrains (rivière, pic, vallée, jardin...) et les animaux (rat, faucon, loup, tigre...), jetés de baguettes de bambou etc., puis interprétation des réponses selon des tables de divination !

Il serait donc intéressant pour Alexandra de faire le point sur la situation. Par ailleurs la Corée est réputée pour ses bonzes qui vivent en ermites dans les montagnes, et l'on sait l'intérêt que la voyageuse porte à cette forme de vie religieuse. Elle veut se rendre dans les montagnes du centre-est appelées « Monts de Diamant » (Kongo-San en japonais, Kumgang-San en coréen), jadis le cœur du bouddhisme coréen, qui abritent encore quantité de petits monastères dispersés dans la nature.

Partie de Kobé, Alexandra accoste à Fusan (l'actuel Pusan), heureuse d'être aux portes d'un territoire qu'elle souhaite visiter depuis 1892, écrit-elle à son mari (Lettre du 6 août 1917).

La voyageuse avait consulté différents guides de voyages sur Chosen, elle s'était renseignée sur les moyens d'y circuler. Mais arrivée à Fusan, elle constate que les informations dont elle disposait étaient largement erronées : il n'est pas si facile de circuler en Corée. Or les Monts de Diamant sont situés à plus de 500 kilomètres au nord du port.

L'orientaliste prend l'express de Séoul et passe quelques jours dans la capitale où elle accomplit les formalités d'usage. Déjà munie d'une lettre d'introduction établie par l'ambassadeur de France à Tokyo, elle demande le même type de recommandation au gouvernement japonais de Chosen pour les supérieurs des monastères. La voyageuse ne se plaint pas des autorités japonaises. Son séjour lui permet aussi de changer un mandat envoyé par Philippe.

Modernisée par les Japonais, Séoul compte alors près de 300 000 habitants. Dotée maintenant d'un centre actif dominé par quelques grands immeubles, la capitale garde la plupart de ses quartiers traditionnels, faits de petites maisons basses construites en torchis, couvertes de chaume ou parfois de tuiles. Le pittoresque demeure avec une foule vêtue d'habits traditionnels qui déambule dans les rues.

Les voies ferrées, construites par les Japonais pour des raisons stratégiques et commerciales, facilitent bien les déplacements. Alexandra repart de Séoul par le train qui mène au port de Gensan (Weonsan sur les cartes actuelles), d'où elle prend un petit steamer pour se rapprocher des Monts de Diamant, soit six à sept heures de navigation. Débarquant à Chözen (l'actuel Changeon), elle se rend par la route à Onseiri (On jöng ni), bourgade située au pied des fameux monts, à 8 kilomètres du petit port.

Ensuite ce ne sont plus que des sentiers de montagne.

Les Monts de Diamant

L'accès à ces monts, si difficile pour Alexandra, l'est encore plus aujourd'hui. Depuis la partition du pays en 1948 et l'accord de 1953, ils se situent, en Corée du Nord, tout près de la frontière avec la Corée du Sud, et interdits aux touristes occidentaux. Pour la même raison il est impossible de se procurer la moindre carte de la région, car, comme dans tous les pays totalitaires, la cartographie est soumise à la règle du secret-défense.

La partition du pays a donc sacrifié la montagne sacrée : les « douze mille sommets » légendaires, vénérés par tous les Coréens, furent octroyés aux matérialistes communistes. Un seul pic se trouve en Corée du Sud : le Mont Sorak (1 708 mètres d'altitude), mais Alexandra ne s'y est pas rendue.

Les voyageurs qui ont eu la chance de découvrir les Monts de Diamant sont unanimes : ces montagnes sont une merveille. Situées à moins de 10 km de la mer, les crêtes ne sont pas très élevées (point culminant : 1 755 m), mais elles ont été défoncées par l'érosion de cours d'eau rapides qui y ont façonné pentes escarpées et précipices. Au milieu des forêts se nichent temples et monastères.

Alexandra vient ici pour connaître la vie des bonzes coréens. Et cet intérêt d'ordre culturel et spirituel se combine avec le souci de s'installer dans un coin isolé où la vie coûterait moins cher qu'au Japon. Toutefois, la nourriture locale est très difficile à supporter par les estomacs européens : l'ordinaire coréen se compose de riz accompagné de légumes variés conservés dans du poivre rouge !

La dame lama commence par s'installer dans l'un des principaux monastères, le Choan-ji, bâti à 700 m d'altitude. Une partie a été transformée en hôtel, géré par la compagnie du chemin de fer sud-mandchourien. C'est le point de départ des randonneurs qui veulent visiter le Kumgang-San. Alexandra et Aphur rayonneront eux aussi à partir du Choan-ji vers le Reiyen-an, le Yokun-ji et le Seyio-ji. Ils logent dans un appartement que les moines mettent à leur disposition. Le logement est sobre et propre.

Le Choan-ji est l'un des principaux ensembles monastiques du Kumgang-San. Bâti au VIe siècle dans un écrin de verdure bordé par un torrent, il avait été saccagé par une expédition japonaise au XIVe siècle. Laissé longtemps à l'abandon, il fut ensuite reconstruit dans toute la splendeur de son état originel. Soixante moines vivent là au début du XXe siècle.

L'excursion au Reiyen-an ne fut pas des plus aisées. Le chemin longe un cours d'eau qu'il faut sans arrêt traverser : les parois rocheuses rendent les versants souvent tellement abrupts que le marcheur doit passer d'une rive à l'autre pour continuer sa route. Mais les efforts du parcours sont récompensés par le superbe panorama que l'on découvre... lorsque le temps s'y prête : « Cette vue magnifique ne peut guère être surpassée ailleurs ; durant sa contemplation, l'observateur se sent envahi par une sensation de solitude et de quiétude », peut-on lire dans l'*Official Guide to Eastern Asia*[1].

À la mi-septembre, Alexandra et Aphur se rendent au Yuten-ji (Yu-jom sa), situé à environ 16 km au sud-est du Choan-ji. C'est le plus grand monastère du Kumgang-San. Construit en bois, comme les autres, il a été détruit plus de quarante fois par des incendies, affirme-t-on. Les montagnes aux crêtes aiguës constituent un environnement superbe. Alexandra avait fait connaissance avec l'abbé du monastère sur le steamer qui les avait menés de Gensan à Chözen. Elle s'installe dans le petit monastère situé juste à côté : le Pan-yan-an, où elle restera une semaine.

> « *19 septembre* : Je m'installe à Pan-yan-an et j'y suis les exercices de méditation des bonzes. Matin de 3 heures à 5 heures et demie. Après-midi de 1 heure à 3 heures. Soir de 6 heures et demi à 9 heures. L'atmosphère est très paisible là, sans prétention à la transcendance, sans pose. Ces gens à qui je ne peux parler faute de connaître leur langue sont peut-être des sages qui mettent sur le même pied l'épluchage des légumes et la méditation. »

> Carnet – 1917.

À Pan-yan-an, Alexandra est « autorisée à occuper une chambre dans un pavillon isolé, loin des habitations de moines ». Quelques jours après son arrivée, elle n'hésite pas à emprunter un chemin extrêmement dangereux pour aller rendre visite à un anachorète vivant à quelque distance du monastère. Un jeune religieux la guide et lui sert d'interprète. Le sentier, « à peine assez large pour y poser les pieds », côtoie un torrent capricieux qu'il faut

---

1. Collectif. *An Official Guide to Eastern Asia, Trans-Continental Connections between Europe and USA*. Volume I : *Manchuria and Chösen*. Prepared by the Department of Railways. Tokyo. Japan. 1920.

traverser plusieurs fois sur des galets glissants, avant de se terminer au pied d'une « muraille perpendiculaire de roc lisse ». On ne peut gravir cette paroi qu'à l'aide d'une corde... envoyée par l'ermite. Après avoir réussi l'épreuve de l'escalade, Alexandra est enfin reçue par cet « homme instruit » dont la conversation se révélera intéressante. Le retour atteint ensuite le « tragi-comique » car la pluie a gonflé le torrent : pataugeage, glissade sur les galets, chute dans la rivière, noyade évitée de justesse... Alexandra rentre trempée mais satisfaite de son entretien avec l'ascète[1].

« *20 septembre* : L'ordinaire est plus que maigre. Aphur l'enrichit en faisant frire des champignons sauvages, tandis que je me confectionne des salades de pissenlits sauvages. Grand régal qui me rappelle Assche : jours lointains ! Pauvre Assche sous la férule des Boches aujourd'hui.

Les Bonzes de Pan-yan-an ne sont pas ritualistes. Ils ne célèbrent aucun "puja"[2] ou prosternations multiples. Rien que les trois prosternations classiques aux "Trois Joyaux"[3] avant chaque période de méditation et avant leur repas du milieu du jour. Avant celui-ci une coupe de riz est élevée sur le bout des doigts en présentation devant l'autel, mais sans récitation. C'est comme l'offrande au guru avant les repas, pratiquée par les hindous. Pas de sonneries de sonnettes ni de tapotement sur les poissons de bois non plus. Rien que le signal pour appeler les bonzes au temple pour les repas ou la méditation. Pas de bonzes-gamins, ici rien que des hommes (huit en tout). Pas de bruit. J'ai grand regret de ne pouvoir causer avec ces religieux. »

Carnet – 1917.

---

1. A. David-Néel : *La Corée des monastères*, in *Voyages et aventures de l'esprit*, M. de Smet, 1985.
2. *Puja* : cérémonie en Inde.
3. Trois Joyaux : dans le bouddhisme les Trois Joyaux sont le Bouddha, le *Dharma* (la Loi) et la *Sangha* (la communauté).

Fin septembre Alexandra et Aphur quittent le petit monastère de Pan-yan-an et reprennent la route en direction de Séoul. La capitale se trouve à environ 200 km au sud-ouest du Kumgang-San, la première gare est à 107 km. Alexandra a engagé des porteurs car le début du parcours s'effectue à pied. Le premier jour ils marchent 15 heures et ne font qu'une halte d'une heure au milieu de la journée. Le lendemain le groupe ralentit un peu l'allure. Les deux nuits du circuit pédestre se passent dans des auberges de villages. La gare de Rankoku est atteinte le troisième jour.

Dès qu'ils quittent les pittoresques Monts de Diamant, Alexandra et Yongden voient l'horizon s'ouvrir, les pentes s'adoucir, les forêts se raréfier ; les couleurs de l'automne sont splendides... La nature prend une allure tibétaine propice aux rêveries...

À Séoul, Alexandra fait renouveler les passeports, au Consulat de France pour le sien, au Consulat de Grande-Bretagne pour celui d'Aphur. Puis les voyageurs prennent le « South Manchuria Railway » en direction de Mukden. Après une halte sur le fleuve Yalou, frontière historique entre la Corée et la Mandchourie, ils arrivent dans la capitale mandchoue le soir du 3 octobre.

Le séjour en Corée n'a duré que deux mois, mais Alexandra est assez satisfaite de son passage au « Pays du Matin Calme ». Elle a aimé les paysages et la sereine austérité des monastères, celle du Pan-yan-an en particulier : « La Montagne diamant (Kongo-San) est très belle. Les Coréens paraissent des gens simples et cordiaux », écrivait-elle à Philippe dès le 25 août. La méconnaissance de la langue coréenne a toutefois limité les contacts avec les moines. Une déception : le mauvais temps. Alors que la meilleure saison pour séjourner là-bas passe pour être l'automne (de la fin septembre à la mi-octobre), l'année 1917 fut marquée par la pluviosité exceptionnelle du mois de septembre. Mais la raison majeure qui a poussé la voyageuse à quitter Chosen sans doute plus tôt que prévu fut la nourriture, par trop difficile à supporter, ainsi que la difficulté du ravitaillement dans cette région finalement très isolée du Kumgang-San[1] :

> « Je ne suis pas restée en Corée parce que, comme tu l'as vu dans mes précédentes lettres, le ravitaillement dans les monastères de la montagne était presque impossible. Je ne pouvais digérer la nourriture des moines dont l'ordinaire consiste, jour après jour, en riz assaisonné de légumes crus trempés dans la saumure. Aphur et moi nous avons vécu deux mois durant de champignons et de pissenlits glanés dans la campagne. Un peu de maïs, quelques rares œufs et des galettes encore plus rares, car notre sac de farine était bien petit, complétaient le régal. Cela ne m'a pas mal réussi, mais cela ne pouvait évidemment pas durer tout un hiver. Il n'y aurait plus eu, alors, ni pissenlits, ni champignons ! »

Lettre du 31 octobre 1917. Pékin.

Alexandra n'écrira pas de nouveaux textes sur la Corée ni sur les aspects originaux du bouddhisme local. Les deux mois passés au Pays du Matin Calme semblent n'avoir été qu'une étape dans le long périple qui se poursuit maintenant en direction de la Chine du nord.

---

1. Les monastères du Kumgang San cités dans ce chapitre sont localisés sur la carte 16 de l'édition complète de cette biographie, p. 258, Arthaud, 2009.

Un hiver à Pékin :
7 octobre 1917-24 janvier 1918

Après avoir apprécié les paysages de la Mandchourie qu'elle a traversée en train, Alexandra arrive à Pékin le 7 octobre 1917. Elle s'installe « au temple nommé Pei-Ling, dans une grande maison avec des meubles gigantesques en bois noir, ornés de dragons sculptés. C'est très beau selon le canon chinois et horriblement inconfortable et froid », note-t-elle dans son carnet (8 octobre).

Les plafonds culminent à cinq mètres de hauteur et la pièce principale de l'habitation mesure quinze mètres de longueur. (Lettre du 27 décembre 1917.) Qui cherche l'intimité devra loger ailleurs ! Le Pei-Ling (Pei-Ling-se, Po-lin-sseu) est contigu au grand Temple des Lamas, situé lui-même à peu de distance du Temple de Confucius.

Alexandra habite à plus de cinq kilomètres du quartier des Légations, en pleine ville tartare. Elle se proposait « de ne pas être une étrangère en Chine ». (Lettre du 6 juillet 1917.) Son choix montre qu'elle tient parole. Le Temple des Lamas est l'ancien palais impérial du prince Yong-Tcheng. C'est lui qui, au XVIIIe siècle, convertit le bâtiment en lamaserie afin de permettre aux moines originaires de Mongolie, de Chine, de Mandchourie, de venir suivre un enseignement à Pékin. Le monastère est dirigé par des supérieurs tibétains.

On sait qu'Alexandra souhaite poursuivre là son étude du « lamaïsme ». Mais la voyageuse s'aperçoit très vite qu'aucun lama érudit ne réside alors dans la capitale. Déception... Faudra-t-il reprendre la route plus tôt que prévu ? Car le voyage n'est pas terminé. Alexandra avait annoncé à Philippe son intention de se rendre en Mongolie au printemps suivant... et à plus long terme « dans l'Inde par voie de terre à travers le Tibet. Oui cela a l'air fantastique sur la carte, mais ce n'est pas bien terrible en réalité. J'ai souvent songé aux récits d'explorateurs en déambulant par les steppes ou en franchissant les hauts cols dans la neige. Tout apparaît grand dans les livres, mais c'est bien simple en réalité. Marcher sur l'asphalte des boulevards ou dans les solitudes du Tibet, ce n'est toujours que mouvoir ses jambes et poser un pied devant l'autre. Les dangers ?... peuh ! N'y en a-t-il pas à traverser la place de la Concorde où croisent des autos lancées en façon de bolides ?... » (Lettre du 31 octobre 1917.)

On ne peut pas dire qu'Alexandra se fasse gloire de déambuler d'un bout à l'autre de l'Asie ! Modestie singulière de la part de celle qui peut être considérée comme la plus grande championne d'Occident, toutes catégories confondues, des randonnées pédestres en Asie ! Il est vrai que les pérégrinations de la dame lama évoluent désormais plus en fonction des circonstances que des impératifs d'un projet clair de recherche. Alexandra modifie ses destinations en fonction des événements, la toile de fond restant l'approfondissement des doctrines bouddhistes.

La voyageuse ne souhaite pas pour le moment regagner le vieux continent bouleversé par les combats. De toute façon les bateaux ne prennent plus de femmes à bord au-delà de l'Inde, à cause des risques de torpillage par les sous-marins. C'est l'une des grandes nouveautés dans l'art de la guerre. Et puis Alexandra estime n'avoir

pas encore terminé son enquête sur le bouddhisme tibétain, et rien ne pourra lui faire interrompre son circuit
tant qu'elle ne sera pas parvenue à ses fins... à la condition expresse que Philippe reste assez compréhensif
pour continuer à lui envoyer de quoi subsister, fût-ce
modestement. Tout dépend de lui finalement. Elle vient
justement de recevoir un chèque qui a mis quatre mois
à effectuer le trajet de Marseille à Pékin. Il était grand
temps car elle était à bout de ressources ! Si la lenteur
des communications est une cause de soucis, le noma-
disme d'Alexandra ne fait que compliquer les choses :

« Mon grand cher,
Je t'ai écrit une très longue lettre, un vrai journal, que j'ai
fait recommander et t'ai envoyé il y a trois jours. Tu y auras
vu que je pars pour le Koukou Nor en Mongolie[1]. Je vais rester là jusqu'à la fin de la guerre. C'est un bled dans le genre
de celui du Thibet, je m'y plairai, continuerai mes études et
vivrai à peu de frais ce qui est indispensable.
Vu le long délai que mettent tes lettres à me parvenir (j'ai
reçu hier celle que tu m'as écrite le 25 juillet !) je ne prévois
pas que les fonds que tu m'enverras puissent arriver en
Chine avant le mois de mars. En plus, comme je serai, à
cette époque, loin de Pékin – à plus d'un mois de voyage – je
ne recevrai ton chèque qu'en avril. Il faudra que je le signe
et le renvoie à Cook. Encore un mois, nous voici en mai. Et
Cook recevant le chèque me renverra un mandat par la
poste – encore un mois. Ce qui fait que j'aurai l'argent en
juin. Il m'est *absolument* impossible d'attendre jusque-là.
Donc, grâce à l'obligeance du Directeur de la Banque de
l'Indo-Chine : M. de Lenclos, j'ai pu tirer une traite de *mille
francs* sur toi. Ce qui m'a fait toucher 235 dollars et me

---

1. « le Koukou-Nor en Mongolie » : La région du Koukou-Nor, en effet
grandement peuplée de Mongols, fait partie de ces marges d'empires dont
l'appartenance varie au cours des temps. Les Mongols l'ont occupée au
XIIIᵉ siècle. Puis des Tibétains s'y sont implantés à leur tour. Mais sur le
plan géographique, le lac Koukou-Nor ne se situe pas en Mongolie dont il
se trouve séparé par la chaîne montagneuse du Nan Shan.

permettra, en les ajoutant à ce qui me reste, d'attendre ton chèque et, sans doute, d'avoir un certain reliquat devant moi quand tes fonds me parviendront. J'espère que tu ne m'en voudras pas, très cher Ami. Il n'y avait pas d'autre moyen. Je ne pouvais risquer de rester sans ressources.

Si j'étais demeurée à Pékin, j'aurais dépensé plus qu'en allant au Koukou-Nor.

Je t'écrirai longuement demain, ces quelques mots je les griffonne à la Banque même.

Affectueuses pensées. »

Lettre du 9 novembre 1917. Pékin.

Alexandra veut profiter d'une occasion qui lui est offerte de s'enfoncer dans l'ouest chinois, grâce à l'obligeance d'un grand lama de passage à Pékin, mais originaire de la province du Koukou-Nor. Ce personnage providentiel s'appelle Gourong Tsang : il lui a proposé de se joindre à sa caravane. Philippe en est aussitôt informé :

« D'un autre côté, par l'entremise d'un certain prince Koung, ministre des affaires thibétaines et mongoles, j'ai été mise en rapport avec un grand Lama de la région de Koukou-Nor qui doit s'en retourner dans son pays dans quelques jours. Celui-ci s'est trouvé – sinon, peut-être, un grammairien de premier ordre – du moins un homme instruit, ayant lu nombre d'ouvrages philosophiques, sachant un peu de sanskrit et paraissant d'une intelligence au-dessus de la moyenne. Il m'a accueillie aimablement, a semblé intéressé par mes recherches et les quelques traductions que je lui ai montrées et m'a offert de faire route avec lui si je désirais devancer l'époque de mon départ pour la Mongolie. J'avais fixé celui-ci au printemps. Cela m'a beaucoup tentée, car il est très difficile de parcourir une aussi longue route (plus d'un mois de voyage) lorsqu'on ne sait pas la langue du pays. [...] À l'arrivée, il me logera provisoirement pour le reste de l'hiver et, le beau temps venu, je verrai si je dois me mettre en quête d'une autre demeure ou conserver celle qui m'aura abritée pendant quelques mois. En dehors

224

de l'intérêt d'étude, un autre motif m'a engagée à abréger mon séjour à Pékin : la cherté de la vie. [...]

Au Koukou-Nor, il en est autrement. L'on y voit peu de dollars en argent, c'est la brousse, un pays de troupeaux ; il n'y aura là, qu'à dépenser pour sa nourriture, ce qui ne sera pas cher. Ici, ce qui ruine, ce sont les véhicules. Pékin est une ville immense.

[...] Retourner dans l'Inde serait une grosse dépense et j'y ai déjà séjourné si longtemps que je préfère voir du nouveau.

À tout prendre, le Koukou-Nor où je serai près du fameux monastère de Kumbum, valant ceux de Lhassa, est ce qu'il y a de plus économique. Beaucoup de gens y parlent thibétain, ce qui me met plus à l'aise qu'ici et je pourrai y poursuivre mes études.

[...] Autre chose : la situation de la Chine est loin d'être claire ; les troupes des provinces du Sud et celles du Gouvernement sont aux prises. Ce sont, je crois, les Sudistes qui sont les plus républicains, mais les Alliés soutiennent les gouvernementaux qui ont déclaré la guerre à l'Allemagne. Si ceux du Sud sont les plus forts, ils pourraient bien venir tirer des coups de feu à Pékin. Un motif de plus pour ne pas s'y attarder. Là-bas, dans les steppes mongols, il n'y aura que les bestiaux à se livrer combat et, certainement, des bandes de brigands guettant les caravanes de marchands, mais cela peuple le paysage et n'offre pas les dangers de se trouver entre deux corps d'armée qui s'entrebombardent et vous lancent des marmites du haut des aéroplanes.

Lettre du 18 novembre 1917. Pékin.

Mais le grand lama du Koukou-Nor ne semble pas pressé de regagner sa région. Il essaie de récupérer une somme de 3 000 dollars que lui doit le Trésor Chinois, et la procédure s'avère longue. Le 25 décembre arrive : Alexandra et Yongden sont toujours à Pékin ! La voyageuse passe « le Noël le plus solitaire que l'on puisse imaginer ». Son isolement est volontaire, elle évite le plus possible les contacts avec les Occidentaux, à la fois par goût et par mesure d'économie.

L'hiver est froid à Pékin : Monsieur de Lenclos, le Directeur de la Banque de l'Indo-Chine, a noté – 30 °C en cette fin de décembre 1917. Alexandra doit procéder à quelques aménagements dans sa demeure prestigieuse et glaciale : « On a collé à neuf du papier sur toutes les parois extérieures servant de murs. Ma maison est une boîte, une sorte de serre avec du papier en guise de verre à vitres. » (Lettre du 27 décembre 1917). La voyageuse aménage une sorte d'estrade sur laquelle elle pose ses carpettes tibétaines. Évitant ainsi le contact glacé du carrelage, elle s'y assoit pour lire, écrire et même manger. Dans l'une des pièces, elle a monté sa tente : c'est « l'alcôve » où elle dort. Son lit : un matelas japonais disposé sur des tabourets :

Le froid reste supportable grâce au temps sec, au ciel clair et au soleil magnifique. « Arrangée comme je le suis maintenant entre ma tente et mes braseros, une houppelande doublée de peau de mouton sur le dos, je puis passer sans en souffrir les deux mois de gros hiver qui nous restent. » (Lettre du 27 décembre 1917.) Pour des raisons d'économie, et parce qu'elle espère partir d'un jour à l'autre, Alexandra refuse d'acheter un grand poêle.

Parfois le vent souffle en tempêtes, « apportant des nuages de sable ramassés dans le Gobi », dit-elle. « C'est le simoun, on se croirait dans le Sahara et je songe à Nefta, la palmeraie du Souf et aux dattes du Djerid dont je croquerais volontiers quelques-unes si j'en avais à ma portée. » (Lettre du 27 décembre 1917.)

Alexandra ne se déplaît pas à Pékin, mais l'immense cité ne l'enthousiasme guère. L'incorrigible nomade s'habitue difficilement aux villes. Jusqu'ici, seules Colombo et la très sainte Bénarès ont trouvé grâce à ses yeux. Parmi les impressions de la voyageuse :

« Le climat sec de la Chine me convient bien jusqu'ici et je suis mieux portante, mais le séjour dans une ville aussi grouillante que Pékin me fatigue mentalement ; le spleen, la nostalgie des grands espaces et du silence auraient vite fait leur œuvre si je m'attardais trop. »

Lettre du 31 octobre 1917.

L'insécurité règne et la qualité de la vie quotidienne s'en ressent, tout particulièrement dans les quartiers chinois : « On ne voit que de la police, des gendarmes partout. Et ce ne sont pas les débonnaires agents que l'on rencontre dans les rues au Japon comme chez nous, mais des sentinelles sur pied de guerre. (Lettre du 31 octobre 1917.)

Alexandra évolue au milieu des autochtones puisqu'elle habite très loin du quartier des Légations. Une excellente nouvelle arrive à la mi-janvier : le lama a fixé le départ au 23. La voyageuse commence aussitôt à préparer les bagages. Le 21 janvier 1918, Alexandra apprend le décès de sa mère, survenu un an plus tôt : « Cette nouvelle arrivant à la veille de mon départ pour le Koukou-Nor m'a fort émue. Oui, tu dis bien, je suis toute seule maintenant, il ne me reste que toi, grand ami… Cela, c'est la vie, n'est-ce pas, l'impermanence de tout, loi universelle ! » (Lettre du 21 janvier 1918.)

Philippe est désormais le seul proche d'Alexandra. C'était déjà vrai dans les faits, cela devient officiel maintenant. La voyageuse n'a ni frère ni sœur et, si elle entretient quelques relations épistolaires avec certains membres de sa famille belge, dont son cousin Émile à qui elle avait confié sa mère[1], ces liens se sont distendus

---

1. Correspondance d'A. David-Néel avec la famille Panquin (copie dans les archives de la Maison A. David-Néel).

depuis son départ en Asie, surtout depuis le début de la Grande guerre. Le rôle de Philippe Néel s'en trouve donc encore affermi : comme le fil qui relie le pêcheur d'éponges au bateau, il reste le lien d'Alexandra avec l'autre monde, le monde ordinaire, le monde d'avant le grand départ. Il est l'ami qui n'a encore jamais failli, le coéquipier d'une entreprise exceptionnelle, le relais lointain mais quasi assuré, l'indispensable compagnon de plume, l'époux finalement idéal pour elle, tel qu'elle n'aurait pas osé l'imaginer dans sa jeunesse. Il représente la possibilité matérielle d'aller au bout du rêve.

À la tête d'un héritage particulièrement bienvenu, la voyageuse passe aussitôt des ordres bancaires à son mari : qu'il veuille bien verser 3 000 roupies à Yongden qui la sert sans gages depuis des années, 2 000 francs au gomchen de Lachen, 5 livres sterling au Professeur Edmund Mills, 500 roupies à Sir Holmwood, et entre 1 100 et 1 200 roupies à Sir John Woodroffe. Toutes ces sommes lui avaient été prêtées au début de la guerre : Alexandra rembourse ses dettes, ainsi qu'elle l'explique dans sa lettre du 21 janvier 1918.

Le 24 janvier 1918, Alexandra, Aphur Yongden, le lama et sa suite quittent Pékin par le train, en direction du terminus de Honan-fou, ville située 700 km au sud-ouest de la capitale. Par cet itinéraire, le Koukou-Nor se trouve à environ 2 000 km de Pékin. C'était la garantie de nouvelles découvertes… et de nouvelles aventures !

Dans la Chine en guerre civile :
24 janvier-début juillet 1918

24 janvier-8 mai 1918 : de Pékin à Sian,
au cœur d'une insurrection

Trois mois et demi sont nécessaires au groupe du grand lama du Koukou-Nor pour parcourir les quelque 1 100 kilomètres qui séparent Pékin de Sian (l'actuelle Xian), la capitale du Chen-Si. La première partie du parcours s'effectue sans problème et assez rapidement par le train : le lama qui était une haute personnalité, avait obtenu un wagon de luxe pour lui et ses proches mais, dans le désordre du départ, il s'est installé dans une voiture ordinaire de première classe. Inoccupé, le wagon de luxe a été détaché et remisé en gare de Pékin. La première classe est malgré tout assez confortable, affirme Alexandra, grande habituée des trains asiatiques !

Le voyage s'effectue sans encombre jusqu'au terminus qui est Honan-fou (actuel Luoyang). À cette époque la ligne ne va pas plus loin. Par rapport à l'Inde et au Japon, la Chine est encore très mal pourvue en voies ferrées. La difficulté des communications constitue d'ailleurs un obstacle au développement économique du pays ; elle maintient aussi l'autonomie des provinces et par là même la puissance locale des seigneurs de la guerre.

À Honan-fou, Alexandra loge chez un certain M. Lespinasse qui appartient à la compagnie du chemin de fer. Elle profite de son passage dans le secteur pour aller découvrir deux sites bouddhiques extrêmement célèbres : Lungmen (Longmen) et Shao-Ling-sse. Les 1 352 grottes de Lungmen rappellent le rayonnement du bouddhisme nouvellement apparu en Chine sous la dynastie des Wei. (Lettre du 28 janvier 1918.) C'est à Shao-Ling-sse, que s'établit Bodhidharma, le moine indien initiateur de l'école Dhyana ou Ch'an. On raconte qu'il resta neuf ans assis en méditation devant un mur. Bodhidharma est connu en Chine sous le nom de Da Mo. Alexandra saisit donc toutes les occasions pour poursuivre son pèlerinage mystique.

Les moyens de transport et le type d'hébergement changent brusquement après la gare terminus de Honan-fou : c'est la plongée dans la Chine profonde et poussiéreuse du Honan et du Chen-Si. C'est aussi la découverte de l'insécurité dans un pays en pleine guerre civile, et celle de la précarité sanitaire au milieu d'une population qui ignore les règles les plus élémentaires de l'hygiène. Or la peste pulmonaire sévit dans la province du Chen-Si : on a recensé plus de 5 000 morts en quelques jours. Les autorités chinoises prennent pourtant le maximum de précautions : au départ de Pékin, le train avait été bourré de désinfectants et des médecins étaient montés dans plusieurs wagons. Alexandra, qui n'en était pas à sa première épidémie, avait pris la chose à la légère, mais quelques jours après le départ, au-delà de Honan-fou, c'est-à-dire loin de tout hôpital, voilà qu'elle ressent les symptômes qui pourraient être ceux de la peste pulmonaire ! Afin d'éviter de contaminer la population à son tour, elle avait décidé de se tirer une balle dans la tête au cas où la terrible maladie se déclarerait. Après les quatre jours fatidiques nécessaires à l'établissement du diagnostic, elle a l'heureuse surprise de constater qu'il s'agissait d'une grippe banale !

Une caravane composée de six chariots et de quinze mules a été constituée pour la suite du périple. Les sept hommes du lama sont armés et s'installent sur les carrioles. Ils s'affolent un peu en voyant « quelques têtes coupées pendues à un arbre près de la route ». C'est que la justice est sommaire par les temps qui courent. Le lama lui-même porte « un superbe pistolet automatique », Alexandra préfère que son propre revolver ne soit pas chargé ! Mais on ne sait jamais : « certainement, quoique piètre et misérable disciple du Bouddha, je me refuserais à tuer n'importe lequel des voleurs de grands chemins qui m'attaquerait sur la route. Cependant je défendrais Aphur, c'est sûr, et tirerais sur ses agresseurs s'il était en danger. Ce garçon tient à la vie, il est mon serviteur et je lui dois protection. » (Lettre du 9 mars 1918.).

La dame lama a emporté son indispensable matériel de camping (avec le fameux lit de camp) et une baignoire (le « tub » non moins fameux) qu'elle emmènera longtemps avec elle ! Partie un peu précipitamment de Pékin, elle n'a guère eu le temps d'acheter des provisions de nourriture, ce qui va bientôt la gêner.

L'aventure commence au hameau nommé Mieh-chi, (ou Mienchi, actuel Mianchi). Des soldats empêchent la caravane de poursuivre sa route, obligeant le groupe à s'installer dans une masure, « une sorte de grange divisée en compartiments ». Aphur organise une alcôve pour Alexandra. « Cette masure est bâtie en boue de paille hachée, une sorte de torchis fruste et le sol est en terre battue. » (Lettre du 28 février 1918.) En fait, il n'y a rien là que de tout à fait normal : c'est l'habitat caractéristique de ces régions loessiques. L'inconfort serait supportable si Alexandra ne tombait pas malade. C'est là qu'elle croit avoir attrapé la peste pulmonaire :

« Aujourd'hui, je tousse beaucoup moins, c'est fini, mais je reste très affaiblie après tant de jours où il m'a été impossible de rien manger. Du reste que manger ? Il faudrait se résoudre à acheter des animaux vivants et à les faire tuer. Ce à quoi je me refuse bien entendu. Alors : il n'y a ni lait, ni beurre, ni pain, ni légumes. Les conditions pécuniaires déplorables dans lesquelles je me suis trouvée à mon départ de Pékin – faute d'avoir reçu à temps les fonds que tu m'avais expédiés – m'ont forcée à me mettre en route sans provisions, ce qui est contraire à mes habitudes. Et voici que justement je vois mon voyage se prolonger d'une manière inattendue. [...]

Le pays que nous avons traversé est pittoresque et la campagne autour de notre hameau est très belle. C'est sur le bord du Fleuve Jaune (Hoang-Ho) encore immense ici, bien que si loin de son embouchure. À vue d'œil, j'estime qu'il doit avoir plus de deux kilomètres de large. [...] Les gens du pays sont plutôt affables. Tout d'abord, ils ne se doutaient pas que j'étais Européenne, mais quelqu'un leur a dit que j'étais (Pha-go) française et depuis ce temps, ils me regardent quand je sors, ce qu'ils ne faisaient pas auparavant. Mais, ils ne sont pas importuns et je puis errer à ma guise dans la campagne sans être en butte, comme au Japon, à une déplaisante curiosité.

De notre guerre, je ne sais naturellement rien. Nous en sortons-nous ? Voici le printemps. On attendait un grand effort des Américains[1] pour ce moment. Ne réussira-t-on pas à écraser les Boches ? il le faudrait, de toutes façons, car leur résistance victorieuse est en train de créer une mauvaise légende qui pour des siècles empoisonnera l'esprit des peuples. Les masses sont déjà si disposées à vénérer la force brutale, elles voudront se modeler sur les Boches et alors nous retomberons à la barbarie.

Au revoir très aimé grand cher. Je t'envoie mes meilleures pensées. Je ne sais quand j'aurai de tes nouvelles.

---

1. « Le grand effort des Américains » : référence à la Déclaration de guerre faite par les Américains aux Allemands en avril 1917.

Mon séjour, ici, étant subordonné aux troubles du Shensi, je puis partir d'un jour à l'autre, aussi je ne m'y fais envoyer aucune lettre. J'espère en recevoir beaucoup ensemble au Koukou-nor. Tu pourras aussi m'y envoyer quelques journaux comme tu le faisais quand j'étais dans les Himalayas.

C'est ta fête aujourd'hui et je pense affectueusement à toi, t'envoyant mes bons vœux. »

Lettre du 28 février 1918.

Ils stationnent un mois dans le village, ne sachant pas trop comment s'occuper. Le lama érudit vient discuter avec Alexandra que les hommes appellent « Votre Révérence » ! L'un des gardes s'initie à l'anglais sous le tutorat d'Aphur. Puis le calme étant revenu, la caravane obtient l'autorisation de repartir… avant d'être stoppée à nouveau un peu plus loin, à Wen-li-chen, dans les mêmes conditions.

Une mission chrétienne fonctionne dans la petite ville de Tungchow (actuel Dali), située à moins de 40 km du village. Comment les missionnaires apprennent-ils la présence d'une Européenne dans le secteur ? Alexandra leur a-t-elle fait parvenir sa carte ? Toujours est-il qu'ils lui envoient une invitation et lui offrent l'hospitalité. Invitation qu'elle accepte aussitôt, tandis que le lama et ses hommes demeurent à Wen-li-chen. Alexandra est fort aimablement reçue : le pasteur est suédois, son épouse danoise. C'est le premier contact de la voyageuse avec des missionnaires de la Chine intérieure, ce ne sera pas le dernier. Le « grand diable d'albinos » s'appelle Joseph Em. Olsson. Alexandra, qui a la dent un peu dure, brosse un portrait caricatural du couple, « des sortes d'illuminés »… qui pensaient la ramener dans le sillage du christianisme, et qui chantent des psaumes à toute occasion :

« L'un et l'autre sont plus qu'aimables envers moi, mais ils me séquestrent littéralement dans la crainte – bien enfantine – que l'on puisse se douter au dehors qu'il existe des Européens qui ne sont pas chrétiens. Ma parole, ces deux septentrionaux croient que l'on peut lire sur mon front que je professe le Bouddhisme. Et tu peux aussi imaginer combien dans une cité affairée, pleine d'anxiété, peut-être à la veille d'un pillage général, les gens se moquent de ce que je peux croire ou ne pas croire. N'importe, les Scandinaves sont hypnotisés. L'autre jour, j'avais sur ma table un paquet de bâtons d'encens. L'usage dans l'Inde comme au Tibet est de brûler des parfums, cela est agréable mais n'a aucun rapport avec un acte cultuel. Cependant mon hôtesse s'effare dès qu'elle voit cet innocent paquet. « Oh », dit-elle, « enfermez cela, je vous prie, les servantes croiraient que vous adorez des idoles. » Timidement je suggère qu'il n'y a, dans la chambre, aucune « idole » vers qui cet encens puisse aller, mais cela n'y fait rien, la bonne âme les voit, elle, les idoles, son cauchemar et je me hâte de remiser les bâtons odoriférants dans ma malle. Curieuse cette intolérance qui ignore la douceur du sourire avec lequel on laisse tous les grands enfants prendre plaisir dans leurs jeux et leurs jouets. »

Lettre du 2 avril 1918. Tungchow (Shensi).

La route de Wen-li-chen à Sian se libère tandis que Tungchow est investie par des assaillants qui ont déjà franchi la première enceinte fortifiée, par surprise. Des coups de feu éclatent de tous côtés. Les alentours ont été pillés par les attaquants qui bientôt se divisent en deux bandes rivales. Les armes sont tellement archaïques qu'Alexandra parle d'une « atmosphère moyenâgeuse ». La ville est assiégée, les portes hermétiquement fermées : Alexandra et Yongden sont bloqués dans la cité. Le lama leur fait alors parvenir un message : il les informe de son prochain départ de Wen-li-chen ! Il faut absolument s'échapper de Tungchow. Après des heures de pourparlers avec les autorités militaires, Alexandra obtient l'autorisation de quitter la ville, à ses risques et périls. De courageux charretiers acceptent de les reconduire auprès du lama. Et les voilà partis, profitant d'une accalmie. Ils franchissent deux rivières, le Luohe, et surtout le rapide Weihe traversé sur un radeau primitif, sous la pluie battante, et dorment deux nuits dans des auberges plus que rustiques, avant de franchir enfin la porte de Sian (Xian). Les deux fugitifs retrouvent le lama dans la ville.

Toutes les villes chinoises sont alors entourées de fortifications : la crainte des pillards et des razzias est une constante de l'histoire du pays. Dans les campagnes, les fermes sont cernées de murs, les réserves de grains souvent placées dans l'habitation elle-même pour pouvoir être mieux gardées. Les pillages ne sont d'ailleurs pas le fait des seuls brigands. Ils sont aussi menés par la soldatesque. À cela s'ajoutent les catastrophes naturelles qui se succèdent sous différentes formes : séismes, sècheresses, inondations... Il s'ensuit famines, déplacements de populations, mortalité extrême, abandons d'enfants, épidémies...

8 mai-début juillet 1918 : de Sian à Kumbum[1]

Sian, Si-an, Si-ngan-fou, l'ancienne Tch'ang-ngan, est alors une ville de 400 000 habitants, surtout célèbre pour son histoire. Six dynasties y régnèrent entre le XIIIe siècle avant Jésus-Christ et le Xe siècle de notre ère. Bâtie à peu de distance du coude du Hoang-ho (le Fleuve Jaune), dans une région fertile ouverte sur de grands axes de communication, la ville fut longtemps le cœur de l'Empire. La fameuse « route de la soie », grand axe commercial entre la Chine et l'Occident, passait par Sian.

---

1. Pour la localisation des lieux cités dans ce chapitre, voir les cartes 18 et 19 de l'édition complète de cette biographie, pp. 281 et 287, *op. cit.*

Alexandra reste un mois dans la ville, une étape sur la route du Koukou-Nor, une étape un peu trop longue à son gré. Voici les raisons de cette sédentarité imprévue :

« Je continue les pages précédentes toujours à Si-an. Ce voyage ressemble à celui d'Ulysse errant à travers la Méditerranée, du moins en ce qui concerne le Lama dont la Pénélope commence à trouver le temps long. Lui rentre au logis dans les mêmes sentiments qu'un écolier regagnant la pension après les jours de vacances. Les boutiques, où il se livre à des achats fantastiques ; les théâtres ; les demoiselles accueillantes, dont il semble user et abuser de façon imprudente, tout cela a tourné sa cervelle d'homme des steppes, et s'arracher à ces délices lui coûte. Cependant ce n'est pas là la raison de son séjour prolongé ici. Un de ses serviteurs est tombé malade quand nous étions à Wen-li-chen. Le mal s'est greffé sur la tuberculose qui couvait chez cet homme. Il a manqué de soins, on l'a privé de l'alimentation substantielle qui aurait pu le soutenir, bref, il est arrivé ici mourant. Il a passé quelques jours à l'hôpital mais la doctoresse l'a, dès le début, déclaré perdu. Il est maintenant de retour à l'auberge et sa fin semble être une question de quelques jours. C'est à cause de ce malade impossible à transporter que le Lama s'attarde ici. Je pourrais partir sans lui, mais le transport des bagages est beaucoup plus coûteux par fractions qu'en bloc et puis où aller ? Il me faudrait tout de même m'arrêter plus loin sur la route pour attendre le Lama puisqu'il a été décidé que je commencerais par m'installer dans son pays. Le guignon semble me poursuivre. Ce voyage qui avait été arrangé de façon si économique au départ finit par devenir coûteux. [...]

L'autre jour, un dîner réunissant quelques notabilités : le directeur de l'Instruction Publique, celui de l'Intérieur, un colonel de l'État-Major etc., etc., a été donné en mon honneur. La table était ornée de drapeaux français et chinois. Tous ces gens sont arrivés en chaises à porteurs, escortés de soldats et précédés de serviteurs portant d'énormes lanternes. En fait d'Européens il y avait le directeur des Postes, un Anglais et un R.P. espagnol dirigeant la mission catholique française. Le retour n'a pas manqué de pittoresque. Nous sommes toujours sur le pied de guerre et personne n'est autorisé à être dans la rue après huit heures du soir. [...] J'ai quitté l'auberge misérable où je logeais pour m'installer dans la maison d'un colonel qui est absent, étant allé conduire sa famille à Tien-tsin. Un de ses amis, directeur des Finances pour la province, m'a invitée à attendre là mon départ. La maison est très vaste, très belle mais en très mauvais état comme toutes les demeures chinoises. Quoiqu'il en soit, cela vaut mille fois mieux que l'auberge. Je suis seule, tranquille, j'ai de l'air et le directeur des Finances qui parle le français m'envoie mes repas de chez lui, ce qui varie mon ordinaire. Je vais probablement attendre le Lama, le pauvre malade ne paraît pas devoir durer longtemps et je ne suis pas trop mal ici. L'ennui est que la chaleur vient et que, bientôt, il sera pénible de voyager par les routes poussiéreuses, mais qu'y faire ! Voilà tout pour aujourd'hui. Il me tarde bien d'avoir de tes nouvelles ; mais quand arriverai-je à l'endroit où ma correspondance doit s'accumuler depuis mon départ de Pékin. J'espère que tout va bien pour toi mon grand très cher et je t'envoie mes très fidèles et affectueuses pensées. »

Lettre du 25 avril 1918. Si-an.

Le départ est donné le 8 mai. Les charrettes bringuebalent sur des chemins qui ne sont que de « vastes fondrières ». La poussière de loess, dépôt de fines particules apportées par les vents au cours des temps géologiques, cette « terre jaune » qui donne sa couleur à toute la Chine du nord, vole autour des carrioles. Faisant étapes dans des auberges locales de plus en plus sommaires, la caravane arrive à Pigliang (Pingliang) à la mi-mai :

« J'avais l'intention de me contenter d'une auberge chinoise à Pigliang comme ailleurs, mais la ville est encombrée et tous les caravansérails sont combles. J'ai dû, à la nuit, aller frapper à la porte de la mission protestante où mon arrivée avait déjà été signalée de Si-an. J'y ai été accueillie de façon plus que charmante par le pasteur et sa femme et une autre dame de la mission. Aujourd'hui, ils m'ont chargée de gâteaux, de miel, de pain, de provisions pour la route car je repars demain matin. Le Lama et son fils ont été invités à dîner à la mission aussi. Ils ne repartent, eux qu'après-demain mais ils me rejoindront en route car il se peut que je prenne un autre jour de repos un peu plus loin...

Je compte être à Lanchow, la capitale du Kansu, d'ici dix à douze jours. J'y suis attendue par le Percepteur général des Postes de la province, un Chinois parlant bien anglais. Il y a là aussi un Belge, Directeur de la Compagnie fermière des salines, avec sa sœur, des Anglais à la mission protestante et des Belges à la mission catholique. »

Lettre du 17 mai 1918. Pigliang.

Le 25 mai la caravane entre dans la ville de Lanchow, la capitale du Kan-Sou. « Lanchow (Lan-Tchou) est une grande ville chinoise semblable à toutes les autres mais pittoresquement située au bord du Fleuve Jaune (Hoang-ho) dans une vaste plaine entourée de hautes montagnes arides de terre blanche. Le décor, vu du fleuve ou des premiers contreforts des montagnes, est tout à fait imposant. » (Lettre du 14 juin 1918.)

Alexandra se présente chez le gouverneur, « le souverain quasi absolu de sa province. » Ce grand personnage ne fait aucune difficulté pour lui établir les lettres de recommandation nécessaires à la suite de son voyage. Mais il lui conseille d'aller rendre visite au général Ma qui réside à Sining. C'est lui qui a autorité sur le secteur de Labrang où elle souhaite séjourner après avoir visité Kumbum.

Les voyageurs avancent maintenant dans le « Far West chinois », selon l'expression chère à André Migot[1]. La contrée possède « une saveur tibétaine mais atténuée,

---

1. A. Migot : *Chine sans murailles*. Paris, Arthaud, 1960.

diluée dans une atmosphère plus douce que celle de l'âpre Tibet méridional. » Le cadre montagneux plus sauvage, la population de plus en plus dispersée, montrent bien que l'on est aux marges de la Chine. Le voyage est rude, d'autant plus qu'Alexandra manque d'argent et que les provisions se raréfient dans les villages pauvres du Kan-Sou :

> « Nombreux ont été les soirs où, arrivés à l'étape, Aphur, après une tournée infructueuse dans le village, est revenu me dire : "Femme de Seigneur, il n'y a rien à acheter, buvons un peu de thé et allons nous coucher". Et on se couchait sans dîner, recroquevillé dans ses couvertures, souvent sans se déshabiller pour conserver la chaleur de son manteau fourré ; quelquefois, il vous pleuvait dessus et l'on tâchait de se protéger en attirant sur soi un bout de toile imperméable et le matin, entre trois et cinq heures, sans déjeuner, sans rien de chaud à boire, on regrimpait dans la charrette pour dévaler de nouveau par d'invraisemblables pistes. »

> Lettre du 21 décembre 1918.

Lasse de ces étapes dans des auberges qui ressemblent à des étables, Alexandra arrive à Sining (Xining) vers le 25 juin.

Sining, c'est la ville des caravanes marchant vers l'Asie Centrale ou vers le Tibet, une ville de contact au carrefour des civilisations musulmane et tibétaine, bien plus que chinoise. Entourée de remparts de terre munis de puissantes tours de défense, elle est aussi poussiéreuse que Lanchow, mais plus vivante, encore plus exotique.

Alexandra y reste quelques jours. Elle est reçue par le fameux général Ma qui la dissuade de s'installer tout de suite au monastère de Labrang : on risque de se battre dans la région... Le monastère de Kumbum serait bien préférable pour un premier séjour, affirme-t-il. La dame lama se voit donc dans l'obligation de différer son voyage à Labrang, car il n'est pas question de passer outre aux décisions du général. À Sining, elle rend aussi une visite aux deux missions chrétiennes, l'une catholique, l'autre protestante. Alexandra fait connaissance avec le Père Shram, un Belge donc presque un compatriote, qui lui rendra bien des services.

Comme tous les voyageurs occidentaux, Alexandra ne dédaigne pas le contact avec les missionnaires dispersés un peu partout dans l'immense Chine xénophobe, et dont le rôle fut bien moins négligeable qu'on pourrait le croire[1]. La Guerre des Boxers, et son épisode sanglant de 1900, sont encore dans les mémoires : en 1900, l'impératrice Tseu-hi avait décrété l'assassinat de tous les étrangers[2]...

Une sorte de solidarité culturelle réunissait missionnaires et voyageurs. Ces rencontres sont des retrouvailles avec l'Occident, un réconfort momentané, une occasion d'échanges de nouvelles, un instant de fraternité au cœur de la lointaine Asie, un recours en cas de difficultés. Car les missionnaires ont l'expérience du terrain et des populations locales. Alexandra sera toujours reconnaissante de l'aide que les missionnaires ne refusèrent jamais de lui accorder (sauf une fois, comme nous le verrons).

Mais sur le plan spirituel, elle resta hostile au prosélytisme déployé par ceux qui n'étaient plus ses coreligionnaires. Le christianisme allait tellement à l'encontre des conceptions extrême-orientales qu'il ne pouvait pas s'implanter durablement, pensait-elle. Elle cite des cas de conversions guidées par le seul intérêt matériel des

---

1. Sur les missions étrangères en Chine, voir l'édition complète de cette biographie de l'exploratrice : J. Désiré-Marchand, *Alexandra David-Néel – Vie et voyages*, Arthaud, 2009, pp. 292-294.
2. Voir le témoignage de Pierre Loti : *Les derniers jours de Pékin*. Calmann-Lévy.

candidats au baptême : dans les régions d'extrême pauvreté, certains autochtones acceptaient de renier leurs propres traditions simplement parce que les prêtres ou les pasteurs chrétiens leur donnaient à manger. Pour elle, les missionnaires se faisaient des illusions en pensant que ces gens-là pussent être de véritables chrétiens. L'incompréhension entre Alexandra et les missionnaires fut d'ailleurs réciproque... et sujette à des critiques acerbes de part et d'autre. La voyageuse professait une foi que les missionnaires chrétiens avaient pour charge de combattre, ou du moins de faire abandonner chez les autochtones. Elle, comme eux, refusèrent toujours de se comprendre.

Au début du mois de juillet 1918, Alexandra réalise l'un de ses rêves : elle arrive enfin au grand monastère « lamaïque » de Kumbum.

Deux ans et demi
au monastère de Kumbum :
juillet 1918-5 février 1921

« Ouf ! Me voici à Kum-bum ! » Ces mots disent le soulagement d'Alexandra d'être enfin arrivée dans la célèbre ville monastique. (Lettre du 12 juillet 1918.) Kumbum, dont elle rêve depuis tant d'années est un lieu bien connu des explorateurs et des missionnaires qui ont parcouru le sauvage Amdo. Voici le havre éloigné où la dame vagabonde pourra enfin poser ses bagages, Kumbum le refuge espéré à l'écart des conflits qui secouent la Chine et bien plus encore l'Europe !

Située à quelque 2 500 kilomètres à l'ouest de Pékin, la cité monastique accueille les visiteurs de passage, encore très rares au début du siècle en dehors des pèlerins tibétains. Certains peuvent même y louer un logis pour un séjour prolongé. C'est ainsi que les Pères lazaristes Régis Évariste Huc et Joseph Gabet y restèrent trois mois en 1845, le temps pour eux d'apprendre le tibétain[1].

---

1. R.-E. Huc : *Souvenirs d'un voyage dans la Tartarie et le Thibet*, (1850). Réédition L'Astrolabe – Raymond Chabaud – Peuples du Monde, 1987. Et *Souvenirs…*, suivis de *L'Empire chinois* : Omnibus, 2001.

À la différence des autres Occidentaux de passage, Alexandra ne vient pas en étrangère. Ses lettres d'introduction, son engagement dans le bouddhisme, sa connaissance de la langue tibétaine, son souhait d'étudier les textes sacrés, en font une hôte inhabituelle. Elle arrive « comme chez elle » dans la cité lamaïque et, munie de sérieuses recommandations, peut loger au monastère.

Les responsables lui proposent une « gentille habitation » donnant sur la cour intérieure de l'un des grands temples. Elle pourra disposer de plusieurs pièces réparties sur un rez-de-chaussée et un premier étage qui donne sur un balcon ouvragé. Les bâtiments sont de style chinois. La dame lama trouve les pièces à son goût, et elle s'installe enfin dans un logement bien à elle, un appartement convenable, le premier après ces six mois passés à vau-vent !

C'est bien là qu'elle pourra joindre l'utile à l'agréable, approfondir ses connaissances dans un cadre idéal en attendant la fin d'une guerre que personne n'avait prévue aussi longue. Les paysages sont d'une âpre et lumineuse beauté avec leurs sommets qui culminent entre 4 500 et 4 900 mètres d'altitude.

« Le silence qui règne parmi les Temples est un délice après tant de temps passé parmi le bruit. Il y a à Kum-Bum, réparti entre les différents Temples, une population évaluée à 3 800 lamas, mais un silence complet enveloppe tous ces bâtiments étagés sur le flanc de deux montagnes enserrant une étroite vallée. On n'entend que le bruit des longues trompettes thébaines appelant aux exercices religieux et de

R.-E. Huc : *À travers les déserts de la Tartarie et les neiges du Thibet. Curieuses aventures d'une caravane*, Lille, Maison du Bon livre, Grammont (Belgique), œuvre de Saint-Charles, 1914.
M. Jan : *Le voyage en Asie Centrale et au Tibet – Anthologie des voyageurs occidentaux du Moyen Âge à la première moitié du XXᵉ siècle*. Robert Laffont, Bouquins, 1992.

lointaines harmonies de musique sacrée partant de la demeure du pontife de Kum-Bum, actuellement un gamin de dix ans. »

Lettre du 12 juillet 1918 – Kum-Bum.

Lorsqu'elle rend visite à des lamas de haut rang, Alexandra revêt la tenue offerte par le Tashi Lama : robe de serge grenat, chemisette de soie jaune, veste de drap doré et châle jaune. Sa coiffe est « un bonnet pointu de satin jaune broché doublé de peau de mouton teinte en jaune et bordé de drap d'or. » Le châle jaune est la marque de ceux qui ont vécu l'expérience de l'isolement érémitique.

C'est ainsi habillée qu'elle assiste aux festivités locales de la mi-juillet. Celles-ci dépassent en pittoresque, en couleurs, en spectacles, en diversité, tout ce qu'elle avait pu voir au Sikkim. Les spectateurs en eux-mêmes sont un régal pour les yeux : ils portent leurs costumes des grands jours. Et pour la circonstance, les femmes ont confectionné leurs coiffures d'apparat. Leurs cheveux, très longs et nattés, sont « coiffés en douzaines de petites tresses cousues sur un morceau de tissu », ou bien « enfouis dans deux sacs allongés richement décorés ». Des bijoux, des « harnachements » plus ou moins volumineux et des broderies superbes complètent ces parures de fêtes. Alexandra en rapportera des photos[1]. Si les naturels sont un spectacle à eux seuls, Alexandra ne passe pas non plus inaperçue, car les femmes lamas sont encore plus rares au nord de l'Amdo que dans le sud du Tibet. Des pèlerins viennent se prosterner sur son passage ; elle les bénit quand ils le souhaitent, « avec une gravité d'évêque » dit-elle ! Malgré son envie de sourire et de se moquer d'elle-même autant que

---

1. Certaines photos font l'objet d'une exposition permanente à la Maison David-Néel.

244

des dévots excessifs, elle respecte « la foi naïve de ces êtres simplistes ».

Après les fêtes religieuses, le monastère retrouve son calme absolu. Mais le calme ne signifie pas forcément la parfaite sérénité... car l'on se bat dans les alentours, ainsi du côté du monastère de Labrang, à moins de 200 km au sud-est. Une querelle entre lamas a dégénéré, les militaires chinois sont intervenus et, dit-on, le pillage du monastère s'en est suivi... L'interprète chinois aurait été massacré et coupé en morceaux ! La lamaserie est peut-être en cendres, comment savoir ? Bref, l'insécurité règne un peu partout. Même à Kumbum il faut prendre des précautions et, cédant à l'insistance de Yongden, Alexandra dort maintenant avec son revolver à côté de sa bougie ! Le soir on barricade les portes des bâtiments de la gompa.

Pour Alexandra, la localisation de Kumbum, loin de toute ville internationale et loin de toute gare, présente quand même un inconvénient non négligeable : la difficulté des communications avec le reste du monde, donc avec Philippe. Les lettres mettent trois mois pour parvenir à leur destinataire. Or la voyageuse n'a quasiment plus d'argent d'avance. À la fin du mois de juillet 1918, elle apprend que son mari lui avait adressé un mandat dès le mois d'avril à la banque de Pékin : s'est-il perdu en route ? Elle n'en avait pas encore été avisée.

La Mission catholique de Sining accepte de lui prêter la somme demandée, en attendant l'arrivée des fonds envoyés par Philippe. Les denrées sont bon marché à Lousar, le village le plus proche du monastère. La nourriture ne pose pas de problème, du moins à la belle saison : le pain et les légumes (petits pois, carottes, pommes de terre) sont de bonne qualité. Alexandra semble bien décidée à s'installer à la gompa pour un long séjour.

« Je continue à me plaire dans ma maisonnette, malheureusement ce que l'on m'avait dit de Kum Bum est exact. Les lamas ici sont cossus mais affreusement ignorants. Il y a quelques Mongols lettrés parmi eux, mais en dépit des lointains ancêtres communs, je n'entends pas leur langue et ne puis pas profiter de leur érudition. Je suis quelque peu ennuyée par le nombre toujours croissant des malades qui viennent me consulter. Je ne suis pas venue ici pour faire de la médecine. Certains matins c'est, au rez-de-chaussée, une véritable clinique. Les Dieux malicieux se sont plus, pour me taquiner, à guérir quelques-uns de ceux à qui j'avais donné des drogues, entr'autres un goutteux et un bonhomme qui commençait une pneumonie ou quelque chose d'approchant, cela a attiré les autres. Il en vient même des villages voisins qui m'amènent des chevaux dans l'espoir de m'emmener chez eux voir des patients intransportables. C'est pittoresque, mais pas trop n'en faut. Il y a aussi des cas tristes au-delà de toute expression. Un jeune homme est venu tout à l'heure, un beau, grand fort garçon, mon diagnostic peut être en défaut malgré que mon long séjour en Asie m'ait quelque peu familiarisée avec la terrible maladie. Je crois que le malheureux en est au début de la lèpre, et lui-même le croit aussi et se l'est entendu dire. Il me demande : "Est-ce que vous avez une médecine pour guérir *dzé* ?" ; en tibétain, dzé est le nom de la lèpre. »

Lettre du 22 août 1918.

Les jours passent tranquillement. Alexandra excursionne à pied dans les montagnes rondes et herbeuses des environs. Elle s'oriente à la boussole. Certains sommets sont déjà enneigés. L'atmosphère est agréable, le silence plein de majesté. L'automne donne lieu à de nouvelles fêtes religieuses, en octobre : une foire les accompagne, qui n'est pas sans rappeler celles de notre Europe médiévale. La foire saisonnière est l'occasion de rencontres, de commerce, d'échanges, tout autant que de pèlerinage :

« En dépit de l'absence des Mongols, la foire a été fort animée : beaucoup de marchands installés dans de petites tentes blanches ou simplement étalant leurs marchandises en plein air, et un grand nombre de naturels de la région d'Amdo en costumes extraordinaires – les femmes surtout, dont beaucoup sont excessivement jolies.

Au point de vue habitants, le pays où je suis est infiniment plus curieux que le Sikkim ou même le Tibet méridional. Dans ces deux dernières contrées on ne voit pas ces types d'aspect vraiment barbares d'hommes n'ayant pour tout vêtement qu'une robe de peau de mouton et un chapeau pointu, et l'allure générale des gens est aussi, ici, beaucoup plus rude, plus fruste.

Je suis allée me promener à la foire, suivie d'Aphur, naturellement, qui arborait sur une robe de soie grenat un pardessus européen en drap gris doublé de peau de chèvre. Les indigènes lui trouvaient grand air ainsi costumé et, tandis que nous procédions à des achats, ils venaient tout doucement derrière lui pour tâter l'étoffe de son paletot ou en entrouvrir la fente pour regarder la robe qui était dessous.

Ce que l'on trouve aux divers étalages est des plus amusants, il y a là tous les genres de camelote, d'articles de rebus qui, d'étapes en étapes, sont venus échouer en ce pays perdu. J'explique à quelques lamas ce qu'est un chemin de fer en m'aidant, comme démonstration, d'un train jouet d'enfant qui voisine avec une automobile. J'achète une brosse à dent (tu vois que les raffinements de la civilisation s'exportent loin), une lampe d'autel, différentes choses pour le boy, des choux, des noix de muscade etc.

Beaucoup de gens du Koukou-nor que j'ai rencontrés précédemment viennent me saluer, je ne les reconnais pas, mais fais semblant de me rappeler d'eux, par politesse. Le second jour de la fête était consacré à la visite des nombreux temples de Kum-Bum qui ouvraient toutes leurs chapelles d'ordinaire fermées et offraient à la vénération des fidèles des reliques diverses. J'ai visité, de façon privée, tous

247

ces sanctuaires à mon arrivée à Kum-Bum. Mais le défilé des dévots était un spectacle que je ne pouvais manquer. Pour le savourer à loisir il fallait, cependant, me mettre au diapason, c'est-à-dire revêtir un costume de cérémonie... »

Lettre du 9 octobre 1918. Kum-Bum. (ou 3 novembre ?)

Avec l'approche de l'hiver, la vie devient plus rude, la nourriture plus spartiate encore car les légumes disparaissent. Les naturels mangent du mouton mais Alexandra, on le sait, préfère éviter la viande quand elle le peut :

« Le régime végétarien me convient mieux, mais il est terriblement difficile à suivre ici en hiver. On n'y trouve pas le moindre légume. Les nomades du Koukou nor n'ont même pas idée qu'on puisse manger autre chose que de la farine et de la viande ; quand on leur montre des légumes ils disent : "Quoi, manger de l'herbe ? Nous sommes des hommes, pas des animaux !"

Lettre du 11 octobre 1918. Kum-Bum.

Il faut s'organiser contre le froid. Alexandra s'apprête à passer un hiver plus confortable qu'à Pékin grâce à deux poêles qu'elle fait acheter par Yongden. Ces « deux objets, plutôt informes, qui dans la pensée de leur créateur, sont des poêles », semblent fonctionner correctement malgré leur rusticité... Les deux locataires stockent six charrettes de charbon.

« Je vois venir l'hiver sans crainte. Chose singulière, je suis beaucoup plus forte et endurante que dans ma jeunesse. Sans doute la vie rude que je mène en est la cause et réagit avec avantage contre l'affaiblissement que l'âge tend à amener. Je puis m'asseoir en plein air le matin au lever du jour, le thermomètre à – 15° sans être le moins du monde incommodée. La sècheresse du climat y est pour beaucoup, je crois. »

Lettre du 11 novembre 1918. Kum-Bum.

Les journées commencent avec un lever à 5 heures au son de la musique religieuse qui résonne dans tout le monastère. Elles se poursuivent par une alternance d'activités régulières : études, offices, traductions tibétaines, méditation, promenades... « Il semble que l'on pourrait continuer de la sorte pendant mille ans, sans fatigue, ni mentale ni physique. » (Lettre du 11 novembre 1918.)

Dix jours plus tard, elle reçoit deux cartes postales envoyées par les missionnaires anglais de la région : elles lui annoncent la fin de la guerre. Eux-mêmes avaient été prévenus par télégramme. Très émue dit-elle, c'est avec seulement dix jours de retard qu'elle apprit ainsi la signature de l'armistice qui mettait fin à la Première Guerre Mondiale.

Par le même courrier elle recevait deux lettres de Philippe, expédiées d'Afrique du Nord à la fin du mois de juillet : elles avaient mis quatre mois pour lui parvenir ! Il faudra simplement s'adapter au nouveau rythme des circuits postaux.

Tout va bien pour Alexandra en ce début d'hiver 1918. La rigueur pittoresque de ce mode de vie exotico-religieux correspond intimement à sa sensibilité et lui procure une « béatitude un peu rude » que peu d'Occidentaux sans doute goûteraient à sa place... C'est dans les textes sacrés que la dame lama recherche toute la subtilité d'une spiritualité réservée à l'élite religieuse de la population tibétaine. On l'imagine penchée sur les feuilles oblongues des livres sortis des niches sombres d'une bibliothèque de la gompa, décryptant les paroles géniales du Bouddha Çakyamouni à son disciple Sariputra ! Et puis à un autre moment, la même dame gravissant tranquillement les pentes herbeuses de la Tsong ri, la Montagne des Oignons, ou de quelque autre aux environs du monastère, excursion de plusieurs heures ou de plusieurs jours selon l'humeur de la promeneuse...

> « Ils ne connaîtront jamais combien de rêve et de poésie l'on peut envelopper dans une houppelante crasseuse de peau de mouton, près d'un grand feu de bouse de yack, une écuelle de thé au beurre à la main, tandis que les sauvageons de la caravane, autour d'un brasier un peu distant, chantent les aventures de Guésar, le Conquérant des hommes du pays de Hor... »

Lettre du 3 décembre 1918. Kum-Bum.

L'hiver est là maintenant. La température de la chambre d'Alexandra oscille « entre – 3 °C et + 5 °C avec le poêle brûlant nuit et jour ; mais c'est du luxe » comparé à l'hiver précédent. Il faisait bien plus froid dans le Peiling-sse de Pékin...

Le mois de décembre amène une nouvelle période de festivités : comme tous les ans, on s'apprête à célébrer l'anniversaire de la mort de Tsong Khapa, le réformateur du bouddhisme tibétain. Car c'est à lui que le monastère doit sa renommée. Au XIVᵉ siècle, alors que la discipline monastique se relâchait de manière excessive, Tsong Khapa remit en honneur des engagements très stricts, tels que le célibat des moines, l'interdiction de boire de l'alcool... et la nécessité pour les religieux de mener des études approfondies de la Doctrine. Cette nouvelle orientation aboutit à la fondation de l'ordre couramment appelé des « Bonnets Jaunes », celui des Gelugpa ou « Vertueux », par comparaison avec les Bonnets Rouges ou Noirs des ordres plus anciens, Nyingmapa, Sakyapa, Kadampa, Kagyupa, Karmapa... Les dalaï-lamas font partie des « Bonnets Jaunes ».

Le monastère de Kumbum fut édifié au XVIᵉ siècle sur le lieu de naissance de Tsong Khapa. La légende dit même qu'un arbre miraculeux poussa exactement à l'emplacement où sa mère le mit au monde et que les

100 000 feuilles de l'arbre portaient et portent encore le célèbre mantra « Om Mani Padme Hum » ! D'où le nom de Kumbum qui signifie « cent mille images ». Détail extravagant : lors de leur séjour au monastère, les Pères Huc et Gabet « consternés d'étonnement » observèrent « des caractères thibétains très bien formés » sur les feuilles de l'arbre sans parvenir à découvrir la moindre supercherie des lamas ! Alexandra ne vit rien de particulier sur les feuilles du rejeton de l'arbre toujours en place... (Voir *Mystiques et Magiciens du Tibet*.)

Ainsi passe l'hiver 1918-1919. La dame lama s'enferme pendant quelques semaines, non par besoin mystique mais pour pouvoir lire et étudier dans la « tranquillité absolue ». En janvier 1919 elle songe qu'il serait peut-être courtois de rendre hommage à son mari en signant désormais ses écrits de ses deux noms juxtaposés. Après tout, c'est bien grâce à son soutien qu'elle peut poursuivre ce long périple. (Lettre du 12 janvier 1919.)

Printemps 1919 : visite de monastères des environs

Des fonds envoyés par Philippe parviennent à Alexandra à la fin du mois de janvier. Elle peut ainsi acheter un mulet qui sera fort utile pour les déplacements. D'autant que le printemps approche, et avec lui un irrépressible appel à de nouvelles excursions. Bien que parfaitement installée à Kumbum, l'infatigable errante songe déjà à aller porter ses pénates ailleurs... Mais il faut d'abord faire une reconnaissance : une première excursion de quatre ou cinq jours est donc décidée à la mi-mars, en direction de trois monastères de la région : Ditza, Nam-Dzong et Tchakyong. La gompa de Ditza, située dans les montagnes à moins de 50 km de Kumbum, est dirigée par un lama qui passe pour être érudit. L'ermitage de Nam-Dzong accroche ses bâtiments dans des « monts en aiguilles » fort pittoresques. Tchakyong est le monastère où Tsong Khapa passa son enfance. C'est dans ce secteur qu'habite le lama qui a accompagné Alexandra depuis Pékin.

Le Fleuve Jaune, appelé ici « Matchou » ou Ma Chu, y est déjà trois fois plus large que la Seine à Paris, remarque Alexandra. Il faut le traverser sur des radeaux rudimentaires, mais qui ont fait leurs preuves : « deux troncs d'arbres creusés et liés avec des cordes ». Les animaux sont attachés aux radeaux et traversent à la nage, comme ils peuvent car le courant est rapide... L'un des chevaux rompt justement sa bride et part à la dérive, avant d'atteindre heureusement l'autre berge. La petite caravane qui était composée d'Alexandra, d'Aphur et du domestique de Lhassa, revient trois semaines plus tard. Au retour, Alexandra s'arrête quelques jours chez les missionnaires anglais de Sining... pour apprendre à développer des pellicules photographiques.

Le 6 juin 1919 Alexandra écrit une longue lettre à Philippe pour lui indiquer les dispositions à prendre au cas où il lui arriverait malheur durant ses circuits. Dans ce véritable testament, elle procède à la répartition détaillée de son avoir (titres, espèces, objets, livres...) : les destinataires sont Philippe lui-même, Aphur Yongden, la Société Bouddhiste de Londres, le Musée Guimet, la branche française de la Société Théosophique...

Été 1919 : le tour du Koukou Nor

L'été 1919 est consacré à faire le tour du lac le plus célèbre du nord du Tibet historique : le Koukou Nor, ce qui représente un circuit de plusieurs centaines de kilomètres car le plan d'eau atteint les dimensions d'une véritable mer intérieure, son nom signifiant d'ailleurs « Mer Bleue » en mongol. En chinois c'est le lac Qinghai ; les

Tibétains le nomment Tso-ngon, « Tso nyeunpo » dit Alexandra. La translittération officielle est « mTsho-sngon ». Situé à 3 200 m d'altitude, il couvre une superficie de 4 500 km². Le Koukou Nor est un lac sacré, comme tous les lacs tibétains. Quelques îles en émergent dont la plus grande est habitée par des ermites qui ne sont ravitaillés qu'en hiver, c'est-à-dire lorsque l'eau gelée permet à des pèlerins de traverser le lac à pied. En dehors de la saison froide, il ne saurait être question de souiller les eaux sacrées avec de vulgaires embarcations. Aujourd'hui, l'île a perdu ses ermites pour devenir une réserve ornithologique, et quelques bateaux se permettent de circuler pour le plaisir des touristes.

Munie d'une carte rudimentaire, d'une boussole, d'une vieille tente mongole achetée d'occasion, de deux mules, et de son revolver, comptant aussi sur un sens inné de l'orientation, Alexandra part donc au tout début du mois de juillet pour un périple qui doit durer jusqu'à l'automne. Elle est accompagnée par Aphur, un domestique et deux soldats d'escorte.

La situation politique est incertaine ; les conflits entre Chinois, Mongols, Musulmans du Turkestan et Tibétains sont permanents dans les régions frontières du Nord-Ouest. Mais Alexandra rassure Philippe : qu'il ne s'inquiète pas s'il ne reçoit pas de nouvelles avant longtemps ! Elle part en confiance car, dit-elle : « Personne, ici, parmi les indigènes, ne songe à me considérer comme une étrangère de la même espèce que les missionnaires aux yeux bleus et aux cheveux blonds qu'ils ont vus. Ma petite et brune personne est d'un tout autre type, ils s'en rendent compte sans avoir besoin de voir aucun papier. » (Lettre du 2 juin 1919.)

La caravane prend la route du nord et fait étape à Dankar (actuel Huangyan), dernier relais des caravanes avant l'Asie Centrale ou le Tibet ; on y croise aussi bien des chameaux que des yaks, des chevaux ou des mules, selon la provenance des groupes.

Arrivée dans les steppes, la petite expédition d'Alexandra ne tarde pas à connaître quelques péripéties : les voyageurs s'égarent d'abord sous la pluie et la grêle... Un peu plus loin, ce sont les animaux qui s'échappent en pleine nuit : ils ne seront rattrapés qu'après une longue course. Puis c'est la rencontre, toujours aléatoire, avec des cavaliers dont les intentions ne sont pas forcément respectables : soldats ou bandits ? Chacun s'arme, à tout hasard... Tout se passe bien finalement. Enfin voici le lac : « Une mer en miniature, couleur de turquoise un peu verte, avec des vagues qui font de petits moutons les jours de vent et chantent en sourdine une petite chanson comme un faible écho de la grande voix de l'Océan. » (Lettre du 20 juillet 1919.)

Les costumes des autochtones ajoutent encore à la beauté du lieu : « C'est une fête sensuelle pour les yeux, une joie de regarder mouvoir ces couleurs à la fois douces et chaudes... inoubliables ! » [...] Il n'y a rien qui vaille la lumière du Tibet et le charme qu'elle prête aux choses. »

Mais l'été est propice aux moustiques qui pullulent aux abords du plan d'eau. Pour y échapper, Alexandra monte à la recherche du camp de son ami, le grand lama du Koukou Nor, venu lui aussi surveiller ses troupeaux dans les montagnes. Elle le trouve et s'installe à proximité. Paix, silence, immensité, harmonie, liberté. Ces pasteurs semi-nomades n'ont pas d'âge, sont-ils d'aujourd'hui, d'hier ou d'avant-hier ? Tels des « patriarches bibliques : Abraham, Jacob... », ils existent de toute éternité. Ici le temps n'a pas de prise. Images somptueuses d'un équilibre perdu en Occident, celui de l'homme avec la nature, la roue de la vie dans la pureté immémoriale de l'air, de l'espace et des « solitudes ».

Puis la caravane revient par l'ouest et le sud, sans incident notable. Après plus de deux mois de vie itinérante en plein air, Alexandra est heureuse de retrouver ses bibliothèques : « Pour qui aime les livres, Kum-Bum est un paradis », écrit-elle à Philippe le 17 novembre, dès son retour. La dame lama a l'intention de consacrer les mois d'hiver à la traduction de textes.

Encore un an et demi à Kumbum

Une année s'écoule encore : Alexandra reste à Kumbum par mesure d'économie et parce qu'elle ne se résigne pas à quitter le Tibet. Puis un autre hiver. La voyageuse a renoncé aux excursions dans la région, « faute de ressources », mais elle continue à s'exercer à la marche car elle veut se maintenir en forme pour… sa grande tournée vers le sud, qu'elle est bien décidée à accomplir dans n'importe quelles conditions.

L'année 1920 est largement consacrée à la traduction du texte fameux appelé la *Prâjnâparamita*. Aphur aide Alexandra, « encouragé par quelques taloches de temps en temps » (lettre du 23 janvier 1920) : la lamani ne recule jamais devant la manière forte envers ses subordonnés !

Les taux de change sont de plus en plus défavorables, et l'épouse du bout du monde continue à harceler son mari pour qu'il lui envoie une somme correspondant aux dépenses d'au moins deux ans. Aphur n'a plus que des vêtements rapiécés, Alexandra vit elle-même au plus juste et n'achète rien de neuf. Tant qu'elle ne disposera pas de cette somme, il sera hors de question de quitter le monastère. Où irait-elle sans argent ?

Mais l'Occident est en proie aux difficultés financières de l'après-guerre. Comme tout le monde, Philippe doit s'adapter aux nouveaux paramètres de l'économie nationale. Les troubles, essentiellement monétaires, touchent tous les anciens belligérants, y compris les colonies d'Afrique du Nord, et toutes les classes sociales : hausse du coût de la vie, hausse des changes, baisse des rentes... Tout cela est désastreux pour le portefeuille des Néel... Philippe fait part de ses soucis à son épouse (18 février 1920) ; elle le rassure en lui affirmant qu'elle a de moins en moins de besoins et qu'elle rentrera dès sa grande « tournée » achevée. Mais s'il estime avoir besoin de toute sa retraite pour vivre, elle dit être prête à s'arranger « une vie d'ermite en un coin reculé du Tibet ou de la Mongolie »... (Lettre du 1er juin 1920.)

Pour mener à bien la suite de son programme de voyage, Alexandra a néanmoins besoin d'argent. Le 6 juillet 1920 elle insiste à nouveau auprès de Philippe, il lui faut 8 000 francs le plus rapidement possible :

« Je te demande donc le service suivant : si tu manques d'argent liquide au reçu de cette lettre, emprunte la somme à tes banquiers en leur donnant des titres en nantissement.Tu as pas mal de titres et l'opération est aisée. Ensuite, emprunte, si tu le veux, sur mes titres de Bruxelles[1] pour te rembourser ; mais pour éviter ces envois d'argent et les frais qu'ils entraînent, si tu n'y vois aucun inconvénient, rembourse les 8 000 francs en versant à tes banquiers le montant des envois que tu m'aurais faits, si tu ne m'avais pas avancé ma pension de 1921. Je ne crois pas que cela te

---

1. Les « titres de Bruxelles » : un courrier envoyé à Alexandra par le Comptoir National d'Escompte de Paris le 17 décembre 1920 montre en effet qu'un emprunt sur titres avait été effectué à son nom (Archives de la Fondation Alexandra David-Néel).

gênerait beaucoup d'agir ainsi, mais tu décideras selon ce que tu jugeras le mieux. »

Lettre du 6 juillet 1920. Kum-Bum.

L'automne s'installe, avec ses fraîcheurs nocturnes et la neige déjà sur les cimes. Alexandra continue à vivre sur ses fonds du mois d'avril. En septembre 1920 elle annonce à Philippe son intention de ramener Aphur Yongden en Europe à la fin du voyage. Il lui est devenu indispensable, la servant depuis des années sans gages, avec un dévouement total. Ses fonctions se sont multipliées au fil des années : selon les besoins, il est cuisinier, blanchisseur, tailleur, garçon de course, secrétaire... Il aide maintenant la lamani dans ses travaux d'orientalisme, et puis il est habitué à sa manière de vivre qui dérouterait tout serviteur occidental.

Le 30 septembre enfin, Alexandra écrit une longue missive à son mari pour le remercier de s'être occupé de la succession de sa mère, et pour l'envoi inespéré qu'il vient de lui annoncer : 18 000 francs ! Voilà qui permet d'envisager sereinement la suite du voyage, malgré l'insécurité qui reste d'actualité dans le pays.

Alexandra apprend que le choléra et le typhus sévissent à Chengtu, la capitale du Sseu-Tchouan. À Sining, c'est le typhus qui s'est propagé. Une terrible famine ravage une autre partie de la Chine : « Les gens s'entre-tuent pour se voler l'écorce d'arbre qu'ils mangent. » (Lettre du 29 octobre 1920.)

En novembre 1920, Aphur Yongden se rend à la gompa de Dankar pour entrer officiellement dans les ordres. Il a renoncé à la vie laïque et fait le choix de mener l'existence d'un lama auprès de celle qu'il a choisie comme maître. Le 11 janvier 1921 un tremblement de terre assez sérieux secoue le secteur de Kumbum. Des villes entières sont détruites vers le sud-est.

Les fonds envoyés par Philippe arrivent à Alexandra à la fin de janvier 1921. Peu après, elle lui annonce son départ imminent et demande de ne jamais la faire rechercher sous peine de compromettre sa sécurité. C'est qu'elle s'apprête à voyager non comme une Européenne mais comme une lamani asiatique accompagnée de quelques serviteurs : elle évitera les grands axes et choisira les chemins les plus sauvages, les moins habités. Deux avantages à cela : l'incognito donc la sécurité, et l'économie. Les bêtes brouteront dans la nature, Alexandra et ses gens camperont ; les frais de fourrage et d'hébergement en seront diminués d'autant. Elle envoie une partie de ses encombrants bagages à Pékin (livres et objets), puis en dépose une autre partie à Sining chez les missionnaires.

Dans les malles : des textes originaux, copiés et traduits, qui seront publiés sous le titre *La Connaissance Transcendante – D'après le Texte et les Commentaires Tibétains*. L'ouvrage sera signé de deux noms : Alexandra David-Néel et Lama Yongden. C'est un résumé de la *Prâjnâparamitâ*, attribuée au philosophe Nâgârjuna qui vécut vers le IIe siècle de notre ère. Morceau de choix de la littérature du Tibet, le texte est censé rapporter des entretiens qui auraient eu lieu entre le Bouddha et son disciple Sariputra. Plusieurs siècles séparent les entretiens de la relation qui en a été faite par le philosophe, mais le contenu du discours passe pour être fidèle à l'enseignement du Maître. Alexandra présente et commente les extraits les plus significatifs de cet immense poème de 100 000 vers, dont on trouve parfois une version de 25 000 vers, ou encore un bref résumé de 8 000 lignes. On comprend que deux ans et demi ne furent pas de trop pour étudier ce texte considéré comme « la quintessence de la doctrine bouddhiste ». Alexandra fait encore une fois œuvre de vulgarisation en mettant à la portée d'un public non spécialiste les passages essentiels d'un livre qui resterait inaccessible sans ce travail de pédagogie et de choix raisonné des extraits.

Durant son séjour à Kumbum, Alexandra n'a jamais rompu avec le reste du monde. Elle est restée en rapport avec son cousin Émile[1] et a continué à écrire des articles. Deux ont été édités dans le *Mercure de France* en 1920 :

« En Asie : l'Inde avec les Anglais », « En Asie : la question du Thibet ». Deux autres textes, envoyés de Kumbum, seront publiés dans la *Buddhist Review* sous la signature de Sunayananda : « Les méthodes Bouddhistes de Méditation », « Un message moderne ».

Le 5 février 1921, Alexandra quitte le monastère de Kumbum après y avoir séjourné presque aussi longuement qu'au Sikkim. Retenons bien cette date du 5 février 1921 : c'est le point de départ du fameux voyage à Lhassa ! Une nouvelle série d'aventures commence maintenant avec la traversée du *Pays des brigands gentilshommes*, Lhassa est encore loin...

---

1. Lettre du 24 janvier 1920 à Émile Panquin. (Copie aux archives de la Maison A. David-Néel.)

« Au pays
des brigands gentilshommes »[1] :
5 février-15 septembre 1921

Remarques liminaires

Alexandra part pour Lhassa le 5 février 1921 : elle n'y arrivera qu'en février 1924. Pendant trois ans, elle va essayer d'atteindre son but sans y parvenir, avant de mettre au point la tactique qui la mènera à la victoire. Ces trois années d'errance infructueuse, d'échecs répétés, sont riches en aventures et surtout en expériences dont elle tirera profit pour sa randonnée finale.

Le mot « aventures » n'est pas trop fort pour qualifier les péripéties qui jalonnent la première partie du parcours entre Kumbum et Jakyendo (Jyekundo). Alexandra les a restituées dans un récit plein de vivacité intitulé « Au Pays des brigands gentilshommes ».

Le choix de l'itinéraire, le plan d'Alexandra

Lhassa se situe à 1 300 km à vol d'oiseau au sud-ouest de Kumbum, le parcours réel sur le terrain étant assurément beaucoup plus long. Échaudée par son expérience du Sikkim, Alexandra sait ce qu'il en coûte de circuler sans autorisation dans une région interdite. Aussi

---

1. Titre d'un livre d'Alexandra David-Néel.

a-t-elle choisi un itinéraire détourné, beaucoup plus long, mais qu'elle croit plus sûr : elle restera le plus long-temps possible dans les provinces chinoises avant d'aborder le Tibet par l'est ; là, elle prendra la route que suivent habituellement les caravanes qui pendulent entre le Sseu-Tchouan et Lhassa. Cette route passe par Tatsienlou (Kangding), localité qui se situe à 1 000 km environ à l'est de Lhassa.

Alexandra s'apprête tout simplement à parcourir plus de 2 000 km en charrette, à dos de mule ou à pied : c'est la longueur approximative du circuit Kumbum – Lanchow – Tatsienlou – Lhassa. Extravagante à nos yeux d'automobilistes du XXIe siècle, une telle distance n'a jamais effrayé un Tibétain à pied ou à cheval ! Il suffit de prendre son temps et d'éviter au mieux les mille et un dangers qui guettent les voyageurs sur les pistes où sévissent de fameux brigands qui font métier de la rapine !

Une chose est certaine : Alexandra ne part jamais sans avoir étudié les risques et préparé ses circuits. Elle ne cherche pas particulièrement l'aventure, c'est l'aventure qui vient à elle. Circuler au début du siècle, en petite caravane, sur les routes chinoises était déjà faire preuve d'une belle audace ! Heureusement pour elle, la dame lama n'est pas pressée. Une nécessité s'impose toutefois, celle de l'anonymat. C'est d'ailleurs cette volonté de passer inaperçue qui la dissuade de partir tout de suite dans la bonne direction : vers l'ouest-sud-ouest elle risquerait de rencontrer des nomades tibétains qui la connaissent depuis son tour du Koukou Nor. Ils ne manqueraient pas de lui poser des questions sur le but de son voyage, sur sa destination, et de parler à droite et à gauche. Et puis elle a aussi envie de visiter le fameux monastère de Labrang, où l'on s'entretuait il y a peu. Ce monastère, où elle avait voulu s'installer à son arrivée dans le Kan-Sou, se trouve au sud-est de Kumbum. Toutes les raisons la poussent donc à commencer son grand périple par l'est-sud-est. Suivons la caravane…

Février-juin 1921 : de Kumbum à Koutcheng

Le 5 février 1921, le jour du départ, s'annonce plein de promesses. Après un dernier échange d'écharpes de politesse (les *khatas*), Alexandra, Aphur Yongden, les serviteurs et les mules se mettent en route. Un dernier regard sur les toits d'or de la cité monastique de Kumbum… une émotion bien naturelle après tant de mois passés ici ; une pointe d'appréhension quand même, normale aussi lorsqu'on part vers l'inconnu et l'interdit… Seuls Alexandra et Yongden connaissent le but du voyage.

La caravane compte cinq mules pour six personnes. Les quatre serviteurs sont des *trapas* du monastère (des élèves) ; il a été convenu que l'un des hommes marcherait toujours à côté des animaux. Ils se relaieront à cette place. C'est-à-dire que le groupe avancera à la vitesse d'un homme à pied. Pour quitter la cité monastique dans la dignité, Alexandra laisse cependant les cinq mules aux cinq hommes ; elle a loué pour elle une charrette chinoise jusqu'à Sining. Inutile de préciser que chacun est armé… Simple précaution !

Un incident caractéristique dès le départ : la rencontre périlleuse de la caravane avec un troupeau d'une centaine de chameaux menés par des Mongols, sur le chemin encaissé qui mène à Sining. Le passage est si étroit qu'il est impossible de s'y croiser : qui devra reculer ? Les choses s'enveniment, le ton monte car personne ne veut « perdre la face », composante fondamentale des mentalités en Chine ! Alexandra se doit elle aussi de respecter ce principe. Ses hommes sortent leurs armes... et s'imposent devant les Mongols un peu étonnés d'une telle détermination. Les chameaux ont toutes les peines du monde à faire demi-tour ! L'incident n'est pas si anodin qu'il y paraît. La dame lama est satisfaite de ses troupes. Sans être persuadée de son bon droit, elle a laissé ses hommes agir, c'est-à-dire qu'elle n'a pas cédé : les serviteurs la respecteront et lui obéiront désormais sans broncher. C'est un gage de tranquillité pour les mois à venir, atout non négligeable dans une telle expédition, dirigée par une femme.

Mais l'aventure n'est pas toujours là où on l'attendait. À Sining, Alexandra est victime d'une escroquerie due... au chef de la mission protestante, le pasteur Ridley. Plus de dix jours sont nécessaires à la voyageuse pour récupérer des fonds qui lui étaient destinés et que le pasteur avait « égarés » sur son propre compte ! Pour elle, cela représentait l'équivalent d'une année de dépenses. (Lettre du 24 février 1921.)

Si bien que la caravane n'arrive à Lanchow[1] qu'à la mi-mars : 200 km ont été parcourus en un mois et demi, c'est-à-dire selon une moyenne de 5 km par jour ! À ce rythme il faudra du temps pour atteindre Lhassa ! Lanchow est une ville que la dame lama connaît déjà pour y être passée trois ans plus tôt. L'orientaliste ne peut se soustraire à quelques invitations mondaines émanant de la communauté occidentale présente dans la ville : « quatre dîners et deux thés dont un grand dîner donné en mon honneur chez le commissaire des Postes chinoises qui tenait à flatter une Française, le directeur général des Postes chinoises étant M. Destelant, un Français. Que tout ce qu'on débite dans ces occasions

---

1. Les lieux cités dans ce chapitre sont localisés sur la carte 21 de l'édition complète de cette biographie, p. 319, *op. cit.*

est donc absurde et faux... » (Lettre de mars 1921, jour non précis.) Alexandra repart...

Dès la sortie de Lanchow, Aphur tombe malade, il faut s'arrêter dans un village, « une sorte de muezzin » héberge le groupe chez lui. Alexandra est souffrante elle aussi, mais les santés se rétablissent en peu de temps et tout le monde repart. La montagne entre Lanchow et Ho-jo n'est pas sûre à cause des luttes entre Musulmans et Chinois, sans compter les actions d'éclat des brigands qui, dit-on, infestent les gorges. Alexandra ordonne « la tenue de guerre » : « les hommes revêtent des oripeaux qui rappellent ceux des soldats, on met des cartouches dans les fusils et les revolvers... » L'organisatrice a mis au point une tactique : elle partira devant, à pied, mal habillée – « une pauvre vieille qui chemine et ne tente pas les larrons ». En cas d'alerte, elle fera signe à ses hommes qui se prépareront à la riposte. (Lettre du 24 mars 1921.)

Sept jours après avoir quitté Lanchow, la caravane arrive à Ho-jo (l'actuelle Linxia), « la Mecque de l'Empire chinois » selon Élisée Reclus. La ville cernée de remparts est dominée par une élégante mosquée. Le cadre paraît agréable, « une petite plaine verdoyante traversée par une jolie rivière », mais Alexandra n'en profite guère car elle tombe à nouveau malade, une mule manque de mourir, la neige se met à tomber, et le vent souffle, glacial ! Le groupe loge plusieurs jours dans une auberge, jusqu'à la guérison... de la mule. De son côté, Alexandra s'est remise rapidement, comme d'habitude ! La dame lama avait voulu passer par Ho-jo pour visiter cette « citadelle de l'islamisme du Kansou ».

À ce moment-là l'équipage est passé à huit bêtes : un cheval et sept mules. Alexandra chevauche son animal favori, « la grande mule noire ». À Lanchow elle avait eu

264

beaucoup de difficultés à trouver un muletier acceptant de lui louer trois animaux supplémentaires et d'accompagner la caravane à Ho-jo. La plupart avaient refusé, par couardise, de se rendre dans cette ville réputée inhospitalière et dangereuse.

Vers le Sud le paysage change brutalement : les montagnes se raidissent, les pentes se couvrent d'arbustes, les villages deviennent plus rares, les couleurs s'intensifient... Voici la province tibétaine d'Amdo ! Alexandra retrouve « son » Tibet, quitté après Kumbum !

La région est en principe placée sous le contrôle des autorités chinoises qui y perçoivent quelques impôts. En réalité les Chinois laissent aux chefs locaux la liberté de régler les affaires tibétaines. Il n'y a pas d'auberges dans la contrée, pas plus qu'ailleurs au Tibet, en dehors des principales villes. La caravane doit chercher un toit chaque soir chez les autochtones, variante archaïque de la quête de chambres d'hôtes ! Le gîte est souvent misérable et pas toujours assuré. Méfiants, certains villageois refusent d'héberger des pérégrins car des « démons errants » peuvent s'accrocher aux voyageurs... Et si on les laisse entrer ils risquent de s'installer dans la maison... Mais quelle tranche d'ethnographie chez ceux qui acceptent ! Dans son livre, Alexandra dit le pittoresque des rencontres faites à l'occasion de ces nuitées chez l'habitant ! Pour faciliter l'accueil, Yongden annonce Alexandra comme une « *khadoma* » du Koukou Nor : « Les *khadomas* sont des génies féminins qui, d'après les Tibétains, s'incarnent parfois dans notre monde. Certaines personnalités religieuses féminines du Tibet sont ainsi tenues pour être des *khadomas* incarnées. » Vêtue de sa tenue de lamani, Alexandra accepte avec un certain plaisir ce nouveau rôle, somme toute... flatteur. En contrepartie elle doit parfois célébrer les rites inhérents à sa fonction. L'expérience aidant, elle s'en acquitte avec une telle conviction que personne n'oserait soupçonner la « khadoma » d'imposture ! Parfois existe quand même une auberge, ainsi dans le petit hameau de Sasoma ; elle est tenue par un Chinois qui fait aussi fonction d'usurier, voire de trafiquant.

Dans les régions calmes les voyageurs portent leurs vêtements habituels : des tenues de religieux « lamaïstes ». Le 30 mars, Alexandra arrive à Labrang (Lhabrang-Tachikyil) : une merveille ! C'est l'un des monastères les plus importants du Tibet historique. Appartenant à l'École des Bonnets Jaunes, il fut construit au début du XVIIIᵉ siècle. Une riche bibliothèque fait toute la réputation de la cité monastique, ainsi que ses collèges universitaires.

Le secteur vient d'être victime d'une opération punitive menée par les troupes du général Ma ! Ce dernier a réglé à sa manière le conflit qui avait opposé l'intendant du monastère (accusé d'avoir fait fortune aux dépens de la gompa, et de mener une vie dissolue) à l'abbé, son ancien maître. Le général en avait profité pour tenter de soumettre cette région tibétaine un peu trop indépendante selon lui. Alexandra connaissait le général, mais aussi l'« accusé » qui s'était exilé auprès du chef militaire. Grâce au soutien du général, le vilain intendant avait pu se réinstaller au monastère : il reçoit Alexandra avec tous les honneurs et l'invite à séjourner à la gompa. Mais la dame lama préfère loger plus simplement à l'auberge du village : elle n'est que de passage, et son train de vie ne lui permettrait pas d'honorer ses hôtes, comme l'usage le voudrait, en leur offrant moult cadeaux ! C'est elle qui va recevoir de nombreux présents en nature : « plusieurs carcasses de moutons, les unes fraîches, les autres séchées, une vingtaine de pièces de beurre, du fromage, du sucre, du thé, de la farine d'orge, du grain pour les mules. Il y avait là de quoi nous nourrir tous pendant plus de quinze jours ».

(*Au pays des brigands gentilshommes*). Et le village défile à l'auberge en quête d'une bénédiction de la *khadoma* ! Alexandra visite ensuite le monastère. Elle accepte une invitation du nouveau supérieur, un jeune *tulkou* qui est encore un enfant (l'ancien abbé avait maintenant quitté ce monde et son successeur venant d'être reconnu depuis peu).

Les jours suivants se déroulent sans événement notable. Alexandra, qui a la peau hâlée par le soleil, endurcie par le vent, passe sans problème pour une authentique lamani asiatique. Les villageois se rendent bien compte qu'elle n'est pas de la région ; ils posent des questions… Mais l'Asie est immense, et les types humains multiples : Alexandra vient de Mongolie ou d'Indochine, selon les moments et les interlocuteurs ! La présence des serviteurs tibétains conforte son personnage, mais la performance est réelle ! Un passé de comédienne peut aider dans certaines circonstances…

Des incidents cocasses se produisent parfois, ainsi quand Yongden déclare aux habitants d'un village que la *khadoma* est âgée de cent ans ! Confondus d'admiration devant le bon état de la centenaire, les braves villageois lui offrent toutes sortes de présents comestibles. Les incidents peuvent être moins agréables, ainsi lorsque les serviteurs sont pris à partie par des querelleurs, ou quand le nommé Sotar ne sait pas tenir sa langue sur l'identité de la lamani. Jusqu'ici Aphur a toujours réussi à sauver la situation, mais le risque d'être démasquée inquiète Alexandra.

Vers Taochou et Choni, la population devient presque exclusivement chinoise. La caravane s'arrête pendant quatre jours à Minchow car un domestique s'est fait une entorse. Alexandra a fait monter les tentes dans la cour d'une auberge située à l'extérieur des fortifications. Un soir, l'aubergiste annonce qu'une bande de guette-chemin opère dans les environs. Les domestiques montent un tour de garde. Des coups de feu claquent au loin, mais rien du côté de la ville...

Alexandra écrit à son mari :

« Voici, mon bon Mouchy, la *dernière* vraie lettre que je t'écrirai d'ici bien longtemps. Avec la nouvelle étape mon strict incognito va commencer. Ici, celui-ci n'est que superficiel et je ne me soucie pas de ce que peuvent ou non deviner, à mon sujet, les gens de la poste. Ce que j'ai bien compris, depuis que je m'essaie à cet incognito, c'est son immense avantage. Les prix sont moins élevés pour tout ce dont on a besoin, les gens plus souriants, plus obligeants, on n'est pas en but à une curiosité dénuée de sympathie qui finit par fatiguer les nerfs. On peut pousser son nez partout, regarder, apprendre des choses intéressantes. Au point de vue sécurité, il y a du pour et du contre. Dans les grandes villes où résident les hauts fonctionnaires chinois il peut être mieux de revendiquer son titre d'Étranger. En dehors de ces sphères, mieux vaut ne pas attirer l'attention. Le vent qui souffle en ce moment sur la Chine n'est pas empreint de sympathie pour les Étrangers ; il s'en faut. [...]

... Comme je te l'ai bien demandé, ne me fais pas rechercher, cela en aucun cas, cela pourrait, non seulement contrarier mes plans, mais me mettre en danger. Mongols et autres gens de ce genre n'aiment pas être trompés et, faute de saisir la nuance, en viendraient tout droit à croire que je suis un faux lama, que je contrefais leurs religieux, vole leur respect et nourris de mauvais desseins ; toutes choses très loin de la vérité. Tu te rends bien compte de cela n'est-ce pas ?

[...] Il me reste à t'exprimer une fois de plus ma grande, ma très sincère reconnaissance pour tout ce que tu as fait pour moi depuis mon départ. Je te dis la joie d'avoir vécu selon mon désir et bien rares sont ceux qui réalisent ce rêve de vivre la vie à laquelle leur nature les porte. Mes parents m'ont contrecarrée de toutes les façons imaginables depuis ma petite enfance où il m'était interdit de jouer et d'avoir de petites amies de mon âge. Plus tard, cela a été la lutte pour l'existence qui m'a entravée, malgré les lueurs qui se sont alors produites ; voyages, heures de loisir et d'étude. Ces dernières années durant lesquelles tu m'as donné la liberté de « marcher selon mon cœur » comme dit l'Ecclésiaste, ont été parfaites en tout et ont fait que la vieille femme que je suis devenue pourra quitter ce monde sans chagrin, ayant véritablement eu de lui, ce qu'elle en désirait. Avec le caractère que tu me connais, tu sais ce que cela vaut pour moi, mesures y l'étendue de ma gratitude et de mon affection pour toi. »

Lettre du 15 avril 1921. Minchow.

Le 16 avril, la caravane reprend la route en direction de Siku (Zhugqu). Le chemin est difficile, la montagne escarpée, les éboulis dangereux, les rivières torrentielles : au prix d'efforts permanents gens et mules passent quand même. Les portes des murailles qui entourent la ville se ferment à l'approche du groupe ! On se méfie des maraudeurs. Yongden, par prudence, se présente comme un lama allant en pèlerinage, accompagné de ses serviteurs. On les autorise à entrer dans la ville et à loger à l'auberge. Alexandra pensait y acheter des provisions de route : il n'y a rien à vendre hormis un peu de farine !

Puis c'est l'avancée vers Nanping, un chemin encore très difficile à cause des montagnes, les « Alpes du Sseu-Tchouan » des anciens géographes. Villages rares, pauvres, peu hospitaliers : il faut vivre sur les réserves emportées. Alexandra se résout à manger du mouton séché. Elle trouve parfois des pissenlits, une « nourriture de sauvage » dit-elle.

La caravane progresse à la lisière de la province chinoise du Sseu-Tchouan, agitée elle aussi par des troubles qui mettent aux prises civils, soldats et brigands. Les rencontres avec les villageois ne sont pas toujours cordiales. La Révérende n'hésite pas à employer la manière forte en cas de nécessité : elle ordonne alors à ses gens de sortir les armes ou de « taper » les individus visiblement animés de mauvaises intentions. C'est la seule solution si l'on ne veut point se laisser détrousser. Une caravane modeste, conduite par des inconnus, est toujours une aubaine dans ces vallées isolées ; les mules sont belles et les bagages encore volumineux... Alexandra a choisi d'éviter les grandes routes afin de gagner discrètement celle de Tatsienlou à Lhassa, mais ce n'est pas sans dangers !

Une étape intéressante se présente quelques jours après Nanping : le monastère de bönpos de Tagyu. Des cérémonies doivent y avoir lieu le lendemain pour un défunt. Alexandra est autorisée à planter ses tentes dans la cour principale du monastère. Contrairement aux bouddhistes tibétains les bönpos enterrent leurs morts. Inspirée par un recul qui ne lui fait jamais défaut, Alexandra note par ailleurs :

« Le Lama me demande deux mo[1], l'un pour l'emplacement d'un cimetière, l'autre pour celui de sa gömpa. C'est un gros compère bruyant et buvant sec. La gömpa est pleine de villageois, le soir la plupart sont saouls. Je demeure dans ma tente, la nuit un violent orage m'y inonde. Le lendemain est jour de jeûne et de silence pour les villageois. Les vieilles ne peuvent se contenir et marmottent les lèvres serrées en forme de groin. Les jeunes se battent avec les gars à

---

1. *Mo* : pratiques divinatoires.

coups de moulins à prières. Tout le monde processionnent en hurlant. »

Notes – Cahier « Voyage vers Lhassa 1 ».

Encore des jours de chevauchée ou de marche harassante dans les montagnes boisées des confins du Sseu-Tchouan et du Kan-Sou, parfois sous la pluie ou l'orage. Puis c'est la descente sur la petite ville chinoise de Sungpan, où ils arrivent le 15 mai. Enfin trois jours de repos dans une bonne auberge musulmane. La petite troupe circule alors dans la région très accidentée située au contact entre les hauts plateaux tibétains et la Chine. Sur une distance ouest-est de quelques centaines de kilomètres, les altitudes moyennes passent de 4 000 m (au Tibet) à 700 m (dans la plaine de Chengtu).

Entre Sungpan et Mochow (Maowen) le sentier vertigineux longe la rivière Minjiang en courant à flanc de versant. Les passages trop pentus avaient jadis été aménagés en escaliers dallés, mais ceux-ci n'ont pas été entretenus. L'avancée sur ces marches effondrées, irrégulières et dangereuses, fatigue aussi bien les animaux que les hommes. Il faut souvent mettre pied à terre. Alexandra est fourbue, d'autant qu'il n'y a aucun espace plat pour monter les tentes… Malgré la peine qu'elle éprouve à avancer dans de telles conditions, elle ressent une immense joie à accomplir ce circuit « hors des sentiers battus » ! C'est peu dire…

« Nous avons fourni des étapes de 60 km par jour par ces mauvais chemins. S'arrêter n'est pas aisé. Les auberges sont rares, camper est impossible, tout le terrain est en champs cultivés sauf les pentes rocheuses des montagnes qui sont à pic. La saleté des villages est impossible à narrer. Les gens couchent dans les écuries. Nous procurer un recoin où nous pourrions Aphur et moi, nous isoler un peu la nuit était d'une extrême difficulté. Et, là, tu peux imaginer comment l'on se reposait des fatigues de la journée. Il n'était pas

271

question de se déshabiller bien entendu. On n'osait même pas ouvrir ses sacs pour en tirer des couvertures tant la saleté environnante était effrayante… Il fallait se contenter de somnoler un peu dans sa pelisse de fourrure, jusqu'à l'heure du départ matinal.

[…] Ma santé est très bonne, meilleure encore qu'à Kum-Bum. L'exercice violent que je prends, cette vie au grand air me conviennent, les rhumatismes ont disparu et, n'était cette sorte d'urticaire dont je souffre et qui me tourmente fort la nuit, je serais tout à fait bien. […] Je monte une grande mule très forte qui passe partout, mais dans les descentes, souvent, deux hommes doivent la tenir, un de chaque côté pour la soutenir et ainsi glissant, sautant, dégringolant, et bêtes et gens arrivent au bas de la côte.

[…] Le petit, lui, est précieux d'une autre façon. C'est lui qui achète, marchande, change l'argent et essuie toutes les querelles et les discussions sans fin que ces opérations entraînent en Chine.

Lettre du 24 mai 1921. Mochow.

À ce moment-là, Alexandra expérimente une nouvelle tactique : elle renonce à son semi-incognito et décide au contraire de se faire remarquer comme étrangère ! Elle sort des bagages les seuls vêtements occidentaux qui lui restent : des gants et des imperméables pour elle et pour Yongden, des « pèlerines à capuchon » pour les domestiques. C'est donc en tenue de pluie, passée sur les vêtements lamaïques, que la caravane entre dans Mochow (Maowen)… sous un soleil de plomb ! La voyageuse misait sur le respect qu'imposent encore les étrangers en Chine pour décourager les voleurs éventuels. Dans cet accoutrement fort disparate, Alexandra est prise pour une « Hsi fan », raconte-t-elle :

« Oh ! mon humiliation !… Hsi fan est l'un des noms que les Chinois donnent aux Tibétains et il n'est guère complimenteur car il signifie à peu près "sauvage". Ainsi, malgré mon manteau américain, mes gants fabriqués en France,

272

Alexandra David-Néel adolescente.

Philippe et Alexandra dans l'ancien palais

arabe aménagé par Philippe, rue Abd' el Wahab, à Tunis.

En tenue de tibétaine, Alexandra est assise en compagnie
de quelques nonnes du petit monastère de Chorten Nyima,
au pied du versant tibétain de l'Himalaya au nord de Sikkim
(octobre 1914).

Alexandra et Yongden rencontrèrent E. Kawaguchi au Japon
en 1917.

Alexandra et Yongden vers 1920-1923.

Août 1921, Alexandra à Kanzé, au Tibet,
avec des chefs du pays de Hor.

Alexandra David-Néel à son retour en France après un séjour
de quatorze ans en Asie, vers 1928-1930.

mon nez dûment pointu de femme blanche et les vêtements "étrangers" de mon escorte, je ressemblais à une Hsi fan ! »

Au pays des brigands gentilshommes.

La contrefaiture n'ayant rien donné, les waterproofs sont remisés dans les bagages ! Et c'est une caravane typiquement « tibétaine » qui quitte la bourgade, non sans avoir fait réserve de provisions.

À Weitchou la caravane quitte la route de Chengtu pour s'enfoncer dans les Marches tibétaines qui bordent l'ouest du Sseu-Tchouan. Les difficultés du terrain continuent : quand ce n'est pas la montagne qui s'éboule en avalanche dans une rivière, c'est justement une rivière qu'il faut traverser dans des conditions acrobatiques, « sur des ponts de bambou et de cordes tressées », ondulants et branlants à souhait. Le plus délicat est le passage des mules, si solides sur la terre ferme, si malhabiles sur ces superbes ouvrages d'art : leurs sabots se prennent entre les troncs de bambou. Les pauvres bêtes s'y enfoncent parfois jusqu'au poitrail.

La sous-préfecture de Foupien est le cadre d'une mésaventure. Alexandra et ses hommes y sont arrêtés par le fonctionnaire chinois représentant l'autorité du lieu. Il juge les passeports périmés et prétend inspecter tous les bagages (surtout le sac de Yongden dans lequel il a aperçu des lingots d'argent), saisir le fusil de Sotar, envoyer Togbyal en prison... Alexandra menace d'alerter le consul de France qui réside à Chengtu. Elle prépare une lettre pour celui-ci, puis une seconde pour le consul britannique (Yongden est de nationalité britannique). Le groupe est bel et bien coincé. Les hommes de la Révérende ne possèdent pas d'autorisation de port d'arme, ce qui est contraire au règlement. Les choses risquent de s'éterniser car personne ne veut perdre la face ! Au bout de deux jours, le sous-préfet laisse pourtant repartir la caravane : sans le savoir, Alexandra vient de recevoir l'aide d'un compatriote qui, ayant eu vent de l'incident, a tout de suite envoyé un messager pour demander au fonctionnaire de cesser ses tracasseries sous peine d'ennuis avec le consul. Ce compatriote secourable est le Père Charrier, responsable de la Mission catholique de Sinkaïtze – Mow Kong Ting, située à 50 km au sud de Foupien, dans la même vallée. Si Alexandra raconte l'arrestation de son groupe dans son livre *Au pays des brigands gentilshommes*, elle ne fait pas état de l'aide apportée par le missionnaire. C'est aux Archives des Missions Étrangères de Paris que j'ai découvert le récit de cette présence providentielle[1]. Alexandra apprend ainsi l'existence de la Mission où elle se présente trois jours plus tard.

Sinkaïtze est le nom tibétain de la localité, Mow Kong Ting le nom chinois (actuel Xiaojin). Après tant de jours difficiles, quel réconfort de rencontrer ce dévoué compatriote qui est « des plus aimables », écrit Alexandra dans sa lettre du 4 juillet 1921. Il lui propose de loger autant de temps qu'elle le souhaitera dans une bâtisse destinée à devenir bientôt une école de filles. La dame lama et sa bande de Tibétains peuvent ainsi se reposer pendant douze jours dans la relative sécurité de la mission.

Le Père Charrier est sans doute tombé des nues en découvrant le comportement de cette invitée pas comme les autres. Tous les après-midi, le prêtre, qui n'est « pas bigot du tout » vient discuter avec Alexandra, il se réjouit de parler le français, de telles occasions sont si rares ! Elle-même apprécie à sa juste valeur l'aide qu'il lui a apportée et prie son mari de lui envoyer « une carte

---

1. Archives des Missions Étrangères de Paris, 5e Cahier du Père Charrier (1918-1929).

avec quelques mots aimables de remerciements ». (Lettre du 4 juillet 1921).

Le parcours devient extrêmement difficile après Sinkaïtze : les rivières torrentielles sont gonflées par les pluies, les sentiers boueux, souvent effondrés, dangereux. L'un des domestiques tombe à l'eau où il manque de se noyer, deux mules glissent du chemin qui s'est éboulé. Plus loin il faut traverser la rivière tempétueuse à gué, avec de l'eau jusqu'aux hanches (Alexandra et Yongden traversent à dos d'hommes, aidés par des Tibétains qui passaient par là). Les choses prennent mauvaise tournure lorsque après une querelle, suivie de réprimandes, les trois domestiques quittent le groupe, laissant en plan la dame lama, son fils, les mules et tous les bagages ! Force est au chef d'expédition d'appeler trois villageois à la rescousse pour conduire les bêtes.

Les trois domestiques reviennent penauds, mais la lamani renvoie Sotar qui la servait depuis Kumbum. La voyageuse circule maintenant dans les Marches Tibétaines où plusieurs missions catholiques ont réussi à s'implanter. La « Mission Thibet » est alors placée sous l'autorité de Mgr Giraudeau, un éminent orientaliste qu'Alexandra regretta de n'avoir pas pu rencontrer.

La caravane passe par les missions de Rumichangu (Danba), tenue par un prêtre chinois, le Père Hiong[1] et par celle de Taou où Alexandra rencontre un autre Français : « l'abbé Joseph Davenac qui est du Puy et réside depuis douze ans dans la région[2] ». Ce religieux avait subi naguère des tortures infligées par des Tibétains. Alexandra reste dix jours à Taou. Faute de pouvoir trouver un logement correct, elle a installé sa tente « à la

---

1. Comptes rendus annuels des travaux de la Société des Missions Étrangères de Paris (année 1922).
2. Lettre du 27 juillet 1921.

tibétaine », « sur le toit, dans la galerie à sécher le fourrage » d'une maison indigène. L'abbé vient « luncher »
avec sa compatriote et lui achète sa petite mule. Le
mandarin local fait un présent de grains à la dame de
passage.

C'est à Charatong que réside le seul missionnaire qui
refusa d'héberger Alexandra et son escorte : elle parle du
« *Père A...* » : il s'agit du Père Alric, qui mourut tragique-
ment dans un tremblement de terre deux ans plus tard,
au même endroit[1]. Charatong est la dernière mission
chrétienne des Marches Tibétaines. L'intérieur du Tibet
reste le fief exclusif des religions locales, « lamaïsme »
et bön.

Alexandra hésite : où aller maintenant ? « Mes nouveaux plans sont encore très flottants. Cette indécision
me fatigue plus que ne l'ont fait mes six mois de route. »
Depuis l'aventure de Foupien, elle se méfie. La voici au
Kham : autant en profiter pour aller visiter Kanzé, « la
capitale des tribus Horpa, un centre important situé sur
la route des caravanes qui transportent le thé de la
Chine à Lhassa ». De là elle pense descendre sur Batang
où elle pourra se reposer et se faire soigner, car à la fatigue du parcours s'ajoute présentement une crise d'enté-
rite. Batang, située à environ 200 km au sud-ouest de
Kanzé, possède un hôpital dirigé par des médecins-mis-
sionnaires protestants, anglais et américains.

À Kanzé les autorités locales lui procurent un logement agréable dans une maison qui domine la bourgade. La voyageuse est reçue dans la famille du
gouverneur. Cependant le magistrat lui refuse l'autorisation de se rendre à Batang. Le prétexte est l'insécurité : l'orientaliste est sommée de poursuivre sa route

---

1. Comptes rendus annuels des travaux de la Société des Missions Étrangères de Paris (année 1923).

vers Dergé. Or cette ville, située à l'ouest-nord-ouest de Kanzé, est placée sous l'autorité du gouverneur de Lhassa, donc... en territoire interdit ! Alexandra redoute un piège, mais elle n'a pas le choix. Il n'est pas question de désobéir ; d'ailleurs elle peut voir ce qu'il en coûte de se rebeller : deux brigands qui étaient gardés dans les geôles de Kanzé sont justement exécutés ce jour-là, sous ses yeux...

C'est la deuxième fois que les autorités locales contre-carrent ses projets de route. La frontière avec le Tibet intérieur se trouve près du hameau de Zacco. La cara-vane avait déjà été signalée quand Alexandra s'y pré-sente. Le « *ripeune* » responsable de l'ordre public, laisse passer le groupe et informe les autorités de Dergé. Il n'est plus question d'incognito désormais ; la dame lama est surveillée de près. « Je suis devenue une sorte de juif errant condamné à marcher sans but », pense la voyageuse désabusée.

Les gîtes d'étapes sont d'une rusticité qui n'étonne plus personne. Ils varient entre le camping dans la nature, le bivouac sur le toit plat d'une maison, l'héber-gement dans un ancien palais récemment pillé et incen-dié, l'étable commune avec les animaux de la famille d'accueil ; la maison confortable de Kanzé fut assuré-ment une belle exception... Le camping n'est d'ailleurs pas conseillé à cause de tous ces détrousseurs signalés ici ou là : c'est le pays des brigands... et sont-ils vrai-ment toujours « gentilshommes » ?

Voici le monastère de Dzogstchen. Bien que de petite taille il accueille environ mille moines[1]. Alexandra est

---

1. E. Teichman : *Travels of a Consular Officer in Eastern Tibet together with a History of the relations between China, Tibet and India.* Cambridge, at the University Press. 1922.

heureuse de découvrir cette gompa, fameuse dans tout le Tibet. C'est là qu'officie l'un des chefs de la lignée dite du « Grand Accomplissement », d'où la réputation du lieu. Le site, d'une « désolation farouche », présente cette harmonie parfaite, si impressionnante au Tibet, entre l'architecture des bâtiments et l'austérité grandiose du cadre naturel. Les monastères se dressent tels des forteresses à l'abri d'âpres montagnes.

À sa grande surprise, la voyageuse est invitée par le supérieur de la gompa : il la connaît de réputation. Jamais Européenne ne fut aussi célèbre au pays des Khampas ! C'est que le lama du Koukou Nor, qu'elle avait accompagné de Pékin au Kan-Sou, était élève de cette gompa : il avait parlé d'elle, comme l'avaient fait aussi d'autres religieux, rencontrés à Kumbum.

Avec une caravane augmentée de plusieurs yaks porteurs et de deux marchands tibétains qui se sont joints au groupe, la célèbre lamani reprend la route en direction de Dergé. Toujours obstinée, elle garde encore l'espoir de pouvoir descendre sur Batang à partir de cette ville. Le trajet, commencé dans les meilleures conditions, est vite interrompu : sur fond musical de trompettes tibétaines, un groupe de cavaliers s'avance. Le chef présente ses civilités à la dame lama. C'est un « officiel », un « *gyapeune* », l'équivalent d'un commandant. Il enquête sur le meurtre de deux voyageurs et le vol de leurs animaux. Au cours de la discussion, Alexandra apprend que le « *ripeune* » de Zacco n'aurait pas dû la laisser passer et qu'elle doit retourner à Dzogstchen ou, mieux, au poste-frontière ! Jamais de la vie ! Elle n'entend pas rebrousser chemin... Et voilà les deux adversaires lancés dans des palabres qui durent... plusieurs jours. Chacun campe avec fierté dans sa tente... Il ne faut en aucun cas perdre la face ! Alexandra usera encore une fois de ses talents de comédienne pour sortir de cette situation de blocage : nous laissons au lecteur le plaisir de découvrir la fin de la « pièce » dans son livre « *Au pays des brigands gentilshommes* » !

La voyageuse se résout finalement à changer de direction, sans toutefois revenir sur ses pas ! Elle marche maintenant vers Jyekundo (vers le nord-ouest), où le convoi arrive le 15 septembre 1921. C'est le début de l'automne... Alexandra ne sait pas encore qu'elle restera presque un an dans cette petite ville qui n'était pas prévue au programme initial de ses pérégrinations.

Dix mois à Jyekundo et un serment : septembre 1921-juillet 1922

15 septembre 1921 : l'arrivée à Jyekundo

Poussée par les circonstances, Alexandra arrive donc, « fort ébahie », dans une localité où elle n'avait jamais eu l'intention de se rendre : Jyekundo, « sKye-rgu-mdo » pour les tibétologues. Dans sa correspondance, la voyageuse écrit Jakyendo. La petite ville s'appelle aussi Cherku (nom chinois) ; sur nos cartes contemporaines elle porte le nom de Yushu.

> « On ignore généralement que le Thibet se divise, à l'heure actuelle, en deux zones distinctes : celle qui est restée soumise à la Chine et celle qui a été conquise par les troupes du dalaï-lama, formant un soi-disant Thibet[1] indépendant. Dans la première de ces zones, les étrangers circulent librement ; la seconde leur est strictement fermée, à moins qu'ils n'obtiennent une autorisation du gouvernement britannique. »

Souvenirs d'une Parisienne au Thibet.

---

1. Il s'agit bien du mot « Thibet », naguère écrit avec un h.

Dans la première narration de son voyage à Lhassa, l'exploratrice rappelle ainsi la partition du Tibet. D'après les documents de l'époque, cette frontière entre les deux Tibet passe à une centaine de kilomètres au sud de Jyekundo, entre Nangchen et Riwoché. Alexandra ne dispose bien sûr d'aucune autorisation britannique pour circuler au Tibet indépendant. À vrai dire, elle n'a pas admis son expulsion du Sikkim : parvenir à Lhassa serait pour elle une revanche... C'est même un défi qu'elle semble avoir lancé aux autorités britanniques !

En 1921, Jyekundo est une bourgade située au sud de la province du Koukou Nor, un poste chinois avancé dans le Tibet traditionnel. Bâtie à 3 780 mètres d'altitude, à la croisée de deux grandes pistes : celle de Sining à Lhassa, et celle de Tatsienlou à Lhassa par Kanzé, la localité occupe une position stratégique. Elle a été édifiée dans une vallée herbeuse de 2 km de largeur, à la confluence de deux rivières. Une gompa la domine, où vivent 300 à 400 moines, établissement de taille moyenne pour le Tibet.

Jyekundo est sous le contrôle militaire du général chinois de Sining, le général Ma P'u-Chou, que connaît Alexandra. Dès son arrivée elle se présente aux autorités chinoises. Le « mandarin local est un homme lettré, extrêmement aimable » qui la reçoit avec courtoisie et lui trouve un logement. Les habitations sont de petites maisons basses, en terre battue, à toits plats, totalement dépourvues de confort.

La bourgade n'est pas inconnue des explorateurs qui... s'y firent souvent refouler avec violence : ainsi en 1891 Rockhill avait dû fuir le village durant la nuit En 1894 le premier émissaire de la mission Dutreuil de Rhins y fut accueilli à coups de pierres ; l'expédition fut attaquée alors qu'elle remontait vers Sining, et Dutreuil de Rhins fut assassiné[1]. L'« accueil » très différent que reçoit Alexandra de la part des autorités montre bien qu'elle jouit d'un statut particulier.

Très vite, Alexandra s'aperçoit qu'un séjour dans cette bourgade présente peu d'intérêt et beaucoup d'inconvénients : manque absolu de confort, absence d'éclairage (« Il n'y a ni lampe ni huile d'éclairage à Jakyendo »), difficulté de ravitaillement en combustible (« On obtient avec peine de la bouse de yak séchée ») et en nourriture (les vivres sont « rares et chers »), enfin malpropreté dissuasive (« Les gens de Jakyendo sont d'une saleté inénarrable. »). La nourriture de base, la farine d'orge appelée « *tsampa* » coûte quatre fois plus cher qu'à Dankar.

Après deux semaines de repos et de réflexion, Alexandra échafaude de nouveaux plans. Il faut qu'elle quitte ce bourg perdu où déjà elle se sent mal : « L'ennui, et une quinzaine de jours passés dans un mauvais logement en étaient, je crois, la seule cause, et le grand air va me remettre », écrit-elle à Philippe le 1er octobre 1921.

> « Nous comptons gagner, vers les premiers jours de décembre, des campements mongols au sud-est du Turkestan chinois et pouvoir y louer une yourte ou deux (ce sont ces tentes rondes couvertes de feutre), on y est très chaudement et beaucoup mieux que dans un sale taudis de village. »

Lettre du 1er octobre 1921. Jakyendo.

---

1. F. Grenard : *Le Tibet et ses habitants. Mission Dutreuil de Rhins dans la Haute Asie*. Armand Colin. 1904.
A. Migot : *Au Tibet sur les traces du Bouddha*. Réédition Éditions du Rocher. 1978.

Le 3 octobre 1921, Alexandra, ses gens et les mules quittent Jyekundo en direction de l'ouest... La tentative est hardie, elle dépasse même la témérité. Alexandra n'en dit pas plus sur son trajet, mais gagner le Turkestan chinois signifie parcourir en hiver 800 à 1 000 km dans les immensités splendides mais inhabitées, et sans abris, du nord du Tibet, traverser aussi quelques chaînes de montagnes ! Ces vastes étendues n'offrent aucun refuge possible : pas d'arbres, pas de villes, pas de cités monastiques dans les « solitudes herbeuses ». C'est le domaine exclusif des *dokpas*, les éleveurs nomades ; c'est aussi celui du vent, glacial et parfois violent en hiver. La neige n'est pas à craindre, car peu abondante au cœur du Tibet.

Le matériel indispensable consisterait en une tente tibétaine d'hiver, l'une de ces tentes noires faites en tissu de poils de yak enduit de graisse : Alexandra n'en possède pas. Ces tentes traditionnelles, bien équipées, sont parfaitement adaptées aux rudesses du climat. Et puis il faudrait un guide, car les hommes de la lamani ne connaissent pas la région, elle-même ne possède que des cartes peu détaillées.

Le 30 novembre 1921, deux mois plus tard, Alexandra écrit à nouveau... de Jyekundo : sa tentative a échoué. De retour dans la localité, elle raconte à son mari :

« Ayant allégé notre bagage jusqu'au point de manquer même du nécessaire et chargeant nos mules de grain pour leur alimentation, nous partîmes tous à pied. Après une dizaine de jours difficiles mais supportables, nous arrivâmes à des plateaux élevés, et perdîmes notre route dans les bourrasques de neige. Ensuite, devant traverser des cols plus haut perchés encore, nous fûmes réellement en danger. [...] La couche de neige, en certains endroits, nous montait jusqu'à la ceinture. Je dus ordonner de revenir en arrière et le retour, je te l'assure, fut suffisamment pittoresque et pénible aussi. Nous étions tout seuls dans l'immensité blanche ; de grands loups gris venaient familièrement rôder autour de nous... »

Lettre du 30 novembre 1921. Jakyendo (Cherku).

C'est durant ce parcours qu'Alexandra passe le cap des 53 ans. La caravane est allée jusqu'à Tachi gompa, par les cols Poumo et Dze, un trajet particulièrement dur si l'on en juge par les dires de Fernand Grenard qui effectua le parcours en 1894, confirmés par ceux d'André Migot qui s'y rendra lui aussi par la même piste au cours de l'été 1947. Le col de Dze avec 5 275 mètres est le plus élevé du Tibet oriental. Tachi gompa se situe à environ 200 km à l'ouest de Jyekundo. Alexandra et ses gens ont quand même parcouru plus de 400 km aller-retour dans des conditions de difficulté extrême ! C'était la mort assurée que de continuer. La voyageuse est certes audacieuse mais pas suicidaire. Elle a aussi le sens des responsabilités : la survie du groupe dépendait de sa décision. Le retour à Jyekundo représentait la sagesse.

Nullement découragée, la dame lama, peu de temps après son retour, songe déjà à une autre sortie, par le sud, vers Tatsienlou et Batang. Les reconnaissances menées par Aphur Yongden se révèlent pessimistes puisque Alexandra se résigne à passer l'hiver à Jyekundo : Yongden trouve une maisonnette de trois pièces, avec un hangar, un peu moins sale que la précédente : « La nuit, bien entendu, il gèle dans la pièce, mais je ne suis jamais arrivée tout à fait à – 10°. Je n'ai donc pas souffert. Les gens bien portant – et je suis du nombre – réagissent contre le froid et le chaud et s'y acclimatent. » (Lettre du 14 janvier 1922.)

Depuis les bourrasques d'octobre, le temps s'est amélioré, devenant sec et ensoleillé, avec un ciel radieux.

Les rivières sont en partie gelées, le paysage étincelant. Le quotidien reste cependant peu aisé : « Mes gens ne savent comment laver notre linge maintenant que l'eau des rivières est glacée. Tout ce que l'on y trempe devient instantanément rigide. » (Lettre du 14 janvier 1922.)

La tranquillité n'est, hélas, pas plus garantie ici qu'à Labrang ou ailleurs. Des rumeurs circulent, on parle de combats, « d'attaque des Chinois par les Tibétains ou l'inverse. Les Russes descendant de Mongolie s'alliant aux musulmans du Turkestan et se répandant qui sait où ?... » On entend aussi parler « d'un chef dont la nationalité est douteuse – ni Chinois ni Tibétain, ni Mongol – avec de nombreux soldats. » (Lettre du 28 janvier 1922.) Au cas où un malheur surviendrait, Alexandra recommande Aphur à son mari...

Début février, la dame lama assiste aux fêtes du Nouvel An, sans comparaison « dans ce trou » avec celles de Kumbum. Mais le temps est magnifique et l'animation plaisante. Nous sommes en février. Ne serait-ce pas le moment de tenter une nouvelle sortie, maintenant vers le sud, plus facile d'accès ? Il faut partir, cette fois pour de bon, avec l'espoir d'atteindre enfin Lhassa !

Février 1922 : la sortie vers le sud, jusqu'au-delà de Riwoche

« Départ ! Un de plus. Est-ce que cela compte vraiment encore pour quelque chose dans ma vie de voyageuse, ce petit fait banal : partir ? Pourtant, parmi tant de départs, les uns joyeux les autres voilés de mélancolie, celui-ci va marquer : non qu'il doive me mener vers des aventures surprenantes ou des pays merveilleux, mais simplement à cause de l'étrangeté dont lui-même est empreint. »

Manuscrit non daté. Archives de la Maison Alexandra David-Néel.

Contrairement à ses habitudes, la voyageuse tient un journal de route : elle écrit cinquante et une pages à l'encre noire ou bleue, sur des feuilles de papier tibétain qu'elle broche avec un fil. Le texte ne porte pas de titre, ni de date. Les jours ne sont qu'ordonnés : 1er jour, 2e jour... Seuls, les noms de lieux cités montrent qu'il s'agit bien de la tentative de sortie de Jyekundo vers le sud. La date de cette escapade figure cependant dans la première relation du voyage au Tibet, *Souvenirs d'une Parisienne au Thibet* : février 1922.

Ils sont quatre à partir : Alexandra, Aphur et deux domestiques, Lobzang et Sonam. Alexandra considère maintenant Yongden comme son fils, elle lui a même donné un prénom occidental : Albert ! Forte de ses échecs antérieurs, la dame lama a mis au point une tactique astucieuse pour parvenir à franchir la frontière du Tibet interdit et à y circuler en toute liberté : elle-même et Lonzang, habillé en trapa, partiront à pied, sac au dos, en emportant une petite tente de camping. Yongden et Sonam quitteront Jyekundo quelques semaines plus tard, avec trois mules portant tous les bagages de la voyageuse. Le long de la route, Alexandra laissera des messages, et les quatre voyageurs se retrouveront discrètement à un endroit convenu. Qui oserait imaginer que cette vieille femme du peuple, circulant à pied avec sa besace sur le dos, pût être une étrangère ?

Le parcours débute par le même chemin que lors de la tentative précédente, puis la route plonge vers le sud, en direction de Rakshi gompa, Nangchen, Riwoché, Lhassa (au sud-ouest) ou Batang (au sud-est). C'est en effet la piste de Lhassa, connue des gens du pays et même des explorateurs. (*Carte 22 de l'édition complète*, op. cit.)

Voici venu le moment du départ. Pour la première fois depuis huit ans qu'il la sert, Albert Yongden voit s'éloigner celle qu'il a choisie comme maître, celle qui est devenue désormais sa mère adoptive. La séparation ne se fait pas sans une certaine émotion, mais chacun sait que, malgré les contraintes qu'elle impose, cette formule est un gage de réussite.

Dès les premiers jours Alexandra s'aperçoit que Lobzang n'est pas à la hauteur : il manque des qualités nécessaires à une telle entreprise, à savoir le courage, l'endurance et l'intelligence. Il est paresseux, couard et maladroit ; mais elle ne pouvait quand même pas s'aventurer seule sur les chemins hivernaux... La course sera donc difficile, surtout avec ce temps qui devient épouvantable. Malgré son âge, la dame lama distance le domestique... elle doit l'attendre pour le bivouac. Ils se trompent de route, les nuits sont glaciales. Des grottes permettent parfois de dormir à l'abri du vent. Le premier grand col, le Shung La, est enneigé mais praticable, leur dit-on, c'est celui qui mène à Rakshi. Alexandra ignore son altitude : 4 815 mètres.

Une rencontre opportune le troisième jour : des *dokpas*, qui acceptent de leur louer trois yaks et un guide pour quelques jours. Bien que ces animaux ne soient en général utilisés que pour le portage, Alexandra et Lobzang les adoptent comme bêtes de selle : voilà des conditions quand même plus agréables pour circuler dans la neige ! Plus ils montent vers le col, plus la couche de neige s'épaissit, à tel point que les animaux ne peuvent bientôt plus avancer. Il faut mettre pied à terre pour alléger les yaks, et marcher dans leurs traces. Le franchissement du col se révèle aussi dur pour les bêtes que pour les personnes... En 1925, Alexandra se souviendra encore de l'épreuve qui faillit tourner au drame :

« À nos pieds s'allonge une vallée désolée : pierres et neige, pareille à celle que nous venons de quitter. Il faut descendre en hâte ; le soir tombe déjà ; nous devons nous trouver à environ 5 000 mètres d'altitude et, en février, sans feu, il ne faut pas s'attarder, la nuit, dans ces régions. Chaque hiver, de pauvres pèlerins exténués s'y laissent surprendre ; le cerveau engourdi, pris de vertige, ils tombent et s'enlisent dans les profondes couches de neige qui nivellent les ravins ; ou bien, croyant se reposer pour quelques instants, ils s'endorment à jamais sur le bord du sentier solitaire. On les retrouve à la fonte des neiges ; leurs cadavres charriés par les torrents s'échouent dans les vallées où, parfois, des fragments de squelettes dispersés dans les montagnes racontent seuls leur sort. La chair des pieux voyageurs a régalé les grands loups du désert, mais leur zèle a suscité la naissance d'un bienheureux au paradis de Tchenrézig, et ainsi soutenue par la foi, année après année, siècle après siècle, la dévote procession défile à travers glaciers, forêts et solitudes arides au mystique pays du Thibet[1]. »

Souvenirs d'une Parisienne au Thibet.

La petite caravane avance lentement. Le cinquième jour, il faut abandonner les yaks qui doivent rentrer au bercail avec leur guide. Les deux randonneurs reprennent leur baluchon et la marche continue... Voici une rivière, aux eaux forcément glaciales : Alexandra la traverse sur le dos de son domestique ! Le chemin est maintenant plus dégagé.

Le sixième jour, Alexandra trouve une caverne bien à son goût, c'est là qu'elle attendra Yongden. Dissimulée habilement derrière un buisson, elle guette la route après avoir construit des cairns et planté des drapeaux selon une disposition convenue entre eux : ce sont les fameux signaux. Elle attend six jours dans cet abri

---

1. L'affirmation d'Alexandra à propos des cadavres de pèlerins est conforme aux récits d'autres voyageurs, A.H. Savage-Landor l'évoque dans *La Route de Lhassa – À travers le Tibet interdit*, Phébus, 1897.

confortable et sûr, mais Yongden n'arrive pas et Lobzang déteste l'isolement. Alexandra se décide donc à repartir

Voici la belle gompa de Rakshi. Craignant les bavardages du domestique, Alexandra refuse de s'y arrêter, au grand regret du jeune homme. Puis c'est la traversée du fleuve Dzachu (le haut Mékong) : le dos du domestique fait l'affaire encore une fois. Alexandra mouille ses bottes, mais comme le soleil brille, elles ne gèleront pas sur ses pieds… ce qui arrive parfois ! Jolie route, bivouac dans une gorge, près d'une tente de *dokpas*, nuit froide. La dame lama est harassée ; jamais encore elle n'avait circulé dans des conditions aussi dures, ni porté un sac à dos. La fatigue est telle qu'elle n'en sent d'ailleurs même plus le poids. Lobzang, qui n'a que vingt-six ans, est tout aussi épuisé.

Quatorzième jour : Yongden n'est toujours pas là, Alexandra commence à se poser des questions. Seule, elle changerait de direction, mais cela est impossible sous peine de ne jamais se retrouver. Encore une rivière à traverser. De l'autre côté le chemin se divise en une fourche : lequel suivre ? Lobzang suggère… de s'arrêter : la balade serait assurément bien plus plaisante sans la mauvaise volonté de ce flemmard ! Renseignements pris auprès de *dokpas* rencontrés dans les parages, les deux routes mènent à Nangchen. Alexandra se décide pour l'une des pistes, après avoir laissé un message à son fils. Un cavalier les dépasse et se retourne : catastrophe, c'est leur voisin de Jyekundo, qui les reconnaît. Lui aussi se rend à Nangchen, mais à cheval ! Il sait qu'elle est étrangère… Alexandra sent l'échec au bout de la route. Seule, elle changerait d'itinéraire, mais avec ce système de messages et de rendez-vous, il ne peut en être question.

Vers le vingtième jour enfin, Yongden et Sonam trouvent le signal laissé au passage par l'organisatrice du « jeu de piste » : car c'est bien le terme qui vient à l'esprit quand on connaît le type de signaux utilisés. Mais la difficulté du parcours et la gravité de l'enjeu sont sans rapport avec celui d'un simple rallye-promenade : Alexandra risque sa vie. Les cas sont nombreux d'assassinats d'étrangers dans la région : on a déjà cité celui de Dutreuil de Rhins. C'est dans les environs de Rakshi gompa que le pasteur Rijnhart trouva aussi la mort en 1898.

Les quatre compagnons se rejoignent enfin avec un immense soulagement. Mais la route est loin d'être terminée ; il faut faire semblant de ne pas se connaître, se séparer à nouveau, et redoubler de vigilance...

Alexandra et Lobzang approchent maintenant de la frontière du Tibet indépendant. La plus grande prudence s'impose. Un obstacle imprévu et de taille se présente peu après : un pont métallique au lieu-dit Chakdzam (« pont de fer »). Dépourvu de parapet, il « se comporte comme une véritable balançoire au moindre mouvement. » (*Souvenirs d'une Parisienne au Thibet*.) Comble de malchance : le pont est fermé à chaque extrémité par une porte, et donc certainement gardé. Les deux marcheurs observent la situation en se cachant jusqu'à la tombée de la nuit. Quand il fait noir, ils s'aperçoivent que le gardien est absent et que les portes ne sont pas verrouillées : rassemblant tout leur courage ils franchissent l'obstacle avant le lever du jour. Mais le passage du pont faillit tourner au drame :

> « Le domestique qui m'accompagnait, l'esprit égaré par la peur, fut pris d'une crise de folie soudaine et je dus lutter avec lui sur le pont qui se balançait comme une escarpolette, pour le faire continuer son chemin et empêcher que

nous soyons tous deux précipités dans les rapides qui écumaient au-dessus de nous. Cet épisode compte parmi les plus dramatiques de ceux qui ont émaillé mes pérégrinations en pays tibétain. »

Voyage d'une Parisienne à Lhassa[1].

Les premiers kilomètres dans le Tibet interdit annoncent la grande aventure ! Riwoche est traversé sans dommages. Mais Lobzang s'y attarde et paresse de plus en plus. Trois jours plus tard, les deux compagnons sont arrêtés par des villageois qui leur barrent la route. De leur côté, Yongden et Sonam avaient déjà été stoppés. Fouillés par un fonctionnaire, les bagages d'Albert-Yongden contenaient des appareils photographiques, du papier, un herbier et des instruments qui ne laissaient aucun doute sur le caractère étranger du pèlerin. La petite caravane doit faire demi-tour.

« Une fois de plus mes efforts, la fatigue et les privations endurées avaient abouti à un échec, mais je me refusais à accepter la défaite comme définitive. Lorsque je retraversai le pont de fer, je m'arrêtai un instant, tournée vers le monastère où siégeait le représentant du gouvernement de Lhassa, instrument inconscient de ceux qui inspirent la politique de répression vers la barbarie du soi-disant Thibet indépendant, et je fis silencieusement le serment de renouveler ma tentative et de la renouveler autant de fois qu'il le faudra jusqu'au triomphe, ou que la mort m'ait prise.

Peut-être à ce moment, les dieux du Thibet me regardaient-ils, amusés de ma ténacité, et m'ont-ils souri car ce fut mon dernier échec. Deux ans plus tard, j'étais à Lhassa. »

Souvenirs d'une Parisienne au Thibet.

En ce mois de février 1922, Alexandra jure d'atteindre la capitale interdite ou de mourir ! Elle trouvera un

---

1. *Voyage d'une Parisienne à Lhassa*, note p. 104 de l'édition de 1983.

autre moyen, elle choisira une autre route, elle mettra tout le temps qu'il faudra, mais elle ne renoncera jamais ! Chaque échec lui sert d'expérience et de test. Cette sortie vers le sud représente au moins 700 km aller-retour. En dehors du passage à dos de yak, Alexandra a randonné, sac au dos, durant tout le trajet. Jamais elle n'avait circulé de manière aussi isolée, ni dans des conditions aussi sommaires : elle sait maintenant qu'elle peut marcher en altitude, qu'elle résiste bien au froid et à la fatigue. L'aller a duré un mois, le retour autant, soit deux mois d'itinérance dans les conditions les plus dures que l'on puisse imaginer. La dame lama sait aussi que l'incognito est absolument nécessaire et qu'il ne faut pas être trop nombreux pour réussir un tel voyage.

Le général George Pereira
et la nouvelle stratégie d'Alexandra

À la fin du mois de juin 1922, un militaire britannique arrive à Jyekundo : le général George Pereira revient de Sining et se rend à Lhassa. Le militaire-explorateur va, sans le savoir, donner une extraordinaire impulsion à la suite du voyage de la dame lama. Le général reste une quinzaine de jours à Jakyendo. Alexandra relate sa rencontre avec le « distingué compatriote de ceux qui ferment le Thibet », et son influence déterminante sur la suite du voyage :

« Le général Pereira arrive à Jackyendo quelques jours après moi et fut logé dans le bâtiment où j'occupais quelques chambres. Il y resta quinze jours environ. C'était un homme charmant, appartenant à la haute société de son pays, géographe, érudit modeste et globe-trotter infatigable. Il se rendait à Lhassa et n'en faisant point un mystère. Il possédait quantité de cartes et de notes qu'il me prêta ; j'y copiai nombre de renseignements utiles pour les pérégrinations que je projetais et certaines de ces esquisses rudimentaires, cachées dans mes bottes, m'ont accompagnée à Lhassa et permis de constater, en cours de route, combien de renseignements géographiques sur cette partie du globe sont encore incomplets.

Un soir, nous avions pris le thé ensemble, une carte demeurant déposée sur une table, nous parlions du Thibet ; du bout du doigt, le général suivit le mince trait marquant le cours du Po-hangpo[1] : – "Personne n'est jamais allé par là, dit-il ; il doit y avoir des cols praticables vers les sources de la rivière – Ce serait une route intéressante vers Lhassa…".

Je n'avais pas encore pensé à la traversée de cette région. Toutefois, les vagues renseignements que j'avais obtenus à son sujet par des gens de Kham ou des marchands des provinces centrales avaient été peu encourageants. Beaucoup prétendaient que les Popas étaient des cannibales, de plus modérés réservaient leur opinion sur ce sujet, mais tous s'accordaient pour affirmer que quiconque pénétrait dans les forêts habitées par les Popas n'en sortait pas vivant.

J'hésitais. Les paroles du général me décidèrent. "Personne n'était allé par là…" Bon, je verrai ces cols. Oui, vraiment, ce serait une route intéressante. Un grand merci à vous, général : consciemment ou non, vous m'aviez rendu un véritable service. »

Souvenirs d'une Parisienne au Thibet.

Dans son ouvrage *Peking to Lhassa*[2], Francis Younghusband retrace le périple de George Pereira ; il évoque aussi la rencontre du militaire avec « *Madame Néel, a French lady on a visit to Jye-kundo for the purpose of studying Tibetan Buddhism* ». Alexandra et le général sont invités au festival, ce qui représente un rare

---

1. Po-hangpo : le Po Tsangpo.
2. F. Younghusband : *Peking to Lhassa : the narrative of journeys in the Chinese Empire made by the late Brigadier-General George Pereira, C.D., C.M.G., D.S.O., compiled by Sir Francis Younghusband, K.C., S.I., K.C.I.E., from notes and diaries supplied by Major-general Sir Cecil Pereira, K.C.B., C.M.G.* London, Constable and Company Ltd. 1925.

privilège, explique F. Younghusband. L'auteur ajoute que « *Madame Néel... was able to give Pereira much valuable information* » sur le Tibet. Autrement dit, Alexandra qui vit et circule au Tibet depuis quatre ans maintenant, fournit de nombreuses explications au général, sur les mœurs du pays et sur le bouddhisme tibétain en échange de quoi il lui prête des cartes dont elle recopie fidèlement des extraits. Pour elle, ces documents ont une valeur inestimable.

C'est donc en juillet 1922 qu'Alexandra conçoit son nouveau plan pour atteindre la capitale interdite :

« J'avais conçu un plan qui, l'eussé-je alors dévoilé à n'importe quel Européen ou Américain jouissant de son bon sens, m'eût fait considérer comme folle. Il consistait simplement en ceci : je passais l'été dans le voisinage des sources du Fleuve Jaune et je me promenais dans la région merveilleuse des Grands Lacs, qui fut, disent les légendes, la patrie du roi Guésar de Ling, le héros déifié dont les bardes thibétains chantent les exploits.

[...] Après être demeurée ainsi parmi les Dok-pas (littéralement : gens des solitudes, les nomades gardeurs de troupeaux), mon plan comportait un voyage hivernal au Gobi, alors que le thermomètre y marque 35° et 40° sous zéro, puis, dès les premiers jours de printemps, je devais lentement retrouver les provinces chinoises du Kansou et du Szetchouan, gravir la sainte montagne du "Parfait Bon" (Kung Tou Zangpo) hérissée de temples et, si ce privilège m'était accordé, y contempler l'ombre du Bouddha dans un halo aux couleurs de l'arc-en-ciel. De là j'irais chez les Lolos, les Lissos, les Mossos, qui forment autant de clans indépendants enclavés dans la grande Chine. Qui donc me saurait là ?... Je voyagerais modestement dans une petite chaise vieillotte et, plus tard, avec des bêtes de louage et puis, et puis... je traverserais les grands fleuves : le Yang-Tsé, le Mékong, vieilles connaissances dont j'avais bu les eaux près de leur berceau, et alors... j'aviserais. Je serais au nord du

Yunnan, j'y chercherais un passage pour entrer au Thibet. Cette fois, je n'emporterais pas de bagages ; une guenilleuse chemینerait, mendiant sa nourriture, couchant en plein air, effacée et crasseuse, semblable en tout aux misérables qui se traînent sur les sentiers de pèlerinage aux quatre points cardinaux du Thibet.

Tel était mon plan et j'y rêvais en m'éloignant de Lhassa à travers les steppes désolés. »

Souvenirs d'une Parisienne au Thibet.

Le barde de Kyirku raconte la légende de Guésar de Ling

Alexandra avait fini par s'habituer à la petite bourgade qui, « dans une région saine, à quelque 3 300 mètres d'altitude, ne manquait pas de charmes » (*La vie surhumaine de Guésar de Ling*), mais Jakyendo n'offre « aucune compensation du côté intellectuel. Les hôtes des monastères voisins paraissent uniquement occupés de négoce et tout le contraire des lettrés. » (Lettre du 14 janvier 1922.)

Les dieux, maintenant du côté de la voyageuse, vont lui offrir l'occasion de meubler ses journées en lui procurant un travail auquel elle n'avait pas songé. Un jour qu'elle flânait dans le bourg, Alexandra découvrit un personnage extraordinaire : le barde Diktchén Chémpa. C'était un magnifique Khampa, un géant qui, « sabre à la main », revivait « l'histoire de la guerre de Hor », l'un des épisodes de la célèbre épopée tibétaine, la légende du roi Guésar de Ling. Fascinée par la personnalité du conteur, et toujours soucieuse de collecter des informations inédites ou mal connues en Occident, la dame lama demanda au barde de venir à domicile lui raconter la fabuleuse histoire du roi Guésar. Après de longs pourparlers le Khampa accepta : Alexandra et Albert notèrent ainsi cette version populaire du poème.

Pendant plus de six semaines, le barde déclama quotidiennement pendant six heures dans la maison d'Alexandra. Cette légende fera l'objet d'un livre publié en 1931 : *L'Épopée de Guésar de Ling le héros thibétain, racontée par les bardes de son pays*.

Au beau milieu de l'été 1922, Alexandra, Albert-Aphur, leurs domestiques et les animaux de portage quittent une nouvelle fois de Jyekundo, maintenant en direction du nord-est. La caravane prend la route du Koukou Nor et de Sining, conformément au plan d'Alexandra. La nouvelle destination est la merveilleuse région des « Grands Lacs » tibétains, un intermède agréable avant les déserts de l'Asie centrale.

Des déserts d'herbes
aux déserts de sables :
été 1922-printemps 1923

De Jyekundo à Kanchow : été 1922

À l'aube du xxᵉ siècle, les livres donnaient au public une vision terrifiante du Tibet, résultats des cheminements difficiles des explorateurs dans une contrée encore mal connue. Pour Dutreuil de Rhins, le haut plateau central est « stérile, terne, silencieux comme la mort, d'une désolation infinie, et les immobiles géants de glace qui dominent cette désolation la font paraître plus horrible encore ». Un atlas Larousse édité au début du siècle évoque de son côté « le manque d'air au passage des cols élevés, [...] le manque de combustible, les bourrasques épouvantables qui soulèvent du sol des tourbillons de poussière et de cailloux, la désolation de la contrée, tout cela n'est point pour séduire même les plus intrépides chercheurs d'inconnu ». Les auteurs de cet atlas ne connaissent pas encore une certaine Alexandra David-Néel qui, à l'âge de 54 ans, s'apprête à traverser ce territoire infernal... sans angoisse particulière ! Irréflexion ? Inconscience ? Certes non. Surtout une grande expérience et une merveilleuse assurance dans son aptitude à se faire passer pour une femme du pays. Les étrangers, les vrais, les autres, prennent finalement plus de risques avec leurs costumes, leurs équipements et leurs manières venus d'ailleurs. Alexandra se sent tibétaine... au Tibet ! Ses craintes ne sont pas plus grandes que celles des autochtones, celles des pèlerins en face des voleurs : il faut prendre quelques précautions, et puis compter sur sa bonne étoile !

> « Dans cette région du vide et du silence, il me fallait errer libre, à mon gré suivant les impulsions du moment, les incitations dispensées par le vent, les nuages, le soleil, par un cours d'eau gazouillant que j'atteignais et dont il me venait la curiosité d'aller chercher la source. »

Le Vieux Tibet face à la Chine nouvelle.

La dame lama et ses trois fidèles compagnons (Albert et les deux domestiques) se mettent en route à la fin du mois de juillet 1922. Alexandra a acheté plusieurs yaks qui porteront les bagages et des provisions de nourriture pour trois mois. Il faut toujours prévoir des victuailles en suffisance car, « pour un Tibétain, manger copieusement est le but principal de la vie », écrit Alexandra (*La puissance du Néant*). La voyageuse compte aussi sur la générosité des *dokpas* qu'ils ne manqueront pas de rencontrer. Comme elle l'avait fait dans la région du Koukou Nor, elle installera ses tentes près des campements de pasteurs. Accueillant près d'eux une « *jetsunema koushog* », une dame lama, les gens du camp accumuleront même des mérites en lui offrant des présents : beurre, *tsampa*, ou combustible (bouse de yak sèche).

En prenant la route du nord, Alexandra s'éloigne de son objectif final, mais volontairement cette fois : « Il convenait de laisser écouler du temps, de faire perdre mes traces, de convaincre ceux qui me surveillaient que, définitivement vaincue, j'avais abandonné mon projet. Du reste, les Thibétains à la solde des gens de Lhassa barrant le centre de l'Asie sur une distance qui s'étend, en certains endroits, du 78° au 100° de longitude, je n'avais pas le choix des routes. » (*Souvenirs d'une Parisienne au Thibet*). Bien décidée à se faire oublier par les autorités, Alexandra prend son temps ; elle va même jusqu'à herboriser.

> « Ce jour-là, je m'étais attardée très loin derrière mes gens, récoltant des plantes que je voulais envoyer à la Société botanique de France. Nous étions en juillet, l'époque des pluies. Le désert d'herbes s'était mué en un océan de boue, des nuages épais et bas couraient, se heurtaient dans le ciel, voilaient les cimes, erraient par les vallées, enveloppant les steppes d'une grisaille mélancolique. [...] Mais plus que le découragement, la faiblesse était à combattre. »

Souvenirs d'une Parisienne au Thibet.

Le général Pereira qui venait de Sining par cette piste avait fourni à Alexandra toutes les informations nécessaires au bon déroulement du parcours. Ayant recopié les croquis de terrain de l'officier, elle disposait de la nomenclature détaillée des lieux jalonnant son itinéraire. Le général avait aussi noté les types de paysages traversés, le tout formant un excellent guide routier.

Alexandra suit la piste qui traverse la chaîne du Bayan Kara, (extrémité sud-est de l'immense chaîne des Monts Kunlun), au col de Patchong ou Tcha La, situé sur la ligne de partage des eaux entre le bassin du Yang Tze Kiang et le Fleuve Jaune (le Hoang Ho). Elle musarde dans la dépression lacustre où naît cet immense fleuve, nommé Ma-tchou (Ma Chu) à l'amont de son cours. Dans ce secteur l'altitude est d'environ 4 300 m. Paysages de vastes pâturages localement marécageux, dominés par des ondulations aux profils doux, aux pentes herbeuses et surbaissées. La caravane longe l'extrémité occidentale de la montagne sacrée Amnye Machen qu'Alexandra n'a pas mise à son programme.

L'expédition avance lentement au rythme des yaks et selon l'humeur de la lamani : « En cours de route, les yaks dépendent entièrement pour leur subsistance, de l'herbe qu'ils paissent ; il faut donc les conduire vers les endroits où celle-ci est abondante et les y laisser demeurer assez longtemps pour pâturer suffisamment. » (*Le vieux Tibet face à la Chine nouvelle*.) Les départs ont lieu au lever du jour, par un froid toujours vif étant donné l'altitude. Le camp est monté dans l'après-midi, les bêtes déchargées. Si les chevaux et les mules trottent deux fois plus vite que les yaks, la lenteur des animaux du pays permet de profiter pleinement de « cette région ensorcelante aux grands lacs solitaires d'un bleu de turquoise encerclés par des rives de cailloux mauves et gris perle pailletés d'argent ». Alexandra s'attarde... et passe ainsi tout l'été « dans la région des sources du Fleuve Jaune parmi les redoutés pillards Gologs qui pourvurent à [sa] subsistance et à celle de [ses] compagnons ». Les fameux Ngo-log habitent en effet un peu plus à l'est, dans la boucle du Fleuve Jaune, mais ils sillonnent la région des lacs où ils se ravitaillent en sel. *(Voir la carte 23 de l'édition complète*, op. cit.*)*

La piste aboutit au sud du Koukou Nor, à Dankar, puis à Sining, région et villes qu'Alexandra connaît bien. À Dankar, la caravane change de style : les yaks sont remplacés par des mules ou des chameaux en vue du périple vers le nord-ouest.

La piste à Kanchow traverse les Nan-Chan (Qilian Shan) avant de déboucher sur ce qu'il est convenu d'appeler le « couloir du Kan-sou », un secteur qui s'allonge entre les déserts de Mongolie, au nord-est, et les chaînes bordières du nord du Tibet, au sud-ouest. La route rejoint l'ancienne « Route de la soie », l'axe aussi

300

de toutes les invasions et de tous les combats entre les musulmans, les Chinois et les Mongols.

De Kanchow à Tunghuan et le retour à Lanchow

Là-bas la vieille Chine a définitivement cédé la place à un autre monde, à celui des déserts, des oasis et des rubans de verdure, à celui de l'Asie centrale, à celui des châteaux forts, des fermes fortifiées et des sables conquérants. Alexandra avait pensé qu'elle n'aurait sans doute pas d'autre occasion de visiter ces régions éloignées, encore difficiles d'accès. C'était le moment ou jamais d'aller admirer le site bouddhique de Tunghuan, découvert depuis peu, et déjà étudié par le grand sinologue français Paul Pelliot. Tunghuan représente l'une des plus fantastiques découvertes archéologiques du début du XXᵉ siècle.

À Kanchow, Alexandra s'installe dans un petit temple taoïste. C'est là qu'elle attendra les fonds nécessaires à la suite du périple. Il n'est pas question de se lancer dans cette longue excursion sans pouvoir disposer d'un minimum de ressources. Elle partira dès que le mandat sera arrivé, même en plein hiver, dit-elle dans sa lettre du 29 août 1922 :

« Tu jugerais l'habitation peu confortable. Je dois vivre les portes ouvertes dans ma chambre pour y avoir la lumière suffisante pour écrire. Il y a deux grandes fenêtres, mais pas de carreaux de vitre naturellement et la clarté qu'elles laissent entrer à travers le papier blanc dont elles sont tendues n'est pas suffisante pour lire ou écrire pendant des heures. [...] L'on m'a prêté un poêle étranger qui appartient à la mission. Il a une bonne longueur de tuyaux et j'y ai encore ajouté environ 75 centimètres de tuyau fabriqué en fer-blanc par un ferblantier local, de sorte que j'espère pouvoir me tenir un peu au chaud cet hiver. La cheminée, Albert l'a construite et le tirage se fait relativement bien. »

Lettre du 29 août 1922.

Deux mois et demi plus tard, Alexandra est toujours à Kanchow : elle attend toujours ses fonds et surtout des nouvelles de son mari. Que signifie ce silence ? Les moyens de communication sont certes très lents et Kanchow est encore plus éloignée de la côte que Kumbum, mais la ville se situe sur un grand axe et la poste fonctionne normalement... Elle patiente en travaillant avec Yongden sur l'épopée de Guésar de Ling et en rédigeant quelques articles qu'elle envoie à Philippe.

Au tout début de décembre, une mince couche de neige a donné sa teinte hivernale au décor. L'hiver se révèle plus froid à Kanchow qu'à Kumbum, dit Alexandra. Le soir, le thermomètre descend jusqu'à – 20 °C. La houille est difficile à trouver et coûte cher : « Il m'arrive de rester des journées entières sans feu, heureusement c'est assez rare », écrit-elle le 9 décembre. Pour Alexandra, le chauffage représente chaque hiver un souci dont elle se passerait volontiers. Chauffage et bagages sont les deux bêtes noires de la voyageuse !

La situation financière devient chaque jour plus catastrophique. Une lettre de Philippe arrive enfin à la mi-janvier 1923. La dame lama y répond par retour du courrier :

« Ta lettre reçue aujourd'hui me dit que tu m'as envoyé 4 000 francs le 6 novembre ; comme j'ai reçu ta lettre qui est du 8 novembre, l'avis de la banque va sans doute m'arriver d'ici peu de jours. Il va me falloir voir, alors, si le missionnaire sera disposé à m'avancer l'argent de mes chèques qu'il pourra toucher à Lanchow. Sinon, je serai encore retenue ici un mois au moins, le temps d'envoyer les chèques à

302

Lanchow et de recevoir l'argent. Et qu'est-ce que je mange-rai pendant ces mois-là ?… Je me le demande. »

Lettre du 16 janvier 1923. Kanchow.

En Chine les frais de voyage restent, heureusement, des plus limités. On trouve des hébergements peu coû-teux, misérables certes, mais pas déshonorants puisqu'il n'en existe point d'autres. Ces auberges sordides accueillent de la même façon riches et moins riches.

Dans sa lettre du 29 janvier, Alexandra annonce à son mari que, quoique toujours sans nouvelles de la ban-que, elle a décidé de partir dès le lendemain pour « Tungwhan » :

« Tungwhan est l'endroit où Sir Stein et ensuite Monsieur Pelliot ont fait leurs trouvailles de livres, etc., du IXᵉ siècle, alors qu'existait là un florissant royaume bouddhiste. L'endroit s'appelle "les mille Bouddha", c'est une oasis avec des temples dans les rochers. Je n'irai pas plus loin quoique cela me contrarie, mais l'argent et le temps me manquent. Je crois que cette excursion me demandera un mois, à condition de ne pas flâner et de faire des étapes longues.

[…] Le missionnaire belge m'a prêté 100 taëls, c'est ce qui me permet de partir, mais j'espère bien qu'à mon retour à Kanchow, l'avis de la banque sera là et que je pourrai le rembourser avec un chèque ; sans cela je ne sais pas ce que je deviendrai.

Les distances sont énormes en Chine et les moyens de communication très lents. On compte par mois de voyage comme vous comptez par jours, en Europe. J'espère tou-jours que ma lettre écrite le 15 septembre de Sinin t'aura bien fait comprendre la situation, et que je trouverai à mon retour, dans un mois, ton premier envoi et le complément de mille dollars […].

La température continue d'être froide : entre 19 et 20° sous zéro, la nuit. À un mètre de distance de mon poêle, dans ma chambre, tout gèle, même dans le milieu du jour.

Je ne suis pas malade, mais ce froid ne laisse pas que d'être pénible à la longue. »

Lettre du 29 janvier 1923. Kanchow.

Après sept jours de voyage, la petite caravane arrive à Suchow, (actuel Jiuquan). Suchow, c'est la porte de la Chine. À 27 km de la ville s'achève (ou commence) la Grande Muraille dont Alexandra avait découvert l'extrémité orientale en 1917 : environ 2 700 km séparent les deux points. La célèbre « Porte de Jade » se trouve à deux pas (Yumen). Au-delà règnent les semi-déserts et les déserts de l'Asie centrale : la population se regroupe dans des oasis, les rivières se perdent dans les sables, des tourbillons de poussière balaient l'ancienne Route de la soie, les lacs se chargent de sel. Le paysage rappelle « le bled aride des environs de Gabès », avec des dunes, des herbes épineuses et une sorte d'alfa. Les auberges sont aussi misérables qu'ailleurs. Il fait froid, « un minimum de 22° sous zéro. À 11 heures du matin, dans ma chambre, le soleil brillant, j'ai noté 8° sous zéro », écrit Alexandra. (Lettre du 3 février 1923.) *(Voir la carte 24 de l'édition complète, op. cit.)*

Les lettres relatant le circuit ont disparu, mais nous pouvons nous reporter en confiance au magnifique roman tibétain écrit par Alexandra et Yongden : *La puissance du néant*. Le héros, Munpa, à la recherche de la turquoise magique, passe lui aussi par Lanchow, Kanchow et Suchow, avant de se rendre à Tunghuan. Le « *dokpa* du pays des herbes » découvre le désert :

« À perte de vue le sol était jaune, ou noirâtre. Parfois, des rafales amenaient, sur les voyageurs, des nuages épais de ce sable jaunâtre ; on les voyait accourir du fond de l'horizon, pareils à un mur mouvant et s'abattre sur la caravane, cinglant cruellement gens et bêtes, les enveloppant comme un brouillard opaque qui leur masquait la route. Aveuglés, asphyxiés, les hommes devaient néanmoins s'empresser auprès des mules, qui, moins placides que les chameaux, s'affolaient, faisaient choir leurs charges et fuyaient en de fausses directions.

L'eau des auberges était malodorante et amère et le froid, même pour un pasteur du Tso-Nieunpo, devenait pénible à supporter. »

Munpa remarque l'impressionnant dispositif de défense mis en place dans le passé, les châteaux, les places fortes, les tours de gardes, derniers bastions plus ou moins en ruines de l'immense citadelle que devait constituer l'Empire du Milieu protégé par « le Grand Mur ».

Pas de difficultés particulières sur cette route parcourue depuis des siècles par des caravanes. Mais il faut rester sur la piste et prévoir suffisamment d'eau et de provisions. Munpa-Alexandra découvre par endroits des lieux de désolation, des villages abandonnés envahis par le sable.

Celui-ci s'accumule d'abord contre les murs extérieurs des maisons, puis pénètre dans les pièces dont les occupants ont retiré les huisseries. Parfois le sable recouvre complètement les bâtiments qui disparaissent peu à peu de la vue des passants, engloutis par les vagues sèches et lentes de la roche meuble en mouvement. Impermanence des traces humaines…

Munpa atteint son but dans le courant du printemps, c'est-à-dire par des températures idéales. Peu de temps après l'étape faite à Ansi, il arrive enfin au bord de la petite rivière qui coule au pied du massif rocheux où sont creusées les fameuses grottes, et découvre avec émerveillement l'illustration grandiose de l'engouement passé des fidèles pour les « temples troglodytes ». Une foule innombrable de personnages a traversé le temps sur les fresques superbes de ce fabuleux trésor archéologique : Bouddhas, boddhisatvas, disciples, moines, nonnes, ermites, déités…

Les grottes des Mille Bouddhas représentent l'un des points extrêmes de l'immense pèlerinage d'Alexandra sur les lieux du bouddhisme. Depuis Ceylan, que de kilomètres parcourus, que de temples visités, que de moments intensément vécus, que de merveilles entrevues ! Et partout le demi-sourire du Maître, d'un bout à l'autre de l'Asie le même visage apaisant...

Centre caravanier sur la Route de la soie, Tunghuang (Dunhuang) compte environ 7 000 habitants au début du siècle. La petite ville, devenue misérable, peut s'enorgueillir d'un passé marqué par un grand rayonnement spirituel. Elle fut un pôle de culture bouddhique fort actif depuis qu'un moine, de passage au IVe siècle de notre ère, eut ici la vision de milliers de Bouddhas. Il s'installa dans la falaise pour y vivre en ermite et les grottes furent travaillées à partir de ce moment-là. Depuis l'Inde du nord et le Cachemire, la route traversait les royaumes bouddhistes de l'Asie centrale (Khotan, Kucha...) puis gagnait l'Empire du Milieu par le couloir du Kan-sou. Situées à peu de distance de la ville, les grottes passent pour le plus remarquable site d'art bouddhique en Chine : plus de 460 cavités ouvertes sur cinq étages. Livre d'art en grandeur réelle, illustré du IVe au XIVe siècle. Mais de lamentables dégradations furent opérées quelques années avant le passage d'Alexandra par des soldats russes blancs qui s'étaient réfugiés dans le site archéologique au moment de la Révolution bolchévique ! (Voir *Sous des nuées d'orage*.)

Alexandra a atteint le but qu'elle s'était fixé dans cette direction. Comme Munpa, le héros de son roman, la dame lama prend ensuite le chemin du retour. Une fois de plus, la voici dans Lanchow, la capitale du Kan-sou. Son prochain objectif est le Gobi, mais le moment est-il bien choisi pour se lancer dans le désert ?

Vers les Marches du Tibet interdit : 1er mai-20 octobre 1923

Dans *Le vieux Tibet face à la Chine nouvelle*, Alexandra évoque sa manière de voyager : « Je n'avais généralement aucun plan strictement arrêté. » De fait, lorsqu'elle arrive à Lanchow en avril 1923, elle ignore encore l'itinéraire qu'elle va emprunter dans les mois qui viennent. Elle n'a en tête que son objectif final : Lhassa, et le nom de la province chinoise d'où elle partira pour atteindre la capitale interdite : le Yunnan. Lanchow est encore très loin du Yunnan : il faut traverser toute la Chine centrale du nord au sud, avant même de songer à prendre l'une des routes qui mènent à Lhassa !

Lanchow, c'est le retour vers la Chine traditionnelle, le séjour en ville après cette longue période passée dans les « solitudes enchanteresses » des grands pâturages, puis dans les régions semi-désertiques de la Chine « hors les murs ».

Un courrier de plusieurs mois attend la dame lama dans la capitale du Kan-sou. Elle remarque une lettre du ministre de France, le vicomte de Fleurian et des enveloppes en provenance d'Indochine : là-bas des archéologues la connaissent de réputation et ils la demandent. Tous ces gens lui font part de leur admiration pour ses extraordinaires voyages... De Philippe, Alexandra ne trouve qu'une lettre : elle en est chagrinée et prend la plume aussitôt pour lui dire sa déception... tout en lui annonçant les grandes lignes de son programme. Après avoir expédié le maximum de bagages qu'elle enverra en dépôt à la Banque de l'Indo-Chine à Shanghaï, elle repartira... non vers la Mongolie et le Gobi comme elle l'avait d'abord projeté, mais plutôt vers Chengtu, la capitale du Sseu-Tchouan. En effet, la saison n'est pas favorable à un circuit dans les déserts de sables où les chaleurs s'annoncent déjà ; elles y seraient insupportables en été. Il semble plus raisonnable d'aller visiter Chengtu, ce qu'elle n'avait pas pu faire en 1921. Mais la ville est-elle accessible ? La Chine est toujours plongée dans la guerre civile, les bruits les plus alarmants circulent à Lanchow. Il ne fait pas bon circuler sur les routes chinoises. Pourtant Alexandra va s'y lancer une fois de plus... Non sans une certaine lassitude, semble-t-il, car le poids de l'errance, avec tout ce qu'il implique d'incertitudes, d'improvisations, de projets contrariés, et d'impossibilité de se consacrer aux livres, commence à lui peser. L'épouse lointaine annonce à son mari qu'elle souhaiterait terminer son voyage, si possible à la fin de l'année. Mais ce n'est qu'un vœu « car l'on est bien peu maître de décider quoi que ce soit, ici moins que partout ailleurs ».

À Lanchow Alexandra loge pendant trois semaines dans la meilleure auberge qu'elle ait pu trouver, c'est-à-dire la moins crasseuse. Son installation ne lui convient guère, et en peu de jours elle tombe malade, victime d'accès de fièvre qu'elle soigne avec de la quinine. Bref il est temps de reprendre la route, ce qui est chose faite le 1er mai 1923. *(Voir la carte 25 de l'édition complète*, op. cit.)

Alexandra emprunte un itinéraire qui se situe plus à l'est que celui de 1921. La caravane a été réduite à deux animaux : un cheval et la grande mule pour porter les bagages indispensables. Alexandra renonce aux domestiques. Yongden est désormais le seul compagnon de route, avec les porteurs de sa chaise. Il marche à côté des bêtes tandis que la dame lama se fait porter dans une chaise très ordinaire : c'est la première fois qu'elle utilise ce « véhicule » pour une longue distance.

Le voyage ne tarde pas à se révéler très éprouvant, à cause de la chaleur. Il fait « un soleil aveuglant, un ciel plus bleu que celui de Tunis et de 25° à 30° à l'ombre ». Les nuits restent fraîches, et ces variations brutales de températures sont difficiles à supporter. C'est Yongden qui souffre le plus car il est le seul membre du personnel : après des distances de 30 à 40 km par jour, parcourues à pied, il doit s'occuper des animaux, des bagages, de la cuisine... Le pauvre en tombe malade, et sa mère adoptive décide une journée de repos, avant de louer une mule supplémentaire pour qu'il puisse disposer d'une monture.

Alexandra supporte très mal cette forte chaleur et sa chaise à porteurs est d'un total inconfort : peinte en noir, elle « ressemble à un petit char funèbre et dans cet appareil le thermomètre marque plus de 35°. Ceci est le moindre mal, ce qui est terrible c'est l'arrivée le soir dans des auberges plus infectes que tout ce que tu pourrais imaginer et que la chaleur rend pestilentielles ». (Lettre du 23 mai 1923.) Si bien qu'elle préfère parfois dormir assise dans sa chaise plutôt que dans ces auberges qui lui répugnent.

Le 29 mai, Alexandra et Yongden sont accueillis à la mission catholique de Kwangyüan (Guangyan) en

Sseu-Tchouan. Un prêtre chinois est chargé de l'établissement. L'obstacle linguistique limite forcément les contacts, mais l'étape est tellement réconfortante après ces journées harassantes ! Le prêtre, un bon vivant, convie Alexandra à partager ses repas plantureux. La localité possède aussi une mission protestante où s'activent deux Anglaises qui, à leur tour, invitent la voyageuse. Celle-ci s'installe chez les deux dames, avec lesquelles elle s'entretient aisément en anglais, tandis que Yongden reste chez le prêtre. La chambre anglaise est plus confortable, mais la nourriture se révèle beaucoup plus frugale, et la dame lama regrette les repas du missionnaire catholique... Mais « on ne peut tout avoir », reconnaît-elle de bonne grâce !

En vue de son départ, Alexandra modifie son équipage : avec nostalgie elle vend sa grande mule, cette brave bête qui l'accompagnait depuis des années. C'est le prêtre qui achète l'animal, et d'un bon prix. Il ne restera plus que le cheval pour porter les bagages, ce qui est bien insuffisant. Aussi la dame lama engage-t-elle trois porteurs. Les caisses sont munies d'étiquettes portant la marque de la mission... par sécurité : ces insignes n'auraient évidemment aucune efficacité au milieu d'un conflit, mais ils rassurent un peu les hommes, car les nouvelles sont mauvaises : « On se bat au sud de Kwangyüan où je suis ». (Lettre du 31 mai 1923.)

L'insécurité permanente, qui s'ajoute aux difficultés du parcours, éprouve assez durement la résistance de la voyageuse. Elle n'est pas rassurée, et ses craintes sont justifiées. Yongden est son seul soutien. Personne d'autre que lui ne viendrait à son secours en cas de difficulté. Elle sait que les porteurs chinois ne sont que des serviteurs de passage et qu'ils l'abandonneraient sur la route aux premiers signes de danger. Le temps est bien lointain où elle pouvait se fier à son escorte de Tibétains, ces hommes rudes mais braves, dont elle parlait la langue et connaissait les coutumes. Albert et elle sont bien seuls au milieu de la tourmente chinoise.

La dame lama avait connu le baptême du feu cinq ans plus tôt, à Wenlichen, elle avoue que ce genre d'expérience ne l'amuse plus. Et puis elle se sent tellement lasse ! La forte chaleur la fatigue, ses jambes sont enflées. Chengtu se trouve encore à 250 km, il faut absolument atteindre cette grande ville ; là-bas seulement ils seront en sécurité.

À peine le petit groupe a-t-il quitté Kwangyüan que des soldats conseillent à Alexandra de rebrousser chemin. Avec leur accord, elle décide cependant de continuer jusqu'au quartier général des troupes, situé à deux jours de marche, à Kiachow, où elle arrive sans incident notable. Les généraux lui remettent un laissez-passer pour elle et ses hommes, et confirment le déroulement de combats dans la région. La caravane poursuit sa route, installant ses bivouacs en général près d'une ferme, par mesure de sécurité. Quelques jours plus tard, le groupe croise une armée en déroute, l'armée du nord : on se bat à quelques kilomètres. Les porteurs, gagnés par la peur, ne veulent plus avancer. Alexandra doit se fâcher : « Les grands arguments suivent, je saisis un bambou et menace de m'en servir sur le dos des hommes. » Ils repartent. Voici des rizières et leurs nuées de moustiques... enfin la petite ville de Tsidun (Zitong).

Tsidun vient de tomber aux mains de l'armée du sud, l'événement date de la veille. Les portes de l'enceinte sont ouvertes : Alexandra et ses hommes entrent dans la ville. Ils se dirigent vers la mission catholique... déserte. La caravane s'y installe pour la nuit, qui se passe calmement. Pressentant que l'armée du nord ne tardera pas à tenter quelque chose pour reprendre la bourgade, la voyageuse repart dès le matin.

À partir de là, les pistes deviennent plus rectilignes : c'est le bassin du Sseu-Tchouan.

À Mienchow (Mianyang), Alexandra rencontre deux Anglaises, qui la conduisent à la mission protestante. La ville se situe à environ 100 km au nord-est de Chengtu. La partie n'est pas encore gagnée car le pasteur apprend à la voyageuse que la route est barrée par plusieurs milliers de brigands qui ont battu l'armée sudiste. Il faudra donc encore faire un détour pour atteindre la capitale de la province. Victime d'une dysenterie, Alexandra arrive enfin à Chengtu le 18 juin 1923.

Un mois de repos à Chengtu

Fatiguée et malade, Alexandra se rend à la mission catholique française, chez les religieuses franciscaines qui l'accueillent avec la plus grande bienveillance. Yongden loge dans un autre bâtiment, avec les hommes employés à la mission. Voici enfin ce havre de sécurité que les deux courageux voyageurs espéraient depuis tant de jours ! À Chengtu Alexandra renoue même un peu avec la France puisque la ville possède un consulat, un hôpital, un Institut Pasteur, une Mission catholique et un évêché français.

La belle capitale du Sseu-Tchouan est arrosée par les canaux reliés à la rivière Min. Solidement fortifiée, elle renferme deux autres cités à l'intérieur de ses murs : la ville impériale, séjour des anciens souverains de la province, résidence des empereurs lors de leurs passages, et la ville tartare, vestige de l'ancienne puissance mandchoue.

Sur le plan du catholicisme, la province du Sseu-Tchouan est divisée en trois secteurs rattachés aux Mission Étrangères de Paris. Chengtu est le siège épiscopal de la mission du Sseu-Tchouan occidental, présentement dirigée par Monseigneur Rouchouse. La population catholique s'élève alors à 56 711 fidèles[1]. Présente dans la ville depuis le XVIIᵉ siècle, l'Église catholique apparaît solidement implantée, avec un établissement de secours pour les miséreux, deux hôpitaux comptant ensemble 292 lits, un grand et un petit séminaires, deux collèges, auxquels s'ajoutent les lieux de culte.

Alexandra consulte un médecin français à l'hôpital, le Dr Gervais, qui lui suggère de s'installer dans la maison du directeur de l'Institut Pasteur, en congé à ce moment-là. Ce judicieux conseil permet à la voyageuse et à son fils d'emménager pour quelque temps dans une maison confortable, bien meublée, entourée d'un agréable jardin... C'est un cadre idéal pour une convalescente.

Alexandra rend visite au consul de France, « Monsieur Baudez », et à l'évêque, Elle fait une causerie au consulat, mais ne souhaite pas trop attirer l'attention du public français tant que son objectif n'a pas été atteint. Et de nouveau, la dame lama doit faire face à de sérieux problèmes financiers. Le consul lui accorde un prêt qui l'aidera jusqu'à la fin de son voyage : « C'est une nouvelle dette. J'en suis plus qu'ennuyée. J'ai dépassé le chiffre de 1 000 $ que je t'avais indiqué. » (Lettre du 2 juillet 1923.)

La voyageuse souffre maintenant d'une fièvre qui lui rappelle « la fièvre de Malte » dont elle fut victime en Tunisie quelques années auparavant. Il faut dire qu'elle est une mauvaise malade : elle refuse les traitements ordonnés par le médecin, en particulier les piqûres dont elle a horreur (sans en avoir jamais eues, avoue-t-elle) : « Je préfère voir si je ne m'en tirerai pas sans cela. »

---

1. Comptes rendus annuels des travaux de la Société des Missions Étrangères de Paris (années 1921 à 1924).

(Lettre du 2 juillet 1923). Elle pense d'ailleurs reprendre la route sous peu, malgré l'avis du Dr Gervais qui lui écrit le 3 juillet : « Vous ne pouvez pas songer à partir dans l'état où vous êtes[1]. » Une semaine plus tard, elle est encore à Chengtu, plus malade que jamais. « Sale affaire décidément ! », reconnaît-elle.

La situation politique du pays ne s'améliore pas, secouée sans arrêt par des luttes intestines. Sun Yatsen, revenu au pouvoir en avril 1921, est chassé de Canton en 1922. Cinq provinces se sont proclamées autonomes, dont le Yunnan et le Sseu-Tchouan. Le gouvernement de Pékin a démissionné et le président de la République vient d'être renversé. La Chine républicaine, qui manque encore de maturité politique, évolue dans le désordre, amplifié par l'action de nouvelles forces comme celle du Parti Communiste Chinois fondé en 1921. Les difficultés de tous ordres se multiplient : problèmes sociaux (grèves, émeutes chez les ouvriers, les chômeurs ou les paysans), conflits locaux, pillages, manifestations de xénophobie et autres violences.

Alexandra a donc tout lieu d'être inquiète pour la suite de son voyage. Dans quelle mesure pourra-t-elle circuler ? Elle souhaiterait maintenant s'éloigner de Chengtu pour s'installer « plus près d'une frontière quelconque », de manière à pouvoir s'échapper en cas de « grabuge ». Aussi se fait-elle délivrer un passeport qui lui permettrait de passer, le cas échéant, en Birmanie puis en Indochine. Et malgré son mauvais état de santé, la dame lama, qui fuit alors bien davantage qu'elle ne voyage, quitte la capitale du Sseu-Tchouan. Le 14 juillet 1923 elle embarque sur la rivière Min dans l'intention de

---

1. Archives de la Maison A. David-Néel.

gagner la province voisine, le Yunnan, contiguë à la Birmanie… et au Tibet.

Vers les Marches Tibétaines, de Chengtu à Tzedjrong

Le bateau est un moyen de locomotion classique entre
Chengtu et Kiating (actuel Leshan). Mais la navigation
s'avère dangereuse à cause des rapides et de la violence
du courant. En effet, la rivière descend brutalement des
montagnes avant de filer vers le Yang-Tzé-Kiang, dans
lequel elle se jette à Sui-fou. Aussi les trajets ne s'effec-
tuent-ils que dans la journée. Pour cette descente, on
conseille à Alexandra de planter un drapeau français sur
l'embarcation, afin d'éviter le tir de soldats qui pourraient prendre la jonque pour cible depuis la rive !
Aucun danger ne sera épargné à notre voyageuse…

Dans sa lettre du 13 juillet, Alexandra annonçait son
programme à Philippe : gagner Kiating puis Omishan
en logeant dans les Missions, et là, rendre visite à
l'épouse du consul de France qui a loué une villa dans la
montagne pour l'été. Alexandra continue à utiliser sans
complexes les missions comme des auberges. Elle ne
s'en cache pas, comme en témoignent ces lignes, écrites
à propos de son étape à Kiating :

> « J'irai à la Mission catholique évidemment, tous les offi-
> ciers de marine, tous les Français de passage, juifs ou libres
> penseurs, font de même. Puisqu'on me connaît pour ce que
> je suis et qu'on m'invite, il n'y a pas lieu, pour moi, de refu-
> ser un bon gîte pour coucher parmi la pouillerie chinoise. »

> Lettre du 13 juillet 1923. Chengtu.

Alexandra gagne ensuite à la petite ville d'Omishan
(Emei), où elle fait connaissance avec Madame Baudez,
l'épouse du consul de France qui l'invite dans sa
villa. C'est l'occasion d'aller découvrir l'une des sept

montagnes sacrées de la Chine : le Mont Omei (3 099 m d'altitude) et domine le bassin du Sseu-Tchouan (700 m d'altitude moyenne) de ses nuages vénérés. *(Voir la carte 26 de l'édition complète*, op. cit.)

Le Mont Omei offre aux pèlerins venus de toute la Chine bouddhiste 70 km de marches taillées dans la montagne pour franchir une dénivellation de près de 2 400 m. Au bord de ce gigantesque escalier : plus d'une trentaine de sanctuaires blottis dans la nature tourmentée, autant de temples jalonnant le sentier vers un infini de brumes et de musiques sacrées. Une admirable végétation de rhododendrons, relayés en altitude par des conifères auréolés de neige, et les sons qui s'enchevêtrent et se répondent : bavardages désordonnés des visiteurs, psalmodies murmurées des pèlerins en cohortes, roulements torrentiels au fond des précipices, cris lancés par quelques singes à l'affût, sifflements d'invisibles oiseaux, chants sacrés et mantras aux abords des temples... On affirme que les brouillards nimbent la montagne plus de trois cent vingt jours par an.

Alexandra loue une chaise à porteurs pour gravir les marches du gigantesque sentier. Elle en revient déçue par le « vacarme étourdissant » des pèlerins et par « l'odeur pestilentielle » des innombrables latrines...

Un incident avait contribué à rendre désagréable son pèlerinage : les porteurs lui manquèrent de respect en essayant de la secouer plus que de mesure. Mais Alexandra, qui n'a pas l'habitude de se laisser impressionner, passa sa colère sur l'un des hommes. Ceux-ci se plaignirent auprès des missionnaires protestants d'Omeishan, qui prirent parti pour les coolies. Furieuse, la dame lama promit d'informer le ministère d'Angleterre d'une attitude aussi intolérable de la part d'Occidentaux, en ces temps où le mouvement de xénophobie s'intensifie chaque jour, la preuve !

La voyageuse utilise encore la chaise à porteurs jusqu'à Ningyuanfou (Xichang). Le chemin, difficile, suit les fonds de vallées ou s'accroche à la montagne par une impressionnante corniche qui domine un ravin fortement encaissé. La paroi montagneuse est presque verticale, le sentier aussi dangereux qu'interminable. La chaleur devient étouffante.

La sécurité n'est pas plus assurée ici qu'ailleurs car une mosaïque de populations locales, souvent belliqueuses, se partagent le territoire. Les Lolos correspondent au groupe le plus répandu (groupe Yi). Leur organisation reste quasiment féodale, basée sur la loi d'un seigneur, d'un chef de clan ou de tribu. Les guerriers occupent le sommet de la hiérarchie, le reste de la population travaillant pour eux. Ils portent des armures de cuir décorées d'ossements, chassent et se livrent à la razzia[1]. Alexandra rencontrera aussi des Lissous. Ceux-là vivent de la culture sur brûlis et de la chasse qu'ils pratiquent avec des arbalètes à flèches empoisonnées, les femmes étant aussi habiles au combat.

À Ningyuanfou Alexandra loge à l'évêché et prend ses repas en compagnie de quatre ecclésiastiques. Ce diocèse est alors dirigé par Monseigneur Bourgain. La situation de la région n'est guère brillante : l'évêque déplore l'instabilité politique et les exactions des Lolos qui multiplient les pillages et les massacres. La famine a d'autre part cruellement ravagé le secteur en 1922.

Alexandra n'avance pas aussi vite qu'elle le souhaiterait et son moral s'en ressent. Elle renonce à la chaise à porteurs pour circuler de nouveau à cheval. « Il n'y a plus d'auberges le long des routes. On passe la nuit avec les chevaux et les cochons », c'est-à-dire dans des

---

1. A. Migot : *Au Tibet sur les traces du Bouddha*, Paris, Éditions du Rocher, 1978.

encoignures que veulent bien céder les maîtres des lieux. Mais mieux vaut encore cela que le camping, car il pleut énormément : c'est la mousson d'été...

Pour le confort il faudra attendre la mission catholique suivante, celle de Yuan-shin où Alexandra est hébergée par « un aimable prêtre chinois ». Deux jours sont consacrés à réorganiser les bagages complètement trempés.

La chef d'expédition a engagé un guide pour circuler dans ces contrées éloignées des grandes routes ; il fait aussi fonction de domestique, ce qui soulage Yongden. Mais sa compétence se révèle nulle quand le groupe se perd dans les montagnes couvertes de forêts touffues qui séparent Yuan-shin et Yungning : douze jours d'errance dans la nature, sous les puissantes averses de la mousson d'été, les pieds dans la boue qui monte parfois jusqu'aux genoux ! Or les provisions de nourriture, prévues pour une période beaucoup plus courte, s'épuisent peu à peu : il faut limiter le nombre de repas et, pour finir, jeûner... Le groupe s'abrite comme il peut chez les « Lolos », les « Lissos », les « Sifans », les « Massos » qui veulent bien l'héberger. Alexandra ne se plaint pas de ces populations : « L'accueil a généralement été assez bon, une fois les gens ont été grincheux et une autre fois Albert a distribué quelques horions mais en somme, tout s'est passé paisiblement. » (Lettre du 28 septembre 1923.)

Voici Yungning où Alexandra pense pouvoir se ravitailler : la seule denrée disponible est une mauvaise farine... Il faut repartir quasiment bredouille, en direction de l'ouest. Mais les porteurs apprennent que Chinois et Tibétains sont en train de se battre de ce côté-là : ils refusent d'y aller. Force est donc à la lamani de faire encore une fois un détour : elle décide de descendre vers le sud pour passer par Likiang, dans le Yunnan.

La traversée du Yangtze s'effectue près de la localité. Le temps s'améliore maintenant, les pluies laissent la place à un soleil superbe. Au pays de l'éternel printemps les chemins sont rudes et le cheval se blesse. Alexandra renonce donc à le monter et marche comme les hommes environ 30 km par jour, avec pour toute nourriture du maïs grillé ! La voyageuse s'affaiblit et finit par s'effondrer sur la route, victime d'une insolation. Le 24 septembre enfin, la caravane atteint Likiang, bourgade située au sud du double méandre du Yangtze.

Likiang est bâtie à 2 400 m d'altitude au cœur du pays Mosso (Naxi), dans un site grandiose. Son climat agréable semble idéal pour redonner de la vigueur à la voyageuse épuisée. Alexandra s'adresse à la mission pentecôtiste qui l'accueille volontiers. Las ! Les repas des protestants sont encore une fois d'une frugalité désespérante : « Albert regarde ironiquement ce qui apparaît sur la table et je sais qu'il pense qu'à nous deux nous mangerions aisément ce que l'on y sert pour huit grandes personnes et une fillette. » (Lettre du 28 septembre 1923.)

Alexandra se dirige maintenant vers les Missions établies au « bout de la chrétienté », c'est-à-dire aux confins du Yunnan, de la Birmanie et du Tibet. La voyageuse loue une chaise à porteurs pour effectuer le trajet jusqu'à Weishi qui n'est qu'une étape sur la route de « Tzedjrong, un hameau situé sur la rive droite du Mékong où réside l'abbé Ouvrard. »

La voyageuse abandonne la chaise à porteurs à Weishi (actuel Weisi ou Weixi), petite ville qui marque la limite culturelle entre la Chine et le Tibet. Les signes extérieurs de la civilisation tibétaine apparaissent à la grande joie de nos marcheurs : chörtens, drapeaux à prières, gompas... Bien que de tradition tibétaine, ce coin de province accepte quelques missionnaires chrétiens, rattachés à la célèbre « mission Thibet ». Mais l'influence du christianisme ne s'étendra jamais plus loin vers l'intérieur du pays.

Une mission protestante fonctionne là aussi, appartenant aux Pentecôtistes. Alexandra loge deux jours dans une maison que ces derniers sont en train de faire construire : il n'y a que les murs et la toiture... mais c'est très suffisant lorsqu'on est habitué à pire...

Puis, après un parcours de 50 km dans un paysage de gorges sombres, c'est le débouché sur la très impressionnante vallée du Mékong. Alexandra n'a jamais été aussi près « d'une frontière quelconque » depuis 1917 : la Birmanie se trouve à 40 km à l'ouest. Mais ce n'est pas vers ce pays, d'ailleurs d'accès difficile tant la région est accidentée, que la voyageuse poursuit son chemin, c'est bien sûr vers le Tibet, distant d'une centaine de kilomètres. La frontière du Tibet passe à l'ouest de Tsédjrong, à cinq jours de marche seulement !

Alexandra chemine maintenant le long du Mékong, dont elle remonte la profonde vallée. La masse des eaux glisse vers le sud dans un fracas assourdissant et avec une redoutable violence. Les versants sont raides et verdoyants. Des cultures occupent le lit majeur, mosaïque harmonieuse de formes et de couleurs.

La petite caravane se compose de quatre personnes dirigées par la dame lama juchée sur son cheval quand le chemin n'est pas trop pentu. Dans ce paysage « ravissant » et ensoleillé, la santé de la voyageuse s'améliore… L'approche du Tibet y serait-il pour quelque chose ?

Il faut traverser le fleuve pour atteindre Tsedjrong, le seul moyen pour cela est un… pont de cordes !

« Deux grosses cordes de bambou sont attachées à chaque rive. On monte sur une plate-forme à l'aide d'un escalier grossier puis là, on s'assied sur une légère escarpolette munie d'un large crochet en bois. Ce crochet est passé sur la corde en bambou. On donne un coup de pied contre la plate-forme et l'on glisse avec la rapidité du vent sur la corde inclinée qui vous amène près de l'autre rive. Quelques efforts de poignet suffisent, ensuite, pour vous hâler en terre ferme. L'idée de ce passage ne m'est pas, pour le moment, particulièrement agréable… »

Lettre du 28 septembre 1923. Likiang.

Le franchissement de ce type de pont nécessite l'aide de quelqu'un. Alexandra le savait et, quelques jours auparavant, elle avait fait passer un message au père Ouvrard pour lui demander d'envoyer de l'aide, ce qu'il fit volontiers. L'opération se déroula sans problème :

« Un bonhomme m'a attrapée entre ses genoux serrés, je me suis pendue à la courroie à laquelle il pendait lui-même et puis nous avons glissé au-dessus du fleuve, sans accident autre que de m'être un peu écorché le nez pour avoir tenu la tête trop haute et trop proche de la grosse corde au moment où je commençais à glisser. »

Lettre du 23 octobre 1923. Tsedjrong.

La course vertigineuse au-dessus du fleuve large de 70 m se termine en douceur car le câble se relève un peu dans les derniers mètres, freinant la charge et permettant une arrivée sans dommage. La traversée dure dix secondes : encore une expérience originale pour une dame de 55 ans ! Le périlleux passage du pont de

Tsedjrong se trouve confirmé par le père Christian Simonnet qui l'emprunta à son tour vingt trois ans plus tard[1].

Le village de Tsedjrong se situe à un kilomètre du dit pont. Alexandra se présente à la Mission catholique vers le 20 octobre 1923. La voici enfin « aux portes du Tibet interdit » !

1. C. Simonnet : *Thibet Voyage au bout de la chrétienté*, Éditions de Septembre (1946), 1991.

Mendiante tibétaine
pour un exploit sans précédent :
automne 1923-printemps 1924

Remarques liminaires

Les aventures qui jalonnent ce parcours à hauts risques font l'objet du livre le plus célèbre d'Alexandra : Voyage d'une Parisienne à Lhassa, *publié en 1927, deux ans après son retour, et sans cesse réédité depuis lors. Toutefois, une première version du périple fut imprimée à Pékin dès 1925 sous le titre* Souvenirs d'une Parisienne au Thibet.

Jusqu'à ce jour, Alexandra David-Néel reste la seule Occidentale à s'être rendue à Lhassa par cette voie extrêmement difficile que les circonstances l'avaient amenée à choisir. Le plus extraordinaire fut d'oser se lancer dans une telle aventure, de parcourir le chemin à pied d'un bout à l'autre, dans des conditions hivernales pour la partie centrale du circuit, alors grandement inexplorée, et à l'âge déjà respectable de cinquante-six ans. Le voyage n'aurait pas réussi sans la participation de son fils adoptif, Aphur Yongden, qui fit preuve d'un dévouement et d'une compétence exemplaires.
Après des recherches géographiques et cartographiques approfondies, j'ai pu reconstituer et cartographier de manière détaillée l'itinéraire de la randonnée de Tzedjrong à Lhassa, travail qui n'avait jamais été fait. Ces cartes figurent dans les deux éditions complètes de ma biographie de l'exploratrice : la première publiée

en 1996 sous le titre Les itinéraires d'Alexandra David-Néel *(Éditions Arthaud) ; la seconde en 2009,* Alexandra David-Néel. Vie et
voyages *(Arthaud).*

*Le point de départ : la Mission catholique de Tsedjrong,
en Yunnan*

Depuis le 20 octobre 1923, Alexandra séjourne à la mission catholique de Tsedjrong, village qui se situe à
150 km au nord-ouest de Weishi, par 28° 05' de latitude
nord et 98° 54' de longitude est, dans la vallée du
Mékong. Alexandra écrit « Tsedjrong », mais, sur les
cartes du début du siècle, on trouve plutôt Tsedjron,
Tsedjrou, Tsé djrou, Tse Dzjong, Tsedjong, ou Tsechung.
Le père Ouvrard, titulaire de la mission, écrit Tsetchong
ou Tsechung. Tsedjrong correspond aujourd'hui à
Cezhong, Cizhong ou Chödzon. Toujours active malgré
l'absence de prêtre[1], l'église a été classée au patrimoine
historique chinois en 2006[2].

Dans sa lettre du 28 septembre 1923 écrite à Likiang,
Alexandra signalait que deux autres prêtres français
résidaient dans le voisinage du père Ouvrard : « l'abbé
André et l'abbé Ginestier ». Elle précisait : « Comme
compensation pour le meurtre de deux prêtres à Atunze
il y a une dizaine d'années, la mission française a
obtenu un vaste territoire. » La « mission du Tibet »
connut en effet des épisodes tragiques dans ce secteur.
En 1905 furent torturés puis massacrés les pères
Mussot, Soulié, Dubernard et Bourdonnec[3]. Le

---

1. Merci à Marie-Paule Raibaud pour cette information fournie en 2006.
2. L. Deshayes, *La Mission du Tibet (1876-1952) – L'échec de l'évangélisa-
tion du Tibet*, Actualités tibétaines, mai 2007.
3. G. Gratuze : *Un Pionnier de la Mission Tibétaine : le Père Auguste Desgodins (1826-1913)*, Apostolat des Éditions, 1968.

successeur du père Dubernard, le père Théodore Monbeig, fut assassiné à son tour en 1914. L'église de Tsedjrong, « épaisse et incombustible, pour que les lamas ne puissent plus la brûler ni la démolir »[1], était son œuvre. L'abbé Jean-Baptiste Ouvrard remplace le père Monbeig. Il mourra du typhus dans sa mission et sera enseveli au pied de l'église de Tsedjrong.

Le lendemain de l'arrivée d'Alexandra et Yongden se présente un Américain qu'Alexandra avait rencontré quelques semaines auparavant à Likiang : Joseph Rock, explorateur, botaniste, et correspondant de la National Geographic Society de Washington. Il vient herboriser dans cette région renommée du Yunnan. La dame lama est un peu ennuyée de cette coïncidence ; elle aimerait bien le voir partir en excursion le plus tôt possible afin de pouvoir organiser tranquillement son propre départ : aucune précaution n'est inutile, car c'est bien de cette pointe nord-ouest du Yunnan qu'elle va tenter une nouvelle fois de gagner Lhassa ! Joseph Rock quitte heureusement la Mission avant elle. Plus tard il deviendra un ami et restera en contact épistolaire avec elle jusqu'à sa mort. Comme le père Ouvrard, il témoignera l'avoir rencontrée à Likiang en automne 1923, puis dans ce petit village de la vallée du Mékong.

La préparation du voyage à Lhassa

Contrairement à la fois précédente, Alexandra renonce à tout matériel technique d'origine occidentale. Malgré son goût pour la photographie elle n'emporte pas d'appareil. Les bagages sont limités au strict

---

C. Simonnet : *Thibet Voyage au bout de la chrétienté*, Éditions de Septembre (1946), 1991.
1. J. Bacot, *Le Tibet Révolté (Voyage de 1909-1910)*.

nécessaire et Yongden reste plus que jamais le seul compagnon de route. Pour l'orientation, la dame lama garde plusieurs petites boussoles qu'elle cachera sur elle, et surtout une série de croquis de repérage qu'elle a recopiés elle-même sur ses cartes et sur celles de George Pereira. Les informations sont réduites à la portion congrue… mais elles existent néanmoins. Ses croquis sont dessinés sur des feuilles de petites dimensions, moins encombrantes et surtout plus discrètes que de grandes cartes. L'examen des figures montre qu'Alexandra ne sait pas encore si elle pourra tenir un itinéraire précis. Son expérience lui a prouvé que les imprévus faisaient partie du voyage. Aussi a-t-elle tracé tous les chemins connus figurant sur les cartes qu'elle a consultées ou qu'elle possède. À vrai dire il y en a assez peu. La plupart des dessins sont décalqués à l'encre, sur du papier tibétain, d'après la carte anglaise intitulée : *Tibet and Adjacent Countries – 1917 – Published under the direction of Colonel Sir S.G. Burrard, Surveyor General of India.* Le Général Pereira possédait forcément ce document, et selon toute vraisemblance, Alexandra dessina ses petites cartes à Jyekundo. Plus tard elle achètera un exemplaire du document anglais, toilé et plié en format de poche, mais le parfait état de la carte conservée à la Maison Alexandra David-Néel montre qu'il ne peut s'agir d'un document de terrain, toujours usagé et plus ou moins abîmé après une campagne.

Alexandra a choisi de passer par la vallée du « Po-Tsan-po », une région alors très mal connue, en partie inexplorée. La comparaison avec les documents actuels (cartes dressées à partir d'images de satellites) montre que la carte Burrard est fausse pour cette portion de territoire. Le « Po-Tsan-po », affluent du Brahmapoutre, y est d'ailleurs dessiné en pointillés, c'est-à-dire que le tracé de la rivière restait hypothétique. Or c'est la piste qu'Alexandra a choisie pour accéder à la région de Lhassa...

L'échelle 1/2 500 000 (1 cm sur la carte représente 25 km sur le terrain) est celle d'une carte peu détaillée, mais celle-ci a le mérite d'exister. Le chemin sélectionné est éloigné des grands axes de circulation : c'était le critère prédominant. La dame lama se voit maintenant très bien dans un rôle qu'elle n'a pas encore vraiment joué jusque-là, celui d'exploratrice !

Sa région de départ, celle des Marches Tibétaines du Yunnan, est connue, ce qui ne veut pas dire sans dangers. Explorateurs et missionnaires y ont circulé en nombre, et certains ont payé de leur vie leur insatiable curiosité ou leur prosélytisme. Sa région d'arrivée, celle de Lhassa, est tout aussi connue : les services topographiques britanniques ont publié une excellente carte des environs de Lhassa en 1919, feuille 82 de la couverture appelée *India and adjacent countries*. Le territoire cartographié s'arrête vers l'est au 96e méridien, c'est-à-dire à l'est de Showa et Dashing (villages qu'Alexandra traversera). La feuille voisine, située à l'est (Sheet 91), fut dressée dès 1904 : j'ai constaté qu'elle était complètement fausse. En 1923, Alexandra ne possède pas ce document, (on serait tenté de dire : heureusement pour elle, car elle se serait égarée...). Elle l'achètera à son retour pour tenter de reconstituer son itinéraire, mais le Service Topographique de l'Inde lui précisera que cette carte n'a pas encore fait l'objet d'une révision. La lamani-exploratrice ne parviendra pas à retrouver, sur les cartes de l'époque, le chemin qu'elle avait suivi...

Mais elle n'en est pas encore là. Pour le moment, une Française de 55 ans, aguerrie par des années de vie sommaire, habitée par une volonté d'airain, et décidée à mourir plutôt que de renoncer à son projet, prépare ses bagages avant de se lancer dans un circuit pédestre qui défie la raison parce qu'il sera en partie effectué en hiver ; un circuit qu'aucun Occidental n'avait suivi avant elle ; un circuit qui doit la mener à travers un pays interdit, mal connu et réputé dangereux, le Pays des Popas, le Poyul et sa partie méridionale le Pomed !

Il n'est pas question d'emporter des cartes anglaises qui seraient compromettantes en cas de vol ou de fouilles des bagages. Alexandra a en effet décidé de rejouer le personnage inventé lors de la sortie au sud de Jyekundo, celui d'une pauvre Tibétaine, accompagnée cette fois de son fils, un lama qui effectue un pèlerinage. Que feraient des cartes géographiques dans la besace d'une vieille mendiante du pays ? Elle a trouvé une magnifique cachette pour dissimuler ses précieux croquis : les ourlets de ses vêtements. C'est là qu'elle glisse les dessins après les avoir finement roulés. À la Maison A. David-Néel, Marie-Madeleine Peyronnet se plaît à raconter qu'elle déplia et repassa avec le plus grand soin les petites cartes qu'Alexandra avait gardées en souvenir de son périple !

L'aventure est extrêmement périlleuse, mais les meilleurs atouts d'Alexandra sont sa résistance physique, sa très grande expérience des randonnées les plus dures, et son inflexible détermination. On peut diviser le périple en six parties successives, chacune étant caractérisée par des événements particuliers.

LA RANDONNÉE À LHASSA

1 – De Tsedjrong à Dayul Gompa

« Qu'avais-je osé rêver ? Dans quelle folle aventure étais-je sur le point de m'engager. Je me rappelais celles qui l'avaient précédée, le souvenir me revenait de fatigues

328

endurées, de dangers courus, d'heure où la mort m'avait frôlée. C'était cela encore et bien davantage qui m'attendait... Mais des gens se dressaient devant les voyageurs, ils leur disaient : "On ne passe pas ici !", comme si la terre n'appartenait pas à tous les hommes. À deux reprises ils me l'avaient dit à moi... Je riais, maintenant, toute seule dans la nuit, au milieu de la brousse. "On ne passe pas !" – Vraiment ? – Une femme passerait, une Parisienne. »

Souvenirs d'une Parisienne au Thibet.

Après avoir laissé son cheval « Ragpas » au père Ouvrard, Alexandra procède à un dernier tri de ses bagages. Elle en laisse « ostensiblement » une bonne partie à la mission et déclare partir durant quelques jours avec Yongden pour herboriser dans les environs. On a vu que le Loutze Kiang était réputé pour sa flore. Pour éviter toute suspicion de la part des villageois, Alexandra engage deux porteurs : car on n'a jamais vu une Européenne, surtout une dame d'un certain âge, partir avec ses bagages sur le dos ! Malgré la confiance que lui inspire le responsable de la Mission, la voyageuse se garde bien de lui révéler sa destination réelle. C'est ainsi qu'un groupe de quatre personnes quitte la mission catholique de Tsedjrong par un beau matin de la fin du mois d'octobre 1923.

Pour cette longue randonnée à travers les hautes chaînes du Tibet sud-oriental, Alexandra n'emporte pas plus qu'un matériel de boy-scout partant en camping pour quelques jours :

« Une tente minuscule en coton léger, ses piquets de fer, des cordes, un grand morceau de cuir non tanné, de provenance tibétaine, pour ressemeler nos bottes, un carré de grosse toile devant atténuer quelque peu l'humidité ou le froid du sol nu sur lequel nous nous étendrions pour dormir et le sabre court servant à des usages multiples, partie essentielle de l'équipement de tout voyageur tibétain (pour nous, surtout cognée de bûcheron). »

Voyage d'une Parisienne à Lhassa.

À cela s'ajoute ce que l'on n'ose pas appeler une batterie de cuisine : « une marmite, deux bols, l'un en bois, l'autre en aluminium, qui pouvait, au besoin, se poser sur le feu et servir de casserole, deux cuillères et un de ces étuis chinois contenant un long couteau et deux baguettes ». Ils emportent aussi deux bouillottes qui pourront éventuellement servir à conserver un peu d'eau, quelques médicaments (« digitaline, aconite, caféine… »), et chacun un revolver. Alexandra porte sur elle les accessoires de survie, bien dissimulés dans ses vêtements : une ceinture pleine d'argent, un petit sac d'or accroché sur sa poitrine, une montre, plusieurs boussoles, ses petits croquis et, bien qu'elle ne le dise pas, quelques feuilles de papier et de quoi écrire, ainsi qu'un thermomètre pour mesurer les températures extérieures. Les provisions de nourriture sont prévues pour deux à trois semaines, c'est-à-dire le temps de s'éloigner de la frontière. Il s'agit de denrées presque exclusivement tibétaines : beurre, tsampa, thé, un peu de viande séchée et, caché dans une boîte… un peu de cacao. Malgré la très grande sobriété de ces bagages, les sacs pèseront lourd sur les épaules !

Alexandra et Yongden n'emportent rien de plus, tout en sachant que l'hiver ne va pas tarder, qu'ils devront affronter d'inévitables et violentes bourrasques dans les hautes montagnes, qu'ils ne connaissent pas le relief, encore moins le chemin qu'ils vont emprunter, et que Lhassa est à plusieurs mois de marche. Combien au juste ? Seule, l'expérience le dira ! Compte tenu des sinuosités des sentiers montagneux, des dénivellations, des détours pour franchir une rivière et des inévitables erreurs en chemin, les deux intrépides voyageurs devront parcourir au moins 2 000 km à pied !

La direction choisie est celle du col Doker : 4 540 m d'altitude. Situé à environ 40 km au nord-ouest de Tsedjrong, il marque la frontière avec le Tibet. Alexandra en a entendu parler par les missionnaires : pour y accéder, il faut remonter la vallée du Mékong, puis obliquer à l'ouest dans une petite vallée affluente, en direction du village de Londré, dernier village avant l'imposante crête qui constitue la frontière naturelle entre la Chine et le Tibet.

Deux jours de marche et voici l'entrée du vallon de Londré, puis le village lui-même. Circonstance heureuse : il est presque désert. Les habitants sont partis cueillir des plantes pour le botaniste américain. Le village est bâti à 2 400 m d'altitude et pourtant l'on s'y sent écrasé par d'immenses parois rocheuses encadrant la vallée. On aperçoit le puissant massif du Kha Karpo, la montagne sacrée dont les sommets atteignent 6 000 m d'altitude. Les buissons et les arbres couvrent les versants très pentus qui forment de véritables murailles. Alexandra n'a pas choisi une voie facile pour pénétrer au Pays des Neiges !

Mais plus que le relief, c'est la hantise d'être repérée qui obsède la dame lama durant cette première partie du parcours. Elle vit dans la crainte permanente d'être aperçue, puis arrêtée avant même d'avoir pu pénétrer dans le pays de ses rêves. Yongden et elle portent des vêtements chinois usagés. Voici justement des Tibétains qui les croisent… sans faire attention à eux. Ouf ! L'heure est venue aussi de se débarrasser des porteurs : Alexandra explique dans son livre la ruse qu'elle utilise, juste après Londré, pour les congédier sans qu'ils trouvent cela bizarre, nous y renvoyons le lecteur…

Il fait un temps splendide. La mère et le fils sont seuls désormais, au pied de ce Tibet magique et plein de dangers, au sein duquel ils vont tenter de pénétrer, puis de se fondre afin d'atteindre le but visé depuis plus de deux ans. La grande aventure commence entre Londré et le Doker La, entre le Kha Karpo et le Loutze Kiang. L'émotion est à la mesure du paysage et de l'ambition d'Alexandra.

Avec les porteurs, Alexandra et Albert avaient fait semblant de se diriger vers le Loutze Kiang. Il faut maintenant remonter vers le village et gagner le chemin des pèlerins du Kha Karpo, montagne sacrée, très renommée et fréquentée. Par prudence ils attendent la nuit pour retraverser Londré. Le chemin du pèlerinage est difficile à trouver dans le noir, c'est aussi fort dangereux à cause de la pente et des éboulis ! La forêt permet de se cacher : ils restent immobiles sous les arbres toute la journée suivante, attendant le crépuscule pour bouger à nouveau.

Ils marchent maintenant sur le chemin du pèlerinage. Yongden voudrait boire car ils n'ont rien pris depuis vingt-quatre heures. Sa mère l'en dissuade : ils parlent en anglais. Stupeur ! Une voix les interpelle. Alexandra est pétrifiée de terreur. La voix vient d'un arbre creux où s'étaient installés des pèlerins tibétains pour la nuit. Discussion : Yongden explique qu'ils sont des *dokpas* d'Amdo, habitués à la fraîcheur plus qu'à la grosse chaleur du jour. C'est pourquoi ils préfèrent marcher la nuit... Soulagement : les Tibétains ne cherchent pas à en savoir plus. Mais quelle frayeur et quelle leçon ! C'est la dernière fois qu'ils s'exprimeront en anglais avant le 5 mai 1924, date à laquelle Alexandra se fera reconnaître chez le représentant britannique de Gyantze.

Alexandra et Yongden continuent à marcher comme ils peuvent à la lueur de la lune, et à se cacher dans les taillis durant la journée. Le sentier longe le précipice. La moindre chute serait mortelle et expédierait les malheureux au fond de la vallée, 2 000 m plus bas. L'étage forestier est une bonne cachette pour passer les journées. Au-dessus, les arbres se rabougrissent, laissent place aux rhododendrons, puis aux lichens. Les sommets sont hérissés de pics englacés.

La stratégie d'Alexandra et de Yongden consiste à se faire passer pour des *ardjopas*, « ces pèlerins – des moines pour la plupart – voyageant à pied, chargés de leurs bagages, qui, par milliers errent à travers le Tibet, visitant les lieux que la tradition a consacrés comme vénérables à un titre quelconque ». (*Voyage d'une Parisienne à Lhassa*).

Alexandra apprécie particulièrement ce rôle pour la liberté qu'il permet : les soucis domestiques ont disparu avec les porteurs et le gros des bagages. De plus, elle renoue avec l'un de ses grands plaisirs : les nuits à la belle étoile. L'austérité de la nourriture et la rudesse de ce style de « voyage » ne les gêne ni l'un ni l'autre. La mère et le fils fignolent maintenant leurs personnages en revêtant des costumes tibétains. Yongden reprend sa tenue lamaïque, son vêtement habituel, après tout. Alexandra se transforme en femme du peuple. Pour plus de vraisemblance car les Tibétaines portent les cheveux longs, elle ajoute à ses cheveux des crins de yak bien noirs, et teint l'ensemble de sa chevelure avec un bâton d'encre de Chine mouillé. Bien que son visage soit hâlé par la vie au grand air, elle se brunit, ou plutôt se salit la peau, avec « un mélange de braise pulvérisée et de cacao emprunté à l'unique boîte que nous possédions ». Faute d'avoir pu se procurer à temps un chapeau tibétain, elle s'entoure la tête avec une vieille ceinture rouge, puis elle parfait le tout avec de grosses boucles d'oreilles, comme en portent les Tibétaines.

Dans son récit, Alexandra raconte ses fatigues, ses frayeurs, ses doutes, ses hallucinations, ses rencontres : nous laissons au lecteur le plaisir de les découvrir. La traversée du col-frontière, extrêmement dure, était évoquée dans la première version du livre :

« Le col de Dokar, marquant la frontière actuelle du Thibet indépendant de la Chine – une molle dépression entre des crêtes arides à 5 250 mètres d'altitude – me parut impressionnant au déclin du jour. [...]

Une violente rafale nous accueillit au sommet : le baiser violent et glacial de l'âpre pays dont le charme rude me retenait ensorcelée depuis longtemps déjà et vers qui je revenais. De gros nuages descendirent bientôt sur les montagnes, une neige à demi glacée nous cingla le visage, la nuit très noire s'était faite rapidement, nous ne distinguions plus le sentier, nous glissions sur des éboulis ; continuer devenait dangereux et s'arrêter sur ces pierres croulant sous nos pieds n'était guère facile. Yongden et moi nous enfonçâmes chacun notre long bâton ferré dans le sol, aussi solidement que cela nous fut possible, afin d'obtenir un point d'appui pour un pied, puis nous nous assîmes, agrippés l'un à l'autre, nos fardeaux toujours attachés sur notre dos, sans oser bouger de crainte de glisser parmi les pierres jusqu'au fond de la vallée. Une neige fine, à demi fondue, tomba presque sans interruption ; nous demeurâmes là de 9 heures du soir à 3 heures du matin. Alors un pâle dernier quartier de lune se leva et nous pûmes continuer la descente. Une heure plus tard, rentrés dans la zone des forêts, nous rencontrions deux léopards en promenade et ceux-ci nous honoraient de leur attention tandis que nous préparions, au bord de la rivière, le thé réconfortant dont nous avions grand besoin après une telle nuit. »

Souvenirs d'une Parisienne au Thibet.

L'explorateur Jacques Bacot, qui avait traversé le Doker La en 1907, évoquait lui aussi l'extrême danger de ce sentier « effrayant »[1]. *Do-ker* veut dire « escalier de

---

1. J. Bacot : *Dans les Marches tibétaines autour du Dokerla, novembre 1906-janvier 1908*, Paris, Plon, 1909.

pierre ». « C'est en effet un escalier si on veut, presque une muraille abrupte et vertigineuse, haute de 3 à 400 mètres et dangereuse en tout temps. »

Les voici entrés au Tibet. Ils marchent depuis une semaine vers le nord-ouest. Le prochain village est Aben. Pour plus de commodité et malgré les risques, ils ont décidé d'avancer maintenant dans la journée. Les rencontres seront forcément plus fréquentes. Des pèlerins tibétains ne tardent pas à les rejoindre en effet... sans s'étonner particulièrement de ces deux personnages. La halte du milieu de la journée se fait même en commun.

Alexandra et Yongden traversent Aben dans l'angoisse, puis descendent vers Lhakhangra, situé au confluent du torrent d'Aben et de la Salouen. L'occasion est bonne pour racheter des provisions : Yongden s'en charge... La présence de pèlerins originaires de différentes provinces du Tibet est finalement une sécurité : les dialectes varient d'une région à l'autre. Si Alexandra et Albert ne connaissent pas le langage du Tsarong, la province du sud-est du Tibet, ils ne sont pas les seuls. Mais Alexandra vit dans la crainte d'être qualifiée de *philing*, d'étrangère. Plus que les difficultés du parcours, c'est cela qui l'obsède. Elle explique dans son livre que certaines rencontres la paniquent.

La mère et le fils remontent ensuite la majestueuse vallée de la Salouen, appelée *Giamo nou tchou* dans son cours supérieur. Les eaux vertes brillent sous le soleil, le paysage est « splendide, rayonnant de lumière ». Encore un village de passé sans ennuis. La température reste douce en ce mois de novembre 1923. Le pays, verdoyant, semble agréable à vivre. Au village, la piste se divise en deux branches : l'une mène à Menkong, chef-lieu du TsarongTsarong, l'autre au

---

J. Bacot : *Pèlerinage au Dokerla (Tibet oriental).* Conférences faites au musée Guimet, Paris, E. Leroux, 1909.

Tondo La et à la vallée du *Nou tchou*, un affluent de la Salouen. C'est cette piste qu'ils vont suivre, pour éviter d'éventuels contrôles par les autorités de Menkong.

Le Tondo La est à moins de 10 km. Ils y parviennent après quelques heures de marche en forêt. Altitude de ce col : 3 360 m, écrit Alexandra. Le lendemain, les deux pèlerins descendent vers la vallée de l'Oukio, rivière qu'ils traversent sur un pont en bois de type *cantilever,* bien construit. Nouvelle rencontre avec des pèlerins. Lama Yongden est requis pour faire des prédictions, en particulier à propos d'une jeune fille qui souffre des jambes. Alexandra reste à l'écart, et tout se passe bien. Ce n'est que le début d'une longue carrière pour Albert Yongden !

Le chemin passe ensuite par le village de Ké. La mère et le fils y retrouvent les pèlerins à la jeune fille blessée ! Yongden est convié à passer la soirée avec eux. Chacun raconte des histoires plus ou moins fantastiques, Albert n'est pas le dernier à faire preuve d'imagination... Mais Alexandra n'a qu'une envie, celle de passer inaperçue. Comme lors de la sortie de Jyekundo, ils avaient mis au point un code, et certaines paroles prononcées en tibétain, présentaient pour eux un double sens. Alors qu'il était heureux de fanfaronner au milieu d'un public attentif, Yongden entend sa mère adoptive prononcer avec conviction une formule sacrée qui, dans leur code, signifiait : « Décampons au plus vite ! » Et c'est bien malgré lui qu'il quitte le groupe...

Alexandra elle-même manque de se trahir au village suivant, à Wabo. Ce jour-là ils commettent l'imprudence de boire leur thé au milieu du hameau. Les curieux s'attroupent. Or, sans doute vexé d'avoir été interrompu dans ses discours à Ké, Yongden décide de rester totalement muet au milieu des villageois, dont la curiosité décuple devant une attitude aussi étrange.

Alexandra ne sait que faire, son code ne comporte pas l'ordre « parlez » ! Pour se donner une contenance, la dévouée mère du lama sans voix plonge la marmite dans l'eau du ruisseau, et elle commence à laver la vaisselle avec application. L'eau lave le récipient... et les mains d'Alexandra qui ressortent plus blanches que celles des Tibétaines assemblées autour d'eux... Panique ! Devant la gravité de la situation, Yongden sort de son mutisme pour expliquer qu'ils viennent d'accomplir le pèlerinage du Kha Karpo et qu'ils retournent dans leur pays, vers le nord... Bien sûr qu'ils sont des *philings*, dit un paysan, puisqu'ils sont *Sokpos*, c'est-à-dire des Mongols ! Et tous de partir d'un bon éclat de rire. Alexandra et son fils sont sauvés : étrangers, certes, mais asiatiques !

Le pays reste agréable et verdoyant : c'est le « Tibet fleuri » de Jacques Bacot. Yongden achète du ravitaillement au monastère de Pedo : navets, farine, abricots secs... de quoi se nourrir pendant un bon moment. Le chemin les conduit à travers « de sombres forêts peuplées d'arbres énormes ». C'est peu après la gompa de Pedo qu'Alexandra trouve un trésor dans les buissons, au bord d'un petit ravin : « un vieux bonnet en peau d'agneau comme en portent les femmes du Kham ». Les dieux ont mis sur son passage l'accessoire qui lui manquait... une vieille « fourrure malpropre » qui se révélera bientôt de la plus grande utilité !

Malgré la température de plus en plus fraîche et les taches de neige qui s'élargissent peu à peu, les nuits se passent à la belle étoile, la tente ne servant que de couverture. Alexandra et Albert préfèrent dormir comme les Tibétains, les bagages coincés entre eux. Mais ils gardent un revolver à portée de la main. Cette première partie du voyage offre son lot d'expériences, de découvertes et d'angoisses. Alors qu'ils étaient questionnés par un *pönpo*, « un haut fonctionnaire », croisé sur un chemin qui ne permettait aucune cachette, Alexandra ne trouve pas de meilleure solution pour se tirer d'affaire que de demander la charité, de son air le plus humble... et le *pönpo* donne une pièce à Yongden. Pour remercier le généreux donateur, la vieille mère lui tire la langue, selon la coutume tibétaine ! Magnifique succès de théâtre...

Autre expérience avant Dayul Gompa : l'hébergement chez l'habitant. Alexandra n'est plus la respectée *khandoma* du Koukou Nor, le personnage qu'elle avait joué en Amdo. Elle se comporte désormais comme une femme pauvre qui accompagne son fils en pèlerinage. Le rôle est nettement moins prestigieux, et surtout moins confortable. C'est ainsi qu'un brave homme, à qui Yongden avait fait des prédictions à propos d'un âne, les invite un soir à dormir chez lui :

> « J'allais maintenant expérimenter par moi-même nombre de choses que j'avais jusque-là observées seulement à distance. Je m'assoirais à même le plancher raboteux de la cuisine sur lequel la soupe graisseuse, le thé beurré et les crachats d'une nombreuse famille étaient libéralement répandus chaque jour. D'excellentes femmes, remplies de bonnes intentions, me tendraient les déchets d'un morceau de viande coupé sur un pan de leur robe ayant, depuis des années, servi de torchon de cuisine et de mouchoir de poche. Il me faudrait manger à la manière des pauvres hères, trempant mes doigts non lavés dans la soupe et dans le thé, pour y mélanger la *tsampa* et me plier enfin à nombre de choses dont la seule pensée me soulevait le cœur. »

Voyage d'une Parisienne à Lhassa.

En compensation, Alexandra glane des informations absolument inédites sur les mœurs des Tibétains, des tranches de vie que nul n'avait pu découvrir avant elle.

La vieille mère prend l'habitude de se noircir le visage et les mains, afin de ressembler à l'une de ces campagnardes qui « ne se lavent presque jamais et s'enduisent le visage de beurre, de noir de fumée et de diverses laques et résines qui les transforment à peu près en négresses ». Elle mendie « en chantonnant des formules pieuses de porte en porte, suivant la coutume des pèlerins nécessiteux ». Bref, elle entre dans la peau de son personnage. C'est à la fois un exploit et une belle preuve de courage : Alexandra l'orientaliste, l'amie des maharadjahs, la « missionnaire » bouddhiste, l'oratrice applaudie, disparaît sous le masque de l'humilité. Elle n'avait jamais encore poussé la performance aussi loin. La fière Alexandra cède la place à une pauvresse, ignorante, sale, dévote et… non dégoûtée. L'orgueilleuse Alexandra dépasse ses répulsions pour se glisser dans la personnalité d'une mendiante. Elle accepte la crasse, l'absence d'hygiène et le plus élémentaire des conforts pour parvenir à son but : Lhassa ! La vallée du Nou tchou resplendit dans son habillage d'automne. Le chemin longe la vallée. Voici Dayul Gompa.

2 – De Dayul Gompa à Soung Dzong

Cette portion de l'itinéraire correspond à la partie la plus originale et la plus aventureuse de la randonnée, la plus rude aussi puisque Alexandra et Yongden vont y frôler la mort. La route suivie par la dame lama s'avère complètement originale en ce sens qu'elle s'écarte à plusieurs reprises des fonds de vallées pour couper à travers les massifs montagneux par des sentiers que seuls connaissent les gens du pays. Mais suivons nos deux *ardjopas* qui viennent d'atteindre Dayul Gompa.

Sachant qu'un fonctionnaire, un *pönpo*, résidait à Dayul, Alexandra avait décidé de traverser le village à la nuit tombée. Afin d'y arriver au crépuscule, elle flâne une bonne partie de la journée en forêt. Si bien qu'il est déjà un peu tard quand les deux marcheurs aperçoivent les toits du monastère. Les distances sont très difficiles à estimer lorsqu'on ne connaît pas le chemin, d'autant plus que les indications fournies par les habitants restent toujours vagues. Les gens du pays annoncent des temps de marche plus que des distances. Et les explorateurs finissent par faire de même ; ainsi l'Abbé Desgodins dit avoir parcouru le trajet de Tchrayul à Pétou (Dayul – Pedo) en cinq jours de marche[1] : Alexandra fait le trajet en sens inverse dans des temps équivalents.

Alexandra garda un horrible souvenir de son passage à Dayul car le village se situait à la croisée de plusieurs pistes. Laquelle choisir quand on arrive à la nuit dans un village inconnu, éclairé par la seule lueur de la lune ? Dans son récit elle consacre sept pages à leurs errances nocturnes qui se poursuivirent jusqu'à l'aube, aux reconnaissances menées par Yongden tandis qu'elle-même restait cachée dans l'angoisse d'être découverte, à la traversée du village qui ne fut possible qu'au petit matin… Le monastère de Dayul Gompa domine le Nou tchou. Édifié à 3 450 m d'altitude, il est adossé à une forêt de conifères au-dessus de laquelle resplendissent les hauts sommets enneigés. L'importance du lieu tient en effet à sa position de carrefour. Le paysage est de toute beauté.

Afin d'éviter de partir dans une mauvaise direction, Alexandra et Yongden ont dû se résoudre à demander leur chemin à un habitant : ils cherchent la route de Dzogong. Le jour est levé maintenant. Autant dire qu'ils

---

1. C. H. Desgodins : *La Mission du Thibet de 1855 à 1870, comprenant l'exposé des affaires religieuses et divers documents sur ce pays, d'après les lettres de M. l'abbé Desgodins missionnaire apostolique.* Verdun, Imprimerie de Ch. Laurent, Éditeur, 1872.

n'ont pas réussi à traverser le village aussi discrètement qu'ils l'auraient souhaité. Mais comment faire autrement dans ce pays où les sentiers ne sont pas balisés ? Quelqu'un du village sait donc qu'une vieille mère et son fils marchent vers Dzogong ! Le paysan ira-t-il signaler leur présence au *pönpo* ? Alexandra s'attend au pire...

Les deux pèlerins sont tellement épuisés par leur nuit de veille et d'angoisse qu'ils s'arrêtent à la première clairière et sombrent dans un sommeil lourd. L'après-midi est déjà là quand ils s'éveillent. Tout semble calme. Ils reprennent leur chemin le long du Nou tchou et remontent progressivement la vallée. Voici un bassin rudimentaire aménagé autour d'une source d'eau chaude. C'est une bonne occasion pour se laver un peu. Yongden adjure « pathétiquement » sa mère de ne rien toucher à son visage qui possède maintenant le teint adéquat. Alexandra attendra la nuit noire pour se plonger le corps dans le bassin, après qu'une famille tibétaine eut aussi profité de l'eau chaude. Les eaux thermales sont prisées au Tibet.

« C'est de l'eau courante, je me risque après les autres, au clair de lune. C'est délicieux d'être dans l'eau. Je ne puis pas user de savon, cela se verrait et Aphur m'a chapitrée : je ne dois pas me laver la figure, ni frotter mes mains, ni nettoyer mes ongles. Toute cette patine de crasse acquise à grand-peine s'en irait... Donc je résiste à la tentation de me débarbouiller la figure et le cou. Il fait froid, il gèle, cela pique dès que je sors de l'eau pour me rhabiller. Aphur va barboter après moi. Le lendemain matin il me fait me noircir en hâte parce que la vapeur m'avait quelque peu nettoyé le visage. Fini. Je ne me laverai plus avant Lhassa et ces lavages seront bien minimes. Je n'aurai un vrai bain qu'à Gyantze[1], c'est loin. »

Cahier « De Dayul ». Non daté, sans doute écrit durant l'été 1924.

---

1. Alexandra se fera reconnaître à Gyantze le 5 mai 1924... c'est-à-dire qu'elle ne prendra pas de « *vrai bain* » pendant plus de six mois !

Dzogong se situe à une centaine de kilomètres au nord-ouest de Dayul, en amont dans la même vallée. Alexandra et Yongden avancent lentement, au rythme des pèlerins. Mais chaque rencontre engendre tourment, inquiétude ou panique... Ainsi cette discussion avec deux lamas qui les avaient rejoints et qui disaient se rendre eux aussi à Dzogong pour porter un message au magistrat de la localité. Alexandra est persuadée que les religieux l'ont regardée avec trop d'insistance, que le message signale leur présence, que la catastrophe est imminente, qu'ils vont être arrêtés sous peu... Il faut dire que Dzogong est la capitale de la province du Tsarong. Les autorités locales surveillent étroitement tout ce qui se passe dans le secteur frontalier avec la Chine. L'anonymat et l'incognito s'imposent plus que jamais. La fatigue aidant, l'angoisse d'être reconnue devient une idée fixe chez Alexandra. Mais le temps passe et les pèlerins continuent à cheminer sans être inquiétés par les autorités.

Les deux *ardjopas* arrivent à Porang, un village situé à environ 30 km au nord-ouest de Dayul. Un superbe pont de bois enjambe le Nou tchou. Ne serait-ce pas le moyen d'échapper à un éventuel contrôle des autorités de Dzogong ? Après bien des hésitations, les deux marcheurs décident de traverser et de prendre la piste visible du pont. Ils quittent ainsi la route de Dzogong qu'ils jugeaient dangereuse pour leur incognito... La direction est bonne, assurément, mais où mène exactement la piste ? Ils n'en savent rien. Un problème, qui se répétera tout au long du voyage, ne tarde pas à se poser : le chemin arrive à une bifurcation. Quelle voie choisir ? Ils optent pour un raidillon, se trompent, reviennent sur leurs pas. Puis les choses s'arrangent, ils trouvent enfin la bonne direction.

Même si Alexandra consulte ses petits croquis, il lui est impossible de se repérer à quelques dizaines de kilomètres près : la carte n'est pas assez précise pour donner autre chose que les grandes directions. C'est Yongden qui est chargé de se renseigner en cours de route ; Alexandra reste discrètement à distance et se cache le plus possible. L'inquiétude s'accroît encore pour elle lorsque son fils s'absente pour aller mendier de la nourriture. Ainsi cette fois :

« Il reste longtemps absent ; pendant ce temps, ne sachant que faire devant mon chaudron et sentant que la nuit sera glaciale et qu'un bon feu sera nécessaire, je continue à récolter la *jouwa*[1] puis j'emporte notre grand coutelas, un petit sabre, et je m'en vais essayer de couper du bois mort dans quelques buissons épineux voisins. Je manque d'adresse à ce métier, je m'escrime en vain sur une branche quand, me retournant, je vois une femme qui me contemple. Elle a vu ma maladresse... Terreur. Elle a dans un coin de son tablier un petit morceau de beurre, un morceau de lard, quelques fruits secs. Elle m'offre le tout. Je remercie et, comprenant bien, à sa demande "où est le lama ?", qu'elle veut *mo*[2], je lui dis qu'il est allé mendier, qu'il ne tardera pas et qu'elle ferait bien de venir s'asseoir près de mon feu et de boire du thé que je vais faire.

Je lui donne un tapis, je m'assois sur la terre nue. Est-ce que cela compensera ma maladresse à mouvoir notre marmite sur le feu ? Je me brûle les mains avec autant de stoïcisme que j'en suis capable, mais il saute aux yeux que je me les brûle. Elle finit par manœuvrer la marmite elle-même et je la laisse faire, continuant à récolter de la *jouwa* qui est froide, au moins, tout en ayant l'œil sur ma bienfaitrice et invitée, pour voir si elle ne vole rien.

Quelques gamins viennent aussi me regarder. Il faut parler, je comprends mal leur patois... Enfin Aphur arrive portant ce qu'il a quêté. Il fait *mo* pour la femme qui boit son thé et demeure longtemps.

(Même cahier).

_____

1. *Jouwa* : (djoua) bouse de yak ou de vache appelée aussi *ongoua* au Tibet septentrional.
2. *Mo* : pratiques divinatoires.

343

C'est à partir de Porang que le circuit d'Alexandra sort véritablement des sentiers battus, pour autant que l'on puisse parler de sentiers battus au Tibet !

La partie la plus risquée du voyage commence maintenant. Alexandra se dirige à l'inspiration vers la vallée de la Salouen, c'est-à-dire qu'elle s'apprête à franchir la chaîne montagneuse qui sépare la vallée du Nou tchou de celle de la Salouen. Le décor devient plus sauvage, les forêts plus austères, les températures plus basses, les chemins plus déserts. La chaîne se divise en deux chaînons parallèles, franchissables par des cols. Quelques fermes isolées, puis de rares camps de *dokpas* constituent le seul habitat de ces froides montagnes. Alexandra et Yongden ont la chance de pouvoir se ravitailler dans l'un de ces campements. Les hommes sont armés de fusils, mais pas hostiles. Nos deux pèlerins renouvellent ainsi leurs provisions de fromage, de beurre et de *tsampa*. La nourriture est assurée pour plusieurs semaines : c'est une chance.

Un beau matin ils aperçoivent « un mince ruban scintillant : c'est le Giamo Nou tchou ». Le fleuve coule au moins 1 500 m en contrebas ! Toujours ce prodigieux encaissement des vallées du Tsarong. Le Giamo Nou tchou est le nom local du cours supérieur de la Salouen. Au hasard des rencontres, la mère et le fils avaient appris qu'il était possible de franchir le fleuve par un pont situé dans les environs. Les « montagnes à pic et arides » dominent un petit plateau en pente douce sur lequel sont bâtis quelques villages. Cette haute terrasse fluviale se termine elle-même par une falaise qui plonge dans les eaux tumultueuses du fleuve. Venant du col qui leur a permis de franchir la montagne, Alexandra et Yongden descendent vers le plateau en scrutant la vallée pour découvrir le fameux pont. « Nous finissons par apercevoir une ligne coupant l'eau, celle-ci se précise et le doute n'est plus possible » : le pont est une corde, tendue au-dessus du fleuve, au niveau des falaises. C'est le seul moyen de traverser la Salouen. Il faut camper ou trouver un refuge pour la nuit, et se procurer de l'eau pour le thé. Mais la rivière est inaccessible à cause des falaises. Aphur cherche l'endroit où la paroi est la moins haute et… il ramène de l'eau « avec grand peine et en courant le danger de se noyer, devant se pendre et se pencher à la falaise encore haute ».

Alexandra ne craint pas outre mesure la traversée : quelques mois auparavant, sa glissade au-dessus du Mékong s'était très bien passée. La seule chose ennuyeuse risque d'être l'attente. Car l'utilisation de ce type de pont nécessite l'intervention de passeurs ou du moins de volontaires pour aider à paumoyer les « colis » accrochés aux cordes lorsqu'ils arrivent de l'autre côté. Ceux qui y travaillent habitent de l'autre côté du fleuve, dans un village nommé Tsawa. Ils ne se déplacent que lorsque les choses en valent la peine, c'est-à-dire lorsque le nombre de candidats à la traversée est suffisant. Si personne ne se présente de l'autre côté, l'attente peut durer plusieurs semaines… Loin d'être découragée, Alexandra trouve bientôt une « charmante petite caverne », un lieu idéal pour se reposer et patienter : les deux voyageurs s'installent, prêts à demeurer là un bon moment. Le soleil brille, la température s'est adoucie et le décor de roches rouges est magnifique, autrement dit, tout va bien. Dès le surlendemain un lama et sa suite se présentent pour traverser eux aussi : la mère et son fils profitent de l'occasion. Le lecteur découvrira dans le livre d'Alexandra les péripéties qui accompagnent cette fois le franchissement du fleuve… la lamani reste suspendue un bon moment au beau milieu du « pont », au-dessus de la Salouen rugissante… L'arrivée de l'autre

345

côté ne fut pas non plus chose facile, Alexandra craignant toujours d'être repérée comme étrangère.

Les deux chemineaux remontent vers le nord-ouest en suivant la vallée du Giamo Nou Chou, ils marchent à l'ouest du fleuve.

Pour se mettre tout à fait dans le ton, Alexandra porte maintenant le vieux bonnet de fourrure trouvé dans un ravin car elle s'était aperçue que le turban rouge, inhabituel comme coiffure, attirait les regards. Or ses cheveux ne possédant pas le noir parfait de ceux des Tibétaines, elle préfère garder la tête couverte par ce cadeau des dieux.

Arrivée à ce stade du périple, Alexandra avait le choix entre deux chemins pour se rendre au Pays de Po qu'elle tenait à visiter : soit la route du sud, c'est-à-dire celle qui mène à « Sang ngags tchös dzong » écrit la dame lama, soit la route du nord, celle qui passe par le col de « Sepo Khang ». Alexandra avait entendu dire que deux voyageurs occidentaux avaient déjà suivi la première : « le colonel Bailey en 1911 et, sauf erreur, avant lui le R.P. Desgodin ou un autre missionnaire français ». (*Voyage d'une Parisienne à Lhassa*). La « route du sud » était en effet connue depuis le passage du Pandit A.K. qui l'emprunta lors de son immense voyage au Tibet en 1879-1882. Mais, selon Alexandra, personne en dehors des gens du pays ne semblait avoir emprunté la seconde qui passe par le col de Sepo Khang. La raison était suffisante pour la décider à choisir cette voie inexplorée.

Lorsqu'elle se pose la question du choix de sa route, Alexandra se trouve au village de Wosithang dont elle ne cite pas le nom. C'est là que se trouve le carrefour entre les deux pistes, comme le montre la carte de l'explorateur John Hanbury-Tracy qui y passera treize ans après la dame lama, en compagnie de son compatriote Ronald

Kaulback dans le cadre d'une expédition scientifique. Celle-ci eut lieu en 1936-1937 et avait pour objectif d'étudier l'interfluve entre la Salouen et le Po Tsangpo, région inexplorée jusque-là[1]. Les cartes couvrant cette contrée étaient en effet, avant leurs travaux, aussi fausses les unes que les autres : Alexandra ne pouvait trouver son chemin qu'en se renseignant auprès des autochtones. Ces deux explorateurs ont même effectué une partie du parcours d'Alexandra, en sens inverse. J. Hanbury-Tracy et R. Kaulback ne citent pas Alexandra car ils ignoraient qu'une femme d'Occident fût passée avant eux dans le secteur. Leurs cartes m'ont beaucoup aidée à retrouver l'itinéraire de notre héroïne dans la partie la plus délicate de sa randonnée.

La mère et le fils appréhendent de moins en moins les rencontres. Ils s'attardent même dans les villages. Leur incognito semble désormais bien établi. La mendicité et l'extrême précarité des étapes chez l'habitant, lorsqu'elles se présentent, deviennent une habitude. Malgré le froid qui commence à se faire sentir, il faut parfois dormir dehors. Dans son livre Alexandra raconte « l'ivresse de l'aventure », ce plaisir qu'elle ressent malgré les difficultés. Chez les paysans, Yongden est plus gâté que sa mère, religion oblige ! Le bout de tapis qu'on lui offre pour dormir est un peu moins guenilleux... La soupe offerte est, quant à elle, aussi infecte pour l'un que pour l'autre, mais c'est encore pire quand il s'agit de bas morceaux conservés depuis des jours à la mode du pays dans l'ex-estomac d'un animal. Quand on joue les mendiants, il faut tout accepter... et avec reconnaissance !

« Je manque de pratique dans l'art de lécher mon bol, il est tout enduit de soupe et de thé qui ont gelé pendant la

1. J. Hanbury-Tracy : *Black River of Tibet*, London, Frederick Muller Ltd. 1938.
R. Kaulback : *Salween*, London, Hodder and Stoughton, 1938.

nuit. Mais il faut savoir dompter les nerfs qui protestent et le cœur qui se soulève, la réussite de mon voyage en dépend. Fermons donc les yeux et buvons la soupe plus nauséabonde encore que la veille, à cause de l'eau qu'on y a ajoutée pour l'allonger. »

Ils cheminent par monts et par vaux, gardant longtemps l'œil sur le Giamo Nou Chou dont ils s'écartent définitivement après avoir traversé le village de Jepa. Adieu belle Salouen ! Voici un petit affluent, enjambé par un « pont peint en rouge », un lieu idéal pour la pause. À cet endroit, la mère et le fils sont les témoins d'un de ces « incidents mystérieux, inexplicables, qui parfois, au Tibet, confondent le voyageur ». Lama Yongden est attendu par un vieillard moribond qu'il ne connaissait pas... mais qui avait « prévu » son passage.

Les deux *ardjopas* s'enfoncent maintenant dans le massif montagneux situé à l'ouest du fleuve. Ils se dirigent vers le col de Sepo Khang dont ils ne connaissent pas l'altitude : 4 521 m. Les marcheurs courageux se perdent un peu dans les alpages, puis ils sont pris dans une tempête, « un de ces vents terribles, spéciaux aux altitudes élevées qui balaient les sommets, jetant parfois des caravanes entières dans les précipices ». Après une nuit passée heureusement dans une ferme qui sert de refuge, le passage du col se révèle aisé : paysage magnifique et neige peu épaisse. Yongden achète des provisions au monastère de Sepo, bâti dans un site merveilleux de l'autre côté du col. Le jeune homme est accueilli avec enthousiasme à la gompa : dans ces contrées éloignées, les nouvelles se propagent à la vitesse du vent et le phénomène du pont rouge lui avait valu une belle réputation...

Deux jours plus tard, les deux pèlerins débouchent sur la vallée d'une rivière qu'Alexandra nomme « rivière de Dainchine ». Cette rivière se nomme en réalité Ling Chu

(R. Kaulback, J. Hanbury-Tracy). C'est un affluent de la Salouen. « On y rencontre des monastères importants, les villages sont bien bâtis et leurs habitants en général d'un commerce très agréable. » La piste est en effet bien repérée le long de la rivière et la vallée paraît d'une certaine ampleur.

Remontant cette vallée vers l'ouest, Alexandra et son fils arrivent quelques jours plus tard à la localité de Tachi tsé. Maintenant le paysage est désolé et rappelle un peu la région de Kampa Dzong, note Alexandra. Tachi tsé se situe au carrefour de deux pistes menant toutes les deux au pays des Popas. L'une suit les fonds de vallées et passe par Rangbu et Rawu avant de rejoindre la « route du sud » qu'Alexandra avait exclue précédemment, la seconde franchit les montagnes :

> « La seconde route traverse des régions complètement désertes. Jusqu'à ce que vous ayez atteint les premiers hameaux du Po yul[1], vous ne verrez que des cimes nues ou des forêts. En hiver, nul voyageur ne s'aventure de ce côté à cause des deux cols[2] très élevés qu'il faut franchir ; seuls y circulent, parfois, des brigands Popas s'en allant en expédition dans les provinces voisines. »

> *Voyage d'une Parisienne à Lhassa.*

Telles sont les informations recueillies à Tachi tsé par les deux voyageurs. La route des vallées figure sur les croquis d'Alexandra, pas l'autre. Laquelle va-t-elle choisir ? L'autre bien sûr, par goût de l'aventure, du challenge et du défi. De toute façon, les deux pistes débouchent dans la vallée du Po Tsangpo sur la route de Lhassa montrée par le général Pereira. Alexandra ne craint pas les embûches d'une piste inconnue. Tachi tsé, « Sommet de la Prospérité » ne méritait guère son nom, signale la lamani

---

1. Po yul : Yul : pays, Po yul : « pays de Po » (note d'A. David-Néel).
2. Cols : *La Déou la* et *la Po Gotza la* (note d'A. David-Néel).

dans son livre. Cette remarque sera confirmée *a posteriori* par R. Kaulback. Alexandra et Yongden quittent le village à l'aube, par discrétion. Dans la demi-obscurité ils se trompent de chemin, mais revenir sur leurs pas serait imprudent. Ce n'est pas le moment de se faire remarquer car un *ponpö* siège à Tachi tsé. C'est ainsi qu'ils ratent le pont sur le Ling Chu et qu'ils doivent chercher un gué pour traverser la rivière. Le passage enfin trouvé, Yongden se déchausse et porte Alexandra sur son dos. La vigoureuse mère lance aussitôt une marche rapide qui les réchauffe de manière énergique ! Un bon repas fait le reste : quelques lamelles de lard séché bouillies dans de l'eau, un bol de thé beurré et salé, accompagné de *tsampa*. « Voici le lunch terminé, nous nous sentons pleins de vigueur et d'entrain, prêts à escalader le ciel. » Alexandra ne croit pas si bien dire...

Les surprises du Déou La

Après avoir longtemps hésité et demandé plusieurs fois le chemin qui mène au col Déou, les voici enfin dans la bonne direction, à l'ouest de Tachi tsé. Il faut maintenant trouver un abri pour la nuit car les températures nocturnes sont désormais très basses. Mais que peut-on espérer dans un paysage aussi dénudé ? Aucun arbre, aucun coupe-vent, aucune ferme, rien que l'immensité battue par le vent. Ils arpentent les alpages, comptant découvrir quelque vestige de camps de *dokpas*, ces camps fréquentés en été. Tout à coup le paradis s'offre à leurs regards aiguisés : des cabanes qui servent d'étables à la belle saison, de véritables abris, avec un toit et des murs ; le sol est recouvert d'une épaisse « couche poussiéreuse de crotte de chèvre et de bouse de vache séchées », autant dire un véritable trésor de combustible ! Alexandra exulte : cette vie aventureuse, rude mais libre de toute contrainte, lui apporte une indicible joie.

Pourtant que d'incertitudes ! Ils ne savent rien de la suite du parcours. À quelle distance se trouve exactement le col ? Est-il même praticable ? Après une nuit plus réconfortante que de coutume, les deux *ardjopas* rechargent leurs bagages. « Il fait froid mais "joyeux" », écrit Alexandra dans son manuscrit.

La fin de la matinée s'annonce lorsqu'ils croient avoir atteint le col. La silhouette d'un *latza*, un « cairn marquant généralement les sommets », les incite à penser qu'ils approchent du but. Pure illusion, le monument ne jalonne qu'un ressaut du terrain : derrière lui se dresse une autre crête qui était invisible du bas. Heureusement la distance au sommet semble raisonnable... Alexandra y arrive la première... Stupeur, émerveillement, angoisse, telles sont ses impressions devant le panorama qui s'offre alors à sa vue. « Nulle description ne peut donner une idée d'un tel décor. C'était l'un de ces spectacles écrasants qui agenouillent les croyants, comme devant le voile cachant la Face Suprême. » Un immense plateau incliné tendu vers un horizon de pics éblouissants. Alexandra n'a rien vu d'aussi impressionnant depuis l'Himalaya... mais le sentier a disparu.

« Faut-il tourner à droite, aller tout droit ? Nous hésitons longtemps, cherchant des traces de pas ou de sentier. Albert est assez affaissé, il est très chargé et craint de passer la nuit dans ce désert glacé. J'ai pris de l'avance, pas rassurée du tout, et me hâtant malgré mon fardeau. Le vent s'est levé, assez violent, et me cingle le visage. Neige de plus en plus épaisse et rien d'autre. Cependant les montagnes qui encadrent les deux côtés de ce plateau en pente s'abaissent, et puis après une marche pénible j'aperçois au loin le *latsé* que je signale avec grands gestes à Albert qui est très loin en arrière et m'apparaît tout petit, si petit avec son ballot, juste un mouvant point noir qui rampe parmi cette immensité désolée. »

Même cahier. Inédit.

351

Les deux explorateurs britanniques avaient estimé à 16 780 feet, soit 5 114 m, l'altitude du col. Par expérience, Alexandra avait bien senti que le passage était très haut mais elle n'avait évidemment aucun moyen d'en mesurer l'altitude.

Les dokpas de l'Aigni La

De l'autre côté de la montagne, la piste finit par réapparaître : il n'y a plus qu'à la suivre. Mais un vent glacial balaie l'immensité et rend caduque toute velléité de faire une pause. Les deux pèlerins marchent depuis dix-neuf heures quand le besoin de dormir devient impératif. Contrairement à leur habitude ils montent la tente, dissimulée au mieux derrière des broussailles. Un bon feu de bouse de yak évitera les refroidissements : Alexandra craint plus d'attraper une pneumonie que de mourir de froid. Catastrophe : le briquet de Yongden refuse de s'allumer, et la mousse est humide. Devant cette situation fort inquiétante Alexandra réussit alors un tour de force qu'aucun explorateur non initié n'aurait été capable de faire : elle s'aide de la technique tibétaine appelée *toumo* pour parvenir à réchauffer sur elle le briquet et la mousse qui doit servir de combustible. Les accessoires étant maintenant bien secs, elle peut les utiliser pour allumer un brasier salvateur. On se souvient qu'elle avait appris cette méthode lors de son séjour en Himalaya, par pure curiosité... (voir son récit, et *Mystiques et Magiciens du Tibet*).

Les nuits sont les moments les plus durs à cause du froid, de l'indigence des abris et de l'inhospitalité des rares habitants. Il faut souvent dormir dehors dans le froid et le vent glacial :

« On s'adresse à une maison. Réponse négative. Presqu'à côté est un vaste enclos, on dirait un village, avec des huttes.

Nous n'avons pas fait trois pas vers la porte que les chiens nous assaillent et une femme nous chasse.

On s'en va, la nuit est claire, nous trouvons un peu plus loin un endroit hérissé de blocs rocheux tout à côté d'un ruisseau. Il n'y a pas de caverne, seulement des pierres dressées, mais l'une d'elle pourra toujours nous abriter d'un côté. Il y en a une un peu inclinée auprès de laquelle sont des touffes d'arbustes. Nous nous tapissons là. On n'ose pas planter la tente si proche du village, nous nous en couvrons. [...] Le vent souffle avec violence. Il gèle ferme. Je me réveille plusieurs fois transie, le feu s'éteignant, je passe presque toute la nuit éveillée à alimenter le brasier.

Même cahier.

La vallée devenue très large débouche sur une autre vallée, encore plus évasée. La marche continue... Un ruisseau, un petit pont rustique. Faut-il traverser ? Oui, décide Alexandra. Finalement des *dokpas* leur apprennent que trois cols mènent au Pays des Popas. On leur conseille de passer par celui du milieu, nommé Aigni La, qu'empruntent les marchands. L'un des deux autres est bloqué par la neige. Quant au troisième, on ignore ce qu'il en est. L'Aigni La sera enneigé mais sans doute praticable, leur dit-on. La situation n'est pas vraiment rassurante, d'autant plus que les vivres commencent à s'épuiser. Eux-mêmes sont fatigués par la longue marche du Déou La, qu'ils n'avaient pas pu prévoir. Et il faut encore une fois atteindre un col avant la nuit. Yongden, qui est un garçon plein de ressources, réussit alors à persuader un *dokpa* de les accompagner jusque-là avec un cheval qu'ils monteront chacun leur tour. L'affaire est entendue, ils dormiront chez cet homme puis partiront le lendemain pour l'Aigni La. Après une nuit marquée par divers incidents qu'Alexandra relate dans son livre, la petite équipe attaque le col et l'atteint sans difficulté vers midi. Le *dokpa* s'en retourne avec son cheval : les deux pèlerins sont aux portes du Po Yul. La descente est difficile car le soleil de la journée fait fondre la partie superficielle de la neige : « c'est pataugeage et glissade », écrit Alexandra. L'Aigni La dépassait aussi 5 000 m d'altitude.

La recherche dramatique des sources du Po Tsangpo

De l'autre côté du col, le paysage devient tout de suite plus marécageux, plus humide : ils ont franchi une limite de région naturelle. La mère et le fils continuent à descendre une petite vallée dont ils ignorent le nom. Les ruisseaux s'unissent bientôt à trois pour former un écoulement plus important entraîné vers le Po Yul. Alexandra pense qu'ils sont arrivés aux sources, encore très mal connues, de la rivière appelée Po Tsangpo. Elle est persuadée que le cours d'eau qu'ils sont en train de suivre correspond à la partie amont de ce fameux « Poloung tsangpo ». Sa curiosité n'étant pas totalement satisfaite, l'idée lui vient de remonter un autre de ces trois vallons. Se prenant au jeu de l'exploration, elle veut « tenter de gagner sinon la source même de la rivière, du moins un point très proche de celle-ci ». C'est l'occasion ou jamais, elle ne reviendra pas de si tôt dans la contrée, et puis rien ne la presse ! Du moins c'est ce qu'elle pense... Car une chose devrait la faire se hâter, que Yongden sent venir comme une catastrophe : « Il va neiger et nous manquons de vivres », répond-il à sa mère lorsqu'elle lui fait part de son intention de remonter le vallon voisin. Alexandra vérifie ses provisions : elles correspondent à trois repas, c'est-à-dire à trois jours de nourriture. C'est bien suffisant pour la petite reconnaissance qu'elle envisage de mener. Quant à la neige, elle ne la craint pas...

Et les voilà partis. Dans son livre, Alexandra raconte comment cette excursion faillit tourner au drame, comment les trois jours prévus se prolongèrent de terrible manière, comment elle et son fils manquèrent d'y laisser la vie, comment enfin toutes les déités protectrices du Tibet sauvèrent les *ardjopas*, hébétés de faim et d'épuisement, d'une mort qu'ils n'avaient jamais vue d'aussi près. Dans un article écrit après son retour en France, la voyageuse évoquera cet épisode dramatique :

> « Ce n'est qu'après six jours de diète – avec un peu de thé d'abord, puis simplement de l'eau – que nous atteignîmes le premier hameau du pays de Po, nommé Tchoulog.
>
> Le sixième jour de ce jeûne – je ne sais si j'ose l'avouer – nous avons fait bouillir les rognures des semelles de peau neuve que nous avions cousues à nos bottes et... nous les avons mangées. C'était le jour de Noël. »

En éclaireur à travers le Thibet. La Géographie. 1926.

Ce petit morceau de lard avec lequel Yongden frottait les semelles de leurs bottes, bouilli dans l'eau, constitua le repas du 25 décembre 1923, guère plus nourrissant que les menus composés uniquement de neige fondue... Cela se passait près de la source du Jolo Chu. Après avoir reçu les eaux du Chö Dzong Chu cette rivière se jette dans le Ngagong Chu pour constituer le Po Tsangpo qui, lui-même, rejoint le Brahmapoutre. Le ruisseau dont Alexandra avait voulu voir l'origine n'était pas vraiment le cours du Po Tsangpo, mais l'un des petits sous-affluents de la partie amont du bassin. Elle a raison d'affirmer : « J'avais pu m'assurer que le Poloung tsangpo, la grande rivière qui traverse le Po mèd, a d'autres sources que celle du Nagong. »

Et elle fut sans aucun doute la première Occidentale à s'approcher des sources du petit Jolo Chu. Alors qu'aujourd'hui les satellites tournant autour de la terre enregistrent en permanence les données de la surface du globe dont ils ont démasqué les derniers secrets, il y a quatre-vingt-huit ans les explorateurs partaient encore en aveugles à la recherche de sources mystérieuses ! Les cartes donnaient alors une vision erronée de cette région inexplorée du sud-est du Tibet. Il fallut attendre les résultats de l'expédition britannique en 1936-1937, pour connaître plus précisément le détail de la topographie du Po Yul.

Faut-il ajouter qu'à aucun moment de sa terrible excursion Alexandra n'eut peur de mourir ? En yoguini rompue à toutes sortes d'exercices physiques et mentaux depuis son expérience himalayenne, elle observait l'évolution de la situation avec la plus grande sérénité...

Les premiers Popas rencontrés apprennent aux deux pèlerins amaigris que l'Aigni La est maintenant complètement bloqué par la neige : ils sont passés *in extremis*. Le thé beurré offert par ces hommes leur semble le mets le plus réconfortant du monde. Les Popas les informent aussi des troubles qui agitent la localité la plus importante de la contrée, « Tcheu Dzong » : les habitants ont assiégé le fort de la petite ville où s'était réfugié le « haut commissaire » envoyé par le gouvernement central de Lhassa. Durant les premières décennies du XXe siècle, le Tibet est encore largement constitué de tribus indépendantes qui, si elles respectent le dalaï-lama sur le plan spirituel, ne reconnaissent pas forcément son autorité sur le plan temporel. Un messager venait de s'échapper du fort, le secteur était en effervescence... Les quatorze Popas rencontrés par Alexandra et Yongden dans une hutte en pleine forêt faisaient partie des « braves » lancés aux trousses de ce maudit évadé... Il semble donc préférable d'éviter Tcheu Dzong ! Sur les documents actuels, c'est Ch'ü-hsien, ou Quzong.

Tout en descendant la vallée, Alexandra et son fils gagnent le premier hameau du Poyul : Tcholog ou Cholo. La présence de ce village sauve les deux *ardjopas* : ils peuvent à nouveau mendier leur nourriture. Les voilà même invités à manger la soupe chez une brave paysanne... Devant le breuvage qu'elle leur tend, une idée fulgurante traverse l'esprit de la mendiante amaigrie : ne serait-ce pas la soupe du chien ? Le plaisir de sentir quelque chose de consistant à avaler chasse la vilaine pensée. Ce n'était pas la soupe du chien...

Sauvés de la faim, certes, mais pas des autres périls. Dans ce pays réputé pour ses voleurs, Alexandra et Yongden gardent leur revolver à portée de la main... D'autant que le gouverneur s'est échappé de Tcheu Dzong et qu'il a trouvé refuge à la gompa de Soung Dzong, une localité qui se trouve sur leur parcours. La région est menacée de révolution... Les villageois se révèlent peu hospitaliers et l'hébergement chez l'habitant ne marche guère ; ce serait pourtant une sécurité. Il faut donc le plus souvent dormir dehors. Heureusement, depuis qu'elle est arrivée au Po Yul, Alexandra ne craint plus pour son incognito :

> « Jamais, dans ce pays où nul étranger n'avait encore pénétré, l'idée ne viendrait à quelqu'un qu'une philing s'était aventurée à travers ces montagnes solitaires. Ce sentiment de sécurité m'était un véritable confort, il allait me permettre de savourer, enfin, en toute tranquillité d'esprit, les charmes de mon aventure et la délicieuse liberté de la vie de chemineau. »

> *Voyage d'une Parisienne à Lhassa.*

3 – De Soung Dzong à Lhassa

Le Soung Dzong de l'exploratrice correspond au Sumdzom ou Sumzom des cartes actuelles (transcription pinyin). Les deux pèlerins se ravitaillent au monastère. La bourgade, à 3 109 m d'altitude, est dominée par des sommets qui dépassent 6 000 m. Une certaine agitation se fait sentir dans les ruelles, à cause de la présence du *pönpo*. Yongden est bien accueilli à la gompa où il remplit son sac de mets aussi exquis que des pains et des abricots séchés. Alexandra reste dehors : un passant lui offre deux « petits pains de mélasse », friandise ô combien appréciable après tant de privations ! La sécurité n'est cependant pas absolue et la vieille mère reste très discrète.

La vallée du Po Tsangpo devient féerique. Alexandra évoque les « épaisses forêts vierges », les « pics aigus », les « torrents glacés », les « cascades gigantesques dont les eaux congelées accrochaient des draperies scintillantes aux arêtes des rochers », les « sapins géants ». Les Popas sont peu hospitaliers et la présence de chiens féroces ne rend pas facile l'approche des fermes, mais aucun accident fâcheux dû à ces molosses n'interrompt le cheminement vers Daching.

Alexandra continue à observer les coutumes des indigènes avec une attention toujours en éveil, bien insoupçonnable sous son air de pauvre mère effacée. Les *ardjopas* arrivent à Chowa, « l'humble capitale du Po mèd, le jour même où les Popas y fêtaient la nouvelle année ». Alexandra précise que les habitants du Po Yul et du Kham fêtent le nouvel an un mois en avance par rapport au calendrier chinois en usage à Lhassa et dans le Tibet central. C'est jour de liesse et, grâce à de multiples bénédictions lancées à tous et à toutes, les deux chemineaux récoltent de nombreux présents en nature : thé, *tsampa*, gâteaux, et même un pot d'eau-de-vie d'orge qu'ils s'empressent de refuser, ce qui leur vaut le respect des habitants...

« La température du Pomèd est très douce, il n'y gèle probablement jamais. Les habitants m'ont dit que l'on n'y voyait jamais de neige au-dessous de Chowa. Lorsque je passai dans cette localité, en janvier, l'orge y était déjà haute. Les forêts de cette région restent vertes toute l'année, les arbres énormes sont nombreux, trois hommes de haute taille, étendant les bras, ne parviendraient pas à ceinturer certains d'entre eux. »

En éclaireur à travers le Thibet.

Alexandra est frappée par la ressemblance des forêts avec celles du Sikkim : « Les lianes notamment étaient les mêmes, les bambous et les orchidées poussaient partout. » (*idem*). La localisation géographique de Showa au sud du 30ᵉ parallèle, à 200 km de l'Assam où règne le même climat chaud et humide qu'au Bengale, l'étroitesse du massif montagneux qui sépare justement la vallée des régions chaudes du nord-est de l'Inde, expliquent la douceur du climat. La beauté des paysages incite à flâner, mais l'aventure n'est pas terminée. Alexandra doit même faire usage de son « pistolet automatique » lors d'une étape mouvementée dans une caverne... Si bien que les deux marcheurs préfèrent poursuivre leur route en compagnie d'un groupe de pèlerins, du moins pendant quelques jours. Ce sont les premiers pèlerins rencontrés depuis leur arrivée au Po Yul.

À Tong mèd, la piste se termine à la rivière. Ici c'est le « Yigong tsangpo » qu'il faut traverser, un affluent du Po Tsangpo. Le pont est un câble. Pour la troisième fois de sa vie Alexandra tente une « traversée-lancée » : la rivière est beaucoup plus large que la Salouen. Les impressions de la dame lama ? Un éblouissement fulgurant devant la splendeur du panorama « dominé par le pic gigantesque du Gyalwa Pé Ri », « l'un des plus admirables tableaux que j'aie contemplés durant mes longues années d'alpinisme en Asie ». Ce magnifique sommet de 7 200 m d'altitude mérite bien son nom de « triomphante noble montagne »...

L'atmosphère devient plus douce, humide, moite même. Le sol est boueux. Plusieurs pistes se croisent, Alexandra et Yongden prennent celle qui mène à Giamda, la capitale de la province appelée « Kongbou ». La forêt rappelle décidément celles des basses régions de l'Himalaya. Une fourche entraîne nos deux héros dans un raccourci difficile et chaotique... Mais ils finissent par retrouver la piste principale sans s'être égarés. Grâce à sa boussole, Alexandra ne s'inquiétait pas : ils marchaient dans la bonne direction. Cette erreur fut même providentielle, car ils apprennent bientôt qu'une troupe de voleurs a opéré sur la piste normale... La dame lama trouve une orchidée en fleur, fraîchement cueillie sur le chemin. Et c'est le mois de janvier.

Le chemin longe maintenant la rivière de Tongyuk. Rencontre soudaine : Yongden se trouve entouré par sept Popas qui lui volent deux roupies ; Alexandra comprend qu'il faut agir. La voici qui se lance dans une série de lamentations muées bientôt en imprécations : elle en appelle à tous les dieux du panthéon lamaïste... tout en s'observant elle-même « avec amusement et fierté », « il me semblait que j'égalais les meilleures tragédiennes », écrit-elle. Bref, elle en fait suffisamment pour impressionner ces hommes superstitieux qui, vaincus et penauds, redonnent le montant du larcin à leur victime et lui demandent même une bénédiction. Ils approchent de « Tongyuk où un *dzong*[1] a été ingénieusement placé à l'intersection de deux pistes, afin d'examiner les voyageurs se rendant à Lhassa ». Un obstacle inattendu : le petit pont, fermé et gardé, que l'on ne peut franchir qu'avec une autorisation du fort et le paiement du péage. Après de longs atermoiements avec le gardien, les deux compères réussissent à passer.

---

1. Un *dzong* est un fort où logent les autorités du lieu.

La température baisse de nouveau, la forêt perd son aspect semi-tropical pour prendre celui des montagnes alpines. Les bords de rivière s'englacent, un bon feu n'est pas superflu le soir au bivouac. « L'ambiance psychique » se modifie. Ce n'est plus celle des grands espaces inhabités traversés les semaines précédentes. Le « Kongbou » diffère aussi du Po Yul par les coutumes, par les vêtements des habitants, par les chants et les musiques qui ne ressemblent à rien de connu jusque-là, Les Kongbopa jouissent d'une solide réputation d'empoisonneurs... Alexandra se dirige maintenant vers le Brahmapoutre qu'elle souhaite aller voir avant d'arriver, si possible, pour les fêtes du Nouvel An à Lhassa. Elle aimerait aussi visiter Giamda, la capitale du Kongbou. Le programme est incertain puisqu'elle n'a aucune idée des temps de parcours ni des difficultés éventuelles de la route.

La vie errante d'une dame lama jouant les humbles mères réserve bien des surprises dans ces paysages presque enchantés : un très énigmatique *gomchen* se présente un soir au camp dans la forêt... Mystère, atmosphère occulte, réminiscences... Où est le rêve ? Où est la réalité parmi les sombres forêts du Kongbou ? Alexandra poursuit son chemin par le petit col de Témo : enneigé mais pas difficile, note celle qui en a franchi tant d'autres dans des conditions autrement plus risquées. La longue descente, qui se fait en forêt, amène les deux pèlerins à la nuit tombante aux alentours du village de Témo. Ils dressent la petite tente. Au lever du jour les toits de la gompa scintillent sous un soleil engageant. Yongden profite de l'étape pour s'acheter un nouveau costume monastique, d'occasion, le sien étant arrivé à l'état de haillons...

Voici le fleuve majestueux, le puissant Brahmapoutre aux rives sablonneuses ! Solennité d'une nature grandiose, ici tout respire la paix. Pouvoir mystérieux des eaux sacrées qui coulent vers l'Inde éternelle. Alexandra et Yongden goûtent avec plaisir ce moment de sérénité, une belle récompense après tant de périls, tant de difficultés, tant de fatigues ! Mais la capitale interdite est encore à plusieurs semaines de marche et bien des choses peuvent se produire d'ici là...

Sur la route ils côtoient des « troupes nombreuses de pèlerins *Bönpos* processionnant autour de la montagne Kong bou Bön ri, un des lieux sacrés de la région. Les *Bönpos* sont les sectateurs d'une religion qui prévalait au Tibet, avant l'introduction du bouddhisme », rappelle Alexandra. Beaucoup accomplissent leur pèlerinage en se prosternant de tout leur long, bras étendus devant eux, puis en repartant trois pas en avant de l'endroit atteint par le bout de leurs doigts. La progression est épuisante mais le mérite acquis proportionnel à la marque de dévotion. Le « Konpo Bönri » (4 681 m) est la montagne la plus sacrée pour ceux de la religion bön, car le fondateur, Tönpa Shenrab, y aurait jadis vaincu son rival, le démon Kyapa Lagring, grâce à la magie[1].

Pour rejoindre la grande route de Lhassa, les deux *ardjopas* remontent maintenant la Rivière de Giamda, passant d'une rive à l'autre selon les moments. Certains villages sont en ruines, Alexandra est frappée par « l'air d'abandon répandu dans le pays ». Les versants de la vallée sont couverts de forêts, la piste longe la rivière, le chemin ne présente aucune difficulté particulière.

« Giamda, considérée au Tibet comme une ville importante, est un simple village. Sa situation à la jonction de deux voies importantes : la grand-route de Lhassa à Tchiamdo et la route descendant vers le Brahmapoutre,

---

1. V. Chan : *Tibet Handbook : A Pilgrimage Guide*. Chico (Californie), Moon Publications, 1994. Traduction française : *Tibet – Le guide du pèlerin*. Olizane, Genève, 1998.

lui donnent seules un intérêt commercial et, probablement stratégique », écrit Alexandra, fort justement. Mais, pour les deux pèlerins, la bourgade recèle l'un de ces pièges difficiles à déjouer : un pont fermé, dont le gardien n'ouvre la porte qu'à la présentation de l'autorisation délivrée au *dzong*. Yongden est mandaté pour effectuer la démarche et, finalement, tout se passe bien.

Ils avancent sur la grande route postale qui vient de Chine et se prolonge vers l'ouest jusqu'en Inde, via Gyantze.

> « Cette poste a été, autrefois, créée par les Chinois. Elle est maintenant jalonnée par de petits cubes en maçonnerie contenant, sur une sorte d'autel rustique, une pierre indiquant le nombre de milles depuis Lhassa. Les indigènes se méprennent assez souvent sur la signification de ce qu'ils imaginent être des chapelles et j'en ai vu tourner dévotieusement autour de ces constructions, leur chapelet à la main. Les recherches orientalistes ménagent bien des surprises ! Après avoir étudié maints cultes bizarres, il m'était donné de découvrir celui des bornes kilométriques. »

En éclaireur à travers le Thibet.

Un dernier col pour passer du bassin de la Rivière de Giamda à celui de la Rivière de Lhassa : le col de Pa, ou Kongbou Pa La. Bien que largement fréquentée, la route est encore pleine de risques. Au passage du col, Alexandra et son fils découvrent un groupe de pèlerins : les uns se cachent effrayés, d'autres sont blessés, certains gisent sans vie... Ils viennent d'être sauvagement attaqués par des brigands.

La dernière étape a lieu à Détchène (actuel Dagzê). Le village se situe à 20 km à l'est de Lhassa. Alexandra et Yongden repartent à l'aube. La piste longe la rivière sur la rive sud. La vallée s'élargit peu à peu. Le moment est maintenant venu de passer sur l'autre rive, il faut traverser la Rivière de Lhassa (Kyi-tchou) : c'est la dernière épreuve du voyage... Le passage s'effectue en bac, avec d'autres Tibétains qui n'accordent pas le moindre regard à ces deux pèlerins très ordinaires. Les deux *ardjopas* atteignent enfin Lhassa ! Une allégresse proportionnelle à leur épuisement emplit les cœurs des chemineaux, une joie qu'il faut garder secrète. Lha Gyalo ! Les dieux ont triomphé !

4 – *Deux mois à Lhassa, un séjour attesté par un témoignage irréfutable*

Les circonstances restent favorables : une violente tempête de sable se lève lorsque Alexandra et Yongden pénètrent dans la ville. C'est un voile idéal pour aborder la capitale interdite :

> « J'ai vu le simoun dans le Sahara, était-ce pire que cela ? Sans aucun doute, et cependant, cette terrible averse sèche me donne l'impression d'être retournée au grand désert. Des ombres indistinctes nous croisent, des gens courbés en deux se voilent la figure dans le pan de leur robe ou n'importe quel chiffon en leur possession. Qui donc pourrait nous voir venir ? Qui donc pourrait nous reconnaître ? Un gigantesque rideau jaune, fait de sable suspendu, est étendu devant le Potala, aveuglant ses hôtes, leur masquant Lhassa et les voies qui y conduisent. Je l'interprète comme un symbole me promettant une entière sécurité et l'avenir va se charger de justifier mon interprétation. »

Souvenirs d'une Parisienne au Thibet.

Non seulement Alexandra a réussi un exploit sans précédent, mais elle est arrivée à Lhassa au moment où elle le souhaitait, en février, pour les fêtes du Nouvel An ! Belle récompense offerte par les dieux bienveillants à celle qui a fait preuve de tant d'acharnement ! Première femme étrangère à découvrir la capitale interdite, première aussi à observer toutes les réjouissances qui marquent cette période de l'année si riche en couleurs et en musiques. Les fêtes attirent chaque année un flot de pèlerins venus de tous les coins du pays : c'est encore une circonstance favorable pour préserver un incognito durement acquis. Il importe cependant de rester vigilant : Alexandra a en effet choisi de garder l'anonymat dans le but de… poursuivre son voyage à sa guise. Elle veut visiter les sites renommés de la province d'U, cœur historique du Tibet. En se faisant reconnaître, elle risquerait d'être arrêtée et reconduite à la frontière, comme tant d'autres voyageurs l'ont été dans le passé.

Dans son livre, Alexandra raconte la ville en liesse, les rues, les petits commerces, les pèlerins et les temples. Elle dit ses ruses et ses craintes durant son séjour… ainsi durant la visite du Potala ! Comme tous les Tibétains, la mère et le fils effectuent le circuit rituel autour du « Djo-Khang », le temple le plus sacré de la ville. Quelle satisfaction après tant d'épreuves, tant de difficultés, tant de tribulations ! L'immense pèlerinage bouddhique entrepris par Alexandra treize ans plus tôt atteint là son apogée.

Elle est émerveillée par la grande procession appelée « Serpang ». Des milliers de participants, des costumes, des musiques, des bannières, des « parasols en brocart rouge ou jaune », des spectateurs d'un pittoresque inouï, sous le soleil avec le Potala en fond de scène : « Spectacle inoubliable qui, à lui seul, m'eût payée des fatigues que j'avais endurées pour le contempler. » Mais ces fatigues semblent insurmontables…

À la « date approximative » du 28 février 1924, Alexandra sort un morceau de papier et un crayon conservés avec soin pour écrire à Philippe. La dernière lettre datait du 23 octobre 1923. L'exploratrice est à bout de forces, « réduite à l'état de squelette », Yongden ne vaut guère mieux. Étant donné leur état de faiblesse extrême, ils ont attrapé « l'influenza » qui règne alors dans la ville ; ils toussent et se croient d'ailleurs atteints par la peste pulmonaire.

C'est le moment où les organismes sollicités à l'extrême par les efforts et les privations semblent lâcher. La tension nerveuse qui soutenait leur énergie est tombée, cédant la place à une immense fatigue. Deux mois plus tard, les santés restent défaillantes. Alexandra connaît maintenant bien la ville, qu'elle trouve sans grand intérêt en dehors de l'animation qui en fait tout l'attrait. La population compte alors environ 50 000 habitants, tous Tibétains ! C'est par goût du défi qu'elle y est venue, plus que par curiosité véritable. Elle a bien préféré, dit-elle, les « paysages extraordinaires » des « vallées chaudes » du froid Po Yul.

Retrouvant un minimum de forces, la mère et le fils décident de visiter les monastères des environs, qui comptent parmi les hauts lieux du bouddhisme tibétain : Sera, Drepung et Ganden. Ce dernier est bâti dans un superbe site de montagne, à 45 km à l'est de Lhassa. Alexandra et Yongden mettent trois jours pour y arriver : après s'être traînés sur la route ils ont dû louer des chevaux pour atteindre la gompa. Son rayonnement intellectuel s'étend jusqu'à la Mongolie, la Mandchourie et la Sibérie. La ville monastique fut fondée en 1409 par Tsong-Khapa le réformateur. Il y résida et y termina ses jours[1].

---

1. Cet illustre monastère fut entièrement détruit lors de la Révolution Culturelle. Les bâtiments ont été dynamités et rasés en 1966, leurs pierres dispersées en 1969. L'ensemble monastique a été partiellement reconstruit depuis. Voir le livre de P.A. Donnet : *Tibet mort ou vif*, Paris, Gallimard. 1990.

Alexandra sait que le retour sera aussi épuisant. L'itinéraire qu'elle envisage de suivre compte plus de 500 km à effectuer dans la vallée du Yarlung-Brahmapoutre, puis vers Gyantze. De là elle empruntera la piste de la vallée de Chumbi qui traverse l'Himalaya et débouche en Inde. La fonte des neiges rendra pénible cette traversée de l'Himalaya. Après un extraordinaire séjour de deux mois, Alexandra quitte la ville de Lhassa vers le 9 ou le 10 avril, en compagnie de son fils adoptif. Encore trop fatiguée pour envisager de marcher longuement, elle a acheté deux chevaux, l'un pour elle, l'autre pour Yongden (Lettre du 28 février 1924).

Le témoignage attestant la présence d'Alexandra David-Néel à Lhassa

Lorsqu'elle quitte la capitale interdite, après avoir observé « la curieuse cérémonie du "bouc émissaire" », Alexandra est loin de se douter que quelqu'un connaissait sa présence dans la ville, et n'a rien dit ! Ce quelqu'un est même une personnalité très proche du dalaï-lama, une personnalité qu'elle a elle-même connue au Sikkim douze ans plus tôt : l'ancien chef de la police de Darjeeling, Laden La. Appelé en 1923 à Lhassa par le dalaï-lama il réside alors dans la capitale pour y organiser la police. Alexandra David-Néel a bel et bien été reconnue par le chef de la police de Lhassa ! Celle qui a risqué mille morts pour atteindre son but doit la tranquillité de son séjour dans la ville interdite à la générosité et à la compréhension de Laden La qui, vraisemblablement, aurait fait arrêter n'importe quel autre voyageur. Mais il la connaissait et savait son intérêt sincère pour le « lamaïsme ».

Alors que la réalité du voyage d'Alexandra David-Néel à Lhassa a parfois été mise en doute, tant il paraît incroyable, le témoignage de la fille de Laden La permet d'attester la présence de l'exploratrice dans la capitale au début de l'année 1924. Mrs Tenduf La avait fait part de cette information à Marie-Madeleine Peyronnet en 1992 ; elle a bien voulu me la confirmer par écrit :

> « Je me souviens que mon défunt père nous avait dit qu'il savait tout au sujet de Madame Alexandra David-Néel tournant autour de la cathédrale[1] avec son chapelet comme les autres Tibétains, et il connaissait sa présence au Tibet, mais il ne voulait pas lui causer d'ennuis. J'ai entendu dire que mon père l'avait aidée pendant plusieurs années. »

Extrait de la lettre de Mrs P.L. Tenduf La à Joëlle Désiré-Marchand, 4 septembre 1993. Traduction.

5 – *De Lhassa à Gyantze : sur le chemin du retour*

> « Je comptais visiter la province de Yarlung, ses célèbres lieux de pèlerinage et divers endroits au bord du grand fleuve. Tout près de Lhassa, sur la rive gauche du Brahmapoutre, l'on rencontre un Sahara en miniature, dont les dunes blanches[2] avancent de plus en plus et envahissent le pays. Il y a là un phénomène pareil à celui que j'ai observé dans le Kansou septentrional, le Gobi et le Turkestan chinois. »

Souvenirs d'une Parisienne au Thibet.

Les dunes qui bordent les rives du Brahamapoutre moyen renseignent pour le moins sur la provenance des sables qui se déversent parfois en tempêtes sur la capitale. Paysage somptueux ! Les arcs ciselés de dunes

---

1. Pour les Tibétains, la cathédrale est le temple du Jo-Khang (qu'Alexandra écrit Djo-Khang). Ceci est confirmé par une lettre complémentaire écrite par Mrs Tenduf La le 16 novembre 1993. Je la remercie encore une fois très vivement de son précieux témoignage.
2. Les voyageurs qui sont allés au Tibet savent que cette affirmation est exacte : des dunes de sables blancs ondulent sur les rives du Brahmapoutre, jusqu'au pied des montagnes bordières.

effilées viennent en effet mourir au pied des montagnes, masquant de leurs sables clairs la base des parois noires sous un soleil éblouissant.

Alexandra n'a pas écrit de récit détaillé de son voyage de retour, mais elle cite brièvement les étapes du parcours. Dans ses livres, elle évoque les lieux qui l'ont impressionnée. Son itinéraire s'inscrit dans l'esprit des précédents : le pèlerinage se poursuit pendant quelques semaines encore.

La première visite amène les deux voyageurs à Samye par la piste qui coupe le massif montagneux au col appelé Thi. Après le col, le chemin descend vers le « pittoresque monastère de Dordji Thag » et longe la rive nord du Brahmapoutre : « Si le paysage offrait quelque analogie avec le désert africain, le goût de l'air différait complètement. C'était toujours celui du haut Tibet avec la délicieuse légèreté que donnent trois mille mètres d'altitude. »

Samye fait partie des lieux puissants : « L'endroit flaire la sorcellerie en ses moindres recoins. » Pas étonnant puisque « le monastère abrite l'un des plus grands occultistes et oracles officiels du Tibet », ajoute la dame lama. L'exploratrice évoque Samye à propos des « mangeurs de souffles vitaux » (*Mystiques et magiciens du Tibet*). Ce monastère est le plus ancien ensemble bouddhiste du Tibet. Il date du VIIIe siècle et vit le jour grâce aux pouvoirs supranaturels de Padmasambhava lui-même : le sage réussit à terrasser les démons qui s'acharnaient à détruire la construction au fur et à mesure qu'elle s'élevait.

Puis c'est la visite de la région de Tsetang, à environ 150 km au sud-est de Lhassa. Les sites historiques des alentours de la bourgade n'ont pas échappé à l'exploratrice : la forteresse de Neudong, le superbe château de Yumbulhakang perché sur son éperon rocheux, la nécropole royale de Chonggye où des tumulus marquent les tombes des anciens rois du Yarlung... Ces sites étaient peu connus des étrangers à l'époque où Alexandra les a visités ; ils font désormais partie du programme de certains voyages touristiques, mais la Révolution Culturelle est passée par là, et des édifices comme le Yumbulakhang sont des reconstructions à l'identique.

La dame lama cite ensuite Mindoling, une gompa date du XVIIᵉ siècle. C'était l'un des monastères *nyingmapa* parmi les plus renommés et les plus vastes du Tibet central. Saccagé par les Mongols au début du XVIIIᵉ siècle, il fut restauré et agrandi. Dévasté pendant la Révolution culturelle, le site a été en partie restauré.

Alexandra poursuit sa route vers l'ouest, au sud du majestueux Yarlung avant d'obliquer vers le sud en direction du lac Yamdrok. Elle longe la rive du lac jusqu'au célèbre monastère de « Dordji Phagmo » situé à Samding.

Le magnifique lac Yamdrok (à 4 480 m d'altitude) est en lui-même une curiosité puisqu'il s'agit de l'un des plus grands lacs sacrés du Tibet, avec une superficie de 1 000 km², pour environ 240 km de tour. Les eaux du Yamdrok passent pour abriter une divinité courroucée, elles symbolisent aussi l'un des réceptacles de l'âme de la population tibétaine[1]. *(Voir la carte 28 de l'édition complète*, op. cit.)

Le monastère de Samding, bâti au bord du lac fut fondé au XIVᵉ siècle. Ses « abbesses » sont considérées comme des incarnations successives de la déesse Dakini. Elles portent le nom de Dordje Phagmo, ce qui

---

1. Aujourd'hui, la pureté des eaux turquoise et le respect attaché à la signification mythologique du lieu sont mis à mal par les programmes chinois d'exploitation hydroélectrique des eaux du lac...

signifie « The Diamond Sow » ou « Thunderbolt Sow » c'est-à-dire « Truie Diamant » ou « Truie Foudre »[1]. Au XVIIIe siècle, l'abbesse du monastère se serait transformée en cochon pour échapper à une attaque des Mongols dzoungars. Dordje Phagmo est la plus renommée des rares incarnations féminines du Tibet[2].

À partir de Samding, Alexandra emprunte la grande piste qui mène à Gyantzé, en direction de l'ouest. Cette route figure sur toutes les cartes et fait partie des circuits touristiques actuels. Après la localité de Nagartsé, la piste traverse le Karo La (4 960 à 5 010 m d'altitude selon les cartes), puis des gorges sauvages et ravinées. Alexandra et Yongden, encore épuisés, arrivent à Gyantzé dans la nuit du 5 mai 1924 : c'est dans cette ville qu'Alexandra va se faire reconnaître.

Alexandra avait souhaité voir le maximum de sites avant de quitter cette portion du globe. Étant donné son âge et son état de santé peu brillant, elle pensait qu'elle ne reviendrait jamais plus dans ces régions éloignées. Ce dernier périple dans les paysages magiques du merveilleux Tibet fut lui aussi fertile en anecdotes, mais nous n'en connaissons pas les détails : « La relation de ce voyage supplémentaire fournirait facilement matière à un livre entier », écrit l'exploratrice. Hélas, ce livre n'a jamais été écrit et nous ne pouvons que le regretter.

---

1. A. Chayet : *La femme au temps des Dalaï-Lamas*, Stock-L. Pernoud, 1993.
D. Macdonald : *Twenty years in Tibet – Intimate and Personal Experiences of the Closed Land among all Classes of its People from the Highest to Lowest*, London, Seeley, Service and Co Ltd. 1932.
2. Le monastère, victime lui aussi des affres de la Révolution Culturelle, est en partie reconstruit.

La présence des Britanniques à Gyantze remonte à 1904. Un chargé d'affaires politiques et agent commercial, quelques officiers et une garnison de soldats hindous marquent cette présence officielle dans la troisième ville du Tibet.

Dans la nuit du 5 mai 1924, une mendiante tibétaine et son fils lama frappent à la porte du bungalow de Gyantze avant de demander l'hospitalité... Le premier Européen auquel Alexandra s'adresse est Mr Ludlow, le directeur de l'école de garçons. Quelle n'est pas la stupeur de celui-ci en entendant cette pauvre femme du pays s'exprimer dans un anglais très stylé ! Le 9 août 1926, soit deux ans plus tard, il répondra à une lettre d'Alexandra en lui rappelant son étonnement. Dans la même lettre, il lui apprendra qu'elle avait failli être découverte durant son séjour à Lhassa parce qu'elle avait accompli un jour un acte fort éloigné des habitudes tibétaines : elle s'était lavée !

Ainsi, c'est à Gyantze que prend fin l'extraordinaire épopée : Alexandra dévoile son identité et révèle son voyage. Aucune chambre n'étant disponible au bungalow, Mr Ludlow envoie aussitôt la visiteuse chez David Macdonald, le représentant politique qui réside au fort. À son tour, celui-ci évoquera l'arrivée d'Alexandra dans son livre intitulé *Twenty Years in Tibet*[1] :

« Un après-midi du mois d'août 1923[2], alors que je me reposais, l'un de mes domestiques me réveilla pour m'apprendre qu'une dame portant une robe tibétaine

---

1. D. Macdonald, *op. cit.*
2. « 1923 » : dans ce livre de souvenirs publié dix ans après les faits, David Macdonald se trompe d'année. Dans un certificat rédigé le 21 août 1924, D. Macdonald atteste bien la visite d'Alexandra au fort de Gyantze.

blanche, accompagnée par un homme habillé en lama, désirait me rencontrer d'urgence. Le domestique ajouta que, malgré son allure de vagabonde, cette dame insistait pour me voir, et qu'elle parlait de manière laconique "exactement comme une Européenne", selon ses propres mots. Pensant qu'il s'agissait d'une farce montée par l'une de mes filles, j'ordonnai au domestique de faire entrer la dame dans la chambre. Lorsqu'elle approcha, je fis semblant de dormir et ne me levai pas. Après l'avoir fait attendre un certain temps je dis, sans me retourner, que je savais très bien qui elle était, et je lui demandai de sortir sans faire la sotte plus longtemps. Imaginez ma confusion quand une voix inconnue m'apprit que la personne qui parlait s'appelait Madame Néel. Je la conduisis immédiatement au salon, où on lui servit du thé, et je lui demandai comment elle était arrivée là et pourquoi elle portait des vêtements tibétains. Elle me fit un bref compte-rendu de son voyage de la Chine au Tibet, un exploit merveilleux pour une femme de son âge et de sa constitution. Elle semblait très faible, sa réussite avait exigé un courage et une énergie immenses. »

David Macdonald. *Twenty Years in Tibet*. 1932. Traduction.

Exténuée, « sans argent et en haillons »[1], Alexandra est ainsi accueillie par la famille Macdonald qui lui offre l'hospitalité. La voici dans un cadre douillet, tel qu'elle n'en avait pas connu depuis des années ! L'exploratrice est retenue à Gyantze par le chef de la garnison, le temps de régler les formalités administratives exigées par sa situation de totale illégalité. Des câbles sont adressés au Foreign Office de Londres. La famille Macdonald prête des vêtements et achète une nouvelle tenue tibétaine à Alexandra. Alexandra écrit à Philippe en lui signalant son « absolu et immédiat besoin d'argent ». (Lettre du 16 mai 1924.) Elle reprend contact avec le monde occidental, sans plaisir, hormis celui de

---

1. Lettre du 16 mai 1924.

faire connaître son exploit le plus vite possible. David Macdonald prête de l'argent à l'exploratrice pour lui permettre de gagner le nord de l'Inde. Deux semaines de repos à Gyantze s'avèrent nécessaires aux deux pérégrins avant qu'ils ne soient en état de reprendre la route. L'intention d'Alexandra est de gagner la mission catholique de Pedong, située environ 250 km au sud de Gyantze, aux portes du Sikkim. L'exploratrice fera le trajet à cheval.

Le retour à la civilisation occidentale s'accompagne de l'inévitable réapparition des problèmes matériels dont l'exploratrice avait eu l'immense plaisir de pouvoir s'abstraire pendant sept mois : manque d'argent d'abord, nécessité de reconstituer le minimum de garderobe indispensable eu égard à sa condition d'Européenne, rassembler ses bagages dispersés dans toute la Chine... Alexandra écrit au consul de France à Calcutta pour demander un prêt qui lui permettrait d'attendre décemment les fonds que son mari ne manquera pas de lui envoyer (Lettre du 16 mai 1924). Elle entame aussi une correspondance avec les éditeurs susceptibles de publier le futur récit de son exploit...

Réconfortée, un peu reposée, vêtue de neuf, Alexandra quitte Gyantze le 17 mai. La route est encore longue et difficile puisqu'il faut traverser de nouveau l'Himalaya. Le 25 mai, les deux voyageurs sont à Phari Dzong, dans la vallée de Chumbi. Les six premières étapes se sont faites à cheval, mais la septième à pied car le cheval du dernier relais n'était pas en bon état. Alexandra souffre du cœur. Cette étape de 23 km fut très dure car l'altitude était remontée à 4 300 m, et une violente tempête avait soufflé. Le lendemain, la dame lama doit se faire porter dans un « fauteuil auquel on a attaché des bâtons ». Le passage du col Tang se fait sous une nouvelle bourrasque de neige. Altitude : 4 785 m, une altitude encore difficile à supporter pour une personne épuisée comme l'était Alexandra.

Phari Dzong : les misérables masures du bourg se serrent autour de l'imposant *dzong* qui garde la vallée. L'accueil dans la petite bourgade est chaleureux, les Anglais multipliant les attentions pour aider cette vaillante Européenne. La femme de l'agent commercial de Chumbi, la petite ville située au sud-ouest de Phari-Dzong envoie même sa chaise à porteurs pour faciliter la prochaine étape de la dama lama. Des provisions l'attendent chaque fois : confitures, fruits secs, « soupes en paquets, enfin toutes sortes de conserves utiles en pays tel que celui-ci ».

Alexandra arrive à Chumbi le 27 mai. L'altitude nettement plus modérée de la bourgade, 2 700 m, lui convient mieux. Elle a par ailleurs l'heureuse surprise d'y trouver une invitation envoyée par « l'abbé Douénel », en poste à Pedong : le dévoué missionnaire met à sa disposition un bungalow situé sur le terrain de la mission. Elle pourra y séjourner autant de temps qu'il lui plaira. Voilà une excellente nouvelle : Alexandra, démunie de tout pourra au moins disposer d'un toit, en attendant l'arrivée des fonds demandés à Philippe. C'est que l'honorable mendicité sur fond de lamaïsme n'est plus de mise chez les colons européens...

À Yatung, bourg commercial situé au sud de Chumbi, Alexandra est accueillie par la fille aînée de David Macdonald qui lui procure des vêtements un peu mieux adaptés à la suite du voyage en Inde que ses épaisses robes de laine. Yatung est aux portes du Sikkim. Alexandra écrit à son mari à chaque étape, ainsi cette lettre datée du 31 mai :

> « Veux-tu croire que, rétrospectivement, le frisson de la peur me prend en songeant à tout ce que j'ai fait, à ces

courses parmi les forêts solitaires, ces nuits passées en plein air, seuls, le gosse et moi, couchés auprès d'un brasier flambant ou, d'autres fois, tapis entre des rochers ou des buissons. Silence, désert... »

Chumbi. Lettre du 31 mai 1924.

Quelques jours plus tard, Alexandra écrit de Rongli, un village du Sikkim situé à l'extrême sud du pays. Elle loge dans le bungalow mis à la disposition des voyageurs. La dame lama retrouve les vallées profondes et chaudes du Sikkim. En une trentaine de kilomètres de distance, Alexandra est descendue de 4 374 m (Jelep La, col-frontière du Sikkim) à 777 m à Rongli ! Ce changement brutal de conditions atmosphériques n'est pas idéal pour elle qui présente des troubles cardiaques : la température atteint 31° au bungalow à 9 heures du matin, note l'exploratrice...

Le 9 juin, elle arrive à Gangtok, la petite capitale qui lui rappelle tant de souvenirs. Il pleut. Une immense vague de nostalgie submerge l'exploratrice dont les pensées se tournent vers ses amis disparus : « le vieux rajah, son fils, mon compagnon d'excursion, le maître d'école qui me servait d'interprète, le savant lama et cet autre lama... » « Gangtok et ses environs ont perdu tout charme à mes yeux. » (Lettre du 9 juin 1924).

Après sa dernière halte au Sikkim, Alexandra se présente à la Mission catholique de Pedong le 11 juin : c'est là qu'elle va tenter de reprendre des forces.

Retour en Inde :
juin 1924-avril 1925

L'échec de deux missionnaires protestantes,
le succès de la mendiante bouddhiste

L'arrivée à Pedong marque la fin des épreuves de la voyageuse épuisée. C'est l'occasion d'évoquer sans doute le souvenir de ceux et surtout de celles qui avaient tenté, en vain, de la précéder à Lhassa. Alexandra connaissait certainement les efforts des deux Occidentales qui s'y étaient risquées quelques décennies avant elle, mais elle n'en parle nulle part dans ses écrits. Ces deux femmes intrépides étaient des missionnaires protestantes ; autant dire que leurs objectifs étaient à l'inverse de celui d'Alexandra puisqu'elles voulaient évangéliser les Tibétains. Malgré leur courage elles échouèrent.

La première, Annie Taylor, de nationalité britannique, s'était installée au Kansou en 1884. Après avoir appris le tibétain et s'être habituée aux mœurs et aux vêtements du pays, elle partit en direction de Lhassa et parvint jusqu'à Nagchu, bourgade située à quatre jours de marche au nord-ouest de la capitale interdite. C'est là qu'elle fut arrêtée en avril 1893, après avoir été dénoncée par un domestique. Son journal montre les souffrances terribles qu'elle endura pendant son itinéraire hivernal, à cause du froid et de la neige. Reconduite jusqu'à la frontière, en direction de Tatsienlou, elle ne renouvela pas sa tentative. Pourtant elle ne quitta pas le Tibet et s'installa à Yatung, dans la vallée de Chumbi, où elle demeura jusqu'à la fin de sa vie. Elle ne retourna en Angleterre que pour y mourir[1] Annie Taylor faisait partie de ces missionnaires fanatiques qu'Alexandra abhorrait.

La seconde s'appelait Susie Carson. Née au Canada en 1868, la même année qu'Alexandra, elle épousa le missionnaire néerlandais Petrus Rijnhart. Susie était médecin. Le couple s'installa au nord du Tibet, d'abord à Lousar, le village voisin du monastère de Kumbum, puis à Dankar, la bourgade située à l'est du Koukou Nor. En 1898 naquit le petit Charlie. Alors que celui-ci était encore un bébé, ils partirent à leur tour pour la mystérieuse Lhassa, mais la tentative tourna à la tragédie. Leur bébé mourut en cours de route ; puis Petrus Rijnhart disparut dans la région de Tashi Gompa alors qu'il était allé chercher de l'eau. Sans doute fut-il assassiné. Malade, isolée dans un secteur qu'elle ne connaissait pas, Susie Rijnhart eut la chance de rencontrer des lamas secourables qui lui procurèrent un yak et une escorte jusqu'à Tatsienlou[2].

La réussite d'Alexandra s'explique par un ensemble de paramètres qu'elle a su mettre en place, puis exploiter : engagement dans le bouddhisme, curiosité pour la

1. W. Carey : *Travel and adventure in Tibet including the diary of Miss Annie Taylor's remarkable journey from Tau-Chau to Ta-Chien-Lu trough the heart of the Forbidden Land*. London, Hodder and Stoughton. 1902.
2. S.C. Rijnhart : *With the Tibetans in Tent and Temple*, London and Edinburgh. 1901.
J. Robinson : *Wayward Women – A Guide to Women Travellers*. Oxford, New York, Oxford University Press. 1990.

spiritualité et les paysages du Tibet, connaissance des mœurs et d'une langue du pays, extraordinaire endurance, expérience acquise suite à ses premiers échecs, volonté inflexible, et enfin le soutien permanent et total d'Aphur Yongden qui joua un rôle essentiel dans les pérégrinations de sa mère adoptive.

Trois mois à la Mission catholique de Pedong

La Mission de Pedong fut fondée en 1882 par le fameux Père Desgodins, à qui j'ai déjà fait allusion. Le missionnaire qui accueille Alexandra et Yongden s'appelle le Père Douénel. Il réside là depuis 32 ans et déploie une activité débordante aussi bien dans la création d'écoles et d'hôpitaux que dans la traduction de livres destinés aux réfugiés népalais. Sur le plan missionnaire Pedong est rattachée à la Mission du Tibet. Les religieux donnent le nom de « Thibet indien » à leur circonscription. Ce missionnaire entreprenant deviendra le premier évêque du Sikkim quelques années plus tard.

Alexandra habite pendant trois mois dans un bâtiment appartenant à la Mission. N'ayant plus un sou, il est hors de question pour elle de songer à aller plus loin. Le séjour se révèle peu réjouissant, il pleut tous les jours en cette période de mousson. Ne recevant aucune nouvelle de son mari, l'exploratrice se sent isolée alors qu'elle aurait tant besoin de faire connaître son épopée. Toutes les lettres qu'elle adresse à Philippe sont chargées de conseils pressants : c'est une véritable campagne de promotion qu'elle lui demande d'organiser pour elle. Il est mandaté pour contacter sociétés savantes, personnalités influentes, éditeurs et revues susceptibles d'être intéressés par ce voyage inouï... De fait, elle reçoit bientôt une invitation de la Société de Géographie de

Paris pour un article dans le bulletin et une conférence... Et le 10 juillet enfin une lettre arrive d'Algérie : la dernière remontait à deux ans. Alexandra répond à Philippe le jour même pour annoncer son retour dès qu'il lui en aura procuré les moyens...

Le 19 juillet, elle lance un nouvel appel à son époux car, dit-elle il ne lui reste que vingt roupies d'avance, autant dire plus rien. S'il ne l'aide pas, elle devra une nouvelle fois se résoudre à emprunter ; or la dette qu'elle a contractée s'élève déjà à 1 060 roupies !

Une nouvelle encourageante lui parvient : Sylvain Lévi, l'orientaliste qui fut son professeur, reprend contact avec elle. Il lui réclame un inventaire détaillé de tous les livres tibétains qu'elle a réunis au cours de son périple, et lui propose une série de conférences à la Sorbonne. Son fils est maintenant consul de France à Bombay où elle sera la bienvenue. Voilà une adresse fort utile pour la suite du voyage.

À la mi-août, l'exploratrice commence à perdre patience : Philippe n'a toujours rien envoyé, du moins n'a-t-elle rien reçu. Or il lui faut une « somme considérable pour rentrer », et tout autant d'ailleurs si elle devait rester à l'étranger ! Philippe serait-il mal disposé à son égard ? Pour sa part rien n'a changé, le voyage ne fut qu'une parenthèse dans sa vie d'épouse, une excursion seulement un peu plus longue que les autres... Le temps n'a eu aucune prise sur la vie affective, très originale, de la dame lama. En est-il de même pour ce mari délaissé depuis treize ans par celle qu'il avait choisie comme épouse ?

Le 31 août 1924, Alexandra apprend qu'une subvention vient de lui être accordée par les autorités françaises en poste à Pékin (Lettre du 26 juillet 1924). La Société de Géographie de Washington et différents éditeurs américains entrent en relation avec elle : les efforts commencent à payer.

À la mi-septembre Alexandra quitte Pedong pour prendre la direction de Calcutta. Il est permis de penser que son mari lui a enfin adressé les fonds tant espérés.

Septembre 1924-mai 1925 : la fin du grand voyage et le retour en Europe

Alexandra reste trois mois à Calcutta. Elle écrit différents articles, poursuit la rédaction de son récit commencé à Pedong, contacte éditeurs et journaux d'Europe et d'Amérique. Elle essaie aussi de rassembler ses bagages dispersés ici ou là en Asie, la plupart en Chine, d'autres au Japon ou ailleurs : ce n'est pas une mince affaire !

Le 13 octobre, l'épouse retrouvée écrit à son mari son intention irrévocable de ramener Yongden et de le garder définitivement auprès d'elle. Elle regagnera le domicile conjugal avec cet Asiatique dévoué qu'elle souhaite adopter officiellement. Il lui est devenu indispensable, reconnaît-elle, non seulement pour l'aider dans les tâches domestiques mais aussi pour ses travaux d'orientalisme. Alexandra comprend vite que son mari voit d'un œil défavorable l'arrivée d'Albert Yongden chez lui… et que son propre retour au foyer ne semble pas le réjouir outre mesure. Il a pris d'autres habitudes et appréhende, certes non sans raisons, le bouleversement qu'entraînera immanquablement l'arrivée de sa femme, de ses bagages et de ce fils qui n'est pas le sien.

Les journaux des Indes annoncent l'exploit d'Alexandra. Des articles lui sont demandés et… payés, ce qui l'intéresse encore plus. Après Calcutta, elle retourne à Bénarès où elle passe le mois de janvier 1925. Son ambition est de parvenir à cette indépendance économique qu'elle prônait vingt ans plus tôt pour les femmes, de vivre de ses droits d'auteur (Lettre du 8 janvier 1925). Elle hésite sur le lieu de son installation future, car elle se sent partagée entre sa « passion innée » pour l'Asie où elle resterait volontiers, et son souhait sincère de retrouver son mari. Alexandra refuse d'envisager une séparation : l'idéal ne serait-il pas de vivre chacun dans son logement à l'intérieur d'une même propriété, « quelque part sur la Côte d'Azur » ? Les réticences de Philippe ne semblent pas l'atteindre. Pour elle, rien n'a changé. Philippe est son seul proche, il fait partie de sa vie, il est son indispensable écho. Pas un instant elle ne l'a oublié.

À Bombay en février, Alexandra rencontre le consul de France, Daniel Lévi ainsi que le directeur du Musée Guimet. Les uns et les autres l'incitent vivement à rentrer en France. Ne sachant trop que décider, elle finit par demander conseil à Philippe. Sylvain Lévi lui fait savoir qu'il lui préparera « un retour triomphal » à Paris.

Alexandra et Yongden se dirigent ensuite vers Ceylan. Alexandra ne se résoud pas encore à quitter l'Asie. Et puis, elle a toujours aimé cette île. Pour Yongden, c'est une découverte, pour Alexandra un retour aux sources... La voici revenue à son point de départ. Que de chemin parcouru depuis l'été de 1911 ! Quatorze ans de vie vagabonde, plus ou moins solitaire, en marge des contraintes sociales et des faux semblants.

À Ceylan, Alexandra se rend chez la mère de son premier Maître et ami, Dharmapala. Ce séjour répond-il à une nécessité intérieure ? S'agit-il simplement de la dernière étape du grand voyage, avant de prendre un navire en partance pour l'Europe ? Cette fois, le climat ne réussit guère à l'exploratrice, l'atmosphère chaude et humide l'oppresse. Alexandra rentre finalement en Europe pour s'occuper de ses affaires.

Le 10 avril 1925, Alexandra embarque sur le *Min*, un ancien bâtiment allemand cédé aux Messageries Maritimes après la guerre. Le cargo ne dispose que de deux cabines pour des passagers. Un mois plus tard, jour pour jour, Alexandra et Aphur Yongden débarquent au Havre. La modeste orientaliste de 1911 est devenue une héroïne mondialement connue. Un nouveau chapitre s'ouvre dans la vie très mouvementée de la dame de 57 ans.

TROISIÈME PARTIE

PARCOURS EUROPÉENS : ALEXANDRA DAVID-NÉEL DE 1925 À 1937

L'arrivée
dans une France inconnue :
mai 1925

10 mai 1925

Après un voyage épique de quatorze ans, et huit ans après la Grande Guerre qui a ébranlé le monde, Alexandra David-Néel pose le pied sur la terre de France. Circulant en Asie durant les années de la tragédie, elle n'a pas vécu l'événement directement. L'exploratrice va faire connaissance avec une France en mutation, un pays en reconstruction sur la voie d'une modernisation sans précédent. Les traités de paix ont bouleversé la carte de l'Europe : l'Alsace-Lorraine a réintégré le giron de la France, les empires centraux sont démantelés, les Balkans découpés. Alexandra doit s'habituer à de nouvelles frontières.

En mai 1925, sous la récente Présidence de Gaston Doumergue, la France est en pleine crise ministérielle. Le franc baisse et les citoyens ont la hantise de l'inflation qui fait des ravages en Allemagne. La situation est désastreuse pour les petits épargnants et les rentiers. Mais la crise monétaire n'empêche pas le redressement économique et l'émergence d'une classe de parvenus.

1925, c'est aussi un nouvel art de vivre, accompagné d'un extraordinaire foisonnement artistique et culturel. L'évolution du costume a suivi celles des mœurs bouleversées par la Grande Guerre. La silhouette féminine ne rappelle plus en rien celle de 1911. Les robes « entravées » qui gênaient la marche ont été remplacées par des modèles beaucoup plus pratiques, souples et courts : la taille tombe sur les hanches et les robes s'arrêtent aux genoux ; les visages disparaissent sous le petit chapeau cloche enfoncé jusqu'aux yeux. Ô révolution suprême, les femmes se font... couper les cheveux ! La garçonne fait des adeptes. Chez les couturiers de nouveaux noms apparaissent, tels ceux de Jeanne Lanvin ou de Coco Chanel qui lance la mode des peaux bronzées. Le goût est aux bains de mer et aux sports d'hiver. Les cabarets de Montmartre et de Montparnasse attirent les jeunes talents. Le jazz, amené par les contingents américains durant la guerre fait découvrir de nouveaux rythmes. Même les grands Maîtres de la musique comme Debussy ou Stravinski écrivent des ragtimes. Le fox-trot, le one-step, le black-bottom et le charleston déchaînent l'enthousiasme des danseurs. Joséphine Baker débute au théâtre des Champs-Élysées avec la *Revue nègre*. « Paris by night », illuminé par des milliers d'ampoules électriques, brille des feux d'une jeunesse assoiffée de nouveautés venues d'outre-atlantique. C'est le Paris de la fête, du champagne et des plaisirs, le Paris du dollar et des nuits folles, le Paris des noctambules...

Des opérettes à succès sont mises en musique par Reynaldo Hahn ou Franz Lehar. Albert Roussel a donné en 1923 un opéra-ballet d'inspiration indienne, *Pâdmavati*, qui remporta un grand succès. Séduit par les lumières de la capitale, Stravinski vit à Paris depuis 1919. L'art de la danse connaît une vogue sans précédent avec Nijinski, Diaghilev ou Anna Pavlova. La belle

Isadora Duncan rejette le carcan du ballet classique en dansant pieds nus, vêtue d'une simple tunique.

La littérature a payé son tribut à la Grande Guerre en perdant Alain-Fournier, Péguy, Apollinaire... En 1919, Marcel Proust a obtenu le prix Goncourt avec son roman *À l'ombre des jeunes filles en fleurs*, et Roland Dorgelès le Fémina pour *Les Croix de Bois*. Les Années Folles consacrent d'immenses talents qui avaient commencé à s'exprimer avant la guerre, ceux de Paul Valéry, de Paul Claudel et de Romain Rolland. Chez les dames, on peut citer Anna de Noailles, toujours à la mode, Lucie Delarue-Mardrus ou Marie-Noël, mais c'est Colette qui reste la plus grande romancière de l'époque.

Au théâtre, Dullin, Pitoeff et son épouse Ludmilla révèlent Pirandello. Louis Jouvet et Sacha Guitry accumulent les succès. De nombreux poètes et artistes-peintres passent au surréalisme dont André Breton a publié le *Manifeste* en 1924. Soupault, Desnos, Éluard, Reverdy et Aragon en deviennent les brillants représentants.

En 1925, Picasso peint *L'Arlequin assis*. Paris reste la capitale internationale d'un art pictural époustouflant de diversité : fauvisme, cubisme, style naïf, expressionnisme, surréalisme... s'y côtoient plus que jamais. Le cinéma n'est pas en reste grâce au talent d'auteurs promis à un brillant avenir : René Clair, Jacques Feyder, Abel Gance, Marcel L'Herbier ou Jean Renoir. En 1925, Eisenstein tourne *Le Cuirassé Potemkine* tandis que la *Ruée vers l'Or* de Charlie Chaplin sort sur les écrans.

Un événement populaire très significatif illustre le prestige culturel la France : l'Exposition des Arts Décoratifs, que le président Doumergue vient d'inaugurer. Elle se tient à Paris jusqu'au mois de novembre 1925 et connaît un succès mondial.

L'automobile est en plein essor. On commence à envisager la construction de pistes spéciales appelées « autoroutes ». Les deux grandes marques sont alors Citroën et Renault, suivies par une pléiade de plus petits fabricants (Peugeot, Panhard, Voisin, Rosengart, Hotchkiss, Delahaye...) sans oublier Delage et Bugatti qui proposent de superbes modèles de luxe. En s'inspirant des méthodes américaines, André Citroën lance la construction automobile en grande série. Voitures et avions deviennent des engins d'exploration et de raids lointains (« Croisières noires »). Mermoz et Saint-Exupéry seront les héros des premières liaisons aéropostales. Le monde est entré dans une ère nouvelle qu'Alexandra s'apprête à découvrir... sans enthousiasme !

Si l'Europe n'est plus celle de 1911, Alexandra aussi a changé. On ne revient pas indemne de quatorze ans de pérégrinations au-delà du monde commun, de quatorze ans d'expériences dangereuses, d'aventures périlleuses, de réflexions et de découvertes plongeant dans les abîmes de ce qu'il est convenu d'appeler la « personnalité ».

L'exploratrice est maintenant une femme vieillissante dont le caractère indépendant et autoritaire s'est encore affermi : s'il en avait été autrement, elle n'aurait pas survécu à tant d'épreuves physiques. Son acquis se place sur deux plans bien distincts : celui de son propre vécu, c'est-à-dire son expérience personnelle qui est incommunicable, et celui des connaissances acquises en philosophies, religions orientales et ethnographie. En 1925, elle est sans aucun doute l'orientaliste occidentale qui connaît le mieux le « lamaïsme » et les coutumes du peuple tibétain. Aucun savant, si éminent fut-il, n'avait tenté une expérience analogue à la sienne, réalisé l'extraordinaire performance qui consista à s'intégrer totalement et aussi longtemps dans cette population tibétaine d'approche encore si difficile. Madame

David-Néel a réuni une documentation abondante et rare : elle parle d'un millier de livres et d'objets, auxquels s'ajoutent des manuscrits et ses notes personnelles. La voici à la tête d'un fonds de première main qu'il va falloir exploiter.

Malgré son goût pour la vie sauvage, les chevaux et le désert (Lettre du 21 mars 1925), elle est revenue dans l'intention avouée de profiter de son exploit. À l'âge de 57 ans, la dame lama s'apprête à livrer un nouveau combat, celui qui devrait lui permettre d'accéder enfin à la véritable indépendance économique. Sa volonté est intacte et d'autant plus inflexible qu'elle a ramené Yongden, désormais à sa charge dans un monde autrement plus onéreux que celui des hauts plateaux tibétains ou des villes indiennes. Alexandra sait que son mari n'est pas favorable à la venue de celui qu'elle considère comme son fils, mais elle n'a pas cédé. Le consentement de Philippe reste évidemment nécessaire pour une adoption officielle. Acceptera-t-il, de modifier sa position ? Alexandra regagne la France sans joie. L'attitude de son mari la préoccupe vraiment.

« Je suis immensément dégoûtée de l'Europe avant même d'y avoir mis les pieds, je n'avais, du reste, aucune illusion à ce sujet », écrit-elle lors de son escale à Valence, en Espagne (Lettre du 4 mai 1925). Singulière disposition d'esprit pour aborder la compétition qui doit normalement la récompenser de toutes les épreuves passées !
Nous ne savons rien sur les retrouvailles des deux époux, si ce n'est que Philippe relevait de maladie à l'époque du retour de sa singulière épouse (Lettre du 9 novembre 1927)[1].

---

1. *Correspondance avec son mari – Édition intégrale*, p. 807.

Les succès
d'une héroïne nationale :
1925-1937

Les premiers mois qui suivirent le retour d'Alexandra furent pour elle, autant que l'on puisse le savoir, à la fois stimulants et éprouvants. L'heure n'est plus à l'extravagance d'une vie de mendiante tibétaine, il faut entrer dans « le tourbillon » et tirer parti de son exploit. Grâce à l'aide efficace de Sylvain Lévi, elle se trouve assez rapidement propulsée dans la vie trépidante des célébrités. Devenue quasiment une héroïne nationale, elle donne des interviews, prononce des conférences, participe à des dîners, des thés et toutes sortes de réceptions mondaines... dûment répertoriés dans l'agenda de 1926. Yongden, à ses côtés, découvre avec un réel plaisir l'animation de la vie parisienne et... les applaudissements qui suivent ses propres interventions, car il prend l'habitude de réciter des vers et d'entonner quelques chants tibétains lors des fameuses conférences !

Le 3 décembre 1925, Alexandra intervient à la Société de Géographie de Paris. Le 7 décembre, c'est au Collège de France qu'elle « conférencie », répondant à l'invitation du Pr d'Arsonval. Membre de l'Académie des Sciences et de l'Académie de Médecine, président de l'Institut général psychologique, il s'intéresse à tous les phénomènes psychiques et il invitera plusieurs fois Alexandra à venir parler de ses expériences.

En janvier 1926, une tournée de conférences mène l'exploratrice à travers la France (Dijon, Clermont-Ferrand, Lyon, Chambéry, Saint-Étienne, Grenoble, Roanne, Toulon, Montpellier, Avignon, Aix, Nîmes, Nice).

Suite à ces déplacements, Alexandra se trouve à Marseille au début du mois de février ; elle y rencontre son mari. Les deux époux sont alors âgés respectivement de 58 et de 64 ans. Les retrouvailles ne se prolongent guère au-delà d'un entretien « assez peu amical » concernant l'adoption de Yongden[1]. Nouvelle séparation, Alexandra et Philippe ne reprendront jamais la vie commune. Mais les époux ne rompent pas : la correspondance repart dès le 7 février sur le même ton qu'autrefois. L'orientaliste raconte maintenant ses succès de conférencière. Les seuls êtres qu'elle supporte auprès d'elle sont ceux qui la servent : Yongden-Océan de Compassion reste à cet égard un modèle d'abnégation. Elle sait d'ailleurs parfaitement ce qu'elle lui doit, d'où sa fermeté au sujet de l'adoption. Alexandra est tyrannique, mais d'une loyauté irréprochable.

L'exploratrice profite de son séjour dans le Midi pour consulter les agences immobilières. L'ex-mendiante tibétaine, toujours errante, n'a pas encore trouvé le pied-à-terre de ses rêves. Retour à Paris pour une nouvelle série de conférences : au Collège de France le 22 mars, au musée Guimet le 28 mars. C'est un triomphe : « On s'écrasait dans la salle. On avait laissé les portes ouvertes et dans la salle contiguë nombre de gens debout tâchaient d'entendre et de voir quelque chose.

---

1. Lettre de Philippe Néel, 23 mars 1927, in *Correspondance avec son mari*, édition intégrale.

Beaucoup de personnalités : l'ancien gouverneur de l'Indo-Chine et l'ancien ministre de France au Brésil qui attend son départ pour un autre poste, le directeur de l'École Française d'Extrême-Orient, etc. » (Lettre du 30 mars 1926).

Le 1er mai 1926, Alexandra devient locataire d'une petite maison qu'elle a fini par dénicher à Toulon, aux « Mazots, chemin de la Calade – Près Serinette ». Il est grand temps qu'elle se mette à la rédaction des articles et ouvrages qu'on lui demande. Son exploit lui vaut maintenant une collection variée de récompenses : Légion d'Honneur, deux Prix de la Société de Géographie de Paris, et un surprenant Grand Prix d'athlétisme féminin... Malgré son peu de goût pour les mondanités en tant que telles, Alexandra ne refuse pas les honneurs ! Elle apprécie de même la sollicitude dont le Président Doumergue fait preuve à son égard, plusieurs lettres montrent qu'il s'intéresse personnellement à ses voyages (correspondance conservée à la Maison A. David-Néel).

Alexandra se met alors à travailler avec acharnement du matin au soir, « comme une bête », écrit-elle. Connaissant la velléité du public, elle souhaite publier le maximum de choses le plus vite possible. Elle passe en moyenne seize heures par jour à sa table de travail. À tel point qu'une inflammation oculaire la rend aveugle pendant plusieurs jours en 1927. Cette année-là, la voyageuse doit se résoudre à demander encore une aide financière à son mari : il accepte de lui payer son loyer. Le *Voyage d'une Parisienne à Lhassa* sort en novembre 1927 : c'est un succès immédiat à Paris, à Londres et à New York où il est traduit et publié en premier.

Articles et livres vont se succéder ensuite à une cadence rapide : *Mystiques et Magiciens du Thibet* (1929), *Initiations lamaïques – Des théories – Des pratiques – Des hommes* (1930), *La Vie Surhumaine de Guésar de Ling* (1931), *Au Pays des Brigands Gentilshommes* (1933), *Le Lama aux Cinq Sagesses* (1935). Les récits de voyages sont les plus faciles à écrire : grâce à la correspondance que Philippe a conservée et classée, Alexandra n'a aucun mal à retrouver la chronologie de ses circuits et les anecdotes savoureuses qui agrémentent les parcours. Les autres ouvrages sont plus délicats à mettre en forme, ainsi *Mystiques et Magiciens du Thibet*, à la fois récit de voyage et reportage ethnographique, avec des sujets comme le « Commerce avec les démons », « Les mangeurs de "souffles vitaux" », « Le poignard enchanté », « Le mort qui danse », sous-titres alléchants pour les passionnés d'exotisme et de phénomènes étranges ! Rappelons qu'il ne s'agit nullement de science-fiction mais de faits dûment observés par la voyageuse ! Deux signatures pour *Le Lama aux Cinq Sagesses* : Lama Yongden et Alexandra David-Néel. C'est le premier roman tibétain d'un superbe tryptique écrit dans le même esprit de qualité : réalisme des personnages, authenticité des lieux, réminiscences lamaïques, étrangeté des faits, suspens, mystère... Le lecteur est guidé de main de maître dans « les solitudes enchantées du Tibet ».

Les *Initiations lamaïques* abordent un sujet beaucoup plus difficile. Comment exprimer avec des mots de l'Occident les notions très complexes qui ont trait aux pratiques, aux états d'esprit, aux conceptions ésotériques des ascètes du Pays des Neiges ? Le terme de « mysticisme » est déjà impropre, explique Alexandra qui ne l'emploie que faute d'un substantif plus adéquat. Dans le style efficace qui est le sien, elle réussit pourtant à présenter clairement les différentes sortes d'initiations, leurs degrés et leurs buts, les exercices et les rites qui s'y rattachent. L'exploratrice conduit le lecteur sur le Sentier qui mène aux initiations supérieures, porte de « l'absolue liberté » pour le disciple persévérant arrivé à ce haut degré d'évolution spirituelle. Et Alexandra de conclure en citant une phrase du Dhammapada : « Comme celui des oiseaux à travers l'air, son chemin est difficile à découvrir. » Et, poursuit-elle, « si l'un d'eux se tourne vers nous, consentant à nous dévoiler le secret de ses contemplations, il est bientôt arrêté par l'impossibilité de relater les expériences mystiques ». « Je veux parler... les mots font défaut », dit la *Prajnâpâramitâ*.

Alexandra David-Néel ne peut vivre sans projets de voyage. Dès le 15 février 1927, elle note dans son agenda quelques « adresses pouvant être utiles pour un voyage traversant la Russie »... Sa prochaine destination ? Pour le moment elle travaille chez elle, menant une vie de recluse entre deux tournées de conférences et les indispensables voyages à Paris, édition oblige.

C'est dans le sud de la France que la dame lama achète finalement une propriété en 1928, à Digne, sur la route de Nice. Arrière-plan de moyennes montagnes, proximité de la Bléone, altitude de 600 m, le site convient à la voyageuse. Elle pourra enfin entreposer définitivement tout ce qui lui appartient et qui était encore resté chez son mari, sans compter les caisses de bagages qui occupent une pièce entière aux Mazots. La maison, de taille modeste, présente l'avantage d'être bâtie sur un vaste terrain. Elle dispose par ailleurs d'un bâtiment annexe où la nouvelle propriétaire envisage déjà de loger un domestique.

« Le mieux dans la maison, ici, c'est la terrasse-pergola : 3 m 60 × 4 m 30 sur laquelle donne ma chambre qui fait le premier étage d'un côté et le deuxième de l'autre, le terrain étant en pente. J'y fais une cure d'air et y passe souvent la nuit couchée sur un tapis... »

Lettre du 5 août 1928.

L'habitation est aussitôt surnommée « Samten Dzong », c'est-à-dire « Forteresse de la Méditation »... tout un programme ! Alexandra procède à des aménagements et ne tarde pas à faire construire une tour quadrangulaire de belle venue. Elle renoue avec les habitudes anachorètiques prises à Lachen en choisissant de vivre le plus possible en autarcie : la nouvelle Dignoise se nourrit bientôt avec les légumes de son jardin, et vend même une partie de sa luzerne aux gens du pays. Un peu plus tard, elle agrandira encore sa demeure. Puis elle louera l'une des deux maisons qui se trouvent sur sa propriété.

Son existence de marginale n'empêche nullement l'exploratrice de décorer sa maison avec soin et de lui donner un style sino-tibétain qui séduit plus d'un visiteur. Ses caisses sont encore pleines d'objets pittoresques, il suffit d'y puiser pour choisir ceux qui conviennent le mieux. Si sa petite chambre est d'une austérité totale, elle aménage un oratoire tibétain dans l'une des pièces, avec statue du Bouddha, *thankas* accrochées aux murs, objets rituels, coussins... Le premier ermitage tibétain en France date de 1928, il porte le nom de Samte Dzong ! Pionnière aussi dans ce domaine.

Soutenue par le Président Doumergue, Alexandra obtient des subventions qui l'aideront dans le voyage qu'elle projette maintenant. Son objectif : la Russie, ou plutôt l'Union Soviétique. Elle souhaite étudier la vie des femmes sibériennes depuis le changement de régime, et surtout les croyances des Bouriates du Lac Baïkal puisqu'ils font partie du monde bouddhiste. Ensuite elle poursuivra vers la Chine. Mais le bolchevisme est au pouvoir et des règlements implacables interdisent la libre circulation en URSS : les autorisations sont bien longues à obtenir malgré de multiples démarches !

L'année 1929 s'ouvre sur la réalisation d'un vœu cher à l'exploratrice : l'adoption officielle de Yongden. Philippe a enfin donné son autorisation. L'acte d'adoption date du 21 janvier 1929 (archives de la Maison A. David-Néel). Cette année-là Alexandra circule beaucoup : elle passe l'été à la Baule, puis l'automne à Londres et à Paris. 1929 s'achève par une série de conférences en Suisse : « Mes conférences ont un très grand succès, les salles étaient bondées. » (Lettres du 15 décembre 1929.)

Les tournées de conférences alternent avec les voyages d'agrément et les périodes de retraite studieuses et productives à Samten Dzong. En dehors de Digne, elle mène une vie sociale plutôt animée, étant fréquemment invitée par des relations dont le réseau ne cesse de s'étoffer. Notons un voyage en Italie en 1931, marqué par une réception à l'ambassade de France à Rome, un déjeuner avec la Comtesse Rasponi, une rencontre avec Mussolini... Alexandra est rarement seule au cours de ses déplacements, et l'on se tromperait grandement en limitant son personnage à l'anachorète qu'elle fut en Himalaya. Elle est ermite au pays des ermites, lamani chez les lamaïstes, mondaine au milieu du monde. Elle voit d'un œil favorable le développement de sa ville d'adoption en tant que station thermale. La valeur des terrains ne peut qu'augmenter ! Les difficultés engendrées par la crise économique de 1930 incitent à la prudence. Comme les autres, Alexandra surveille l'évolution des cours de la Bourse et celle de son portefeuille. L'hérédité maternelle est bien là... dualité irréductible entre la femme d'affaires et la bouddhiste détachée des biens terrestres !

Nouveau voyage en Suisse en 1931, et arrivée d'une femme dans le sillage d'Alexandra : sa traductrice anglaise Violet Sydney s'installe à Samten Dzong, pleine de bonne volonté et d'enthousiasme à l'idée de collaborer longuement avec la grande dame de l'exploration. Elle résistera quatre ans au caractère très spécial de l'aveuglante « Lampe de Sagesse ». À la page du 6 juin de l'agenda de 1935, on lit cette phrase d'un laconisme révélateur : « Violet Sydney a quitté Digne, tous comptes terminés. »

L'été 1932 se passe à Nice, puis on note un voyage à Genève et dans les Alpes françaises, suivi par un circuit en Espagne et dans les Pyrénées qu'Alexandra traverse d'est en ouest en passant par tous les grands cols. Alexandra ne peut pas rester en place, son besoin de circuler reste plus que jamais viscéral !

Les périples reprennent de plus belle en 1933 : la Suisse, puis les Vosges, la Belgique, les Pays-Bas, puis à nouveau la Belgique, avant le retour à Paris en octobre. De quoi donner le tournis !

Alexandra retourne au Bénélux au début de 1934 pour donner deux conférences : l'une à Rotterdam, l'autre à la Société Royale Belge de Géographie à Bruxelles. Là, elle se renseigne sur les possibilités de se rendre à Pékin par le chemin de fer, car elle ressent de plus en plus la nécessité de retourner sur le terrain. « Pour me maintenir à la place où l'opinion m'a jugée, il importe que je ne me laisse pas dépasser », écrit-elle à son mari le 22 mars 1934. On parle de plus en plus d'un orientaliste italien, le Pr Tucci, qui travaille à une biographie de Tsong Khapa, un thème qu'elle a elle-même commencé à traiter avec son fils.

1934 s'achève par un séjour de plusieurs mois à Menton. Elle est très occupée par la rédaction d'un roman tibétain dont l'intrigue avait été proposée par Yongden. En novembre, la dame lama se rend à Paris, pour y recevoir la médaille Dupleix, décernée par la Société de Géographie. Son déplacement dans la capitale est très organisé : elle descend à l'Hôtel Lutétia (Boulevard Raspail), revoit son mari, et rencontre l'éditeur du roman dont le texte a été aussi demandé, en version réduite, par la *Revue de Paris*[1].

Le roman, *Le Lama aux cinq sagesses*, paraît en 1935 sous la double signature de Yongden et d'Alexandra. « L'édition française a été un beau succès, elle a donné lieu à des articles enthousiastes même en des pays lointains comme la Hongrie, la Yougoslavie, l'Égypte, la Chine où cette édition a pénétré », écrit Alexandra à son amie Maria Llyod le 28 octobre. L'année 1935 est aussi consacrée à divers déplacements en France, qui n'empêchent pas la voyageuse de rédiger un « nouveau livre sur le bouddhisme », terminé à Noël[2] : *Le Bouddhisme – Ses doctrines et ses méthodes*. Elle avait besoin de cette publication, un travail « très documenté »[3], pour étayer sa position de spécialiste avant son nouveau périple en Asie.

Pourtant, ce n'est pas encore vers l'Asie qu'elle part au début de l'année 1936, mais vers Europe Centrale pour une tournée de conférences : Prague, Budapest, Vienne,

---

1. Lettres d'A. David-Néel à Mrs Llyod, 1er novembre et 3 décembre 1934, 12 février 1935.
2. Lettre d'A. David-Néel à Mrs Llyod, 26 décembre 1935.
3. Lettre d'A. David-Néel à Mrs Llyod, 26 décembre 1935.

puis Stuttgart. Ses deux récits, le *Voyage d'une Parisienne à Lhassa* et *Mystiques et magiciens du Tibet*, avaient été traduits très tôt en allemand, puis en tchèque quelques années plus tard[1].

L'orientaliste revient par la Suisse où elle « conférencie » encore (Zurich, Bâle, Lausanne, Genève). De retour à Paris, elle assiste à son tour à une conférence donnée par Ella Maillart : les deux voyageuses dînent ensemble le 17 mars.

Le mois de juin voit Alexandra retourner en Afrique du nord. Pèlerinage, voyage d'affaires ou tourisme ? Un peu les trois sans doute. Après une semaine passée à Tunis et une étape à Bône où elle rencontre probablement son époux, la voici partie pour... le Maroc, dont elle va longer la côte jusqu'à Agadir. Ce voyage lui permet de compléter la vision qu'elle avait de l'Afrique du nord, territoire qu'elle connaît maintenant sur toute sa largeur, du Golfe de Gabès à l'est jusqu'à la baie d'Agadir à l'ouest.

Fin juin, c'est « *Mouchy* » qui arrive à Digne pour un séjour dont on ne connaît pas la durée. Puis Alexandra repart en Suisse, avant de revoir son mari à Marseille le 11 novembre 1936. Le lendemain Philippe s'embarque pour Bône. Plus tard, Alexandra écrira sur la page de son carnet : « c'est la dernière fois que je l'ai vu ».

La décennie 1926-1936 fut donc une période de travail intensif avec la rédaction de sept livres sur des thématiques aussi différentes que des récits de voyages, des exposés de haute vulgarisation sur le bouddhisme, l'épopée tibétaine, la rédaction du premier roman tibétain et le suivi de plusieurs traductions.

L'exploratrice termine l'année 1936 dans la capitale où elle met la dernière main à ses bagages. Cette fois est

---

1. Archives Nationales – Dossier 454 AP 461.

la bonne, elle doit quitter Paris le 5 janvier 1937 pour Bruxelles, point de départ de son nouveau grand voyage. L'intransigeance des autorités soviétiques l'a obligée à modifier son programme : renonçant aux femmes russes et aux Bouriates de Baïkalie, elle se rendra directement à Pékin, par le train.

Le piment de l'aventure manquait à tous ces petits voyages effectués depuis 1925. Alexandra est loin de se douter que celui-ci lui réserve bien des surprises. C'est que le monde ne va pas tarder à sombrer dans un nouveau chaos : les « nuées d'orage » s'amoncellent un peu partout dans les cieux de l'Europe et de l'Asie...

Quatrième partie

Des monastères chinois du Wutai Shan aux marches tibétaines : le voyage de 1937-1946

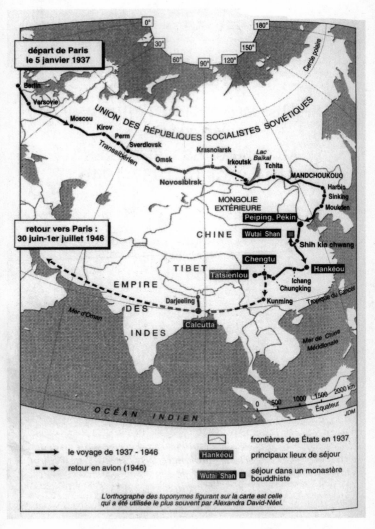

Le dernier grand voyage 1937-1946

De Paris à Pékin
par le Transsibérien :
5-26 janvier 1937

Remarques liminaires

Alexandra a relaté la première année de ce voyage et les circonstances fortuites qui vont l'amener de nouveau aux confins sino-tibétains, dans le livre intitulé Sous des nuées d'orage, *publiés en 1940. À cette date-là l'auteur se trouve encore en Asie et son séjour se prolongera six années supplémentaires. Nous en verrons plus loin les raisons.*

Alexandra ne part plus à la découverte d'une philosophie ou d'un monde inconnus. Voulant conserver et affermir la place qu'elle a durement acquise, elle se rend à Pékin pour élargir le champ de ses connaissances sur « l'ancien taoïsme ». Le séjour est envisagé pour plusieurs années, mais elle ignore encore combien. Les événements politiques vont bouleverser le programme qu'elle avait établi et la précipiter sur les routes chinoises...

Le périple lui-même s'est déroulé sur une durée d'un an et demi, entrecoupé par des séjours prolongés à Pékin, au Wutai Shan, à Hankéou, et à Chengtu, avant de s'achever par cinq années de retraite forcée dans les Marches Tibétaines à Tatsienlou. Alexandra et Yongden passeront encore neuf mois en Inde avant de regagner définitivement l'Europe, en 1946.

Retrouvons les voyageurs sans plus tarder...

5 janvier 1937

« Paris-Bruxelles » (*Carnet 1937*)

8 janvier 1937

« Visité la tombe de mon père. Traversé le Bois de la Cambre en taxi en me rendant du cimetière à l'Ambassade japonaise.[1] » (Carnet 1937). Le nouveau voyage entrepris par Alexandra débute par un moment de recueillement sur la tombe de son père, enterré au cimetière d'Uccle, près de Bruxelles. Au passage du taxi dans le Bois de la Cambre, les souvenirs jaillissent naturellement : voici les allées où, soixante ans plus tôt, le vieux monsieur devisait avec sa fillette. Si la rancune s'est estompée avec le temps et le détachement philosophique, les souvenirs demeurent intacts. L'émotion est suffisante pour qu'Alexandra note le fait. La découverte récente d'une correspondance d'Alexandra à plusieurs membres de sa famille maternelle[2] nous apprend que l'exploratrice, d'apparence si indifférente aux obligations familiales, se soucia jusqu'à la fin de sa vie de l'entretien de la tombe paternelle. Lors de ses grands voyages, elle en confia la charge à son cousin Émile, puis à ses neveux Maurice et Pauline. La dernière lettre à ce sujet, adressée à Pauline devenue veuve, date du 26 mai 1967 : Madame Néel avait alors 99 ans.

---

1. Alexandra se rend à l'Ambassade japonaise pour y accomplir les formalités nécessaires à son passage au Mandchoukouo, l'ex-province de Mandchourie maintenant occupée par les Japonais.
2. Marie-Madeleine Peyronnet et Frank Tréguier, directeur de la Maison A. David-Néel, m'ont permis de consulter une copie de ces documents, archivés depuis 2011 dans leurs locaux : qu'ils en soient chaleureusement remerciés.

Ce n'est pas au port de Marseille que commence le périple, mais à la gare de Bruxelles. Alexandra a réservé deux places dans le chemin de fer, pour elle et pour Yongden. Le trajet à effectuer représente environ 10 000 km, la distance qui sépare Bruxelles de Pékin. Grande habituée du rail, l'exploratrice a déjà sillonné en train toute l'Europe, l'Afrique du nord, l'Inde, le Japon, la Corée, une partie de la Chine... en prenant son temps. Cette fois-ci il ne s'agira pas de flâner car la voyageuse n'a pas obtenu l'autorisation de visiter la Sibérie à son gré. Elle ne pourra que la traverser, selon un plan de route connu des autorités soviétiques, celui du célèbre Transsibérien.

Le début du voyage s'annonce passablement morose. À 69 ans, Alexandra semble avoir dépassé l'âge des exaltations. La mélancolie suscitée par ce passage sur les lieux de son enfance et le temps hivernal y sont sans doute pour quelque chose.

10 janvier 1937

À Varsovie, le thermomètre marque – 20 °C. L'exploratrice a rendez-vous avec l'éditeur qui publie la traduction de deux de ses livres, en polonais (*Voyage d'une Parisienne à Lhassa*, et *Mystiques et Magiciens du Tibet*). Après avoir visité la ville et répondu à une interview, la voyageuse reprend le train en direction de Moscou, où elle arrive le lendemain.

Pour la première fois de sa vie, Alexandra va franchir la frontière de la Russie, devenue soviétique. Elle est impatiente de découvrir l'État qui a succédé à l'empire des tsars qu'elle haïssait durant sa jeunesse. À 20 ans, la jeune anarchiste s'enflammait pour les intellectuels nihilistes, maudits et châtiés par le régime tsariste.

Fidèle à ses idées, elle avait toujours refusé de mettre les pieds dans le pays, malgré l'attirance qu'elle éprouvait pour la Sibérie. Au moment de la Révolution russe, en octobre 1917, Alexandra se trouvait à Pékin. De là elle était partie pour Kumbum, passant plusieurs mois sur les routes du nord de la Chine. Au long de ses étapes, elle avait entendu parler des événements qui avaient secoué la vieille Russie, mais les bruits qui couraient tenaient plus de rumeurs que de véritables informations.

C'est seulement après son voyage à Lhassa qu'Alexandra put s'informer avec plus de précision sur la Révolution russe. L'événement datait déjà de sept ou huit ans. L'enthousiasme de l'exploratrice pour le monde soviétique ne tarda pas à s'amenuiser. L'impossibilité d'obtenir une autorisation de circuler en Sibérie servit de révélateur : personne ne circulait donc librement en Union Soviétique.

Voici justement la frontière russe et ses tracasseries administratives. Froideur des employés, visages fermés, gestes automatiques, une atmosphère « décevante et glaçante » note Alexandra qui fait connaissance avec le régime bolchévique.

Moscou : la visite de la ville est orchestrée par une guide officielle de « l'Intourist ». La voyageuse comprend vite qu'il est inutile d'émettre des souhaits pour modifier l'ordre des choses : la visite est réglementaire, rien ne saurait la changer. Un ciel bas couvre la capitale.

Alexandra et Yongden ont maintenant pris place dans le Transsibérien. L'exploratrice se devait d'emprunter ce fabuleux moyen de transport qui permet aux passagers de traverser l'immense province qui occupe tout le tiers nord-est du continent asiatique !

À partir de la capitale soviétique, les jours s'égrènent à la vitesse du train : 62 km/h, apprend Alexandra qui a tout le temps de noter son itinéraire dans son agenda. Le train franchit l'Oural dans la nuit du 15 au 16 janvier, passage insensible au col d'Ekaterinbourg dont l'altitude n'est que de 469 m. L'Oural ? « Une succession de médiocres collines », écrit Alexandra, habituée aux géants himalayens. Le paysage ne prend une teinte vraiment sibérienne que plusieurs centaines de kilomètres à l'est, à partir de Krasnoïarsk.

20 janvier 1937 à 23 heures

Le train se présente à la gare de Mandchouria, frontière du Mandchoukouo[1]. Le passage de la douane n'est pas une mince affaire tant les formalités sont volontairement excessives de la part des autorités japonaises. À 3 heures du matin, les voyageurs, excédés, frigorifiés et fatigués, subissent un interrogatoire en règle, tous bagages sortis tandis que l'électricité vient d'être coupée.

Départ le lendemain matin après une nuit sans sommeil. Le trajet s'effectue maintenant stores baissés, sur l'ordre des Japonais qui ont interdit aux passagers d'observer le paysage ! Nouveaux contrôles à Harbin, effectués cette fois sans xénophobie par des Russes au service des Nippons. Alexandra arrive enfin à Hsin-King, la nouvelle capitale du Mandchoukouo. À peine est-elle installée à l'hôtel qu'elle écrit à son mari pour lui

---

1. Le Mandchoukouo : la province chinoise de Mandchourie n'existe plus depuis le mois de mars 1932. Elle a fait place à l'État du Mandchoukouo, officiellement indépendant, en réalité aux mains des Japonais qui ont installé Pu Yi, le dernier empereur mandchou, sur le trône du nouvel État. La capitale est maintenant HSin-king ou Sinking, Xinjing (l'ancienne Tch'ang-tch'ouen, devenue Changchun sur les cartes actuelles).

raconter son voyage depuis Moscou et son expérience du Transsibérien :

> « Je ne me livrerai pas à des réflexions sur la Russie que je n'ai fait que traverser, mais j'ai pu y constater que les pauvres y sont des pauvres et les gens aisés, des gens aisés, comme partout ailleurs. Entre les uns et les autres, aucun signe extérieur ne témoigne d'un sentiment de bienveillante camaraderie.
>
> [...] J'ai vu des ouvriers du chemin de fer : graisseurs de roues ou autres, circuler en haillons et, dans la nuit, en Sibérie, 30 degrés sous zéro, des femmes courant sur les toits des wagons, chargées de remplir les réservoirs d'eau destinés à alimenter les lavabos et les w.c. des voyageurs.
>
> [...] La merveille de ce trajet, c'est la journée passée dans les environs du Baïkal. D'abord, le matin, au lever du jour, un sublime paysage polaire : l'Angara qui coulait encore (le temps est resté doux cette année) roulait des glaçons, à perte de vue, dans les méandres de son cours encore libre à travers les parties déjà glacées. Rien que de la neige tout autour, des chaînes de collines blanches, au lointain des brumes montant du fleuve et rampant en bancs de brumes laiteuses... Merveilleux, te dis-je. Puis le Baïkal lui-même tout figé, mais pas en surface unie. Les eaux ont, de ci de là, brisé plusieurs fois la croûte glacée puis se sont gelées de nouveau, formant de hauts monceaux de glaçons sur lesquels les rayons du soleil allument des éclairs. »

Extrait de la lettre du 22 janvier 1937.

La voyageuse gagne ensuite Moukden où elle avait fait étape naguère. La ville compte maintenant 160 000 habitants. L'hôtel qu'elle connaissait, le Yamato Hotel, est installé dans la ville neuve, en dehors des anciens remparts. Alexandra reconnaît la supériorité de la gestion japonaise dans l'hôtellerie, sans rapport avec « l'indescriptible saleté des auberges chinoises et la façon répugnante dont les mets, qui sont souvent bons, sont offerts aux

410

consommateurs ». Mais le personnel manque de la plus élémentaire cordialité.

Une dernière frontière à traverser, celle de la Chine, et voici Pékin où Alexandra et Yongden arrivent le 26 janvier 1937. Des amis les accueillent à la gare : « Pékin était ensoleillé... Quel joyeux début à mon nouveau séjour en Chine ! Quel heureux présage !... À mon insu, je venais de vivre le prélude d'un drame... » (*Sous des nuées d'orage.*)

La découverte
d'une Chine nouvelle :
26 janvier-30 juin 1937

De même qu'elle découvrit une nouvelle Europe en 1925, Alexandra retrouve une Chine qui n'est plus celle des années 1920, moins encore celle de 1917. Les circonstances et les hommes politiques ont changé. Pékin a perdu sa prééminence en même temps que son nom : l'ancienne « capitale du nord » a repris son appellation de Peiping, « Paix du nord ». La capitale est désormais Nankin, la « capitale du sud ».

Promu héros national, Sun Yat Sen était mort le 12 mars 1925. Son successeur, le général Tchang Kai-Chek[1], réussit à unifier la Chine qui vivait dans la guerre civile depuis la mort de Yuan Che-Kai en 1916. Le nouveau maître du pays entendait concilier l'héritage spirituel de la Chine ancestrale et la nécessité absolue du modernisme. De nombreuses réformes furent donc décidées et entamées : réorganisation de l'économie, développement des infrastructures, multiplication des

---

1. Sun Yat Sen, Kuomintang, Tchang Kai Chek : pour éviter les anachronismes, j'ai choisi d'écrire les noms chinois selon l'orthographe usuelle au début du XXᵉ siècle.

écoles et des universités, assainissement des finances, incitations à l'hygiène, réformes judiciaires... Dans ce programme figure aussi la lutte contre le communisme qui attire de plus en plus les opposants au nouveau régime de Nankin. Les « Rouges » prennent appui sur les populations rurales, oubliées dans les réformes, et toujours victimes de la pression des possédants, des pillages de la soldatesque et des combats dévastateurs pour les récoltes. Le monde rural est alors en plein marasme et les famines prennent des proportions nationales[1]. Or le régime de Nankin refuse de s'opposer aux grands propriétaires terriens.

Tchang Kai-Shek passe maintenant pour un réactionnaire orgueilleux et brutal. Les noyaux « rouges » parviennent à miter une unité nationale bien fragile. En réaction, les forces nationalistes lancent des campagnes d'encerclement et d'éradication des îlots communistes : c'est pour échapper à l'une de ces tentatives de blocus qu'eut lieu la fameuse « Longue Marche » en 1934. Les communistes, aidés par les paysans, échappèrent aux nationalistes. Leur fermeté devant les agissements et les infiltrations des Japonais favorisaient leur succès, au point qu'ils parvinrent à obtenir du Kuomintang la formation d'un front uni pour lutter contre le danger japonais. Depuis 1936 les deux adversaires politiques font taire leur rivalité pour contrer un ennemi extérieur de plus en plus agressif. Telle est la situation quand Alexandra arrive en Chine en janvier 1937.

Alexandra perçoit immédiatement des changements dans l'ancienne capitale. Peiping et ses alentours sont « saturés d'influences japonaises » mais la ville s'est

---

1. N. Wang : *L'Asie orientale du milieu du XIXᵉ siècle à nos jours*, Paris, Armand Colin, 1993.

transformée à son avantage, note-t-elle. Des tramways et des automobiles empruntent maintenant les rues modernisées. La Cité Interdite a été ouverte au public, les commerçants présentent aux chalands de jolies vitrines débordant de soies multicolores et autres produits locaux. La métamorphose a aussi touché la population : les Chinoises y ont gagné en liberté de mouvement, en élégance et en assurance. Elles portent des « robes bizarrement pudiques et indiscrètes, à la fois : très longues, exagérément montantes, aussi collantes qu'un maillot, sans manches et haut fendues de côté, laissant voir les bras nus et les jambes fines moulées en bas de soie. [...] Pékin, rajeuni, était devenu une des plus pittoresques et fascinantes villes du monde ».

Les activités culturelles se sont développées, grâce à l'extension des bibliothèques, des universités et des instituts scientifiques. Bien qu'Alexandra n'y fasse pas allusion, rappelons qu'une université franco-chinoise avait été créée en 1920. Citons aussi l'institut de géo-biologie mis en place par le père Teilhard de Chardin.

Ces nouveaux atouts conduisent l'orientaliste à choisir l'ancienne capitale du nord comme port d'attache : c'est là qu'elle se fixera durant ce séjour en Extrême-Orient qui durera à coup sûr plusieurs années. Elle fait aménager une petite maison chinoise, très simplement, mais avec l'eau courante, des fenêtres vitrées, et les indispensables commodités sanitaires. Il ne reste plus qu'à attendre les bagages expédiés par mer de Marseille à Shanghaï : ceux-ci arrivent trois mois plus tard.

Une période studieuse commence alors pour Alexandra. Période studieuse, mais non sans animation, surtout lorsqu'elle reçoit des... lamas tibétains qui, par une heureuse coïncidence, séjournent à Peiping à ce moment-là ! La petite maison sert alors de cadre à des joutes oratoires telles que les mènent les moines

« lamaïstes » dans leurs monastères, avec moult gestes, claquements des mains, verbe fort et mouvements de robes : un vrai spectacle qui finit par inquiéter la police locale. Alexandra doit faire intervenir son propriétaire et voisin, un géologue universitaire, pour rassurer les autorités sur ses activités. Un agent de police restera cependant de faction à peu de distance de la maison de cette étrangère aux fréquentations peu ordinaires...

Une installation en ville n'exclut évidemment pas les « excursions »... Dès le 16 avril la nomade invétérée commence à mettre au point la liste des bagages qu'elle emportera dans les montagnes nommées « Wutai Shan », où elle envisage de passer l'été : 7 colis que les domestiques prendront avec eux « sur l'autobus », 8 colis pour Albert et elle-même : lits et chaises pliantes, cuisine portative (« Kitchen box »), duvets, paniers, parapluies, valises La dame lama qui emploie deux domestiques change de personnel quinze jours plus tard pour engager des gens qui pourront l'accompagner dans son déplacement estival : un boy mongol et un cuisinier chinois. Le 28 juin, la voyageuse dépose ses objets précieux dans un coffre de banque (bijoux, médailles, quelques objets en or ou en argent...), autant de choses qu'elle ne peut ni emporter ni laisser chez elle durant son absence qui durera plusieurs mois. La voici prête pour un nouveau départ !

Le petit groupe chargé des 15 caisses quitte Peiping le 30 juin à 9 heures du matin, en direction du Wutai Shan. C'est le début d'une nouvelle série d'aventures que personne n'aurait pu prévoir...

De Pékin au Wutai Shan
et les rumeurs d'une guerre :
30 juin-20 septembre 1937

Pourquoi le Wutai Shan ? Parce que « la montagne aux cinq pics, en tibétain Riwo tsé nga », précise Alexandra, est l'une des montagnes sacrées de la Chine, et qu'elle n'avait pas eu l'occasion de s'y rendre lors du précédent voyage. La montagne, située à environ 700 km de Peiping, est le lieu où l'on vénère l'un des grands boddhisatvas de la tradition bouddhiste : « Mandjoüçri » (Manjushri), symbole du savoir et de la sagesse. Les Chinois l'appellent « Wan-son pou-sa », les Tibétains « Djampéyang » (Jampel-yang) ; « Manjouçri » est son nom en sanscrit. Sous son aspect paisible, il porte deux attributs symboliques : dans sa main gauche le manuscrit de la *Prâjnâpâramitâ*, c'est-à-dire le fameux traité de la perfection et de la sagesse, posé sur une tige de lotus ; dans sa main droite un glaive destiné à combattre l'ignorance. On se souvient qu'Alexandra avait étudié et traduit la *Prâjnâpâramitâ* lors de son séjour à Kumbum. Elle espère pouvoir rassembler dans les monastères de la montagne chroniques et légendes locales se rapportant au prestigieux boddhisatva. « De plus, je comptais, en quittant Wou tai chan, vers le mois de septembre, visiter le nord du Chansi et aller en Mongolie. » Comme

416

d'habitude, les projets ne manquent pas et le programme de travail est établi ! Alexandra reprend donc l'immense pèlerinage entamé en... 1911 !

Le trajet ne présente aucune difficulté puisque les deux tiers du parcours s'effectuent en chemin de fer, d'abord sur la grande ligne de Hankéou, puis sur une petite ligne à voie étroite. Seuls les derniers 200 km se feront par la route. Alexandra a choisi un itinéraire sans surprise qui passe par la capitale du Shansi, Taiyüan (T'ai-yuan-fou sur les cartes françaises), située à 520 km de Peiping par la voie ferrée. Là, elle compte remettre ses lettres d'introduction au gouverneur de la province et lui demander les recommandations indispensables pour pouvoir obtenir un logement dans l'un des monastères du Wutai Shan. Le trajet s'annonce tout simple. *(Voir la carte 34 de l'édition complète*, op. cit.)

Las ! Les difficultés commencent... en gare de Peiping ! Au moment de faire peser et enregistrer les bagages, Yongden apprend que les voyageurs, aussi bien étrangers que chinois, doivent ouvrir tous leurs colis. Comme la gare est en plein chantier, l'opération se déroule sur le quai devant tout le monde. Raison invoquée : la recherche d'opium et d'héroïne. Car la lutte contre le trafic de drogue s'est intensifiée depuis quelque temps : les principaux trafiquants sont des Japonais qui utilisent ce commerce comme un moyen stratégique pour affaiblir les populations qu'ils souhaitent conquérir. Pas question pour Alexandra de montrer ses affaires personnelles à cette « plèbe orientale, malodorante et couverte de vermine » ! Yongden est encore une fois mandaté pour parlementer avec les autorités et il réussit sa mission : la voyageuse obtient gain de cause, ses bagages ne seront pas fouillés. Mais pendant ces longs palâbres, l'express de Hankéou est parti ! Le groupe de la dame lama se rabat donc sur un omnibus qui partira de Peiping à 9 heures du matin : quatre heures perdues à cause de ces complications. Le changement de train oblige les voyageurs à passer une nuit à Shih kia schwang, mais l'on sait qu'un périple en Extrême-Orient comporte souvent des retards ou des modifications de programme !

Le train s'ébranle en cette fin de matinée du 30 juin. Au sortir de la gare, les paysages semblent tout de suite familiers à Alexandra et à Yongden qui les ont parcourus de la même façon... vingt ans plus tôt : ils partaient alors vers les régions du Koukou-Nor en compagnie du lama Gourong Tsang et de sa pittoresque suite, « cette horde de Tibétains, mi-barbares, du pays des herbes »... Quels souvenirs ! Alexandra est gagnée par la nostalgie, elle aima profondément ces moments imprévus et périlleux qui firent tout l'agrément de ses anciens déplacements... Aujourd'hui les choses semblent tellement banales qu'elle s'en trouve désappointée.

L'étape à Shih kia schwang se fait à l'hôtel de la gare, un hôtel délâbré depuis qu'il a été racheté par les Chinois à la compagnie française qui l'avait construit avec la voie ferrée menant à Taiyüan. Depuis le changement de propriétaire, l'entretien a adopté le style local du « laisser-aller oriental ». Départ le lendemain matin en direction la capitale de la province. L'appartion des montagnes ravit la voyageuse. En cours de route, les passagers sont encore soumis à quelques tracasseries administratives, mais rien de bien méchant.

Arrivée dans la capitale du Shansi à 17 heures 30. Même style d'hôtel qu'à Shih kia schwang. Une grande voyageuse comme Alexandra supporte sans broncher une baignoire fêlée, un mur crevassé, des volets impossibles à fermer... Elle a connu bien pire jadis.

À Taiyüan, il faut une semaine pour accomplir les formalités nécessaires à la suite du voyage : le gouverneur est injoignable. Faute de pouvoir le rencontrer, la voyageuse est reçue par le maire de la ville, « un érudit très versé en philosophie bouddhiste ». Les questions matérielles étant réglées, Alexandra est conduite en voiture militaire « jusqu'à l'extrémité de la route carrossable », tandis que Yongden et les deux domestiques prennent l'autobus pour Woutai-Hsien, la dernière bourgade avant les monastères.

(Notons qu'Alexandra n'écrit jamais « Peiping » mais toujours « Pékin » : je ferai donc de même désormais.)

Que d'évolution dans les moyens de transport depuis les années 1920 ! Alexandra en vient à regretter les traditionnelles charrettes, les chaises à porteurs, les bêtes de louage, dont l'usage était si souple et surtout si économique. Maintenant les services d'autobus ou la location de voitures avec chauffeur grèvent tout de suite un budget de voyage, sans compter que les automobiles ne peuvent circuler que sur des routes carrossables, équipées de postes de ravitaillement d'essence ! Jadis on allait partout, surtout avec ses propres bêtes dont on se séparait à l'arrivée. Les voyageurs aussi étaient plus libres qu'aujourd'hui où il faut sans arrêt exhiber ses papiers, donner des cartes de visite, perdre du temps en contrôles divers.

Les trois compagnons sont arrivés les premiers au village où se termine la route carrossable et c'est avec des mules, deux litières et une charrette que s'effectue la fin du parcours, comme au bon vieux temps ! Alexandra qui aime observer les paysages choisit la charrette, véhicule rustique évidemment dépourvu du moindre ressort de suspension. Le petit groupe atteint la petite ville fortifiée de Woutai-Hsien le soir du 8 juillet.

Étape dans une auberge et nouveaux contrôles administratifs... auxquels Alexandra se soumet de mauvaise grâce. Elle refuse de signer tout papier écrit en chinois, langue qu'elle connaît mal et qu'elle ne sait pas lire. Les fonctionnaires doivent se contenter de déclarations orales. Il faut maintenant abandonner la charrette car le chemin devient plus étroit et plus escarpé. Les premiers monastères sont atteints en fin de matinée. Plusieurs villages sont encore traversés dans la journée. Après s'être trompés de chemin en fin de parcours, Alexandra et ses compagnons arrivent à la nuit au monastère bouddhiste de « Pou-sating, bâti par l'empereur Kienlong ». Splendide édifice construit « en pur style chinois » qu'Alexandra compare à un palais de conte de fées. C'est dans l'un des logements de ce prestigieux palais impérial qu'elle va séjourner durant tout l'été 1937.

Le Wutai Shan atteint 3 058 m d'altitude, point culminant de la Chine du nord, avec ses montagnes aux sommets arrondis. Le massif est souvent appelé « la Montagne aux Cinq Terrasses ». Temples et monastères sont dispersés ici et là. Celui de Pou-sating est desservi par des moines Gelougpa (les « Bonnets Jaunes »).

Faut-il préciser que le nombre des sanctuaires a beaucoup diminué depuis 1937 à cause des violences de l'histoire récente (guerres civiles, invasion japonaise, Révolution Culturelle). On comptait plus de 300 temples au début du XXᵉ siècle, il en reste moins de 50 aujourd'hui, certains figurant dans les circuits touristiques de la région.

Saisie par une profonde émotion Alexandra retrouve l'atmosphère tibétaine qui lui est chère : le logis sommaire, le *khang* avec ses carrés de tapis, l'odeur très

420

particulière de beurre et d'encens, le son des instruments typiques... Dès son arrivée, elle note dans son carnet :

> « Je pense : voici peut-être la dernière fois de ma vie que j'habite une gompa. Je suis comme une femme qui sait que son amant va la quitter et qui jouit goulûment et tristement des derniers jours de leur liaison... »

> Carnet – 8 juillet 1937.

Une fois installée, la dame lama a tout le temps d'observer les pèlerins venus pour le grand festival religieux de l'été : des Mongols, des Tibétains impatients de recueillir un peu de rosée miraculeuse distillée par Manjouçri sur les marches du temple principal. Une délicieuse musique résonne à l'occasion de cette fête, une musique différente de celles du Tibet, moins majestueuse, plus bucolique, mais tout aussi prenante... C'est celle de la Mongolie... Alexandra imagine déjà son voyage là-bas. Aidée par Yongden, elle se met au travail et commence à décrypter des chroniques tibétaines évoquant la vie légendaire de Djampéyang. Comme elle l'avait fait à Jyekundo, elle recueille aussi les témoignages oraux de ceux qui lui rendent visite... Elle-même et son fils se trouvent peu à peu, et pour leur plus grande joie, complètement immergés dans l'imaginaire tibétain, très loin de l'orage qui gronde dans le pays.

Les premières rumeurs inquiétantes commencent à se répandre vers la fin de juillet : des avions japonais auraient bombardé Pékin. Au début du mois d'août le service postal s'interrompt brutalement entre Wutai Shan, Taiyüan et Pékin. Ce n'est pas la première fois que les Japonais attaquent la Chine. Pourquoi s'inquiéter quand on ne sait rien de précis, pense Alexandra avec sang-froid. Elle poursuit donc son enquête sur

Manjouçri. Et le 14 août elle termine un autre livre, commencé à Pékin au début de février : *Magie d'amour et Magie Noire*. Cet ouvrage, un extraordinaire roman, « vécu » pourtant par celui qui rapporta l'histoire à la dame lama, paraîtra en France dès 1938. Dans son avant-propos, l'auteur prend mille précautions pour préparer le lecteur à découvrir le monde effrayant de la sorcellerie et de la magie noire. Il est question de « table creuse, au pesant couvercle, sous lequel on laisse des hommes introduits vivants, mourir de faim, puis se putréfier pour fournir la matière d'un élixir d'immortalité »...

L'immortalité fait d'ailleurs partie des sujets que l'enquêtrice a décidé d'approfondir : « Rechercher les théories ésotériques des anciens Tao-sses, concernant les moyens de rendre immortel et les comparer avec celles des mystiques et des occultistes tibétains figurait au programme de mon nouveau séjour en Chine. » (*Sous des nuées d'orage.*)

L'ensemble monastique reste isolé du monde extérieur. Le seul lien avec les environs est... le facteur. Un jour pourtant, quelqu'un annonce que la gare de Pékin a été incendiée. On dit aussi que le maire de la ville a ouvert les portes aux Japonais. Le facteur confirme bientôt l'isolement de l'ancienne capitale du nord. Le 15 août la situation devient plus alarmante : 30 avions ennemis auraient survolé Taiyüan, située à environ 200 km du Wutai Shan. On dit que les femmes et les enfants doivent se préparer à évacuer la ville. Le 16 août, « des bandes de Mongols terrifiés » arrivent dans la montagne, chargés des baluchons les plus hétéroclites. Les fugitifs, accompagnés de leurs femmes et de leurs enfants, racontent que les Chinois et les Japonais se battent entre Pékin et le Chahar (la province du Nord) dont la capitale aurait été bombardée plusieurs fois. Peu après Alexandra reçoit une lettre d'une Allemande établie à Taiyüan. Cette dame possède un appareil de radio et confirme les combats qui sont livrés dans la région de Pékin. Quelques jours plus tard, l'officier commandant le poste de Woutai-Hsien arrive au monastère : il annonce que Pékin et Tsientsin sont bien tombés aux mains des Japonais. Le bruit court que les attaquants se sont aussi portés sur Shanghaï.

Les quelques troupes stationnées au Wutai Shan commencent à s'entraîner. Des soldats apprennent à jouer du clairon et à manier des armes nouvelles. Un sursaut de religiosité s'empare des populations. Les nouvelles s'aggravent de jour en jour sans que l'on sache rien de précis.

Alexandra commence à se sentir bloquée dans la montagne. Ses fonds s'amenuisent et elle voit mal comment contacter les banques de Pékin puisque toute communication semble désormais impossible. La catastrophe se précise le jour où son cuisinier revient du marché en lui annonçant qu'on lui a refusé un billet qui provenait de la banque du Chahar, la province envahie par les ennemis. Les billets émis par cette banque n'ont plus cours en Chine. Où trouver de l'argent ? Les habitants du Wutai Shan sont coupés du monde. Il pleut chaque jour et le moindre ruisseau se transforme en torrent, les chemins ne sont plus qu'une boue. La mélancolie s'installe avec l'incertitude. L'absence d'informations crée un malaise croissant.

Le 25 août, Alexandra commence la rédaction d'un nouveau livre : *Sous des nuées d'orage*, commandé par Plon. Il racontera son présent voyage.

Quelques jours plus tard, Alexandra reçoit enfin des nouvelles de Pékin : l'un des membres de la colonie française résidant là-bas, le Dr Bussière, l'assure qu'il veillera sur ses affaires. Il lui envoie aussi une recommandation qui lui permettra de se procurer de l'argent à Shih kia schwang.

Le temps s'améliore. Alexandra, qui va avoir 69 ans, renoue avec les longues promenades. Elle marche dans la montagne en compagnie de Yongden : « Mon cœur se comporte tout à fait bien à la montée, mais les pieds me font très mal à la descente dans les pierres », note-t-elle dans son carnet (9 septembre). Des avions survolent maintenant le Wutai Shan et des bombardements sont à craindre. Les combats se rapprochent puisque l'on entend maintenant des bruits d'explosions venant de l'autre côté de la montagne. La neige est déjà tombée sur le plus haut sommet : il faut partir que le chemin ne devienne impraticable. Mais où aller ? Dans une ville où la dame lama pourra se faire escompter des chèques, dans une ville où elle connaît des gens qui pourront répondre d'elle auprès d'une banque, dans une ville qui n'est pas trop éloignée car elle n'aurait pas de quoi payer un long trajet. Taiyüan, la capitale du Shansi, réunit toutes les conditions. C'est donc là qu'Alexandra décide de se rendre, du moins provisoirement.

Comme en Corée naguère, l'orientaliste en est réduite à manger des pissenlits sauvages, à glaner ici et là quelques épis de maïs ou poignées de fèves. L'argent manque et le jeûne fait désormais partie d'un régime déjà plus que frugal. Après le refus de nombreux fermiers apeurés, un Chinois promet enfin sept mules et deux litières qui pourront conduire les voyageurs jusqu'à Woutai-Hsien… « dans quelques jours ». Combien de jours ? Il n'en sait rien encore, mais c'est la seule proposition. Les avions passent de plus en plus souvent au-dessus du monastère. Le Chinois se présente enfin le 19 septembre chez Alexandra : les bêtes seront là le lendemain matin, promet-il. La Révérende prend congé

des lamas du Pou-sa ting « qui s'étaient montrés extrêmement aimables et obligeants pendant toute la durée
de notre séjour ».

Le 20 septembre 1937, vers 7 heures du matin,
Alexandra, Yongden, les deux domestiques, les sept
mules et leurs muletiers quittent le monastère du Pou-sa
ting en direction de Taiyüan, via Woutai-Hsien...

La fuite devant les Japonais :
20 septembre-11 octobre 1937

20-26 septembre 1937 : Du Wutai Shan à Taiyüan

En ce matin du 20 septembre, les paysans travaillent dans les champs, indifférents aux événements tragiques qui grondent dans les lointains. Alexandra est frappée par la sérénité toute fataliste des travailleurs de la terre. La caravane des fuyards emprunte la même route qu'à l'aller. Les muletiers ne sont pas fiers, car ils craignent de rencontrer des militaires qui ne manqueraient pas de réquisitionner leurs animaux. Comme les avions les effraient, ils imposent à leurs clients de terminer le parcours de nuit. Mais marcher dans l'obscurité comporte un risque, celui de s'égarer... ce qui se produit en effet peu avant la localité de Woutai-Hsien, quand même atteinte dans la soirée du lendemain. La nuit se passe à l'auberge. Les guides retournent dans leurs foyers. *(Voir la carte 35 de l'édition complète*, op. cit.)

Il faut maintenant trouver d'autres bêtes. L'aubergiste finit par dénicher des volontaires prêts à mener les voyageurs jusqu'au village suivant, mais pas plus loin : c'est encore quelques kilomètres d'assurés, pense Alexandra... La caravane croise des camions et des autobus bondés de soldats. Quelques affiches naïves invitent la population à aller combattre. Voici Toung Yeh et un nouveau contrôle administratif. Dans son livre, la voyageuse signale la cocasserie de ces vérifications, car les employés chinois ne comprennent pas comment Yongden peut disposer d'un passeport européen, lui qui n'a ni les cheveux jaunes ni les yeux ronds !

À Toung Yeh il n'y a plus ni bêtes, ni charrettes, ni litières disponibles, mais un autobus fonctionne encore jusqu'à Taiyüan (à 120 km). L'arrêt le plus proche est à 40 lis du village (environ 20 km), car la route a été emportée par la pluie Le magistrat du lieu trouve deux charrettes et des hommes qui emmèneront le groupe jusqu'au car. La caravane avance lentement sur une route inondée et défoncée par les ornières. Résultat : l'autobus est parti quand le groupe se présente à l'arrêt. Les muletiers s'apprêtent à décharger les bagages dans la boue… quand Alexandra, prise d'une colère soudaine, ordonne vertement aux guides de les conduire jusqu'au prochain village ! Impressionnés par cette autorité insoupçonnée, les hommes acceptent d'aller jusqu'à Opien où se trouve l'arrêt suivant. Et les mules repartent, sabots dans la boue…

Arrivés à Opien, les hommes laissent leurs clients au dépôt qui tient lieu de gare routière. Instruits par la leçon précédente, ils disparaissent immédiatement. Deux véhicules sont là, vides, remisés dans un hangar désert. Devant l'arrivée des intrus, un vieux Chinois vient… fermer les portes du garage : nos voyageurs devront attendre dehors sous la pluie qui commence à tomber. Yongden finit par apprendre que les deux engins sont réquisitionnés et qu'ils ne prennent plus de passagers civils ! Ce n'est pas le moment de se décourager, « s'affliger est toujours vain », pense Alexandra qui, aussitôt, part en quête d'un abri, d'un gîte quelconque où ils pourront se réchauffer et passer la nuit. Comme dans les cas les plus désespérés, l'idéal se présente alors sous la forme d'une auberge neuve, donc encore propre ! Et tout le monde de s'installer au sec. Alexandra apprend qu'une gare se trouve à peu de distance et que les trains circulent encore, mais à des heures irrégulières. Accompagnée de son fils, elle s'y rend immédiatement pour s'informer. Mauvaise nouvelle : tous les trains sont réservés à l'armée ! Taiyüan est encore à 100 km et il n'y a plus un âne disponible à Opien ! La voyageuse se voit bloquée dans ce village, obligée d'aller elle-même à pied chercher de l'argent à Taiyüan. Mais le lendemain après-midi, le brave aubergiste annonce qu'il a trouvé une solution : trois charrettes chargées de marchandises viennent d'arriver au village. Les conducteurs acceptent d'emmener des clients jusqu'à la localité suivante, Sinchow. Malgré le tarif forcément exorbitant qu'ils demandent, Alexandre est trop heureuse de pouvoir s'échapper. La caravane quitte l'auberge le soir même.

Pour les mêmes raisons de sécurité que les premiers muletiers, ces charretiers ne circulent que la nuit, et font tous les détours possibles pour éviter de croiser des troupes. Les champs sont devenus de vrais lacs, les roues s'enfoncent dans la boue, les bagages tanguent, et brusquement... la charrette d'Alexandra bascule, lui faisant tomber une caisse de livres sur le crâne, tandis que le conducteur est projeté dans les ornières. Alexandra est coincée sous la caisse, l'une de ses jambes est prise dans les rayons d'une roue. Il fait nuit. Les hommes dégagent sans douceur la dame lama qui, par miracle, n'a rien de cassé. Mais elle est à demi assommée. L'un des brancarts de la charrette est inutilisable, il faudra attendre le lendemain pour réparer car personne n'a de lanterne. Il pleut toujours. Dans un demi-coma, Alexandra reste étendue sous « un drap huilé très vaguement imperméable ». Le lendemain, des fermiers acceptent de les abriter. La voyageuse souffre et passe la journée allongée dans une torpeur anesthésiante qui, malgré la fièvre qu'elle ressent maintenant, lui permet de repartir le soir.

À Sinchow, une auberge à peu près propre accueille les voyageurs. La blessée peut enfin laver ses plaies avec de l'eau bouillie. Tout en essayant de se montrer digne des maîtres stoïciens de sa jeunesse, « Douleur tu n'es qu'un mot », elle reconnaît n'être guère vaillante. Voilà un accident qui complique singulièrement une situation déjà difficile, aggravée maintenant par de mauvaises nouvelles : on dit que les Japonais progressent vers Taiyüan. Il faut partir dans n'importe quelles conditions, ordonne la blessée, avant que la route de Taiyüan ne soit bloquée. Il faut absolument se procurer de l'argent à la banque de cette ville avant l'arrivée des Japonais. Une journée s'écoule. Le lendemain, la pluie redouble. Dans l'après-midi un Chinois vient prévenir Alexandra qu'un train pour Taiyüan sera autorisé à prendre des passagers civils. Il a amené deux mules pour transporter les bagages et se met à la disposition du groupe. Il n'y a pas une minute à perdre : les caisses sont vite chargées, et le convoi de la dernière chance arrive à la gare sans dommages. Ouf !

Là, le spectacle est pitoyable : des groupes de gens, ruisselants, les bagages dans la boue, attendent le fameux train... La petite gare, construite en pleine campagne, est bien insuffisante pour contenir la population en fuite. Aucun autre abri ne s'offre aux passagers : il faudra patienter sous la pluie. Il est 18 h 30. Souffrant toujours du genou, Alexandra parvient enfin à se glisser dans la salle exiguë et à s'asseoir sur l'un de ses colis, au sec. La police vient contrôler ses papiers. De nombreux trains militaires passent sur cette ligne, remplis de soldats envoyés au front. La nuit tombe, la pluie continue, plus fine et glacée. Alexandra s'étonne de voir que les soldats ne portent pas de fusils : l'armée chinoise ne possède pas assez d'armes pour tous ses hommes, la proportion est alors d'un fusil pour trois soldats. Minuit arrive. La foule devient de plus en plus compacte. La gare est dans l'obscurité totale, pour raison de sécurité. Yongden croit comprendre que le train est attendu pour 2 heures du matin. Alexandra tombe de sommeil mais il est impossible de s'étendre. Tout le monde se tasse, corps enchevêtrés au milieu des colis. Le jour se lève sans le moindre train civil. Les gens s'éveillent, certains s'étirent, d'autres crachent. On apprend que le convoi ne passera que vers 5 ou 6 heures du soir. Encore une journée à attendre dans les mêmes conditions…

Des avions sont signalés dans l'après-midi, la population, affolée, court dans tous les sens. L'attente continue : 17 heures, 18 heures, 19 heures… La pluie a cédé la place au brouillard. 20 heures, 21 heures… Minuit. Alexandra fait un tour dehors, l'atmosphère est sinistre, les gens pétrifiés dans leur angoisse. 3 heures, 4 heures, 5 heures : le train est annoncé ! Un guichet s'ouvre : il faut prendre des billets. Yongden, que l'on sait débrouillard, se fait servir parmi les premiers. Les bagages sont transportés sur le quai. Le train s'arrête, déjà bondé ! Le cuisinier réussit à monter sur la plate-forme, les hommes commencent à lui passer les colis et soudain… le convoi repart, sans prévenir. Alexandra, Yongden, le Mongol et le reste des bagages sont encore sur le quai !

Quand passera le prochain train ? Nul ne le sait. Quelques heures plus tard, on annonce qu'un convoi s'arrêtera… dans la journée. La foule chinoise est gagnée par la panique dès que quelqu'un croit entendre un avion. De son côté, Alexandra craint plutôt les parasites indésirables qu'elle pourrait attraper dans cette promiscuité qui lui répugne. Minuit, 1 heure du matin, 2 heures… Le jour se lève, quand on crie « Le train ! » Tout le monde se précipite. Cette fois la dame lama, le reste de son équipe et de ses colis sont montés. À la vitesse d'une tortue et après d'innombrables arrêts le train arrive enfin en gare de Taiyüan. Six jours ont été nécessaires pour parcourir les quelque 200 km qui séparent le Wutai Shan de la ville de Taiyüan. La voyageuse, exténuée mais soulagée, frappe à la porte de la mission baptiste anglaise : le Révérend Price l'accueille chaleureusement.

26 septembre-9 octobre 1937 :
de Taiyüan à Shih kia schwang

À Taiyüan, Alexandra recueille des informations un peu plus précises sur la situation générale. Que sait-on au juste ? La Chine et le Japon sont en état de guerre depuis le 15 juillet, même si le mot n'a pas été officiellement utilisé. Les succès des Japonais furent immédiats étant donné leur supériorité militaire : Pékin est tombée le 29 juillet. En septembre les Japonais occupent le Shantung et se dirigent vers le Shansi.

La Mission possède une maison inoccupée dans la ville : le Révérend en propose la location à Alexandra qui accepte avec empressement. Les protestants gèrent aussi un hôpital auquel la voyageuse pense d'abord s'adresser pour faire examiner son genou toujours douloureux. Mais la crainte irraisonnée des « injections sous-cutanées » l'en dissuade bientôt : notre stoïcienne garde le silence sur son accident.

La réfugiée n'a plus que 4 dollars chinois en poche ! Le Révérend accompagne son invitée à la banque… qui refuse d'échanger tout chèque émis à Pékin puisque la ville appartient maintenant aux Japonais. Heureusement pour elle, la voyageuse possède aussi des fonds à Shanghaï, mais il faut faire vite car la ville est sur le point de tomber. Alexandra télégraphie immédiatement au consul général de France pour le prier de demander à la banque d'envoyer de toute urgence un mandat télégraphique. Il faut compter environ quinze jours de délai pour un télégramme ! En attendant, le missionnaire prête 20 dollars à Alexandra.

Les raids aériens se multiplient et Taiyüan est bombardée. Des abris souterrains ont été creusés dans les rues. Alexandra ne peut pas quitter la ville tant qu'elle n'a pas touché d'argent. Le désordre s'installe, les boutiques sont attaquées malgré une répression terrible : les forces de l'ordre décapitent les pillards et exposent leurs têtes aux yeux de la population.

Deux directions sont à envisager : Sian, capitale du Shensi, ou Hankéou le grand port du Yangtzé, qu'elle ne connaît pas encore et qui débouche sur le sud du pays. Notre dame lama est surtout décontenancée par la tournure désastreuse que prend son périple : « De ce voyage, en somme coûteux et fatigant à Wutai Shan, il semble résulter que je suis blasée sur le charme des voyages dans "l'intérieur", la crasse des auberges chinoises, les criailleries de la plèbe, et même les gompas. » (Carnet, 30 septembre 1937.)

L'argent tant attendu arrive enfin par l'intermédiaire du Révérend. Il ne s'agit pas de s'attarder car les trains accessibles aux civils deviennent plus en plus rares. Un dernier convoi doit partir le 8 octobre pour Shih kia schwang, sur la ligne de Hankéou. C'est donc celui-là qu'ils prendront.

Mais ils ne sont pas les seuls à quitter la ville : une cohue indescriptible règne à la gare. Les coolies sont pris d'assaut pour porter les bagages. Le départ a lieu dans la bousculade. Première nuit dans le train. Les militaires sont nombreux dans les gares, ainsi que les blessés. À l'attitude des hommes, las et silencieux, Alexandra croit discerner les signes d'une « armée en retraite ». Le train est mitraillé par un avion, il y aurait eu deux morts et trois blessés. Comment savoir… ? Le 9 octobre dans l'après-midi, le convoi arrive au terminus.

9-11 octobre 1937 : de Shih kia schwang à Hankéou

Il faut changer de gare pour prendre le train d'Hankéou. Les bagages sont stockés avec beaucoup d'autres, ils seront transférés dans un fourgon un peu plus tard, assure un employé des chemins de fer. Alexandra et Yongden courent à la grande gare pour s'informer de l'heure de passage du train d'Hankéou : 2 heures du matin, leur dit-on. Forts de ce renseignement, ils retournent à la petite gare et repèrent le fameux fourgon : le transbordement a commencé, tout va bien, ils peuvent surveiller la fin des opérations. Mais les sirènes se mettent à hurler : des avions japonais sont attendus d'un instant à l'autre. Personne ne doit rester à découvert. Alexandra et son fils préféreraient pourtant rester dehors, près de leurs précieuses caisses, mais on les somme de se cacher. Quelqu'un tire même dans leur direction pour les obliger à bouger… Ils se réfugient bien malgré eux dans les ruines d'une villa. Dès la fin de l'opération ils retournent vers le fourgon… pour voir celui-ci s'éloigner en direction de Taiyüan… avec toutes les caisses d'Alexandra : « Le fourgon… mes bagages… mes livres, mes notes, mes photographies, mon travail de trois mois à Wou tai chan ! »

Devant cette perte inestimable Alexandra est atterrée. Mais elle n'a guère le temps de s'apitoyer sur elle-même car on annonce le dernier train pour Hankéou. Les Japonais seront là dans une heure, a-t-on dit au Mongol.

Le ciel rougeoie sous les incendies, il faut courir vers la grande gare pour attraper le dernier convoi... Voici le quai, et enfin ce train, « indescriptiblement bondé » ! Alexandra tente de grimper, Yongden la pousse dans le dos, les domestiques poussent Yongden, et les quatre membres du groupe parviennent à s'installer tout juste avant le départ. Il était temps. La promiscuité est encore pire que dans le train précédent, il serait impossible d'introduire une personne de plus, et pourtant... Lors d'un arrêt au cours de la nuit des brancardiers tentent de hisser des blessés : Alexandra reçoit un coup de brancard dans la bouche. Elle s'évanouit sans bruit dans l'indifférence générale, il fait si sombre, puis revient à elle la bouche ensanglantée. Le train progresse lentement. Il se met à pleuvoir. Des convois de soldats misérablement vêtus, ruisselants et sans armes, croisent le train. Arrivée enfin à Hankéou le 11 octobre un peu après 21 heures : il a fallu trois jours et deux nuits pour effectuer un trajet d'environ 900 km. Pendant ce temps Alexandra pensait à « toutes les choses précieuses » qu'elle venait de perdre, « fruits de lectures assidues et d'enquêtes laborieuses », sans compter la perte matérielle que représente la disparition des colis. Jusqu'à sa mort elle regrettera ce malheureux épisode : elle ne retrouva évidemment jamais ses caisses !

Les quatre voyageurs... sans bagages se rendent à l'hôtel que le Révérend Price avait indiqué à Alexandra. L'établissement est complet, mais la patronne donne une autre adresse. Aucune chambre n'est disponible non plus dans ce deuxième hôtel. Hankéou regorge de réfugiés. Le moindre logement vacant est pris d'assaut. Lassée de chercher, Alexandra se présente ensuite au Lutherian Mission Home, foyer de la mission luthérienne américaine. L'immeuble compte une centaine de chambres... toutes occupées. Cette fois, Alexandra n'en peut plus, elle proclame qu'elle ne sortira pas du bâtiment. Ce n'est même pas une chambre qu'elle souhaite, mais un simple recoin. Qu'on aille chercher le directeur ! Et le monsieur arrive... qui reconnaît la véhémente vieille dame. Il l'avait rencontrée à Sian en 1918 ! Les dieux du voyage sont cette fois du côté des fugitifs. Tout s'arrange : le directeur du foyer réquisitionne deux pièces pour la voyageuse et son fils. Les domestiques sont envoyés dans une auberge chinoise. Deux pièces, claires et propres, un luxe inouï par ces temps d'exode ! Alexandra considère son maigre bagage avec ironie : un petit sac, un étui à parapluie, une boîte à chapeaux. C'est tout ce qui lui reste des multiples caisses transportées avec tant de difficultés !

Le lendemain : alerte ! Un raid aérien est annoncé. La grande cité n'est donc pas le havre de paix qu'elle croyait. Alexandra apprend que la ville voisine, Anyang, a été bombardée quelques semaines plus tôt.

Avec ses 250 000 habitants, Hankéou (Hankow sur les cartes anglaises) est l'un des principaux nœuds économiques du pays. Centre d'affaires, de commerce international et d'industries, le port a l'avantage de se situer sur la grande voie fluviale du Yangtzé, que les bateaux remontent jusqu'au Sseu-Tchouan. La ville se trouve au centre du pays tandis que la guerre se déroule au nord. Cette localisation est un gage de sécurité. Tous les services indispensables au bon fonctionnement d'une grande métropole sont présents : banques, consulats et hôpitaux.

Alexandra s'installe au foyer de la Lutherian Mission. Le séjour à Hankéou durera trois mois. L'exploratrice fréquente des Européens comme le Dr Martinie et son épouse, prend des leçons de chinois, donne quelques conférences. Mais il lui faut rassembler tout son stoïcisme pour supporter une telle inaction : Hankéou ne présente aucun intérêt pour ses recherches en orientalisme.

Les Japonais continuent à gagner du terrain. Le 9 novembre la voyageuse note dans son agenda : « Taiyuanfu a été pris ce jour par les Japonais, d'après le journal "China-Post". »

« Le chemin de fer de Canton est bombardé quotidiennement. Pour fuir Hankow[1] il ne reste que la route de la rivière. Dois-je aller à Chungking et de là plus à l'ouest ? Il est presque officiel que l'on craint des désordres causés par des soldats si – ce qui est certain – les Japonais prennent Nankin. Il règne une atmosphère de peur. Les étrangers ont tous triste mine. Le bord du Yangtzé ce soir avec du brouillard était lugubre. »

Carnet – 29 novembre 1937.

Le 16 décembre 1937, Alexandra entend des bruits de pas sous sa fenêtre. Des soldats défilent dans la rue. Ils sont à peu près un millier. Elle note :

« Les hommes n'ont pas l'air d'être les jeunets que l'on voit d'ordinaire, mais des hommes faits et plutôt grands. Il se dégage de ce défilé une atroce impression de douleur. Chair à canon ! Les pauvres gens ! Il me semble que je vais pleurer. [...] Et le Dieu de bonté qui "compte les cheveux de vos têtes", où est-il dans cette tragédie chinoise. »

Carnet – 16 décembre 1937.

Déçue, inquiète et morose, Alexandra a décidé de fuir une nouvelle fois avant l'arrivée des Japonais, fuir maintenant par le fleuve, en direction de l'ouest. Elle a retenu des places sur l'un de ces bateaux à vapeur qui remontent le Yangtzé jusqu'à Chungking, en Sseu-Tchouan. Le départ est fixé au 4 janvier.

---

1. Hankow : Alexandra utilise ici la terminologie anglaise.

En Europe, les proches d'Alexandra s'inquiètent à son sujet. C'est ainsi que, le 1ᵉʳ janvier 1938, Philippe résume la situation à Émile qui lui avait demandé des nouvelles de sa cousine :

« Cher Monsieur,

[...] Je n'ai malheureusement pas de bonnes nouvelles à vous donner de votre cousine Alexandra. Au début de l'été, elle avait quitté Pékin, très chaud en cette saison, pour s'installer dans un monastère, à Taigun-Fou... Peu de temps après, la guerre est survenue. Pékin a été pris, puis Shanghaï et Taigun-Fou vivement attaqué. En hâte, elle dut fuir, par des moyens de fortune, perdant en route, tous ses bagages, et se réfugier à Hankow où elle est arrivée dans le plus complet dénuement et, le plus grave, sans pouvoir recevoir des fonds de sa banque de Pékin, ou même toucher l'argent que je lui avais avancé à Shanghaï. Et pour finir, la ville d'Hankow a été à son tour bombardée et tous les étrangers invités à l'évacuer... Alex. me dit espérer pouvoir gagner le Yunnan. Là s'arrêtent ses nouvelles. »

Lettre de Philippe Néel à Émile Panquin. Bône. 1ᵉʳ janvier 1938. (Lettre inédite)[1].

---

1. Extrait de la correspondance d'Alexandra à la famille Panquin. Copie aux archives de la Maison Alexandra David-Néel.

La fuite sur le Yangtzé :
4 janvier-février 1938

Alexandra part en bateau sur le Yangtzé. L'inactivité obligée par ce mode transport va lui laisser tout le temps de noter ses impressions dans son nouvel agenda.

4 janvier 1938

« Départ de Hankow pour Chungking sur le Siangtan (Butterfield-Swire). On m'a recommandé de m'embarquer le matin pour partir à 2 heures[1]. J'arrive à 11 heures. On annonce qu'on ne partira qu'à 4 heures. Les Martinie m'emmènent luncher chez eux. Nous avons à peine fini de manger que les sirènes chantent. Cette fois c'est sérieux. Du balcon nous voyons trois avions japonais puis, plus tard, encore un. On entend quelques coups sourds. Ils doivent jeter des bombes quelque part. Les anti-aircraft tonnent. L'alerte dure longtemps. Nous partons avant que le "all clear" ait sonné. Le Docteur a un laissez-passer collé sur son auto. Ce n'est que bien plus tard que le "all clear" est sonné. On raconte qu'un avion est tombé ou a été abattu, on ne sait pas si c'est un japonais ou un chinois. Nous levons l'ancre à 5 heures 1/2 p.m. Il fait très froid. Lorsque je suis revenue avec les Martinie, nous n'avons plus vu le Siangtan au

---

1. « 2 heures, 4 heures, 5 heures 1/2 p.m. » : 14 h, 16 h, 17 h 30. Alexandra utilise la notation anglaise des heures.

ponton. J'ai eu peur que, vu l'alerte, il ne soit parti. Albert était resté à bord avec les bagages. Le bateau était allé attendre la fin de l'alerte au milieu du fleuve[1], pour s'isoler des Chinois. Il revint ensuite au ponton. »

Carnet – 4 janvier 1938.

8 janvier 1938

« Depuis Sha si le fleuve est beaucoup plus animé, on voit de nombreuses jonques de diverses grandeurs. Les journaux chinois de Sha si sont, quand nous passons, de date trop récente pour mentionner le raid de mardi sur Hankow mais ils relatent un autre ayant eu lieu le jeudi. Ils disent que 27 avions ont jeté des bombes sur Wuchang[2] (8 bombes ont éclaté faisant 80 morts, "Union Hospital" serait détruit). Dans l'après-midi les rives deviennent mamelonnées et plus pittoresques.

Au sujet des raids, il est dit : le jour de mon départ, la gare Hankow-Pékin railway a été bombardée. Lors du raid suivant (jeudi ?), 40 avions ont lancé 1 002 bombes, ils ont détruit l'aérodrome et tous les avions qui étaient au sol. En combat aérien ils en ont fait tomber trois. »

Carnet – 8 janvier 1938.

Arrivée à Ichang où s'impose une escale de quatre jours, Alexandra loge chez un couple d'étrangers : M. Ségola, « l'agent préposé à la gabelle » est français, son épouse est russe. Il faut maintenant trouver un autre bateau car le Siangtan ne remonte pas plus en amont du fleuve. « On m'informe que je partirai sur le Wulin quittant Ichang jeudi 13 à l'aube », écrit Alexandra. *(Voir la carte 36 de l'édition complète*, op. cit.*)*

---

1. « Au milieu du fleuve » : dans sa partie aval, le Yangtzé est un fleuve fort large (plus de 2 km à Hankéou, pourtant situé à 1 000 km de l'embouchure).
2. Wuchang : Wuhan, la ville voisine de Hankéou.

Ce nouveau bâtiment, le Wuliang quitte Ichang le 14 janvier sous une légère chute de neige. Après les larges méandres divaguant dans l'immense plaine alluviale de l'est de la Chine, le type de navigation change en effet à partir d'Ichang pour franchir les fameuses gorges du Yangtzé. Jonques et vapeurs doivent être capables de remonter les rapides qui accidentent le cours du fleuve. Les jonques traditionnelles sont halées par des centaines d'hommes qui marchent sur les rives en tirant des cordes attachées aux embarcations.

Le massif montagneux que l'on aperçoit d'Ichang semble infranchissable tant les parois des gorges sont redressées. Mais ni les circonstances ni le temps, gris et froid, ne permettent à Alexandra de jouir des paysages qu'elle trouve cependant merveilleux. La « Wind-box gorge », traversée le 15 janvier, lui semble « la plus remarquable. J'interromps mon lunch pour monter sur le pont supérieur et regarder. Avant cela, dans la matinée on voit un bateau qui s'est brisé sur un rocher en août dernier. Il était de la taille de notre bateau... » (Carnet – 15 janvier 1938.)

« Nous arrivons à Chungking[1] à bord du Wuliang le 18 janvier 1938 à 4 heures p.m. *Extremely bad impression*[2] causée par le débarquement hors d'une chaloupe sur un terrain boueux parsemé d'immondices nauséabondes, des chaises à porteurs crasseuses sont offertes. Je décide de marcher, on quitte par des escaliers qui, aux hautes eaux, doivent être submergés. Centaines de marches inégales, pierres cassées, boue, fange glissante. Des porteurs de chaises, des porteurs d'eau circulent sans ménagement ; le temps où l'on s'écartait au passage des Blancs est loin ! Après les escaliers ce sont des ruelles fangeuses, boutiques

---

1. Chungking : Tchong-king sur les cartes françaises de cette époque. Alexandra continue à employer la terminologie anglaise.
2. « Très mauvaise impression » : Dans ses notes Alexandra mêle parfois le français et l'anglais.

misérables des deux côtés, pourriture, puanteur... La Canadian Mission se trouve au milieu de tout cela !! »

Carnet – 18 janvier 1938.

À Chungking, Alexandra s'installe à la mission protestante canadienne, « une maison obscure et froide », où elle va rester un mois. Les ruelles ne sont qu'une « succession de cloaques infects ». Malgré la sécurité qu'offre encore la grande cité au début de l'année 1938, elle ne peut pas s'y habituer et décide donc de partir dès la première occasion. Son projet est de gagner Tatsienlou, bourgade tibétaine située quelque 325 km à l'ouest-sud-ouest de Chengtu. Mais il est encore trop tôt pour partir, le problème du coût du chauffage ne manquerait pas de se poser : Tatsienlou est à 2 400 m d'altitude et l'hiver y est très froid. Ici les chambres sont chauffées.

Alexandra avait pensé un moment se diriger vers Yunnanfou (actuel Kunming), la capitale du Yunnan, reliée maintenant par chemin de fer et par avion à Hanoï, en territoire français. Mais la perspective d'habiter dans une ville ne l'attire pas, surtout maintenant que les réfugiés y affluent. Et la xénophobie s'intensifie dans les grandes cités. Sur le bateau, elle avait été frappée par les paroles d'un étudiant chinois qui avait déclaré que son peuple chasserait d'abord les Japonais, puis tous les étrangers, surtout les missionnaires qui ne sont que des espions. Elle le constate maintenant dans les rues de Chungking lorsque les enfants crient « Diables étrangers » en croisant des Blancs.

En janvier 1938, Chungking est encore à l'écart de la guerre mais l'on s'attend à la visite des avions japonais. Ces craintes confortent Alexandra dans son désir de quitter la ville.

Elle repart le 20 février en compagnie de son fidèle Yongden. Les détails manquent sur le parcours effectué entre Chungking et Chengtu. Mais ils arrivent sains et saufs dans la capitale du Sseu-Tchouan à la fin de février. Alexandra connaît la ville pour y avoir séjourné durant son précédent voyage. Il était grand temps car les Japonais ne tardent pas à bombarder Chungking, première ville martyr de cette guerre pour avoir abrité le gouvernement après la chute de Nankin puis de Woutchang[1].

Chengtu est-elle une ville plus sûre en mars 1938 ? Rien n'est moins évident. Le consul de France, le Dr Béchamp, procure un petit pavillon à Alexandra, dans l'ancienne « mission médicale française » où elle avait logé quinze ans auparavant. La structure a été remplacée par un nouvel hôpital, plus vaste et mieux équipé, géré par des missionnaires protestants canadiens. Dès le 9 mars la réfugiée écrit à Philippe que l'alerte a été donnée pour la troisième fois depuis son arrivée. Plus que jamais elle se dit décidée à se rendre à Tatsienlou : « Les Japonais ne se montreront point par là, et les brigands tibétains sont moins redoutables, pour des gens qui parlent leur langue que ne le sont les déserteurs chinois. Et puis il y a du large dans les montagnes… » (Lettre du 9 mars 1938).

L'exploratrice s'inquiète pour son mari qui relève d'une « pneumonie très sérieuse ». La nièce de Philippe, Simone Néel, s'occupe de lui, mais il reste de santé fragile[2].

---

1. J. Guillermaz : *Une vie pour la Chine – Mémoires 1937 – 1989*. Paris, Robert Laffont. 1989.
J.E. Spencer : *Changing Chunking : The Rebuilding of an Old Chinese City*. The Geographical Review, vol. XXIX, January, n° 1.
2. Lettre d'A. David-Néel au Professeur d'Arsonval. 12 avril 1938.

L'une des préoccupations majeures de la fugitive reste l'argent, qu'il n'est assurément pas facile de se procurer dans un pays étranger désorganisé par la guerre. Aussi demande-t-elle à son mari de lui envoyer des fonds à la Banque de l'Indochine dont une agence fonctionne à Yunnanfou. Par précaution elle écrit plusieurs lettres, dont l'une au moins parvient à son destinataire puisqu'elle est suivie d'effet : le 8 mars 1938, la voyageuse est avisée qu'un mandat de 10 000 francs a été adressé à son intention. Alexandra est provisoirement sauvée. Tout en remerciant chaleureusement son époux, elle lui demande encore quelques services : pourrait-il contacter le directeur de la *Revue de Paris* pour savoir s'il a reçu le manuscrit de *Magie d'amour et magie noire* ainsi que son article sur « L'effondrement du pouvoir des Blancs en Chine » ? Elle vient de reprendre la rédaction de *Sous des nuées d'orage* et projette de composer une grammaire tibétaine à l'usage des Français dès qu'elle sera installée à Tatsienlou.

En Chine, le conflit s'éternise. Divisée il y a encore peu de temps, la vieille Chine se rassemble en une sorte d'union sacrée contre l'envahisseur. La politique est celle de la « table rase » : détruire les installations et les infrastructures plutôt que de les laisser aux Japonais. L'orage commence à gronder aussi en Occident : « Les nouvelles que la radio me donne de l'Occident sont chaotiques et peu rassurantes », écrit Alexandra le 2 mai 1938. Qu'en est-il des troubles sociaux ? demande-t-elle à son mari. Âgée maintenant de 70 ans, Alexandra se trouve isolée au centre de la Chine où elle ne se sent guère à l'aise, même parmi la petite communauté occidentale de Chengtu. Très sensible à la montée des « sentiments anti-étrangers » qui ne font que croître « dans la populace », elle raconte à Philippe que l'évêque, Monseigneur Rouchouse, faillit être poignardé dans son évêché (Lettre du 18 juin 1938). « Deux personnes de mes connaissances : un médecin et la directrice d'un orphelinat, tous deux anglais, ont été tirés à coups de fusil tandis qu'ils passaient en auto sur une route. Et il y en a d'autres... » (Lettre au Pr d'Arsonval, 23 juin 1938). Alexandra ne sera vraiment rassurée qu'aux portes du Pays des Neiges et il lui tarde de partir. Auparavant il lui faut trouver un nouveau dictionnaire de tibétain, le sien ayant disparu avec ses bagages à Shih kia schwang.

Alexandra et Yongden quittent Chengtu le 21 juin 1938[1] par la route des caravanes qui transitent vers le Tibet. La voyageuse effectue le trajet en chaise à porteurs. Elle sait que l'entreprise est dangereuse à cause des risques de bombardements, d'assassinat xénophobe, d'agressions par les pillards ou les déserteurs, d'accidents toujours possibles, comme celui de la charrette précédemment. Mais, malgré son âge avancé, elle part. Encore une fois...

---

1. Lettre d'A. David-Néel à Mrs Llyod, 22 juin 1938.

Réfugiée dans les Marches tibétaines (1938-1943) et au Sseu – Tchouan (1943-1945)

Le 7 juillet 1938, Alexandra écrit de Tatsienlou :

« Je suis arrivée ici le 4 juillet après un voyage de dix jours à travers la montagne. Le mauvais temps a rendu assez rude le début de ce voyage. Il y avait deux cols à franchir, d'altitude très moyenne dans la région : environ 3 000 m seulement mais au premier d'entre eux après avoir marché pendant toute la moitié de la journée sous une pluie diluvienne, nous avons été assaillis par une tempête. Le toit de ma chaise à porteurs a été emporté, les porteurs renversés. J'ai dû faire la descente à pied trempée jusqu'aux os. [...]

Au passage du second col le temps était brumeux mais sans pluie. Cependant la boue créée par les pluies des jours précédents rendait la marche extrêmement difficile dans les sentiers étroits, parmi les pierres écroulées. Les jours suivants ont été exempts de pluie mais nous avons eu affaire avec le débordement du Tung ho, une large rivière qui avait démoli la route et inondé les rives à plusieurs endroits. [...]

La température est froide, il faut faire du feu tous les soirs. L'altitude de Tachienlou est 2 700 m. Je reste terrifiée par la cherté de la vie dans ce pays. [...]

Je ne sais pas si je passerai l'hiver ici. Mon ermitage sur la montagne à 3 000 m d'altitude ne serait pas habitable par la neige et le froid. [...]

Entre autres raisons qui m'y retiennent jusqu'à la fin de la guerre, il y a mes bagages... ce qui a échappé au désastre de Shih kia tchang. Ils sont hors de ma portée et je ne puis pas espérer les récupérer avant la fin des hostilités... »

Lettre du 7 juillet 1938.

Voilà donc Alexandra et Yongden en sécurité, au moins provisoirement. La petite ville est une conquête chinoise. Son nom tibétain est Dartsédo (Dar-rtsé-mdo), « ce qui signifie le point de jonction des rivières Da et Dzé », rappelle la dame lama dans le livre qu'elle y écrit durant son séjour, *À l'ouest barbare de la vaste Chine*. L'appellation de Tatsienlou est une déformation du nom tibétain[1]. La bourgade est aussi le siège de l'ancienne « Mission du Thibet » depuis 1864. Dartsédo-Tatsienlou a été récemment élevée au rang de capitale d'une nouvelle province appelée Sikang, et son nom a été changé en celui de Kangting. C'est celui qui figure encore sur les cartes actuelles (Kangding), mais la province du Sikang a aujourd'hui disparu.

À la recherche d'un logement économique, Alexandra commence par s'adresser à la mission protestante écossaise, qui accepte de l'héberger provisoirement. La bourgade n'a rien de remarquable, écrit la réfugiée. « Les rues ne sont – pour la plupart – que d'étroites allées bordées par des boutiques chinoises peu importantes. Une population chinoise très dense grouille dans les ruelles et les maisons exiguës. » Tout le pittoresque vient des caravanes tibétaines qui y font étape. Les Tibétains y apportent de la laine, ils en repartent chargés de thé qu'ils acheminent à Lhassa, d'où il est distribué dans

---

1. A. Migot : *Au Tibet sur les traces du Bouddha*, Paris, Éditions du Rocher. 1978.

tout le Tibet. La plante, séchée, est transportée sous la forme de briques compactes, très dures.

Le 19 juillet, Alexandra annonce à Philippe sa prochaine installation dans son ermitage, situé 300 m au-dessus de la ville. Ce logis lui a été octroyé grâce à l'intervention d'un religieux de ses connaissances, qui réside justement au monastère « lamaïque » de Dartsédo en cette année 1938. Les moines ont construit quelques maisonnettes qu'ils mettent à la disposition des bouddhistes souhaitant y faire une retraite. L'une est proposée à Alexandra, une autre à Yongden et au domestique. « Cette habitation me plut au premier coup d'œil, bien qu'elle n'ait pas l'allure "héroïque" de la caverne où j'avais passé près de trois années », écrit-elle, enfin satisfaite. L'habitacle est minuscule : il comprend « deux chambres de la dimension des cabines de bateaux. Dans la moins exiguë des deux, une banquette en bois, encasée entre le mur et une cloison de planches, servait de lit pendant la nuit, de siège pendant la journée et accentuait l'aspect "cabine" de la cellule ». La deuxième petite pièce servait de cuisine : Alexandra en fait une « salle de bains » en y plaçant un « baquet en bois ». Une petite cour entièrement fermée par un mur permet au reclus d'échapper aux regards extérieurs. Un sentier en lacets permet de gagner le fond de la vallée.

Ainsi organisée, Alexandra reprend la plume. Émile recevra enfin des nouvelles de sa « vagabonde cousine » comme elle se définit elle-même dans la lettre qu'elle lui adresse le 12 septembre 1938 (lettre bien arrivée à son destinataire puisqu'elle fait partie des archives privées de la famille Panquin). Elle s'inquiète à son tour de la situation en Enrope :

> « [...] L'on m'a communiqué aujourd'hui, des nouvelles alarmantes de la situation européenne ; les Allemands qui

447

veulent tout avaler, songent, paraît-il, à déclencher une nouvelle guerre. Que va devenir la Belgique si l'orage éclate ?
J'ai tout de suite pensé à toi, à Maurice et à Pauline et je
veux vous envoyer à tous trois, mes pensées affectueuses et
mes bons vœux pour votre sécurité ; mon fils s'y joint de
tout cœur. »

Lettre d'A. David-Néel à Émile Panquin. Tatsienlou.
12 septembre 1938[1].

L'automne arrive avec ses premières chutes de neige
et un froid plus vif. Le domestique rechigne à aller faire
les courses en ville par ce sentier maintenant glissant, il
n'est pas habitué à une vie si rude. Alexandra se résout
finalement à descendre dans la bourgade pour y passer
la mauvaise saison. Mais les réfugiés ont afflué, aucun
logement n'est disponible. Les missionnaires protestants acceptent encore une fois de l'héberger...
Les bombardements ont commencé sur Chengtu.
« Tout va mal, très mal en Chine », écrit Alexandra. À tel
point que la dame lama envisage de fuir à nouveau, en
direction du Tibet. Mais le problème de l'argent ne la
quitte pas. L'utilisation des billets chinois s'arrête à
Tatsienlou ; au-delà il faut payer avec de la monnaie
tibétaine, actuellement introuvable ! Les choses se
gâtent pour elle à la fin du mois de novembre, quand les
missionnaires lui font savoir qu'ils souhaitent récupérer le logement qu'ils lui louaient : « Jolie situation que
la mienne ! Où aller ?... » (Lettre du 26 novembre 1938.)
Alexandra est à la rue... une fois de plus, serait-on tenté
d'ajouter ! Et la fugitive... de sonner à la porte de l'évêque catholique, bien qu'il ne soit « pas du tout du même
bord » qu'elle. Charité chrétienne oblige, malgré ses
divergences avec la dame lama, Mgr Valentin accepte

---

1. Extrait de la correspondance d'A. David-Néel à la famille Panquin.
Copie aux archives de la Maison A. David-Néel. Lettre inédite.

d'aider sa compatriote : il demande aux religieuses de lui libérer un local où elle pourrait s'installer. Les sœurs mettent alors à sa disposition un ancien entrepôt à céréales, assez vaste ma foi puisqu'elle peut y aménager « deux grandes chambres, une cuisine et des dépendances pour remiser le combustible et coucher le domestique ». « Je me fais l'effet là-dedans, d'être un trappeur ou un prospecteur, comme on en décrit dans les vieux romans des débuts de l'Amérique », écrit Alexandra[1]. Située près d'un vaste cimetière, d'où quelques restes humains glissent parfois le long de la montagne avant de régaler les vautours[2], « la baraque est indépendante » et finalement pas si mal puisque la réfugiée va y loger jusqu'en 1943, c'est-à-dire pendant cinq ans ! Le loyer est dérisoire, 10 dollars chinois par mois[3].

Ainsi correctement installée, Alexandra se remet au travail. *Magie d'amour et magie noire*, refusé par la *Revue de Paris*, a été accepté par Plon : le manuscrit avait mis huit mois à parvenir à destination. Philippe félicite son épouse pour ce roman, « étrange » et « très captivant »[4] qui sort dans le courant de l'année 1938. *Sous des nuées d'orage* est expédié par avion en septembre 1939, l'ouvrage paraîtra en 1940. À peine le manuscrit est-il achevé qu'Alexandra commence le suivant : *À l'ouest barbare de la vaste Chine*. Celui-ci ne paraîtra qu'en 1947, car entre-temps, un événement majeur va bouleverser la planète : la Seconde Guerre Mondiale. Alexandra en apprend le déclenchement le 8 septembre 1939. Les Français du Sikang vont suivre les

---

1. Lettre d'A. David-Néel au Professeur d'Arsonval, 30 octobre 1939. (Archives A. David-Néel.)
2. Même lettre, 30 octobre 1939.
3. Archives des Missions Étrangères de Paris.
4. Lettre de Philippe Néel à son épouse, 5 janvier 1939, Bône.

événements avec difficultés car les nouvelles parvenant d'Europe restent partielles, voire confuses.

Les mois passent... et les années. Philippe Néel s'est retiré dans la maison familiale de Saint-Laurent-d'Aigouze, dans le Gard. Sa santé se dégrade, tandis que celle de sa lointaine épouse demeure excellente. Sentant ses forces décliner, il prend ses dispositions testamentaires, rappelle à Alexandra qu'elle a droit au tiers de sa pension de retraite et l'informe qu'il l'a désignée comme sa « légataire universelle » (Lettre de Philippe Néel, 1ᵉʳ octobre 1940).

Le conflit sino-japonais s'éternise, et les résidents occidentaux du Sikang et du Sseu-Tchouan ne cachent pas leur angoisse.

Alexandra rédige *À l'ouest barbare de la vaste Chine*. Après un rappel de l'histoire de la Chine, elle y raconte sa vie à Tatsienlou tout en évoquant ses périples dans le Koukou-Nor. Les autres sujets concernent les mentalités des populations chinoises, tibétaines et musulmanes. Elle termine par quelques réflexions sur la Chine contemporaine. Son agenda de 1940 montre qu'elle est encore pleine de projets, avec en particulier une *Trilogie infernale : Brutes, Lâches et Imbéciles*, dont on peut regretter qu'elle n'ait jamais pris forme...

Dans des lettres plus nombreuses qu'à l'accoutumée depuis 1938, Philippe Néel informe son épouse de la situation politique en Europe, puis du déroulement de la guerre qu'il relate presque au jour le jour[1] Il lui dit aussi son inquiétude de la savoir isolée dans cette Chine bombardée. Désormais apaisées, leurs relations se sont muées en une profonde amitié au fil des années et... des milliers de kilomètres qui les séparent encore durant

---

1. Voir *Correspondance à son mari*. Édition intégrale.

cette nouvelle guerre. Une affection sincère et réciproque unit maintenant ce couple exceptionnel.

Les mois passent. Le 19 février 1941, Alexandra reçoit un télégramme expédié d'Europe douze jours plus tôt par Simone Néel : elle lui annonce le décès de Philippe, survenu le 8 février 1941. « J'ai perdu le meilleur des maris et mon seul ami », dira-t-elle, sincèrement attristée[1]. La voici plus seule que jamais dans la tourmente mondiale. Philippe est mort à l'âge de 80 ans, elle-même en a maintenant 73. Son principal point d'appui a disparu, elle ne peut plus compter que sur elle-même. Elle a toujours eu l'habitude de lutter, certes, mais l'âge se fait sentir, et les circonstances ne sont pas favorables. La guerre embrase le monde et interdit tout projet à long terme.

Pour comble de difficultés, les relations entre la mère et le fils se dégradent elles aussi. L'inaction et l'insatisfaction qui en résulte en sont sans doute les principales causes… ainsi que le caractère de plus en plus acariâtre de la vieille dame. Déçue par ce séjour interminable et trop statique, inquiète de la tournure que prennent les événements internationaux, l'exploratrice se force moins que jamais de paraître aimable. Yongden a 42 ans ; il s'ennuie lui aussi, et se rebiffe parfois contre l'autorité tyrannique de son mentor. À tel point qu'Alexandra songe à se séparer de lui en octobre 1943, mais la force de l'habitude, la fidélité et le sens du devoir l'emportent : Albert reste auprès de sa mère adoptive. Les relations ne sont pas meilleures avec les missionnaires. La manière très critique dont Alexandra évoque leurs activités montre le malentendu qui a toujours séparé l'orientaliste des représentants de l'Église chrétienne (*À l'ouest barbare de la vaste Chine*). La mésentente

---

1. *Correspondance à son mari* – Édition intégrale – 1904-1941.

atteint son paroxysme lors du départ de l'exploratrice, en 1943. La trace de leur dispute homérique est conservée aux Archives des Missions Étrangères de Paris. Voici comment les choses se seraient passées :

Alexandra, ayant fini par se croire chez elle dans le logement que lui louaient les missionnaires, proposa avant de partir son logement à d'autres locataires, sans demander l'avis des religieuses. Les nouveaux occupants étant des militaires chinois, on comprend le mécontentement des sœurs qui souhaitaient récupérer leurs locaux. Les militaires s'installent... et la dispute éclate. Alexandra, soudain prise d'une violente colère, vitupère de toutes ses forces contre les gens d'église. « À la fin, elle vomit sa haine contre les Sœurs et la mission et en arriva même aux voies de fait. Et cette "pauvre" dame partit enfin avec 26 porteurs. Résultat : ils ont maintenant sur le dos les militaires appelés par elle. »[1].

La santé d'Alexandra s'est dégradée durant les dernières années de ce séjour. Ses carnets regorgent de détails sur les maux qui l'affectent maintenant : douleurs rénales, « inflammation des nerfs » qu'elle soigne parfois par la manière forte en battant ses serviteurs, crampes d'estomac, « intestins en mauvais état », jaunisses, ténia... L'inaction a toujours été préjudiciable à sa personne et cette vie austère, dans un contexte aussi difficile, n'arrange rien. L'organisme d'Alexandra a beaucoup enduré au cours de cette vie déjà longue et finalement très dure. Le moral n'est pas meilleur : « Le temps, cette année, est beaucoup plus froid que les années précédentes. Tatsienlou qui n'a rien du Tibet pittoresque que j'aimais me devient insupportable. Ma

---

1. Archives des Missions Étrangères de Paris. Dossier « Tibet-Kangting » – DG-320.

bicoque et le voisinage des nonnes sont abominables. »
(Carnet – 1941-1942 : février 1942.)

Alexandra et Albert quittent les confins sino-tibétains en 1943, après cinq ans de séjour. Ils retournent vers Chengtu où l'exploratrice espère pouvoir effectuer les démarches qui lui permettront de se procurer des subsides : depuis le décès de Philippe, elle ne reçoit plus rien d'Europe. Là-bas elle pourra monnayer ses compétences d'une manière ou d'une autre (cours, conférences, articles...), tenter d'obtenir des subventions auprès des organismes qui s'intéressent à ses travaux. Même la vie la plus austère nécessite un minimum de moyens pour se nourrir, se vêtir et se loger ! À 77 ans, Alexandra David-Néel se heurte aux mêmes problèmes qu'à 25 ans. Les circonstances sont différentes aujourd'hui, l'exploratrice est bien connue dans la communauté occidentale de Chengtu, mais les temps sont durs, et la précarité encore là à cause de la guerre.

L'espoir renaît tout à coup du côté de l'Europe : le 6 juin 1944 les troupes alliées ont débarqué en Normandie ! Les villes françaises sont libérées les unes après les autres, dont Paris au mois d'août. À la mi-septembre, la majeure partie de la France et de la Belgique retrouvent la liberté. L'Europe est enfin sauvée de la tragédie. Circonstance tout à fait étonnante, Alexandra a vécu en Asie durant les deux guerres mondiales. Quand l'Allemagne signe la capitulation, les 7 et 8 mai 1945, Alexandra réside à Chengtu. C'est la liesse chez les Occidentaux du Sseu-Tchouan ! Mais ils ne sont pas encore totalement soulagés car la situation reste inquiétante en Chine, où la guerre sino-japonaise s'éternise. Les Japonais étaient entrés dans le conflit mondial en décembre 1941, en attaquant la flotte américaine à Pearl Harbor, dans les îles Hawaï. En 1945 ils continuent leur combat en Chine après avoir conquis une grande partie de l'Extrême-Orient.

En janvier 1945, Alexandra reçoit une excellente nouvelle d'Afrique du nord : le directeur de la Compagnie des Chemins de Fer Tunisiens lui annonce le versement de 87 271,50 francs, somme qui correspond aux arriérés de pension de reversion de Philippe Néel pour la période 1941-1944[1]. Ses problèmes financiers se trouvent réglés d'un seul coup : Alexandra prend aussitôt des dispositions pour quitter le Sseu-Tchouan.

Le 27 juillet 1945, pour la première fois de sa vie, Alexandra David-Néel prend l'avion : accompagnée de Yongden... et d'un nombre impressionnant de caisses, elle s'envole vers Yunnanfou (actuel Kunming). Ils y passent le mois d'août et la plus grande partie du mois de septembre, le temps pour Alexandra d'étudier la situation pour savoir dans quelle contrée déposer maintenant ses pénates. Le problème n'est pas simple car les Japonais ont complètement bouleversé la carte politique de l'Asie. Hong-Kong, Singapour, l'Indochine, la Birmanie, sont en leurs mains. C'est durant son séjour à Yunnanfou qu'Alexandra apprend la tragédie d'Hiroshima (6 août 1945), puis celle de Nagasaki (9 août). La capitulation japonaise est signée le 15 août 1945. Le monde a retrouvé la paix... le monde mais pas la Chine ! À peine le pays a-t-il célébré la défaite japonaise que les conflits intérieurs surgissent de nouveau. L'union sacrée a vécu, la lutte reprend de plus belle entre nationalistes et communistes dans une économie complètement désorganisée. Alexandra n'a plus aucune envie de rester là-bas.

---

1. Archives de la Maison Alexandra David-Néel : lettre du 3 novembre 1944, transmise à Madame Néel par l'Ambassade de France à Tchoung king le 20 janvier 1945.

Le 23 septembre 1945, Alexandra, Yongden, et leurs volumineux bagages quittent Kunming par avion : ils volent vers Calcutta. C'est en Inde que l'exploratrice a décidé de séjourner maintenant. L'heure n'est pas venue de regagner l'Europe meurtrie par cinq années de guerre. Alexandra quitte la Chine sans regrets, après huit ans d'un voyage qui n'a pas répondu à son attente. Le plaisir de retrouver les contreforts du Tibet fut teinté d'amertume : elle n'était là qu'en réfugiée, dans l'impossibilité matérielle de pénétrer plus avant vers l'intérieur du pays. En dehors des trois mois passés au Wutai Shan, ce voyage ne fut qu'une longue fuite entrecoupée de séjours forcés dans des villes où elle se trouvait par obligation. Et puis, ce voyage est marqué par le décès de Philippe, cet homme aimé et détesté, qui se révéla être « le meilleur des maris », celui qui ne lui refusa jamais son aide ni son appui. Il continue d'ailleurs à l'aider... par sa pension de reversion. Désormais et pour la première fois de sa vie, Alexandra touche un revenu fixe. Certes, les droits d'auteur ont dû s'accumuler en Europe pendant ses années d'absence, d'autres vont bientôt lui être versés avec les nouveaux livres, mais c'est une sécurité appréciable pour celle qui connut pendant tant d'années des difficultés financières.

Le 23 septembre 1945, après quelques heures de vol, Alexandra retrouve un territoire qu'elle connaît depuis longtemps et qu'elle aime bien plus que la Chine : l'Inde.

Dans l'Inde en lutte
pour l'indépendance :
23 septembre 1945-30 juin 1946

Après un vol sans problème, Alexandra retrouve l'immense cité de Calcutta où elle séjourna plusieurs fois durant son précédent voyage. Quel soulagement de s'installer dans un pays qui n'a pas été touché par la guerre ! Si l'Inde a envoyé des troupes aux ordres des Anglais, le territoire lui-même resta à l'écart des ambitions japonaises et en dehors des zones d'opérations. Mais le calme n'y est pas garanti pour autant car des troubles agitent cet immense territoire qui appartient encore à la Couronne britannique. La révolte gronde depuis le début du siècle, de plus en plus intense : c'est celle du peuple indien contre les colonisateurs, celle qui a pour objectif l'indépendance du pays !

C'est en 1921 que l'opposition représentée par le Congrès national proclama la *satayagraha*, la révolte sans violence par la désobéissance civile, méthode d'action révolutionnaire prônée par Gandhi. Cette extraordinaire école de discipline collective prouva son efficacité grâce à la participation massive des populations indigènes. Une Constitution plus libérale fut accordée à l'Inde en 1935, qui maintenait toutefois le pays dans le giron de la Couronne britannique. Cette

Constitution, modérée, ne fut pas suffisante pour répondre aux problèmes sociaux engendrés par les difficultés économiques du moment : de grandes grèves éclatèrent dans les manufactures de jute du Bengale, dans les chemins de fer et dans bien d'autres entreprises...

La lutte pour l'indépendance redémarre lorsque Alexandra s'installe à Calcutta le 23 septembre 1945. Elle avait eu l'occasion de rencontrer Gandhi, Sadar Patel et quelques autres hommes politiques lors d'un séjour précédent, rappellera-t-elle dans *L'Inde où j'ai vécu*. Ensuite elle s'était tenue informée de l'évolution des événements. Maintenant elle va pouvoir observer la situation, et surtout évaluer très rapidement l'ampleur des changements intervenus dans les mentalités des Indiens depuis une vingtaine d'années.

Au bout d'un temps « assez long », la voyageuse réussit à obtenir une chambre au « Grand Hotel, situé en face du parc appelé Maidan ». Ce ne fut pas facile car les meilleurs établissements sont occupés par des militaires anglais et américains désœuvrés qui attendent leur rapatriement dans leurs pays d'origine. La voici installée à un endroit idéal pour observer les nouvelles mœurs politiques : le Maidan sert souvent de cadre aux manifestations populaires, meetings et autres rassemblements à caractère plus ou moins politique.

C'est d'abord à l'intérieur de l'hôtel qu'elle se rend compte de l'évolution des comportements depuis 1925. Un jour, le personnel indigène de l'établissement se déclare en grève. Les chefs de services sont pourtant des Européens ou des Anglo-Indiens ! La grève dure trois jours, puis les domestiques reprennent le travail après avoir obtenu satisfaction : « Un tel fait n'a rien d'étonnant en Europe, mais dans l'Inde où, quelques années auparavant, les sahibs et les memsahibs ne se gênaient pas pour cingler leurs domestiques avec le fouet servant à châtier les chiens, la conduite des mercenaires osant relever la tête et discuter avec leurs maîtres marquait une évolution d'une ampleur considérable. » Mieux encore, les domestiques de certains maharadjahs font de même et revendiquent « des augmentations de salaires de leurs seigneurs que leurs pères s'étaient jusque-là trouvés hautement honorés de pouvoir servir gratuitement » (*L'Inde où j'ai vécu*). Sa surprise n'est pas moins grande lorsqu'elle regarde ces immenses meetings nationalistes qui se déroulent dans le parc : des femmes indiennes entourent l'estrade des orateurs et parfois y prennent place, le drapeau indien flotte et cristallise l'enthousiasme des « centaines de milliers d'auditeurs » ! Autant de signes révélateurs d'un nouvel état d'esprit. Mais les bagarres se multiplient, les émeutes prennent de l'ampleur, les troupes anglaises sont prises à partie. Les sentiments xénophobes s'exacerbent, des tramways flambent dans les rues, des automobiles sont renversées sous les cris de foules excitées... Et l'exploratrice de célébrer la calme et la bravoure des Anglais lors de telles manifestations ! Les émeutes opposent parfois hindous et musulmans, aussi exaltés les uns que les autres. D'autres fois, ce sont des bandes de simples pillards... Les mois passent, Alexandra reste à Calcutta malgré les événements, ou plutôt les observant avec intérêt ! Parce qu'elle connaît bien l'Inde et ses philosophies, son témoignage est captivant : elle comprend et sait expliquer par exemple la démarche religieuse, calme et implacable, de Nathouram Godse, qui assassina Gandhi en 1948.

En décembre 1945, l'infatigable voyageuse prend le train en direction du nord... vers Darjeeling. Elle passe, le mois de décembre à Kurseong, et janvier à Darjeeling. Que de souvenirs attachés à cette petite ville ! Puis c'est le retour, avec un dernier salut au Brahmapoutre traversé dans la brume...

Les émeutes continuent à Calcutta...

Du 23 septembre 1945 au 30 juin 1946, durant neuf mois, Alexandra vit dans cette « atmosphère singulière créée par la tension des volontés de tout un peuple centrées vers un but commun : chasser les Anglais de l'Inde ». La xénophobie se manifeste tous les jours... Faut-il partir encore une fois ? Faut-il regagner l'Europe maintenant ? Et quelle Europe après cette guerre qui a sans doute encore tout bouleversé ? Faut-il quitter l'Inde et sa haute spiritualité, l'Inde accueillante aux esprits religieux, l'Inde ensorceleuse ? On aimerait qu'Alexandra choisisse de finir ses jours auprès de l'un de ces lieux sacrés qu'elle a si bien évoqués. Ce serait conforme à l'image qu'elle nous a donnée d'elle-même à travers ses livres, ses voyages, ses recherches. Mais l'Asie est en plein bouleversement, des mouvements d'émancipation se développent un peu partout depuis la fin de la guerre. Et la voyageuse a des intérêts à défendre en Europe : la succession de son mari est à régler, son travail d'auteur est loin d'être terminé. Elle décide de rentrer en France.

Le 30 juin 1946 marque une date mémorable : c'est le jour du grand départ ! Alexandra, Yongden et leurs encombrants bagages se présentent à l'aérodrome de Calcutta. L'exploratrice est rapatriée aux frais de l'État français. Âgée de 77 ans, elle quitte définitivement l'Asie. Un dernier regard sur ce continent qui lui a offert tant de moments inoubliables... Quelques heures de vol et l'Inde est déjà loin ! Dieu, que les avions sont rapides, et la rupture brutale ! Ce n'est pas seulement un continent qu'Alexandra laisse derrière elle, c'est une partie de sa vie, toute sa vie même puisque là fut son bonheur. Le

1er juillet 1946 à 16 heures, l'avion atterrit à Paris : les grands voyages d'Alexandra David-Néel sont terminés.

Plusieurs années plus tard, dans un moment de mélancolie elle évoquera son départ de l'Inde, en notant quelques phrases chargées d'émotion :

> « L'Inde au fil des jours. C'est presque hier ; un matin pluvieux de juin à Calcutta. Le champ d'aviation gris et morne, de ci de là des avions au repos... très laids, très monstrueux. Un autre va partir ; à l'une des étroites fenêtres une main me fait signe, un visage me sourit... Au revoir... ou adieu... un jeune consul[1] de mes amis s'envole pour l'Indochine.
>
> Mon tour vient, me voici dans l'avion qui va vers l'Europe. [...] Je m'en vais. Au revoir Inde... Inde de ma jeunesse. Inde où tant de ma vie s'est écoulée. Au revoir Inde... Ou n'est-ce pas adieu ?... Les nuages gris nous enveloppent, nous filons sans heurts à travers cette ouate. Suis-je vivante ou déjà morte bien qu'ayant un corps de chair, comme l'imaginent les Tibétains. Suis-je en voyage dans les limbes du Bardo[2] ? Je suis partie, partie, est-ce vrai ? Asie... Inde, comment ai-je pu vous quitter. »

Carnet non daté[3].

---

1. Il s'agit de Christian Fouchet, alors consul de France à Calcutta, futur ministre du Général de Gaulle. Christian Fouchet resta un ami fidèle d'Alexandra David-Néel jusqu'à sa mort.
2. Allusion à la croyance des Tibétains selon laquelle l'esprit du défunt erre entre la mort et la renaissance. Cette période durerait quarante-neuf jours.
3. Carnet non daté, écrit selon Marie-Madeleine Peyronnet entre 1948 et 1951.

« Lendemain d'épopée » :
1946-1969

« Lendemain d'épopée », c'est ainsi qu'Alexandra qualifia la période qui suit l'accession de l'Inde à l'indépendance, le 3 juillet 1947. Cette judicieuse expression peut être transposée à la dernière période de sa propre vie, celle qui suit son retour en France en juillet 1946. L'épopée des grands voyages est terminée, la dame lama ne retournera plus en Asie. Ses activités sont cependant loin d'être arrivées à leur terme.

Alexandra séjourne à Paris durant l'été 1946, répondant volontiers aux questions des journalistes : la grande dame de l'exploration du Tibet est de retour.

Déçue par ces neuf dernières années, elle regagne sa maison de Digne le 10 octobre et se remet au travail. Si cette tournée asiatique n'a pas apporté les résultats qu'elle en avait escomptés au départ, le bilan n'est cependant pas totalement négatif. En dehors du fait qu'elle a échappé à tous les périls d'un continent en ébullition, elle en rapporte la matière à plusieurs livres. Une tâche immense l'attend encore en tant qu'auteure.

Ainsi débute une nouvelle période de vie studieuse, entrecoupée par les indispensables déplacements professionnels et de nombreuses visites. « Je suis comme d'ordinaire et plus qu'à l'ordinaire, surchargée de travail. Les trois mois que j'ai passés à l'hôtel Lutétia, selon mon habitude, ont été éreintants : des interviews du matin au soir, des articles à écrire... On ne se reposera qu'après sa mort et encore, qu'en sait-on ? », écrira-t-elle en fin d'année à son neveu Maurice[1]. Ce rythme harassant vaut pour les années suivantes, comme le prouve cet extrait d'une lettre de 1947, adressée à son amie Mrs Llyod :

> « Je suis simplement à demi morte et abrutie de fatigue. [...] J'ai passé cinq mois à Paris, affairée du matin au soir : interviews, éditeurs, articles à écrire. J'ai signé des contrats pour 5 livres, j'en suis effrayée, il va falloir les écrire... Malgré cela je retourne demain à Paris, nouveau travail, puis une tournée de conférences en Belgique... »

Lettre à Mrs Llyod, 5 mars 1947, Digne – Samten Dzong.

De 1947 à 1955 Alexandra publie livres et articles à une cadence accélérée. Neuf livres en dix ans : le bilan est flatteur pour une auteure qui atteint l'âge respectable de 80 ans en 1948. Dépositaire de connaissances originales, elle veut les transmettre, respectant ainsi l'un des préceptes du Dhamma. Elle veut faire partager son enthousiasme pour le Pays des Neiges et pour l'Inde millénaire. Le poids des ans n'entame en rien ses remarquables capacités intellectuelles. Et l'intense activité créatrice qu'elle déploie n'empêche pas notre héroïne de faire quelques promenades... de santé : à l'âge de 82 ans, en plein hiver, elle part camper quelques jours au col d'Allos, histoire de se rappeler le bon vieux temps !

Certains livres sont de nouveaux récits de voyages, des témoignages, des reportages sur ce qu'elle vient de vivre

---

1. Extrait de la correspondance d'A. David-Néel à la famille Panquin. Copie aux archives de la Maison A. David-Néel. Lettre à Maurice Panquin. 1er décembre 1946 (inédite).

et d'observer, ainsi *À l'ouest barbare de la vaste Chine* ou *Le Vieux Tibet face à la Chine nouvelle*. Alexandra intègre ses propres expériences dans les narrations. Autre ouvrage du même genre : *L'Inde, hier – aujourd'hui – demain*, dédié à la mémoire d'un Maître qu'elle n'a jamais oublié, Bashkararânanda Swâmi. La dédicace a disparu des éditions récentes ; le titre de l'ouvrage est devenu *L'Inde où j'ai vécu – avant et après l'indépendance*. *Au cœur des Himalayas, le Népal* nous reporte trente-sept ans en arrière puisque le voyage au Népal eut lieu en décembre 1912. Le récit fourmille d'anecdotes et de dialogues pétillants racontés avec une remarquable vivacité de style.

Si les récits de voyages s'adressent à tout lecteur passionné d'aventures, les autres livres abordent des sujets plus ardus et sont destinés à un public averti. Ainsi en est-il des *Enseignements secrets des bouddhistes tibétains – La vue pénétrante*. Il s'agit d'un « reportage », précise l'auteure, d'une présentation objective de certains aspects des doctrines professées par les Maîtres tibétains. Alexandra expose ici une partie des enseignements oraux qu'elle a reçus du gomchen de Lachen durant son long séjour au Sikkim. Elle prend soin de préciser qu'elle a bien été autorisée à « tracer un résumé de ce corps de théories et de préceptes dénommé *sangwa*, la doctrine mystique secrète, intimement liée à l'idée de *lhag thong*, la vue pénétrante ». Parmi les sujets abordés : le Secret, le Savoir, la Voie, la Libération, la Doctrine du Vide... Ce livre, tout à fait novateur à l'époque de sa première édition en 1951, porte en lui l'authenticité de l'expérience et du savoir acquis sur le terrain.

Le troisième roman tibétain, *La Puissance du néant*, paraît en 1954, cosigné avec Aphur Yongden. Aussi palpitant que les deux précédents grâce à son intrigue policière, il porte un enseignement philosophique accessible à tous les lecteurs.

La fin de l'année 1955 est marquée par un événement brutal et inattendu : Yongden meurt le 7 novembre[1], à l'âge de 56 ans. Le compagnon des pistes impossibles, le collaborateur fidèle de quarante années, le fils attentif et tout dévoué disparaît sans crier gare. Il gagne les limbes du Bardo à la suite de malaises nocturnes qui ne semblaient pas particulièrement inquiétants. Albert-Aphur Yongden passa toute sa vie à servir cette femme venue de si loin et qui l'entraîna jusqu'en Europe, à l'autre bout du monde. La vieille dame de 87 ans se retrouve cette fois complètement seule. Si ses aptitudes intellectuelles restent intactes, son corps la trahit. Ses jambes la font de plus en plus souffrir, ses mains portent les stigmates de rhumatismes articulaires qui les déforment progressivement alors qu'il lui reste tant de choses à écrire ! L'orientaliste est « anéantie »[2] par le décès de son fils, même si la sagesse acquise depuis tant d'années lui permet de tout supporter

« Yongden et moi étions arrivés, sans en être conscients, à ne former qu'une seule personne, pensant ensemble, agissant ensemble. [...] Je pouvais occuper mes vieux jours en faisant des projets pour Yongden. C'est fini, il n'est pas question de faire des projets pour moi. L'inutilité, le caractère vain et pitoyable de toutes choses que je connaissais intellectuellement et dont je ne doutais pas, je le "realise" maintenant. C'est le néant décrit dans l'Ecclésiaste. »

Lettre à Maria Llyod. Mai-juin 1956 ?

---

1. Alexandra informe ses neveux le jour même du décès de Yongden : lettre du 7 novembre 1955 à Maurice et Pauline. (Copie aux archives de la Maison A. David-Néel.)
2. Terme qu'elle emploiera dans la lettre du 26 décembre 1957 adressée à Maurice et Pauline.

Yongden est incinéré. Alexandra place l'urne contenant ses cendres dans l'oratoire tibétain de Samten Dzong. Puis elle se remet au travail.

Mme Nancy Martinie, qu'elle avait connue à Hankéou, vient vivre quelque temps auprès d'elle, l'aidant dans ses tâches quotidiennes. En 1957 paraît une nouvelle édition, augmentée, des *Initiations lamaïques*. Alexandra est invitée à plusieurs reprises chez Maria Llyod qui dactylographiait ses manuscrits. Cette Britannique, francophone et théosophe, partage son temps entre l'Italie, Monaco et la Grande-Bretagne. Elle se montre d'un grand secours pour la vieille exploratrice durant les années difficiles qui suivent la mort de Yongden.

Ne pouvant rester seule à Samten Dzong, Mme Néel prend pension dans différents hôtels à Digne et sur la Côte d'Azur mais continue à travailler chez elle durant la journée.

En 1958, à 90 ans, Alexandra publie deux nouveaux ouvrages de spiritualité. Le premier, intitulé *La Connaissance transcendante d'après le texte et les commentaires tibétains*, porte la double signature d'Alexandra et de lama Yongden. Cet hommage à celui qui l'a tant aidée est un résumé commenté du livre fondamental qu'elle avait commencé à étudier au monastère de Kumbum : la fameuse *Prâjnâpâramitâ*. Le second est l'*Avadhuta Gitâ*, un texte issu cette fois de la tradition indienne, comme l'*Astavakra Gitâ* qu'elle avait déjà publié. Ce chant s'inspire « des déclarations des *Oupanishads* qui forment la base de la philosophie *Védanta Advaïta*. » Avadhuta « est un ascète – un yoguin – qui a atteint le plus haut degré de l'illumination spirituelle et qui s'est affranchi de tous liens avec le monde ». Alexandra sait qu'elle a maintenant publié l'essentiel de son œuvre, mais que sa tâche n'est pas encore achevée.

C'est alors que le destin réserva à la vielle exploratrice l'un de ces coups de théâtre providentiels qui sauvent les héros en détresse : l'arrivée inespérée d'un ange gardien allait bientôt illuminer les dernières années de sa vie. Le terme d'ange gardien est à prendre évidemment au sens social, non au sens théologique. L'événement se produit en juin 1959, dans un hôtel d'Aix-en-Provence, l'Hôtel Sextius. Alexandra suivait là-bas une cure thermale « pour la circulation du sang », écrit-elle. Assaillie par les misères physiques dues à son grand âge, elle souhaite retourner à Samten Dzong, cherche quelqu'un pour lui tenir compagnie durant quelques jours et l'aider dans certains travaux peu fatigants... On lui présente une personne qui pourrait peut-être convenir. En quelques instants, le regard puissant de l'exploratrice de 90 ans envoûte la jeune femme de 29 ans qui se tient devant elle et se nomme Marie-Madeleine Peyronnet. Celle-ci n'avait jamais entendu parler d'Alexandra, mais sa bonne éducation la conduit à accepter de rendre le service que cette vieille dame lui demande pour si peu de temps. Elle réunit quelques affaires et part en compagnie de la respectable cliente.

Marie-Madeleine Peyronnet découvre avec ahurissement l'étrange villa qu'est Samten Dzong, délaissée depuis deux ans. Elle s'y installe avec Alexandra pour quelques jours... Mais les jours se prolongent bientôt en semaines... en mois... puis en années ! Alexandra a très vite compris qu'elle n'avait plus de soucis à se faire : elle peut tout demander à sa jeune compagne. Cette énergique « pied-noir » accepte les tâches les plus diverses, domestiques ou intellectuelles, commandées par la maîtresse des lieux avec une autorité que le temps n'a pas affaiblie ! Elle accepte aussi le caractère tyrannique de la vieille orientaliste, sans rien céder de sa forte personnalité, qui pourtant sera marquée à jamais par les dix années passées aux côtés de Madame Néel. Dans son ouvrage, *Dix ans avec Alexandra David-Néel*[1], à la fois drôle et émouvant, elle raconte comment les éclats de voix, les disputes et les réconciliations, les rires et les larmes font vibrer les murs de Samten Dzong pendant la dernière décennie de sa propriétaire ! Alexandra ne quitte plus sa maison. Malgré de terribles souffrances causées par la paralysie progressive de ses jambes et la déformation de ses mains, elle peut continuer à travailler grâce à l'aide efficace de « Tortue », le surnom qu'elle a donné à Marie-Madeleine Peyronnet. Et, en dehors de ces douleurs physiques qu'elle est bien obligée d'endurer, Alexandra découvre enfin le bonheur d'être choyée par quelqu'un qui ne tarde pas à éprouver pour elle amour, admiration et respect. C'est la première fois de sa vie… Jusqu'ici personne n'avait pu la supporter, en dehors de Yongden bien entendu. Mais lui était d'une autre origine ; son dévouement total venait de la tradition orientale, c'était celui que tout disciple se doit de manifester envers son Maître spirituel (les chroniques tibétaines évoquent assez souvent la tyrannie de certains Maîtres qui veulent éprouver l'obéissance de leurs disciples).

En 1961 paraît un nouvel ouvrage de vulgarisation philosophique : *Immortalité et réincarnation – Doctrines et pratiques – Chine – Tibet – Inde*. Alexandra fait le point sur les croyances véhiculées à ce sujet dans les pays qu'elle a connus.

Elle publie son dernier livre en 1964, à l'âge de 95 ans, *Quarante siècles d'expansion chinoise*. Dédié à la mémoire de Yongden, le texte est inhabituel puisqu'il s'agit d'une sorte de chronique rappelant les principaux épisodes de l'avancée des Chinois vers le nord-ouest,

---

1. M.M. Peyronnet, *op. cit.*

telle « une vague » inondant de toute sa puissance un nouveau terrain à découvert. Il faut dire que la Chine occupe souvent les colonnes des journaux depuis que la République Populaire a été proclamée, le 1er octobre 1949. La communauté internationale suit avec attention l'édification de la Chine nouvelle. Alexandra s'y intéresse d'autant plus qu'elle a connu la Chine archaïque. « L'Armée populaire de libération » est entrée à Lhassa dès l'automne 1950 et le jeune dalaï-lama s'est enfui en mars 1959 pour se réfugier en Inde avec sa suite. Le Tibet fait partie de ces territoires que la Chine s'approprie selon une tactique éprouvée au fil des temps, qui consiste à « digérer » les populations autochtones « en les sinisant ». Si les Tibétains n'ont pas encore subi les terribles souffrances qu'ils connaîtront durant la Révolution Culturelle, ils ne sont déjà plus maîtres chez eux.

Les dernières années de l'exploratrice sont évoquées par Marie-Madeleine Peyronnet dans son livre : le quotidien pas toujours facile, les relations explosives entre elles deux, les visiteurs, la correspondance pittoresque reçue à Samten Dzong, les colères d'Alexandra, ses éclats de rire, les honneurs qui l'attendent encore, comme la cravate de Commandeur de la Légion d'Honneur, la célébration de son centenaire, l'émission de télévision réalisée par Arnaud Desjardins quelques semaines avant sa mort[1].

Car le temps est venu où Alexandra doit mener le seul combat dont elle ne peut sortir victorieuse. À la fin du mois d'août 1969, elle annonce qu'elle va mourir : elle le sent, elle le sait... Et l'agonie commence peu après, une

---

1. En avril 1969, A. David-Néel avait aussi donné son accord pour l'adaptation radiophonique de *Mystiques et magiciens du Tibet* et de *Magie d'amour et magie noire*, Archives Nationales, 454 AP 105.

longue agonie de dix-sept jours et de dix-huit nuits. Alexandra David-Néel expire le 8 septembre 1969, dans sa cent unième année.

Quatre ans plus tard, le 28 février 1973, Marie-Madeleine Peyronnet procédera à l'immersion des cendres de l'orientaliste et de celles de Yongden dans les eaux du Gange, à Bénarès. La cérémonie a lieu sous les auspices de la Mahâ-Bodhi Society à laquelle Alexandra était fidèle. Depuis cette date, Marie-Madeleine Peyronnet consacre sa vie à promouvoir l'œuvre de l'exploratrice et à faire connaître Samten Dzong, devenu musée.

« Écrivain-Explorateur »[1]

Deux passions indissolublement liées habitaient celle qui fut surnommée « la femme aux semelles de vent » : l'écriture et les voyages, eux-mêmes placés au service de l'étude. Si Madame David-Néel voyage, c'est pour étudier. Si Madame David-Néel écrit, c'est pour transmettre ce qu'elle a appris...

Cette nomade viscéralement éprise d'Orient lutta toute sa vie pour obtenir ce qu'elle voulait, pour atteindre les buts qu'elle s'assignait, pour rester libre de ses choix dont les plus importants furent ceux de l'indépendance et du bouddhisme, choix ô combien singuliers à l'époque où elle les fit. Elle comprit très vite que l'information n'était pas en Occident, qu'il fallait aller la chercher aux sources des croyances, là-bas aux quatre coins de l'Asie. Les longs voyages évoqués dans ce livre représentent les meilleures périodes de sa vie, si ce n'est sa quintessence. Rencontrer les détenteurs de la connaissance, apprendre auprès d'eux une sagesse qu'elle recherchait depuis sa jeunesse, transmettre à l'Occident la part autorisée des enseignements reçus. Pour y parvenir, Alexandra pratiqua la seule méthode qui lui convenait : celle de l'individualisme, celle du chercheur isolé travaillant pour son propre compte, celle du

---

1. Mention figurant sur la médaille réalisée à l'effigie d'A. David-Néel.

470

marginal autodidacte. Forcément semée d'embûches, cette voie est aussi celle des grands orgueilleux qui se croient, ou se savent, au-dessus de la mêlée.

L'orgueil ! Associé à l'égoïsme, voilà le trait de caractère que l'on a le plus reproché à Alexandra : « un océan d'orgueil », « un Himalaya de despotisme » a dit Marie-Madeleine Peyronnet qui pourtant lui voue une admiration sans bornes. C'est qu'Alexandra David-Néel fait partie de ces êtres de démesure qui ne laissent pas indifférent. Certains l'adorent ; d'autres l'exècrent. Les premiers la placent sur un piédestal ; les seconds la vouent aux gémonies. Certains l'ont dénigrée jusqu'à la calomnie en lui prêtant une imagination de mythomane : ils ont mis en doute son voyage à Lhassa. Certains missionnaires catholiques furent particulièrement virulents. Sans doute lui en voulaient-ils d'avoir quitté le christianisme pour une philosophie athée qui allait à l'encontre de leur propre apostolat, et d'avoir réussi à pénétrer dans un pays où eux-mêmes n'avaient pas été autorisés à porter la parole du Christ.

Ses détracteurs ont aussi souligné sa dureté, voire sa violence. Comment aurait-elle pu réussir de si périlleux voyages sans ces traits de caractère ? Et qui peut se permettre de juger de manière péremptoire une personne aussi secrète que l'était Madame David-Néel sur ses sentiments profonds ? Deux correspondances inédites et quelques lettres éparses transmises depuis peu aux archives de la Maison A. David-Néel[1] révèlent une sensibilité envers ses proches que l'on ne pouvait soupçonner jusque-là, tant l'exploratrice resta discrète sur sa vie intime. Les lettres à son mari n'étaient pas destinées à la publication mais à servir de « journal de voyage ». Or les

---

1. Lettres d'Alexandra au Professeur d'Arsonval ; lettres à Mrs et M. Llyod ; lettres à la famille Panquin.

dispositions qu'elle prit envers sa mère veuve lors de son grand départ en 1911 ; la lettre pleine de sollicitude qu'elle lui adressa en 1914 (nous y avons fait allusion) ; le souci quasi obsessionnel qu'elle avait de l'entretien de la tombe paternelle ; les mots de compassion qu'elle adressait à la famille Panquin quand l'un ou l'autre de ses membres était souffrant ou décédait ; la détresse qu'elle ressentit après la mort de Yongden qu'elle aima à sa façon ; l'inquiétude qu'elle manifesta durant les deux guerres sachant son mari fragile et vieillissant ; les liens qu'elle entretint jusqu'à la fin de sa vie avec sa famille belge, sont autant de témoignages de cette Alexandra secrète.

Pour notre part nous formulons un seul reproche à son encontre, un reproche objectif concernant ses écrits : un manque de rigueur, et par-là même l'imprécision de certains textes (variantes orthographiques, références documentaires incomplètes ou trop rares...). Alexandra n'était pas une scientifique et n'a jamais prétendu l'être. Dans sa correspondance, elle avouait elle-même agir en « dilettante » et trouver une grande satisfaction dans sa tâche de « reporter-orientaliste ». L'orientalisme académique ne l'intéressait pas. Peut-on lui en vouloir ? Ses défauts ont été si souvent évoqués que l'on oublie injustement ses qualités. Celles-ci n'en sont pourtant que le pendant : une force intérieure iné-branlable, une loyauté et une fidélité sans failles, une immense intelligence, une grandeur d'âme remarqua-ble, une intégrité totale. De telles qualités font l'étoffe des héros !

Malgré son monolithisme apparent, Alexandra ne fut pas sans faiblesses... Heureusement d'ailleurs, elle n'en est que plus humaine. Comment, en effet, appeler autre-ment les attitudes contradictoires qui jalonnent sa vie ? Passionnée d'études, elle refuse de se soumettre à la sanction des examens et de se plier à la rigueur de la formation universitaire qui lui auraient pourtant assuré la reconnaissance de ses pairs. Féministe convaincue et militante, elle accepte le mariage. Mariée, elle ne supporte son époux qu'à des milliers de kilomètres de distance. Opposée à la maternité et aux contraintes d'une charge familiale, elle finit par adopter celui qui l'aida dans ses pérégrinations. Rationnelle et d'une lucidité à toute épreuve, elle ne renie jamais son goût pour les phénomènes occultes et les manifestations étranges. Rebelle et anarchiste, elle accepte les honneurs avec un plaisir certain. Admise à sa demande comme disciple d'un ermite contemplatif du Haut-Sikkim, elle ne va pas jusqu'au terme de la retraite de trois ans, trois mois et trois jours qu'impose un cycle complet de formation. Imprégnée et passionnée par l'Asie, elle revient finir ses jours en Europe. Critique à l'égard de tous les rites et de tous les cultes, elle demande l'immersion de ses cendres et de celles de Yongden dans les eaux sacrées du Gange... ou à défaut en pleine mer si la démarche s'avère trop compliquée. Faiblesses... ou héritage complexe de ces agrégats qui, selon les bouddhistes, composent tout être humain ? « Des forces agissantes transmises par nos ancêtres habitent en nous, s'y sont réincarnées »[1], écrit-elle, comme pour répondre à la question.

Mais ces attitudes paradoxales n'ont jamais empêché la stupéfiante fidélité à elle-même qui marque son très long cheminement, fidélité même à ses engagements précoces de fillette : « Ma résolution était prise... comme eux, et mieux encore si possible, je voyagerais. » Or que fut sa vie sinon un voyage permanent à travers les contrées les plus éloignées comme les plus proches, à travers les religions et les croyances de tous bords, à

---

1. A. David-Néel, *Immortalité et Réincarnation*.

travers le labyrinthe complexe des philosophies orientales qu'elle réussit à pénétrer, à assimiler grâce à un engagement personnel jamais remis en question, puis à transmettre sous la forme d'une brillante vulgarisation ? Voyage intérieur enfin, qui la mena jusqu'au plus profond d'elle-même : le détachement qu'elle éprouva dès son enfance pour les choses futiles de l'existence, la volonté qu'elle manifesta dès ses plus jeunes années de ne se laisser guider que par elle-même, se trouvaient justifiés, encouragés même dans la voie philosophique qu'elle avait choisie. Alexandra sut s'orienter vers l'école spirituelle qui lui correspondait, tout comme elle sut pleinement « vivre sa vie ». N'est-ce pas le premier et ultime devoir recommandé par les Orientaux ? L'accomplissement de soi, là est la grande affaire, là fut toute la vie d'Alexandra. Égoïsme, disent les Occidentaux, noblesse et devoir sacré, répondent les Indiens. On a montré que les voyages de l'exploratrice s'inscrivaient tous dans un long pèlerinage. Ils furent donc actes mystiques, dans la ligne de la vocation qu'elle s'était découverte dès l'enfance, celle d'écrivain-explorateur !

« Écrivain – Explorateur », telles sont en effet les mentions qui figurent sur la médaille à son effigie réalisée quelque temps avant sa mort. Écrivain certes, et d'abord écrivain puisqu'elle publia une série impressionnante de livres et d'articles. Mais « explorateur » ? Alexandra David-Néel fut-elle vraiment « explorateur » ? Il est troublant de constater que, jusqu'à une date récente, elle ne figurait pas dans les ouvrages consacrés à l'histoire des explorations. Ainsi, la très remarquable *Histoire Universelle des Explorateurs*, publiée en 1957 sous la direction de L.H. Parias[1] mentionne tous les grands

---

1. L.H. Parias (sous la direction de) : *Histoire Universelle des Explorations*, tome 4 : *Époque contemporaine*, Nouvelle Librairie de France, 1957.

noms de l'exploration de l'Asie... sauf le sien ! Or, bien davantage que les Pères Huc et Gabet elle a œuvré pour la connaissance du Tibet, en recueillant d'innombrables informations sur les populations, les croyances et les mœurs, auxquelles s'ajoute un apport tout à fait original sur les enseignements secrets qu'elle avait elle-même reçus. Aucun explorateur n'avait jamais abordé cette question, par définition inaccessible aux étrangers. Grâce à son engagement personnel dans le bouddhisme, Alexandra eut connaissance de ces enseignements très particuliers, transmis exclusivement de Maître à disciple, répétons-le, à une époque où les contacts avec des Maîtres locaux étaient des plus rares. La traversée du Po med, inconnu alors des Occidentaux et non encore cartographié, fut aussi un réel parcours de découverte. Alexandra David-Néel appartient donc sans ambiguïté à ce groupe d'individus nommés « explorateurs », gens courageux, animés par la curiosité, l'esprit d'aventure et le goût de l'inconnu.

Il est vrai qu'elle circula pour son propre compte et qu'elle ne fit pas partie des « explorateurs-scientifiques » en vogue au début du siècle, c'est-à-dire ceux qui étaient reconnus comme tels, patronnés par des sociétés savantes ou des ministères, envoyés officiellement sur le terrain et souvent dotés de gros moyens, tels Nikolaï Prjevalsky Sven Hedin, Paul Pelliot et bien d'autres. Mais tous les explorateurs n'appartiennent pas à cette catégorie favorisée, loin s'en faut ! Alors ? Le titre d'explorateur était-il réservé aux seuls messieurs ? En effet, lorsque des femmes partaient à la découverte des contrées inconnues, ces mêmes messieurs les désignaient comme « aventurières » plutôt que comme « exploratrices » ! Ainsi furent qualifiées ces dames héroïques de la fin du XIXe et du début du XXe siècle dont les exploits égalèrent pourtant ceux de bien des hommes considérés comme des explorateurs. Citons Gertrude Bell qui explora les déserts du Moyen-Orient et de l'Arabie ; Isabelle Bird qui redécouvrit les Monts de Diamant en Corée ; Ida Pfeiffer qui s'enfonça dans l'île de Bornéo à la recherche des Dayaks coupeurs de tête ; l'Américaine May French Shelton qui dirigea avec succès une expédition de plus de cent hommes en plein cœur de l'Afrique, et se fit admettre par les féroces guerriers Masaïs ; Fanny Bullock Workman dont la qualité des relevés topographiques en Himalaya égalait celle de ses collègues masculins. Les récits de ces dames, leurs compte-rendus d'expéditions représentent un apport documentaire trop souvent oublié aujourd'hui. Même Alexandra, à la renommée pourtant indiscutable après son exploit, a souffert de cet ostracisme qui faisait ignorer ou minimiser les participations féminines à la grande aventure des explorations.

Et pourtant, qui trouve-t-on parmi les fondateurs du célèbre « Club Français des Explorateurs » ? Ella Maillart[1] et... Alexandra David-Néel ! Les membres éminents de la Société de Géographie de Paris surent d'ailleurs reconnaître les mérites de notre héroïne en lui décernant deux prix : le prix Jean-Baptiste Morot en 1928 pour son voyage au Tibet, et le prix Duchesne-Fournier en 1929 pour son ouvrage *Voyage d'une Parisienne à Lhassa*, puis la médaille Dupleix en 1934.

Alors que ses livres ne cessèrent d'être réédités, il fallut attendre la fin du XXᵉ siècle pour que la place de la dame lama soit enfin reconnue parmi ceux que l'on admire pour leur hardiesse, leur courage, leur curiosité insatiable de la planète et la part de rêve qu'ils surent partager avec leurs lecteurs ou leurs publics. « Le plus grand explorateur de notre siècle est une femme : c'est Alexandra David-Néel », affirma Bertrand Flornoy,

---

1. C'est Ella Maillart elle-même qui avait eu l'amabilité de me communiquer cette information.

l'explorateur de l'Amazone lors d'une émission radio-phonique. Une série philatélique émise en 2000 pour célébrer les « grands aventuriers français » confirma le rang de la dame lama dans le monde de l'exploration. Une seule femme figurait parmi les six héros retenus pour cet hommage : Alexandra David-Néel. À ses côtés : le navigateur Éric Tabarly, le volcanologue Haroun Tazieff, l'explorateur des régions polaires Paul-Émile Victor, le cinéaste marin Jacques-Yves Cousteau et le spéléologue Norbert Casteret.

Alexandra David-Néel laisse une œuvre volumineuse et originale, complétée par une superbe correspon-dance. Comment dire l'enthousiasme des lecteurs lorsqu'ils se trouvent entraînés dans les aventures de l'auteur, dans celles des personnages croisés au long des pistes, ou celles des héros romanesques toujours ins-pirés par des modèles réels ? Le vécu, le sens de l'obser-vation, le génie du détail insolite et le sens du rythme, donnent à tous les livres de l'exploratrice une intensité rarement égalée. À l'heure où la tradition tibétaine se trouve dramatiquement menacée par le poids croissant de la présence chinoise, le témoignage d'Alexandra David-Néel se révèle précieux : elle fait partie des rares Occidentaux qui ont connu au plus près le Tibet authen-tique, celui des traditions séculaires et des légendes populaires. Mieux qu'aucun autre écrivain-orientaliste de son temps elle a su faire partager son admiration pour le Pays des Neiges et susciter un enthousiasme sans précédent pour cette contrée au nom de rêve. Les deux visites de Sa Sainteté le XIVᵉ dalaï Lama à Samten Dzong (en 1982 lors de son premier voyage en Europe, puis en 1986) montrent la valeur que le chef spirituel des bouddhistes accorde à cette œuvre toujours admi-rée, aussi bien qu'à son auteur. N'est-ce pas le plus bel hommage que pouvait espérer celle qui fut la première Occidentale à rencontrer un dalaï-lama ?

Alexandra David-Néel a disparu en 1969, mais la « Lampe de Sagesse » continue à briller au travers des milliers de pages qu'elle sut écrire avec tant de réussite. Aucun de ses ouvrages n'a vieilli, comme si chacun était conçu à l'épreuve du temps, comme si chacun était appelé à transmettre de génération en génération le souffle de l'expérience humaine dont ils sont issus. Ses livres ne sont pas des ouvrages scientifiques, austères et sans âme. Tous, même les exposés philosophiques ou ethnographiques, portent en eux la flamme du regard de l'auteur sur l'humanité et le cosmos. Or les yeux d'Alexandra David-Néel possédaient l'éclat particulier de ceux qui ont longuement cheminé dans la « voie intérieure »...

La maison d'Alexandra David-Néel : Samten Dzong, lieu de mémoire et joyau culturel

Vécue avec une intensité de tous les instants pendant une décennie, la cohabitation entre la vieille exploratrice de 90 ans et sa collaboratrice de 60 ans plus jeune ne pouvait que laisser des traces après le décès de la maîtresse des lieux, le 8 septembre 1969. C'est que la vie à Samten Dzong ne manquait pas de fantaisie ! Hormis ses travaux d'écriture et l'abondant courrier auquel elle s'efforçait de répondre[1], la tibétologue recevait des visiteurs de qualité : hautes personnalités comme la reine Élisabeth de Belgique, écrivains comme Lawrence Durrell, explorateurs comme Bertrand Flornoy, hommes politiques comme Christian Fouchet, journalistes, mais aussi des illuminés et des farfelus inconnus.

Au retour de l'incinération de l'orientaliste, Marie-Madeleine alors âgée de 39 ans découvre la solitude à Samten-Dzong. Tout lui rappelle Madame Néel, sa personnalité insupportable mais lumineuse, cinglante mais drôle, égoïste mais intègre, coléreuse mais loyale,

---

1. Dans son livre, Marie-Madeleine Peyronnet, *op. cit.*, donne des exemples des courriers reçus par l'exploratrice.

cabotine mais d'une infinie sagesse et... toujours prête à repartir en voyage. Le silence remplace les appels à coups de sonnette, les ordres à coups de canne dans le plancher, les dialogues et les rires, les récits de voyages et les visites d'admirateurs. L'absence est insupportable. Il faut exorciser la douleur : ce sera *Dix ans avec Alexandra David-Néel*, écrit en deux semaines[1] !

Marie-Madeleine ne quitte pas la maison car Alexandra avait pris soin de lui laisser la jouissance des lieux, par voie testamentaire. Elle est désormais chez elle à Samten Dzong. La ville de Digne, légataire universelle désignée par l'exploratrice[2], touchera les droits d'auteur. Reste l'héritage intellectuel d'Alexandra, que sa dernière collaboratrice est alors seule à connaître.

En 1969, si les ouvrages de l'exploratrice étaient appréciés, leur diffusion ne dépassait guère le cercle encore restreint des passionnés de philosophies orientales ou de récits d'aventures. Riche de plus de vingt livres et d'innombrables articles, l'œuvre de l'orientaliste restait inachevée. En effet, dix-huit jours avant sa mort, Alexandra reconnaissait avoir été « paresseuse », ajoutant qu'elle aurait eu encore deux livres à écrire à partir des lettres à son mari, son « journal de voyage » ! Avec un profond respect, Marie-Madeleine osa alors lui demander l'autorisation de consulter ce courrier. En confiance la vieille dame acquiesça, lui demandant simplement d'en faire « le meilleur usage »[3]... Il fallut dix-huit mois à la secrétaire encore bouleversée pour compiler les trois valises de cette correspondance qui se révéla d'une qualité exceptionnelle. « La femme que j'avais connue dans ses dernières années toute de

1. Entretien avec Marc de Smet. *Voyages et aventures de l'esprit*, 1985, p. 13.
2. Archives Nationales. Dossier 454 AP 105.
3. Avant-propos du *Journal de voyage – Lettres à son mari*.

rigueur, de despotisme et d'autoritarisme, prenait à cette lecture, une nouvelle dimension. [...] Ses angoisses et ses désespoirs s'étalaient avec une franchise surprenante »[1], écrit M.-M. Peyronnet. Ce courrier paraît d'autant plus précieux qu'Alexandra avait refusé d'écrire son autobiographie, genre littéraire qu'elle désapprouvait car trop subjectif. Ses livres n'évoquent jamais sa vie privée car c'est à Philippe qu'elle réservait ses impressions, ses enthousiasmes, ses déceptions, ses critiques, ses éloges, ses projets et ses demandes d'argent... On a vu que Philippe avait eu l'immense mérite de garder son courrier et de le lui restituer à son retour.

Après avoir recueilli plusieurs avis confirmant la qualité des lettres, Marie-Madeleine décida de se battre pour promouvoir l'œuvre de l'orientaliste et la diffuser auprès d'un public plus large. Dès 1970, elle fit rééditer les premiers ouvrages de l'exploratrice sous le titre *En Chine : L'amour universel et l'individualisme intégral. Les maîtres Mo-Tsé et Yang-Tchou*. La tâche suivante fut de faire connaître la correspondance : la première édition du *Journal de voyage. Lettres à son mari* connut un succès immédiat (1975-1976). Marie-Madeleine continuait à travailler pour l'exploratrice. Elle vouerait la suite de son existence à défendre sa mémoire et à diffuser son œuvre. Ainsi la mort ne la séparait pas de celle qu'elle avait tant admirée.

En plus de l'œuvre littéraire, la maison d'Alexandra, avec son oratoire tibétain (alors unique en France), ses bibliothèques, ses objets ramenés d'Asie et surtout du Tibet encore si mal connu, représentait une richesse patrimoniale tout à fait originale. Par testament, Alexandra en avait légué une partie aux organismes qui

---

1. Avant-propos du *Journal de voyage – Lettres à son mari*.

lui étaient chers (Musée Guimet, Musée de l'Homme, etc.), mais d'innombrables souvenirs de voyages restaient entassés pêle-mêle dans les malles : équipements de voyages (tentes, sacoches, bottes, gamelles, appareils photographiques...), papiers personnels (passeports, notes, cartes...). Cet héritage insolite témoignait du quotidien d'une exploratrice et de ses pérégrinations en Asie, en particulier sur ce Toit du monde qui faisait rêver... Marie-Madeleine était persuadée de son intérêt remarquable. Encore fallait-il en convaincre les autorités.

À Digne, Madame Néel passait surtout pour une originale. Mais qui la connaissait vraiment ? Sa dernière collaboratrice se battit alors avec acharnement contre l'indifférence. Elle multiplia les démarches en faisant résonner maintes fois son verbe fort dans les bureaux des administrations locales : il fallait créer une structure officielle qui permettrait de valoriser l'œuvre, le personnage et la maison de l'exploratrice. L'opiniâtreté paya : la « Fondation Alexandra David-Néel » vit enfin le jour le 31 juillet 1977[1], et Samten Dzong devint un musée[2]. Puis un bâtiment neuf fut construit dans la propriété pour loger Marie-Madeleine qui fut intégrée au personnel municipal de la ville de Digne-les-Bains.

Dès la première année, Frank Tréguier vint seconder la dernière secrétaire d'Alexandra. Multipliant ses compétences au fil des années et passionné de photographie, il restaura en particulier la collection de photographies de l'exploratrice, exposées aujourd'hui dans une salle de Samten Dzong. Il succéda à Marie-Madeleine à la tête de la structure en 1995, année où la fondatrice fut mise à la retraite. Bien que n'occupant

---

1. Maison Alexandra David-Néel, 27, avenue du Maréchal Juin, 04000 DIGNE-LES-BAINS, France.
2. Voir le site Internet www.alexandra-david-neel.org

plus de fonction officielle, la dernière collaboratrice de Madame Néel reste l'âme vive de cet organisme qu'elle a fait émerger avec tant de cœur et d'énergie. Les visiteurs qui ont eu la chance de la rencontrer lors d'une visite du musée savent combien sa présence chaleureuse ajoute à « l'esprit du lieu » où résonne encore la personnalité exceptionnelle de l'exploratrice du Tibet.

Toute bonne librairie présente plusieurs titres d'Alexandra David-Néel. L'exploratrice est plus célèbre aujourd'hui qu'elle ne le fut de son vivant ; son nom est même devenu une sorte de symbole pour les amoureux du Tibet et les voyageurs qui ont la chance de s'y rendre. Si sa renommée tient à la qualité de son œuvre écrite, à sa plume alerte, à la profondeur de l'expérience qu'elle rapporte, à son témoignage sur l'Inde et le Tibet, Madame David-Néel bénéficierait-elle d'une si belle renommée sans Marie-Madeleine Peyronnet ? Par son action depuis 1969, par le suivi éditorial des livres, par la création de la Fondation, l'animation des visites du musée, ses conférences et moult activités autour du personnage de l'orientaliste, Marie-Madeleine Peyronnet fut le relais indispensable entre l'orientaliste et le grand public.

Les objectifs de la Fondation devenue « Maison A. David-Néel » sont multiples : diffusion de l'œuvre de l'exploratrice ; mise à disposition de documents d'archives pour les chercheurs : gestion du fonds photographique ; aide à la connaissance de la tradition des bouddhistes tibétains dans le cadre de « journées » annuelles (organisées en automne, avec enseignements donnés par des maîtres tibétains) ; aide à différentes œuvres tibétaines par l'intermédiaire de dons. Une visite commentée du musée installé dans l'ancienne maison d'A. David-Néel est proposée tous les jours de l'année, conjuguée avec celle d'une exposition permanente d'œuvres d'art tibétain et de photographies sur le Tibet ancien (collection A. David-Néel) et contemporain (collection Frank Tréguier). Enfin, une petite boutique d'artisanat tibétain propose objets et livres divers (œuvres d'A. David-Néel, ouvrages sur le monde tibétain ou bouddhiste, etc.).

Hormis les expositions évoquées ci-dessus, un site Internet et un cédérom complètent la documentation accessible au public[1]. DVD, reportages, livres et articles sont régulièrement consacrés à l'exploratrice, ainsi cette pochette de deux CD audio proposant une série d'entretiens avec l'exploratrice, enregistrés en 1957[2]. Deux émissions radiophoniques furent encore réalisées en juin 2011 avec la participation de Marie-Madeleine Peyronnet[3].

L'indomptable exploratrice continue à inspirer voyageurs[4], auteurs de théâtre et cinéastes. La pièce de Pierrette Dupoyet, *Alexandra David-Néel, pour la vie…*, connut un vif succès au festival d'Avignon en 2003 ; celle de Michel Lengliney, *Alexandra David-Néel, mon Tibet*, fut accueillie chaleureusement par les critiques et le public en 2011[5]). Un film réalisé par Joël Farges, avec

---

1. Cédérom : M.M. Peyronnet, F. Tréguier, V. et D. Ohl : *Alexandra David-Néel, La femme aux semelles de vent*, Conception et réalisation Kyklos et Séquentielle, Production Fondation A. David-Néel.
Site Internet : http://www.alexandra-david-neel.org
2. 2 CD-audio : *Entretiens avec Alexandra David-Néel. Tibet, Inde, Chine*. Radio Suisse Romande et Éditions ZOE.
3. France Inter. Émission *Partir avec…* de Gwenaëlle Abolivier. 22 juin et 29 juin 2011.
4. Comme Priscilla Telmon, voyageuse professionnelle et auteur de DVD sur ses périples.
5. La pièce de Michel Lengliney, mise en scène par Didier Long, était jouée par Hélène Vincent dans le rôle d'Alexandra, et Emilie Dequenne dans celui de Marie-Madeleine Peyronnet.

Dominique Blanc dans le rôle principal, sortira à la fin de l'automne 2011.

La reconnaissance au niveau national de ce lieu vivant, nourri d'une mémoire hors du commun, s'est amplifiée au cours des dernières années. En plus de son inscription au Patrimoine des Monuments Historiques, la maison d'Alexandra David-Néel a été intégrée parmi les « Maisons d'écrivains ». Elle vient par ailleurs de recevoir le récent label « Maison des Illustres » (2011).

Les responsables de Samten Dzong souhaitent maintenant élargir le rôle culturel du lieu en faisant mieux connaître la culture tibétaine et ses artistes contemporains, projets qu'Alexandra David-Néel aurait sans doute approuvés...

Bibliographie

Les livres d'Alexandra David-Néel

Livres (classés par ordre chronologique) :

1898 : *Pour la Vie*. Bruxelles, Belgique, Bibliothèque des Temps Nouveaux. Réédition dans *En Chine*, Plon, 1970. Rééd. avec d'autres textes libertaires en 1998 et 2003 (Éditions Les nuits rouges). 1898.

1907 : *Le Philosophe Meh-ti (ou Mo-tse) et l'Idée de solidarité*. Londres, Luzac et Cie. Rééd. sous le titre *Socialisme chinois, Meh-Ti et l'idée de solidarité*. Giard et Brière. Rééd. dans *En Chine*, Plon, 1970.

1909 : *Les Théories individualistes dans la philosophie chinoise*. Giard et Brière. Rééd. dans *En Chine*. Paris, Plon, 1970.

1911 : *Le Modernisme bouddhiste et le Bouddhisme du Bouddha*. Alcan. Rééd. sous le titre *Le Bouddhisme du Bouddha*. Paris, Éditions du Rocher, 1977.

1925 : *Souvenirs d'une Parisienne au Thibet*. Pékin. Sans indication d'éditeur, (épuisé).

1927 : *Voyage d'une Parisienne à Lhassa, à pied et en mendiant de la Chine à l'Inde à travers le Tibet*. Plon.

1929 : *Mystiques et magiciens du Thibet*. Plon.

1930 : *Initiations lamaïques. Des théories – des pratiques – des hommes*. Paris, Adyar.

1931 : *La vie surhumaine de Guésar de Ling le héros thibétain, racontée par les bardes de son pays*. Avec la collaboration du

487

lama Yongden. Ed. Adyar. Rééd. sous le titre *La Vie surhumaine de Guésar de Ling*. Éditions du Rocher, 1978.

1933 : *Au pays des brigands gentilshommes. Grand Tibet*. Plon.

1935 : *Le Lama aux cinq sagesses – Roman tibétain*. (par lama Yongden et A. David-Néel). Plon.

1936 : *Le Bouddhisme – Ses doctrines et ses méthodes*. Plon. Rééd. Éditions du Rocher, Monaco.

1938 : *Magie d'amour et magie noire. Scènes du Tibet inconnu*. Plon.

1940 : *Sous des nuées d'orage*. Plon.

1947 : *À l'Ouest barbare de la vaste Chine*. Plon.

1949 : *Au cœur des Himalayas. Le Népal*. Bruxelles, Dessart. Rééd. Pygmalion.

1951 : *L'Inde. Hier – aujourd'hui – demain*. Plon. Traductions. Rééd. augmentée sous le titre *L'inde où j'ai vécu* (voir plus loin, 1969).

1951 : *Astavakra Gîtâ. Discours sur le Vedânta advaïta* (traduit du sanscrit). Ed. Adyar. Rééd. avec *Avadhuta Gîtâ*. Éditions du Rocher (voir 1958).

1951 : *Les Enseignements secrets des bouddhistes tibétains. La vue pénétrante*. Paris, Adyar. Traductions. Rééd. (édition revue et augmentée).

1952 : *Textes Tibétains inédits*, traduits et présentés par Alexandra David-Néel. La Colombe. Rééd. Pygmalion/ Gérard Watelet.

1953 : *Le Vieux Tibet face à la Chine nouvelle*. Plon.

1954 : *La puissance du néant* (par lama Yongden, préface d'Alexandra David-Néel). Plon.

1958 : *La Connaissance transcendante d'après le texte et les commentaires tibétains*. Ed. Adyar.

1958 : *Avadhuta Gîtâ de Dattatraya. Poème mystique Vedânta advaïta*. Ed. Adyar. Rééd. avec *Astavakra Gîtâ*. Paris, Éditions du Rocher.

1960 : *Le Bouddhisme du Bouddha, ses doctrines, ses méthodes et ses développements mahâyânistes et tantriques au Tibet*. Plon. Rééd. Éditions du Rocher.

1961 : *Immortalité et réincarnation. Doctrines et pratiques. Chine-Tibet-Inde*. Plon. Rééd. Éditions du Rocher.

1964 : *Quarante siècles d'expansion chinoise.* Genève et Paris, La Palatine (épuisé).

1969 : *L'Inde où j'ai vécu. Avant et après l'Indépendance.* Édition augmentée de *L'Inde. Hier – aujourd'hui – demain.* Plon.

Ouvrages posthumes, publiés par les soins
de Marie-Madeleine Peyronnet :

1970 : *En Chine – L'amour universel et l'individualisme intégral. Les Maîtres Mo-Tsé et Yang-Tchou.* Plon.

1972 : *Le Sortilège du mystère – Faits étranges et gens bizarres rencontrés au long de mes routes d'Orient et d'Occident.* Plon.

1975 : *Journal de voyage – Lettres à son mari (11 août 1904-27 décembre 1917).* Paris, Plon. Rééd.

1975 : *Vivre au Tibet – Cuisine, Traditions et Images.* Morel éditeurs. Réédité sous le titre *Gargantua au pays des neiges.* Éditions Dharma, 1993.

1976 : *Journal de voyage – Lettres à son mari (14 janvier 1918-3 décembre 1940).* Plon.

1986 : *La Lampe de Sagesse.* Ed. Le Rocher Jean-Paul Bertrand Éditeur.

1990 : *Sodétchen l'invisible, Conte tibétain.* Illustrations de M. Mille. Digne, Fondation Alexandra David-Néel.

1998 : *Pour la vie et autres textes libertaires inédits 1895-1907.* Éditions Les nuits rouges.

2000 : *Le féminisme rationnel.* Éditions Les nuits rouges.

2000 : *Correspondance avec son mari. Édition intégrale 1904-1941.* Plon.

2003 : *Féministe et libertaire.* Éditions Les nuits rouges.

2004 : *Dieux et démons des solitudes tibétaines (Mystiques et magiciens du Tibet. Le lama aux cinq sagesses. Magie d'amour et magie noir. La puissance du néant).* Plon.

A. David-Néel a écrit aussi de nombreux articles en français ou en anglais *(voir les biographies de Joëlle Désiré-Marchand, 1996 et 2009).*

Index des noms propres

Les noms géographiques sont indiqués en caractères gras.

Les noms des principaux personnages sont suivis de leurs dates de naissance et de décès.

501

Table

Première partie
*La réalisation tardive
d'une vocation d'exploratrice :
Alexandra David-Néel
De 1868 à 1911*